SEGREDOS

Nora Roberts

A Pousada do Fim do Rio
O Testamento
Traições Legítimas
Três Destinos
Lua de Sangue
Doce Vingança

Trilogia do Sonho

Um Sonho de Amor
Um Sonho de Vida
Um Sonho de Esperança

Trilogia do Coração

Diamantes do Sol
Lágrimas da Lua
Coração do Mar

Trilogia da Magia

Dançando no Ar
Entre o Céu e a Terra
Enfrentando o Fogo

J. D. ROBB

Nudez Mortal
Glória Mortal
Eternidade Mortal
Êxtase Mortal

Nora Roberts

Segredos

2ª EDIÇÃO

Tradução
A. B. Pinheiro de Lemos

BERTRAND BRASIL

Título original: *Public Secrets*

Capa: Leonardo Carvalho

Editoração: DFL

2005
Impresso no Brasil
Printed in Brazil

CIP-Brasil. Catalogação-na-fonte
Sindicato Nacional dos Editores de Livros, RJ.

R549s
2ª ed.

Roberts, Nora, 1950-
Segredos / Nora Roberts; tradução A. B. Pinheiro de Lemos. – 2ª ed. – Rio de Janeiro: Bertrand Brasil, 2005.
630p.

Tradução de: Public secrets
ISBN 85-286-1146-9

1. Romance norte-americano. I. Lemos, A. B. Pinheiro de (Alfredo Barcelos Pinheiro de), 1938-. II. Título.

CDD – 813
CDU – 821.111(73)-3

05-2591

EDITORA BERTRAND BRASIL LTDA.
Rua Argentina, 171 – 1º andar – São Cristóvão
20921-380 – Rio de Janeiro – RJ
Tel.: (0XX21) 2585-2070 – Fax: (0XX21) 2585-2087

Para meu primeiro herói,
meu pai

Prólogo

Los Angeles, 1990

Ela pisou no freio, batendo forte no meio-fio. O rádio continuou a tocar. Comprimiu as mãos contra a boca, a fim de reprimir uma risada histérica. Um estouro do passado, dissera o locutor. Um estouro do seu passado. A banda Devastation continuava a tocar.

De alguma forma, o cérebro funcionou para cuidar de pequenos problemas: desligar o motor, tirar a chave da ignição, abrir a porta. O corpo tremia todo no calor do final da tarde. Uma chuva que já havia passado e o aumento da temperatura faziam com que o vapor subisse do chão. Ela saiu correndo. Frenética, olhava para a esquerda, para a direita, para trás.

O escuro... Quase esquecera as coisas que estavam escondidas no escuro.

O nível de barulho aumentava, enquanto ela abria as portas. As luzes fluorescentes deixaram-na ofuscada. Continuou a correr, sabendo apenas que alguém, qualquer pessoa, tinha de ouvi-la.

Disparou pelo corredor, o coração batendo alto, como um tambor repicando. Uma dúzia ou mais de telefones tocava ao mesmo tempo; vozes se fundiam e confundiam em queixas, gritos, indagações. Alguém reclamava, aos palavrões, a voz baixa, um fluxo contínuo. Ela viu as portas com placa de Homicídios. Reprimiu um soluço.

Ele estava arriado na cadeira, um pé em cima da mesa, sobre o risque-e-rabisque rasgado, um telefone espremido entre o ombro e a orelha. Uma xícara de plástico, com café, estava a meio caminho dos lábios.

— Por favor, ajude-me — balbuciou ela, escorregando na cadeira na frente da mesa. — Alguém está tentando me matar.

Capítulo Um

Londres, 1967

Emma tinha quase três anos na primeira vez em que se encontrou com o pai. Sabia como ele parecia porque a mãe tinha fotos dele, recortadas dos jornais e revistas, com o maior cuidado, e grudadas em todas as superfícies do apartamento de quarto e sala. Jane Palmer tinha o hábito de levar a filha, Emma, de uma foto para outra, nas paredes com manchas de infiltrações, por cima dos móveis escalavrados e cobertos de poeira, contando a história do amor glorioso que desabrochara entre ela e Brian McAvoy, o vocalista e líder de uma banda de rock de sucesso, a Devastation. Quanto mais Jane bebia, maior se tornava o amor.

Emma compreendia apenas fragmentos do que a mãe dizia. Sabia que o homem nas fotos era importante, que ele e sua banda haviam tocado para a rainha. Aprendera a reconhecer sua voz quando as canções saíam pelo rádio ou quando a mãe punha um dos 45s de sua coleção no toca-discos.

Emma gostava da voz do homem e do que saberia mais tarde que era sua ligeira cadência irlandesa.

Alguns vizinhos tinham pena da pobre menina lá em cima, com a mãe que não largava a garrafa de gim e tinha um temperamento explosivo. Havia ocasiões em que ouviam as imprecações estridentes de Jane e os soluços desesperados de Emma. As mulheres contraíam os lábios e trocavam olhares sugestivos enquanto batiam os tapetes ou penduravam a roupa lavada da semana.

Nos primeiros dias do verão de 1967, o verão do amor, elas sacudiam a cabeça ao ouvir os gritos da menina através da janela aberta do apartamento de Palmer. Quase todas concordavam que a jovem Jane Palmer não merecia uma criança com tanta ternura no rosto. Mas é verdade que só comentavam entre si. Ninguém, naquela parte de Londres, sonharia em denunciar os abusos às autoridades.

Emma, é claro, não compreendia o termo alcoolismo ou a expressão doença emocional. Mas, embora tivesse apenas três anos, já era uma especialista em avaliar o humor da mãe. Sabia os dias em que a mãe podia rir e abraçá-la, com o maior carinho, os dias em que a repreendia e batia. Quando o clima no apartamento se tornava opressivo demais, Emma pegava seu cachorro preto de pelúcia, a quem dera o nome de Charlie, rastejava para dentro do armário da cozinha, debaixo da pia, e se escondia ali, no escuro e na umidade, esperando passar a explosão de raiva da mãe.

Em alguns dias, porém, ela não era bastante rápida.

— Fique quieta, Emma!

Jane passava a escova pelos cabelos louros bem claros da filha. Rangendo os dentes, resistia ao impulso de bater com a escova no bumbum da menina. Não queria perder a calma logo naquele dia, tão importante.

— Vou fazer você bem bonita. Quer ficar bem bonita hoje, não é mesmo, Emma?

A menina não se importava tanto em ficar bonita, não quando as escovadelas da mãe machucavam tanto sua cabeça e o vestido rosa novo a arranhava de tão engomado. Ela continuou a se remexer no banco, enquanto Jane tentava prender os cachos revoltos com uma fita.

— Eu mandei ficar quieta!

Emma soltou um grito quando Jane comprimiu os dedos contra sua nuca, com toda força.

— Ninguém gosta de uma criança suja e desagradável.

Depois de respirar fundo duas vezes, Jane abrandou a pressão dos dedos. Não queria deixar marcas na menina. Ela a amava, de verdade, e as marcas pareceriam terríveis para Brian... se ele notasse.

Depois de levantá-la do banco, Jane manteve a mão firme no ombro da filha.

— Tire do rosto essa expressão de mau humor, menina.

Mas ela estava satisfeita com os resultados. Emma, com os cachos louros e os enormes olhos azuis, parecia uma princesinha mimada.

— Dê uma olhada. — As mãos gentis de novo, Jane virou a filha em direção ao espelho. — Não ficou bonita?

Os lábios de Emma espicharam numa cara de teimosia quando se contemplava no espelho todo manchado. A voz refletia o sotaque *cockney* da mãe, com um pequeno ceceio infantil:

— Coça muito.

— Uma dama precisa aceitar os incômodos quando quer que um homem a considere bonita.

O espartilho preto da própria Jane quase cortava a carne, no esforço para deixá-la mais esguia.

— Por quê?

— Porque faz parte da vida de uma mulher.

Jane virou-se para o espelho, examinando primeiro um lado, depois o outro. O vestido azul-escuro realçava suas curvas cheias, projetava ao máximo os seios generosos. Brian sempre gostara de seus seios, pensou ela, com um súbito impulso sexual.

Ninguém jamais se comparara a ele na cama, nem antes nem desde então. Havia uma fome imensa em Brian, uma ânsia incontrolável que ele escondia muito bem sob uma fachada fria e arrogante. Jane conhecia-o desde a infância. Fora seu amante, intermitente, por mais de dez anos. Ninguém sabia do que Brian era capaz quando alcançava um excitamento total.

Jane permitiu-se fantasiar, apenas por um momento, como seria quando ele lhe tirasse o vestido, quando os olhos dele vagueassem pelo seu corpo, quando os dedos esguios e compridos de músico soltassem os colchetes do seu espartilho rendado.

A união entre os dois fora sensacional, lembrou ela, enquanto sentia que ficava molhada lá embaixo. E voltaria a ser como antes.

Jane fez um esforço para se controlar. Pegou a escova e alisou os próprios cabelos. Gastara o último dinheiro da mercearia no cabeleireiro, pintando os cabelos, esticando-os até os ombros, para se tornarem da mesma cor que os cabelos de Emma. Ela virou a cabeça agora, observando os cabelos balançarem de um lado para outro. Depois de hoje, nunca mais teria de se preocupar com dinheiro.

Pintara os lábios com o maior cuidado, usando um batom rosa bem claro... a mesma tonalidade que vira na supermodelo Jane Asher, na capa de um número recente da *Vogue*. Nervosa, ela pegou o delineador e acrescentou mais definição aos cantos dos olhos.

Fascinada, Emma observava a mãe. Sentia hoje a fragrância da água-de-colônia Tigress em vez do cheiro de gim. Hesitante, Emma estendeu a mão para o batom. Levou um tapa na mão.

— Fique longe das minhas coisas! — Ela deu outro tapa na mão da filha. — Já não disse para você não pegar o que é meu?

Emma acenou com a cabeça. Tinha lágrimas nos olhos.

— E não comece com a choradeira. Não quero que ele a veja pela primeira vez com os olhos vermelhos e o rosto todo inchado. Ele já deveria ter chegado.

Havia um certo nervosismo na voz de Jane agora, o que levou Emma a se manter a distância, cautelosa.

— Se ele não aparecer logo...

A voz definhava, enquanto ela repassava suas opções e se avaliava no espelho.

Sempre fora grande, mas nunca chegara a ser gorda. É verdade que o vestido estava um pouco apertado, mas seu corpo pressionava o tecido nos pontos mais interessantes. As magricelas podiam estar em moda, mas ela sabia que os homens preferiam as mulheres mais cheias, com curvas sensuais, quando as luzes se apagavam. Vivia de seu corpo o tempo suficiente para ter certeza disso.

Sua confiança aumentava à medida que se avaliava. Fantasiou que parecia com as modelos de rosto pálido e ansioso, que estavam em moda em Londres. Não era bastante sensata para notar que a nova maquilagem não a favorecia, nem que os cabelos longos faziam com que o rosto parecesse quadrado e duro. Queria estar na moda. Sempre desejara.

— Provavelmente ele não acreditou em mim. Não queria. Os homens nunca querem reconhecer seus filhos.

Jane deu de ombros. Seu próprio pai jamais a quisera... até que os seios começaram a desabrochar.

— Lembre-se disso, Emma. — Ela lançou um olhar pensativo para a filha. — Os homens não querem ter bebês. Querem uma mulher apenas para uma coisa, e você vai descobrir em breve para quê. E depois que conseguem o que querem vão embora, deixando a mulher com a barriga enorme e o coração partido.

Jane pegou um cigarro e começou a fumar, em tragadas rápidas, enquanto andava de um lado para outro. Gostaria que fosse de maconha, a doce e tranqüilizadora maconha, mas gastara o dinheiro da droga com o vestido novo de Emma. Os sacrifícios que uma mãe fazia...

— Brian pode não querer você, mas bastará um olhar para ter certeza de que é mesmo sua filha.

Os olhos contraídos contra a fumaça, ela examinou a filha. Sentiu outra pressão, quase maternal. A criança era sem dúvida muito bonita, quando estava bem arrumada.

— Você é a cara de seu pai, Emma. Os jornais dizem que ele vai casar com aquela vagabunda da Wilson... dinheiro antigo e boas maneiras... mas vamos ver o que acontece. Ele voltará para mim. Sempre tive certeza de que voltaria.

Ela comprimiu o cigarro contra um cinzeiro lascado. Deixou-o ali, fumegando. Precisava mesmo de um trago... apenas uma dose de gim, para acalmar os nervos.

— Sente na cama, Emma. E fique quieta. Juro que vai se arrepender se mexer nas minhas coisas.

Jane já havia tomado duas doses quando ouviu a batida na porta. Como a maioria das pessoas que bebiam, sentia-se mais atraente e mais no controle quando ficava alta. Ajeitou os cabelos, fixou no rosto o que pensava ser um sorriso sensual e abriu a porta.

Ele era mesmo lindo. Por um momento, ao sol do verão, ela viu apenas Brian, alto e esguio, os cabelos louros ondulados, os lábios cheios, uma expressão compenetrada, o que lhe proporcionava a aparência de um profeta ou de um apóstolo. Na medida em que era capaz, Jane o amava.

— Foi muita gentileza sua ter vindo me ver, Brian. — O sorriso desvaneceu-se no instante seguinte, quando ela viu dois homens por trás. — Andando em bando hoje em dia, Bri?

Ele não estava nem um pouco a fim de brincadeiras. Sentia uma raiva intensa por estar sendo pressionado a ver Jane de novo, e atribuía a culpa a seu agente e sua noiva. E agora que estava ali tencionava sair o mais depressa possível.

— Deve estar lembrada de Johnno.

Brian entrou no apartamento. O cheiro de gim, de suor e da gordura do jantar da noite anterior fazia com que se lembrasse, contrafeito, de sua própria infância.

— Claro que lembro. — Jane acenou com a cabeça para o baixista, alto, magro e desengonçado. Ele usava um anel de diamante no dedo mínimo e exibia uma barba escura e bem cuidada. — Subimos de nível, não é mesmo, Johnno?

Ele correu os olhos pelo sórdido apartamento.

— Pouco.

— Este é Pete Page, nosso agente.

— Srta. Palmer...

Suave, na casa dos trinta anos, Pete ofereceu um sorriso de dentes brancos e a mão bem cuidada.

— Já ouvi falar a seu respeito. — Jane pôs a mão sobre a dele, a palma virada para baixo, um convite para que Pete a levasse aos lábios. Mas ele largou-a. — Transformou nossos garotos em astros.

— Abri algumas portas.

— Apresentação para a rainha, programas na televisão. Um novo álbum nas paradas de sucesso e uma excursão iminente pelos Estados Unidos.

Ela tornou a olhar para Brian. Seus cabelos desciam quase até os ombros. O rosto era delgado, pálido e sensível. Reproduções daquele rosto ornamentavam as paredes de adolescentes nos dois lados do Atlântico com o seu segundo álbum, *Complete Devastation*, projetando-se entre os mais vendidos.

— Conseguiu tudo que queria.

Brian não permitiria que ela o fizesse se sentir culpado por ter alcançado o sucesso.

— Isso mesmo.

— Alguns conseguem mais do que querem.

Jane jogou os cabelos compridos para trás. A tinta nas bolas douradas penduradas nas orelhas estava lascada e descascando. Ela sorriu de novo, posando por um momento. Aos vinte e quatro anos, era um ano mais velha do que Brian e considerava-se muito mais experiente e esperta.

— Eu gostaria de oferecer um chá, mas não esperava tanta gente.

— Não viemos pelo chá.

Brian enfiou as mãos nos bolsos do jeans. A expressão sombria que exibira durante toda a viagem se tornara ainda mais firme. Era jovem, é verdade, mas crescera para se tornar duro e implacável. Não tinha a menor intenção de permitir que aquela vagabunda, encharcada de gim, lhe criasse problemas.

— Não chamei a polícia desta vez, Jane. Pelos velhos tempos. Mas se continuar a telefonar, se continuar a escrever, com todas as ameaças e chantagens, pode ter certeza que chamarei.

Os olhos muito pintados se contraíram.

— Se quer jogar a polícia em cima de mim, vá em frente. Saberemos como suas pequenas fãs e seus pais metidos a besta reagirão ao ler que você me engravidou. E depois me abandonou, junto com sua filha, enquanto nada em dinheiro e vive no luxo. O que acha, Sr. Page? Conseguiria arrumar outra apresentação para a rainha depois disso?

— Srta. Palmer... — A voz de Pete era suave e calma. Já passara horas considerando os prós e os contras da situação. Mas bastara um olhar para saber que desperdiçara seu tempo. A resposta ali era dinheiro. — Tenho certeza de que não quer divulgar seus problemas pessoais pela imprensa. Também não creio que deva insinuar um abandono, quando isso não aconteceu.

— Ei, Brian, ele é seu agente ou a porra do seu advogado?

— Você não estava grávida quando a deixei!

— Não sabia que estava! — Jane agarrou o colete de couro preto de Brian. — Estava com dois meses de atraso quando tive certeza. A esta altura, você já tinha ido embora. E eu não sabia onde podia encontrá-lo. Poderia ter tirado a criança.

Ela o apertou com mais força quando Brian tentou fazer com que ela o largasse.

— Conhecia pessoas que dariam um jeito. Mas me sentia apavorada, com mais medo de fazer um aborto do que de ter a criança.

— Então ela teve uma criança.

Johnno sentou no braço da poltrona e tirou um cigarro Gauloise do bolso. Acendeu com um isqueiro de ouro. Nos últimos dois anos, tornara-se muito à vontade com hábitos dispendiosos.

— Mas isso não significa que seja sua filha, Bri — acrescentou ele.

— É dele sim, seu bicha nojento.

— Ora, ora... — Imperturbável, Johnno deu uma tragada, depois soprou a fumaça no rosto de Jane. — Sempre a grande dama, não é mesmo?

— Não se meta, Johnno. — A voz de Pete permanecia baixa e calma. — Srta. Palmer, estamos aqui para resolver o problema, com toda a discrição possível.

E isso, ela pensou, era o seu trunfo.

— Posso apostar que preferem manter tudo discreto. Sabe que não andei com mais ninguém naquele tempo, Brian. — Jane inclinou-se para ele, comprimindo os seios contra seu peito. — Lembra daquele Natal... o último Natal que passamos juntos? Ficamos altos e doidões. E nunca usávamos qualquer coisa. Emma vai fazer três anos em setembro.

Ele lembrava muito bem, embora preferisse ter esquecido. Tinha dezenove anos na ocasião, transbordando de música e raiva. Alguém levara cocaína. Depois de usá-la pela primeira vez, Brian se sentira como um garanhão puro-sangue. Ansioso para transar.

— Então você teve uma filha e acha que ela é minha? Por que esperou até agora para me falar a respeito?

— Já expliquei que não consegui encontrá-lo a princípio.

Jane passou a língua pelos lábios. Desejou ter tomado mais uma dose. Não achava que seria sensato dizer que gostara de bancar a mártir por algum tempo, a pobre mãe solteira, sozinha, sem ninguém para ajudá-la. E houvera um e outro homem ao longo do caminho para facilitar a viagem.

— Entrei num programa em que ajudam mulheres numa situação como a minha. Pensei em dar a criança... sabe como é, entregar para adoção. Mas depois que ela nasceu não podia mais fazer isso, porque a menina era a sua cara. Pensei que você descobriria se eu a desse e ficaria furioso comigo. Tive medo de que não quisesse me dar outra chance.

Ela começou a chorar, lágrimas abundantes, que manchavam a maquilagem exagerada. Eram mais feias e mais perturbadoras porque eram sinceras.

— Sempre tive certeza de que você voltaria, Brian. Comecei a ouvi-lo pelo rádio, a ver seus cartazes nas lojas de discos. Você estava a caminho do sucesso. Sempre soube que você conseguiria, mas nunca imaginei que fosse tão espetacular. Comecei a pensar...

— Não podia ser de outra forma — murmurou Johnno.

— Comecei a pensar que você ia querer saber sobre a criança — continuou Jane, rangendo os dentes. — Voltei a seu antigo apartamento, mas você tinha se mudado e ninguém soube me dizer para onde. Pensei em você todos os dias. Veja.

Ela pegou-o pelo braço e apontou para as fotos nas paredes do apartamento.

— Recortei tudo que encontrei sobre você e guardei.

Brian viu seu rosto reproduzido por toda parte. Sentiu um frio no estômago.

— Essa não...

— Liguei para sua gravadora, e até fui lá. Mas eles me trataram como se eu não fosse ninguém. Avisei que era a mãe da filha de Brian McAvoy e me expulsaram. — Ela não explicou que estava de porre na ocasião e agredira a recepcionista. — Comecei a ler sobre você e Beverly Wilson, e fiquei desesperada. Sabia que não podia significar nada para você, não depois do que tivemos. Mas precisava encontrar uma maneira de falar com você.

— Ligar para o apartamento de Bev e se comportar como uma louca não foi a melhor maneira.

— Mas eu tinha de falar com você, fazer com que me escutasse. Não sabe como é, Bri, ter de se preocupar com o pagamento do aluguel, sem saber se terá o suficiente para comer. Não posso mais comprar vestidos bonitos, nem sair de noite.

— É dinheiro que você quer?

Ela hesitou por um instante, mais do que deveria.

— Quero você, Bri. Sempre quis.

Johnno apagou o cigarro no prato do vaso de uma planta de plástico.

— Sabe, Bri, ela está falando muito na tal criança, mas ainda não vi nenhum sinal de que ela existe. — Ele se levantou. Num gesto habitual, jogou para trás os cabelos escuros e compridos. — Vamos embora?

Jane lançou-lhe um olhar furioso.

— Emma está no quarto. E não quero todo mundo entrando ali. Isto é entre Brian e eu.

Johnno sorriu para ela.

— Sempre fez o seu melhor trabalho no quarto, não é mesmo, amor?

Os olhos dos dois se encontraram por um momento, exibindo toda a repulsa que sentiam um pelo outro.

— Bri, ela era uma puta de primeira classe, mas agora virou de segunda. Temos de continuar aqui?

— Seu bicha desgraçado! — Jane avançou para ele, antes que Brian a agarrasse pela cintura. — Não saberia o que fazer com uma mulher de verdade mesmo que ela mordesse seu pau!

Johnno continuou a sorrir, mas os olhos eram gelados agora.

— Quer experimentar, queridinha?

— Sempre pude contar com você para manter tudo sob controle, Johnno. — Brian virou Jane em seus braços. — Você disse que o problema era comigo. Vamos mantê-lo assim. Quero dar uma olhada na menina.

— Não os dois. — Ela quase que rosnou para Johnno, que deu de ombros e pegou outro cigarro. — Só você. Quero manter em particular.

— Está certo. Esperem aqui.

Ele manteve a mão no braço de Jane, enquanto entravam no quarto. Não havia ninguém ali.

— Estou cansado do seu jogo, Jane.

— Ela se escondeu. A presença de tanta gente deixou-a nervosa. Emma! Venha até aqui imediatamente!

Jane arriou de joelhos ao lado da cama. Logo se ergueu, e foi procurar no armário estreito.

— Ela deve estar no banheiro.

Jane foi abrir uma porta no corredor.

— Brian... — Johnno sinalizou da porta da cozinha. — Tem uma coisa aqui que você pode querer ver.

Ele ergueu o copo, num brinde a Jane, enquanto acrescentava:

— Não se importa se eu tomar um drinque, não é mesmo, amor? A garrafa estava aberta.

Ele indicou, com o polegar da outra mão, o armário por baixo da pia. O cheiro de azedo e mofo era mais forte ali. Bebida velha, lixo apodrecido, trapos mofados. Os sapatos de Brian grudaram no linóleo quando ele foi até o armário. Ele agachou-se ali. Abriu a porta e espiou.

Não pôde ver a menina direito, mas apenas que ela se encolhia no canto, os cabelos louros caindo sobre os olhos, alguma coisa preta apertada entre os braços. Ele sentiu o estômago embrulhado, mas tentou sorrir.

— Oi, menina.

Emma comprimiu o rosto contra a coisa preta e peluda em seus braços.

— Sua pirralha insuportável! Vou ensinar você a se esconder de mim!

Jane inclinou-se para pegar a filha, mas foi detida por um olhar de Brian. Ele estendeu a mão e sorriu de novo.

— Acho que não vou caber aí dentro com você. Importa-se de sair por um momento? — Ele viu a menina espiar por cima dos braços cruzados e acrescentou: — Ninguém vai machucá-la.

Ele tinha uma voz muito bonita, pensou Emma, suave e agradável, como música. E sorria para ela. A luz que entrava pela janela da cozinha iluminava seus cabelos louros, fazendo com que brilhassem. Emma soltou uma risadinha e saiu do esconderijo.

O vestido novo estava amarrotado e manchado. Os cabelos lisos de bebê estavam molhados de um vazamento debaixo da pia. Ela sorriu, mostrando os pequenos dentes brancos, com um incisivo torto. Brian passou a língua por um dente similar, em sua própria boca. Quando a menina contraiu os lábios, uma covinha apareceu no canto esquerdo da boca. Brian também tinha uma. Olhos de um azul tão profundo quanto os dele.

— Eu a arrumei direitinho. — Havia agora um lamento na voz de Jane. O cheiro de gim deixara-a com água na boca, mas tinha medo de se servir de mais. — E disse que era importante que ficasse arrumada. Não mandei você ficar arrumada, Emma? Vou lavá-la.

Ela pegou o braço de Emma, com força suficiente para fazer a menina ter um sobressalto.

— Largue-a.

— Eu só ia...

— Largue-a — repetiu Brian, a voz incisiva, ameaçadora.

Se ele não a estivesse olhando, Emma poderia ter corrido de volta para baixo da pia. Sua filha... Por um momento, ele pôde apenas continuar a fitá-la, atordoado, o estômago contraído.

— Olá, Emma... — Havia agora em sua voz o tom de ternura pelo qual as mulheres se apaixonavam. — O que você tem aí?

— Charlie. Meu cachorrinho.

Ela estendeu o bicho de pelúcia para Brian examinar.

— Ele é muito simpático. — Brian sentiu vontade de passar a mão na pele da menina, mas se controlou. — Sabe quem eu sou?

— Das fotos. — Muito pequena para resistir aos impulsos, Emma estendeu a mão para tocar no rosto dele. — Bonito.

Johnno riu e tomou um gole de gim.

— Ah, as mulheres...

Brian ignorou-o. Ajeitou os cachos úmidos de Emma.

— Você também é bonita.

Ele murmurou algumas palavras de carinho, observando-a atentamente. Seus joelhos eram como gelatina, o estômago se contraía e soltava, como dedos estalando no ritmo. A covinha da menina aprofundou-se ainda mais quando ela riu. Era como ver a si mesmo. Teria sido muito mais fácil negar, muito mais conveniente. Mas era também impossível. Quer quisesse ou não, ele a gerara.

Mas a orientação sobre o que fazer não acompanhou a aceitação. Brian levantou-se e virou-se para Pete.

— É melhor seguirmos logo para o ensaio.

— Você vai embora? — Jane adiantou-se para bloquear sua passagem. — Desse jeito? Só precisa olhar para saber.

— Sei o que vejo. — Ele sentiu uma pontada de culpa quando Emma recuou para o armário. — Preciso de tempo para pensar.

— Nada disso. Já me deixou assim antes. Só está pensando em você mesmo, como sempre. O que é melhor para Brian. O que é melhor para a carreira de Brian. Não vou mais permitir que me abandone.

Brian já estava quase na porta quando ela pegou a filha no colo e correu em seu encalço.

— Se você for embora, eu me matarei.

Ele parou, apenas pelo tempo suficiente para olhar para trás. Era um refrão familiar. Poderia até musicá-lo.

— Isso deixou de funcionar há muito tempo.

— E matarei ela também.

Desesperada, Jane lançou a ameaça e, depois, deixou-a pairar no ar, enquanto ambos consideravam a possibilidade. O braço de Jane envolvia a cintura da filha, apertando, até que Emma começou a gritar.

Ele sentiu uma bolha de pânico, enquanto os gritos da criança ressoavam pelas paredes.

— Largue-a, Jane. Está machucando.

— E você se importa com isso? — Jane soluçava agora, a voz alteando mais e mais para abafar os gritos da filha. — Você vai nos abandonar.

— Não, não vou. Só preciso de tempo para pensar na situação.

— Tempo para que seu agente de luxo possa inventar alguma história. — A respiração de Jane estava acelerada, enquanto usava os dois braços para segurar Emma, que não parava de se debater. — Você vai fazer a coisa certa para mim, Brian.

Ele tinha as mãos contraídas agora, nos lados do corpo.

— Largue-a.

— Vou matá-la. — Jane falou com mais calma desta vez. — Juro que cortarei sua garganta e, depois, a minha. Poderá viver com isso, Brian?

— Ela está blefando — murmurou Johnno, embora sentisse as palmas suadas.

— Não tenho nada a perder. Acha que quero continuar a viver desse jeito, criando a garota sozinha, ouvindo as vizinhas falarem mal de mim? Sem nunca mais poder sair e me divertir? Pense a respeito, Bri. Pense no que os jornais vão comentar quando eu contar a história. E pode ter certeza de que contarei tudo antes de nos matar.

— Srta. Palmer... — Pete ergueu a mão, num gesto tranqüilizador. — Dou minha palavra de que chegaremos a um acordo que será conveniente para todos.

— Deixe Johnno levar Emma para a cozinha, Jane. Poderemos conversar melhor assim. — Ele deu um passo à frente, cauteloso. — Encontraremos uma maneira de fazer o que for melhor para todos.

— Só quero que você volte.

— Não pretendo ir embora. — Tenso, ele observou-a diminuir a pressão sobre a menina. — Vamos conversar.

Ele fez um sinal com a cabeça para Johnno, enquanto acrescentava:

— Discutiremos tudo. Por que não sentamos?

Relutante, Johnno tirou a menina dos braços da mãe. Um homem meticuloso, torceu o nariz para a sujeira que Emma acumulara debaixo da pia, mas levou-a para a cozinha assim mesmo. Como Emma continuasse a chorar, sentou com ela no colo e afagou sua cabeça.

— Vamos, queridinha, pode parar de chorar. Johnno não vai deixar que nada de ruim aconteça com você. — Ele fez cócegas na menina, tentando imaginar o que sua própria mãe poderia fazer numa situação como aquela. — Quer um biscoito?

Os olhos cheios de lágrimas, ainda soluçando, ela acenou com a cabeça.

Johnno fez um pouco mais de cócegas. Sob as lágrimas e a sujeira, ele concluiu, era uma menina cativante. E uma McAvoy, teve de admitir, com um suspiro. Uma McAvoy sem tirar nem botar.

— Tem alguma coisa que a gente possa comer?

Ela sorriu e apontou para um armário alto.

Meia hora depois, estavam terminando o prato com os biscoitos e o chá doce que Johnno fizera. Brian observava da porta da cozinha, enquanto Johnno fazia caretas para que Emma risse. Quando as apostas estavam na mesa, pensou Brian, sempre se podia contar com Johnno. Ele entrou na cozinha e passou a mão pelos cabelos da filha.

— Emma, gostaria de dar um passeio em meu carro?

Ela lambeu as migalhas dos lábios.

— Com Johnno?

— Claro.

— Sou um sucesso.

Johnno meteu o último biscoito na boca.

— Eu gostaria que ficasse comigo, Emma, em minha casa nova.

— Bri...

Ele levantou a mão para que Johnno não dissesse mais nada.

— É uma casa bonita e você pode ter seu próprio quarto.

— Tenho de ir?

— Sou seu pai, Emma, e você vai gostar de viver comigo. Pode tentar, e se não se sentir feliz pensaremos em outra coisa.

Emma estudou-o, o lábio inferior todo espichado numa tromba. Estava acostumada com o rosto dele, mas era um pouco diferente do que sempre vira nas fotos. Mas ela não sabia nem se importava com o motivo daquilo. A voz de Brian fazia com que se sentisse segura.

— Mamãe também vai?

— Não.

Os olhos da menina encheram-se de lágrimas, mas ela pegou o velho cachorro preto de pelúcia e o abraçou.

— Charlie vai?

— Claro.

Brian pegou-a no colo.

— Espero que saiba o que está fazendo, Bri.

Brian olhou para Johnno, por cima da cabeça de Emma.

— Eu também.

Capítulo Dois

Emma viu a enorme casa de pedra pela primeira vez do banco da frente do Jaguar prateado. Lamentava que Johnno, com aquela barba tão engraçada, não estivesse no carro, mas o homem nas fotos deixara-a mexer nos botões no painel. Ele tinha um cheiro gostoso. O carro tinha um cheiro gostoso. Ela comprimiu o focinho de Charlie no banco, enquanto murmurava para si mesma.

A casa pareceu-lhe mesmo enorme, com as janelas em arcada e as torres redondas. Era de pedra, acinzentada pelo tempo. As janelas tinham vidros em losangos. O gramado ao redor era todo verde, com uma fragrância de flores. Ela sorriu, vibrando de excitamento.

— Castelo.

Brian também sorriu.

— Foi o que eu também pensei. Quando eu era pequeno, queria morar numa casa assim. Meu pai... seu avô... trabalhava no jardim aqui.

Quando não estava apagado de tão bêbado, acrescentou Brian para si mesmo.

— Ele está aqui?

— Não. Vive na Irlanda.

Num pequeno chalé que Brian comprara, com o dinheiro que Pete lhe adiantara um ano antes. Ele parou o carro na entrada da frente, compreendendo que teria de dar alguns telefonemas antes que a história saísse nos jornais.

— Você vai conhecê-lo um dia, assim como seus tios, tias e primos.

Ele a pegou no colo, aturdido e desconcertado pela facilidade com que a menina se aninhava.

— Você tem uma família agora, Emma.

Ao entrar, ainda com a filha no colo, Brian ouviu a voz jovial de Bev:

— Acho que o melhor é o azul, o azul simples. Não posso viver com todas essas flores crescendo nas paredes. E aquelas cabeças de animais também serão tiradas. Isto aqui até parece uma caverna. Quero tudo branco, branco e azul.

Ele passou pela porta da sala de estar e viu-a sentada no chão, com dezenas de amostras de papéis de parede ao seu redor. Parte desse papel já fora removida, e parte do novo reboco já fora posto. Bev preferia considerar um único trabalho de uma dúzia de ângulos diferentes.

Ela parecia muito pequena e meiga, sentada no meio dos escombros. Os cabelos escuros eram lisos e desciam até o queixo. Enormes argolas de ouro faiscavam em suas orelhas. Os olhos eram exóticos, tanto na forma quanto na cor. Tinham pestanas compridas, e pontos dourados faiscavam no verde-marinho claro. Ainda estava bronzeada do fim de semana que haviam passado nas Bahamas. Brian sabia exatamente qual era a sensação de sua pele, como cheirava.

O rosto era pequeno, meio triangular; o corpo também era pequeno e anguloso. Ninguém que a visse sentada ali, de pernas cruzadas, no chão quadriculado, à vontade com uma camisa branca impecável, desconfiaria de que estava grávida de dois meses.

Brian mudou a posição da filha em seu colo e se perguntou como aquela grávida reagiria.

— Bev...

— Brian! Não o ouvi entrar.

Ela virou-se, meio levantando, e ficou imóvel de repente. Soltou uma exclamação de espanto. A cor se esvaiu de seu rosto enquanto olhava para a criança. Recuperou-se no instante seguinte, empertigou-se e fez sinal para os dois decoradores que discutiam as amostras.

— Brian e eu queremos conversar mais um pouco sobre nossas opções. Voltarei a falar com vocês até o fim da semana.

Ela os conduziu para a porta, fazendo promessas, adulando. Depois que os dois saíram, Bev fechou a porta, respirou fundo, pondo a mão sobre a criança que crescia em seu ventre.

— Esta é Emma.

Bev forçou um sorriso.

— Olá, Emma.

— Olá.

Com uma súbita timidez, a menina escondeu o rosto no pescoço de Brian.

— Emma, não gostaria de assistir um pouco de televisão?

Brian deu um tapinha tranqüilizador em seu bumbum. Como a menina apenas desse de ombros, ele se apressou em acrescentar, com uma jovialidade desesperada:

— Há uma televisão enorme naquela sala. Você e Charlie podem sentar no sofá.

— Tenho de fazer pipi — sussurrou a menina.

— Ahn...

Bev soprou os cabelos caídos diante dos olhos. Se não sentisse tanta vontade de chorar, ela poderia até rir.

— Eu a levarei.

Mas Emma apertou ainda mais o pescoço de Brian.

— Acho que fui o escolhido.

Ele levou-a para o banheiro no corredor. Lançou um olhar desesperado para Bev, entrou e fechou a porta.

— Você... ahn...

A voz murchou quando Emma abaixou a calcinha e sentou no vaso.

— Não quero molhar a calcinha — comentou ela, distraída. — Mamãe disse que só as meninas idiotas e porcas fazem isso.

— Você é uma menina crescida — disse ele, reprimindo um fluxo de raiva. — Muito bonita e muito inteligente.

Quando acabou, ela levantou a calcinha.

— Você vai ver televisão também?

— Daqui a pouco. Preciso conversar com Bev. Ela é uma mulher muito boa. — Brian levantou a filha para a pia. — Ela também mora aqui.

Emma brincou com a água correndo por um momento.

— Ela vai bater em mim?

— Não. — Brian apertou-a em seus braços. — Prometo que ninguém mais vai bater em você.

Angustiado, ele deixou o banheiro com a filha. Passou por Bev e levou-a para uma sala que tinha um sofá confortável e um enorme aparelho de televisão. Ligou a televisão, pôs num desenho animado, e disse:

— Volto num instante.

Emma observou-o sair. Sentiu-se aliviada quando ele deixou a porta aberta.

— Talvez seja melhor conversarmos ali.

Bev gesticulou para a sala em que conversava com os decoradores. Lá dentro, ela tornou a sentar no chão, mexendo nas amostras.

— Parece que Jane não estava mentindo.

— Não estava mesmo. Ela é minha filha.

— Dá para perceber, Bri. A menina parece tanto com você que é assustador.

Ela sentiu que as lágrimas afloravam e detestou-se por isso.

— Oh, Deus, Bev!

— Não... — murmurou ela, quando Brian passou um braço por seus ombros. — Só preciso de um minuto. É um choque e tanto.

— Também foi para mim. — Brian acendeu um cigarro e deu uma tragada forte. — Sabe por que rompi com Jane.

— Disse que tinha a sensação de que ela poderia devorá-lo vivo.

— Ela nunca foi estável, Bev. Mesmo quando éramos crianças, já não batia bem da cabeça.

Bev não podia fitá-lo. Ainda não. Lembrou a si mesma que fora ela quem o pressionara a procurar Jane, a descobrir a verdade sobre a criança. As mãos cruzadas no colo, Bev olhou para a lareira de mármore empoeirada.

— Você a conhece há muito tempo.

— Jane foi a primeira garota com quem fui para a cama. Eu acabara de fazer treze anos. — Brian esfregou as mãos nos olhos, desejando não ser tão fácil lembrar. — Meu pai tomava seus porres e tinha seus famosos acessos de raiva. Eu me escondia no porão do prédio. Um dia Jane estava ali, como se me esperasse. Antes que eu pudesse pensar, ela estava em cima de mim.

— Não precisa entrar em detalhes, Bri.

— Quero que você saiba de tudo. — Ele demorou um pouco a continuar. Tragou de novo, soprou a fumaça. — Éramos muito parecidos, Jane e eu. Sempre havia alguém brigando na sua casa também. Nunca havia dinheiro suficiente. Depois, quando comecei a me interessar por música, passava mais tempo absorvido na música do que em sua companhia. Ela ficou uma fera. Ameaçou-me, ameaçou a si mesma. Tratei de me manter a distância.

Brian fez uma pausa.

— Não muito tempo depois que formamos a banda, quando fazíamos de tudo para conseguir uma oportunidade, ela tornou a aparecer. Tocávamos nos piores lugares, mal ganhando o suficiente para comer. Acho que foi porque Jane era alguém que eu conhecia, alguém que me conhecia. Acima de tudo, porque eu era um idiota.

Bev fungou, soltou uma risada trêmula.

— Você ainda é um idiota.

— Tem toda razão. Voltamos a ficar juntos, durante quase um ano. No final, ela estava insuportável, tentando criar problemas entre os outros e eu. Interrompia os ensaios, fazia cenas. Depois chorava e suplicava perdão. Chegou a um ponto em que deixou de ser mais fácil dizer que sim, que estava tudo esquecido. Ela disse que se mataria quando decidi romper de vez. Acabáramos de assinar um contrato com Pete, e fizemos uma série de apresentações na França e Alemanha. Ele estava trabalhando para a gravação de nosso primeiro disco. Saímos de Londres e tirei-a dos pensamentos. Não sabia que ela estava grávida, Bev. Nem pensei nela em mais de três anos. Se pudesse voltar atrás...

Brian fez uma pausa, pensando na menina na sala ao lado, com o dente torto e a covinha.

— Não sei o que eu faria.

Bev levantou os joelhos e inclinou-se por cima deles. Era jovem e prática, de uma família estável. Ainda lhe era difícil compreender a pobreza e o sofrimento, embora fosse justamente essas coisas no passado de Brian que a haviam atraído.

— Acho que é mais importante o que você vai fazer agora.

— Já fiz.

Ele apagou o cigarro numa tigela de porcelana do século XIX. Bev não se deu ao trabalho de protestar.

— O que você fez, Bri?

— Peguei Emma. Ela é minha filha. E vai viver comigo.

— Entendo... — Bev pegou um cigarro. Parara de beber e de experimentar drogas depois que engravidara, mas o fumo era um hábito mais difícil de romper. — Não pensou que deveríamos ter conversado antes? Pelo que ouvi da última vez, deveríamos casar dentro de poucos dias.

— E vamos mesmo casar. — Brian segurou-a pelos ombros, sacudiu-a, com medo de que ela pudesse deixá-lo, como tantas outras. — Eu queria falar com você, Bev, mas não foi possível.

Ele soltou-a para se levantar de um pulo. Chutou algumas amostras.

— Entrei naquele apartamento imundo e fedorento com a intenção apenas de ameaçar Jane, se ela não parasse de nos assediar. Ela continuava exatamente como antes, gritando num momento, suplicando no seguinte. Disse que a filha estava no quarto, mas não foi ali que a encontramos. Emma havia se escondido. — Brian pressionou as bases das mãos contra os olhos. — Descobri a menina debaixo da pia da cozinha, Bev, toda encolhida, como um animalzinho apavorado.

— Oh, Deus... — balbuciou Bev, a cabeça pendendo para os joelhos.

— Jane ia surrá-la... queria bater na menina porque estava assustada. Quando a vi... Bev, olhe para mim. Por favor. Quando olhei para Emma, eu me vi ali. Pode compreender?

— Quero compreender. — Ela sacudiu a cabeça, ainda lutando contra as lágrimas. — Não, não quero. Quero que as coisas continuem a ser como eram quando você saiu de casa esta manhã.

— Acha que eu deveria tê-la abandonado naquele apartamento sórdido?

— Não... sim. — Bev comprimiu os punhos contra os lados da cabeça. — Não sei. Deveríamos ter conversado. Chegado a um acordo.

Ele ajoelhou-se para pegar as mãos de Bev.

— Eu pretendia deixá-la no apartamento, dar umas voltas, pensar um pouco, antes de voltar para casa e conversar com você. Jane disse que se mataria.

— Oh, Bri...

— Eu poderia resolver esse problema. Sentia tanta raiva que seria capaz de fazer isso por ela. Mas depois Jane disse que também mataria Emma.

Bev comprimiu a mão contra a barriga, sobre a criança que crescia em seu ventre, uma criança que já se tornara uma linda realidade.

— Ela não podia estar falando sério.

— Acontece que estava. — Brian apertou as mãos dela. — Não sei se cumpriria a ameaça. Mas naquele momento ela falava sério. Eu não podia deixar Emma ali, Bev. Não deixaria a filha de um estranho.

— Tem razão, não podia. — Bev retirou as mãos para levá-las ao rosto dele. Seu Brian, seu doce e angustiado Brian. — Não podia mesmo. Como conseguiu arrancá-la de Jane?

— Ela concordou — respondeu Brian, bruscamente. — Pete está preparando os documentos para que tudo se torne legal.

— Bri... — As mãos se firmaram no rosto de Brian. Estava apaixonada, mas não era cega. — Como?

— Fiz um cheque de cem mil libras. Pelo acordo, ela receberá vinte e cinco mil libras por ano até Emma completar vinte e um anos.

Bev abaixou as mãos.

— Por Deus, Brian, você comprou essa criança?

— Não se pode comprar o que já é nosso. — Ele se arrependeu das palavras, porque fazia com que se sentisse mesquinho. — Dei o suficiente a Jane para ter certeza de que ela ficaria longe de Emma... e de nós.

Brian pôs a mão na barriga de Bev, enquanto acrescentava:

— E de nossa criança. A imprensa vai noticiar, e uma parte será terrível. Estou lhe pedindo para ficar comigo, Bev, agüentar firme. E para dar uma chance a Emma.

— Para onde eu iria?

— Bev...

Ela sacudiu a cabeça. Ficaria com Brian, mas precisaria de tempo.

— Tenho lido muitos livros sobre educação ultimamente. E todos dizem que não se deve deixar uma criança de três anos sozinha por tanto tempo.

— Tem razão. Vou dar uma olhada.

— Iremos juntos.

Emma continuava no sofá, os braços envolvendo Charlie. O barulho da televisão não a perturbava no sono. Havia lágrimas secando em seus olhos. Ao vê-las, o coração de Bev se enterneceu.

— Acho que é melhor mandar os decoradores providenciarem um novo quarto lá em cima.

EMMA ESTAVA NA CAMA, ENTRE LENÇÓIS LIMPOS E MACIOS. Mantinha os olhos firmemente fechados. Sabia que veria apenas o escuro se os abrisse. E havia coisas que se escondiam no escuro.

Continuou a apertar o pescoço de Charlie, prestando toda atenção. Às vezes as coisas sibilavam e estalavam.

Não podia ouvi-las agora, mas sabia que a estavam esperando. E esperavam que ela abrisse os olhos. Um gemido escapou e ela mordeu o lábio. A mãe sempre ficava zangada se ela chorava à noite. Viria sacudi-la com toda força, diria que era uma idiota que nem um bebê. As coisas se meteriam debaixo da cama ou nos cantos, enquanto a mãe estivesse presente.

Emma comprimiu o rosto contra o pêlo malcheiroso de Charlie.

Lembrou que se encontrava num lugar diferente. O lugar em que morava o homem das fotos. Um pouco do medo foi substituído pela curiosidade. Ele dissera que Emma poderia chamá-lo de Da. O que era um nome engraçado. Com os olhos fechados, ela experimentou, murmurando o nome no escuro, como se fosse um acalanto.

Havia comido peixe e batata frita na cozinha com a mulher de cabelos escuros. Havia música. Parecia que havia música na casa durante todo o tempo. E sempre que o Da falava, soava como música.

A mulher parecia infeliz, mesmo quando sorria. Emma se perguntou se a mulher esperaria até ficarem a sós antes de começar a surrá-la.

O Da lhe dera um banho. Emma lembrava que ele tinha uma expressão esquisita no rosto, mas não a beliscara, nem deixara cair sabonete em seus olhos. Perguntara sobre os machucados, e Emma respondera o que a mãe a advertira para dizer se alguém quisesse saber. Que era muito desajeitada. E que caíra.

Ela vira a raiva nos olhos do homem, mas mesmo assim ele não a surrara.

A mulher estava junto quando ele a pusera na cama. Sentara na beira da cama e sorrira, enquanto o homem contava uma história sobre castelos e princesas.

Mas não se encontravam mais ali quando ela acordara. E o quarto estava escuro. Emma tinha medo... medo de que as coisas a pegassem, a mordessem com seus dentes enormes, a comessem... medo de que a mãe viesse e lhe desse uma surra, porque ela não estava em casa, na sua própria cama.

O que era aquilo? Ela teve certeza de que podia ouvir um sussurro no canto. Abriu um olho, respirando entre dentes. As sombras se mexeram, enormes, avançando em sua direção. Os soluços abafados contra Charlie, Emma tentou se fazer menor, tão pequena que não poderia ser vista, não poderia ser devorada pelas coisas horríveis e viscosas que se escondiam na escuridão. A mãe mandara as coisas atrás dela porque fora embora com o homem das fotos.

O terror foi aumentando, a tal ponto que ela começou a tremer, a suar. Irrompeu num gemido alto quando ela saiu da cama e tropeçou para o corredor. Alguma coisa caiu, fazendo o maior barulho.

Emma ficou esparramada no chão, apertando o cachorro, à espera do pior.

Luzes foram acesas. Ela piscou. O medo antigo dissolveu-se num medo novo quando ela ouviu vozes. Emma recuou para a parede. Ficou sentada ali, imóvel, olhando para os cacos do vaso de porcelana que quebrara.

Bateriam nela. E a mandariam embora. Seria trancada num quarto escuro para ser devorada.

— Emma?

Ainda atordoado de sono, flutuando um pouco do baseado que fumara antes de fazer amor com Bev, Brian avançou em sua direção. Ela encolheu-se toda, à espera da pancada.

— Foram elas que quebraram — murmurou a menina, na esperança de se salvar.

— Elas?

— As coisas escuras. Mamãe mandou que viessem me buscar.

— Oh, Emma...

Ele abaixou o rosto para o alto da cabeça da filha.

— Brian, o quê...

Ainda prendendo o cinto no roupão, Bev se aproximou apressada. Viu o que restava de seu vaso de Dresden, soltou um pequeno suspiro e foi até os dois, evitando os cacos.

— Ela se machucou?

— Acho que não. Mas está apavorada.

— Vamos verificar.

Ela pegou a mão de Emma. Estava fechada, o braço tenso.

— Emma...

A voz era firme, mas não havia qualquer indicação de maldade. Cautelosa, Emma ergueu a cabeça.

— Você se machucou?

Ainda cautelosa, Emma apontou para seu joelho. Havia algumas gotas de sangue na camiseta branca. Bev ergueu a bainha. Era um arranhão comprido, mas superficial. Mesmo assim, ela calculou que a maioria das crianças teria chorado. Talvez Emma não chorasse porque não era nada em comparação com as equimoses que Brian encontrara em seu corpo ao lhe dar banho. Num gesto mais automático do que maternal, Bev abaixou a cabeça para beijar o machucado. Quando viu a boca de Emma se abrir em choque, seu coração ficou perdido.

— Muito bem, querida, vamos cuidar disso.

Ela pegou Emma no colo.

— Há coisas no escuro — sussurrou a menina.

— Seu pai vai expulsá-las daqui. Não é mesmo, Bri?

Seu espírito irlandês ou talvez a droga deixou-o emocionado quando olhou para a mulher que amava segurando sua filha no colo.

— Claro. Expulsarei todas de casa agora mesmo.

— Depois que fizer isso, é melhor varrer os cacos — disse Bev.

Emma passou a noite, a primeira de sua nova vida, aconchegada com sua família, numa enorme cama de latão.

Capítulo Três

Como fizera todos os dias, há nove dias, Emma sentou no banco da janela, na sala da frente, e olhou através das vidraças. Olhava além do jardim, em que as dedaleiras balançavam e as aqüilégias margeavam o caminho de cascalho. E esperava.

As equimoses estavam desaparecendo, mas ela não notara. Ninguém na casa nova e grande batera nela. Até agora. Tomara chá todos os dias e ganhara presentes, de balas a bonecas de porcelana, dos amigos que entravam e saíam da casa de seu pai sem a menor cerimônia.

Era tudo muito desconcertante para Emma. Tomava banho todos os dias, mesmo que não tivesse brincado na terra, e vestia roupas limpas, de cheiro agradável. Ninguém a chamava de criança estúpida porque tinha medo do escuro. O abajur com a cúpula rosada era aceso em seu quarto todas as noites, e havia botões de rosas nas paredes. Os monstros quase nunca apareciam em seu novo quarto.

Emma sentia medo de gostar, porque tinha certeza de que a mãe apareceria em breve para levá-la embora.

Bev a levara no carro bonito para fazer compras numa loja enorme, com lindas roupas e cheiros maravilhosos. Comprara bolsas e caixas de coisas para Emma. A menina gostara muito de um vestido rosa com babados na saia. Sentira-se como uma princesa quando o usara no dia em que Da e Bev haviam casado. Também usava sapatos brancos presos com uma tira. E meias e calcinha brancas. Ninguém a repreendera quando sujara os joelhos.

O casamento parecera muito estranho e solene para Emma, com todos de pé no jardim, o sol empenhado em afastar as nuvens. Um dos homens, que todos chamavam de Stevie, usava uma camisa branca comprida e uma calça branca folgada. Cantara com uma voz rouca, tocando uma guitarra branca lustrosa. Emma pensara que era um anjo; mas, quando perguntara a Johnno, ele desatara a rir.

Bev usara uma grinalda de flores nos cabelos e um vestido multicolorido, descendo até os tornozelos. Para Emma, era a mulher mais linda do mundo. Pela primeira vez em sua curta vida, ela se vira dominada pela inveja. Ser linda, crescida e ficar ao lado do Da. Nunca mais teria medo, nunca mais sofreria com a raiva de ninguém. E, como as meninas nos contos de fadas de que Brian tanto gostava, ela seria feliz para sempre.

Quando a chuva começara, todos haviam entrado para tomar champanhe e comer bolo numa sala com livros, flores e tinta fresca. Ouviu-se o som das guitarras, as pessoas cantaram e riram. Belas mulheres, em saias bem curtas ou vestidos de algodão compridos e largos, vagueavam pela casa. Algumas sussurram brincadeiras para ela ou afagaram sua cabeça, mas na maior parte do tempo ela permanecera sozinha.

Ninguém notara que comera três pedaços de bolo e sujara de glacê a gola do vestido novo. Não havia outras crianças com que brincar e Emma era pequena demais para se impressionar com os nomes e rostos dos luminares da música que haviam comparecido. Chateada, um pouco enjoada de tanto bolo, ela fora para a cama, embalada pela música da festa.

Só acordara mais tarde. Apreensiva, saíra da cama com Charlie, pronta para descer de novo. Mas o cheiro forte de maconha a detivera. Era um cheiro familiar, até demais. Como o fedor de gim, a fragrância adocicada de maconha estava ligada à mãe em sua mente, com as sacudidelas e surras que levava sempre que Jane despencava da viagem.

Angustiada, ela sentara num degrau, toda encolhida, murmurando palavras de conforto para Charlie. Se a mãe estivesse ali naquele momento, ela a levaria embora. Emma nunca mais tornaria a usar o lindo vestido rosa, não ouviria a voz do Da, não entraria nas lojas enormes e brilhantes com Bev.

Ficara toda arrepiada quando ouvira os passos na escada. Esperara pelo pior.

— Oi, Emma querida... — Voando alto, em paz com o mundo, Brian sentara ao seu lado. — O que está fazendo?

— Nada.

Ela se aninhara em torno do cachorro de pelúcia. E tentara diminuir o seu tamanho. Se não pudessem vê-la, não poderiam machucá-la.

— É uma festa e tanto.

Brian inclinara-se para trás, apoiado nos cotovelos. Sorrira para o teto. Nunca, nem mesmo em suas fantasias mais delirantes, acreditara que um dia receberia gigantes como McCartney, Jagger, Daltrey em sua própria casa. Nem em seu casamento. Agora era um homem casado. Com uma argola de ouro no dedo.

Com o pé descalço batendo ao ritmo da música que subia estrondosa pela escada, ele examinara a aliança no dedo. Não havia como voltar atrás, pensara. Era bastante católico e bastante idealista para pensar que agora, consumado o casamento, seria para sempre.

Fora um dos melhores dias de sua vida, pensara, enquanto tateava o bolso da camisa à procura do maço de cigarros que deixara lá embaixo. E se o pai estava muito bêbado ou fora preguiçoso demais para aproveitar as passagens que ele mandara para a Irlanda, que diferença fazia? Brian tinha toda a família de que precisava bem ali.

Ele tratou de afastar da cabeça os pensamentos dos ontens. Dali por diante, haveria apenas amanhãs. Uma vida inteira de amanhãs.

— E então, Emma, não quer descer e dançar no casamento de seu pai?

Ela mantivera os ombros encurvados e balançara a cabeça, de uma maneira quase imperceptível. A fumaça parecia se entrelaçar no ar, mística, fazendo suas têmporas latejarem.

— Não quer bolo? — Ele estendera a mão para dar um puxão de leve em seus cabelos, mas a menina se encolhera ainda mais. — O que foi?

Aturdido, Brian apertara o ombro da filha. Já nauseada, o estômago alcançara uma combinação insuportável de terror e doces demais. Depois de um soluço, ela despejara todo o bolo e chá no colo do pai. Desesperada, soltara um único gemido, antes de tornar a se dobrar sobre Charlie. E enquanto ela tremia toda, enjoada demais para se defender da surra inevitável, Brian desatara a rir.

— Imagino que agora está se sentindo um pouco melhor. — Alto demais para sentir qualquer repugnância, ele se levantara, cambaleando um pouco, e estendera-lhe a mão. — Vamos nos lavar.

Para espanto de Emma, não houvera uma surra, nem beliscões cruéis, nem palmadas súbitas. Em vez disso, Brian despira os dois no banheiro e entrara debaixo do chuveiro. Até cantara, enquanto a água caía, uma canção sobre marinheiros bêbados que fizera Emma esquecer que estava enjoada.

Os dois enrolados em toalhas, ele a levara para seu quarto e a pusera na cama. Tinha os cabelos molhados, caídos em torno do rosto, quando arriara no pé da cama. Segundos depois, estava roncando.

Cautelosa, Emma saíra de baixo do lençol para sentar ao seu lado. Tomara coragem, abaixara a cabeça e dera um beijo úmido no rosto do pai. Apaixonada pela primeira vez, ela ajeitara Charlie sob o braço inerte de Brian e depois fora dormir.

Mas logo ele partira. Apenas alguns dias depois do casamento, o carro enorme aparecera e dois homens carregaram sua bagagem.

Brian beijara-a e prometera que traria um presente quando voltasse. Emma observara-o em silêncio, sem dizer nada, enquanto ele entrava no carro para sair de sua vida. Não acreditara que ele voltaria, nem mesmo quando ouvira sua voz pelo telefone. Bev dissera que ele estava nos Estados Unidos, onde as garotas gritavam cada vez que o viam e seus discos eram vendidos quase tão depressa quanto eram fabricados.

Mas durante sua ausência não havia muita música na casa e Bev às vezes chorava.

Emma lembrava do choro de Jane, dos tapas e empurrões que costumavam acompanhar as lágrimas. Por isso, esperava a mesma coisa agora. Mas Bev nunca batia nela, nem mesmo à noite, depois que os operários deixavam a casa enorme e as duas ficavam sozinhas.

Dia após dia, Emma se acomodava no banco na janela, com Charlie, e olhava pelo jardim. Gostava de imaginar que o carro comprido e preto atravessava o longo caminho; e quando parava, na frente da casa, a porta era aberta e seu Da saía.

E, a cada dia que isso não acontecia, Emma se tornava mais convencida de que ele nunca mais voltaria. Brian fora embora porque não gostava dela, não a queria. Porque ela era uma peste, uma completa idiota. Esperava agora que Bev também fosse embora, deixando-a sozinha naquela casa enorme. E, quando isso acontecesse, a mãe viria buscá-la.

O QUE PASSAVA PELA CABEÇA DA MENINA?, ESPECULAVA BEV. Da porta, ela observou Emma sentada em seu lugar agora habitual, no banco da janela. A criança podia passar horas sentada ali, paciente como uma velha. Era raro ela brincar com qualquer coisa que não fosse o velho e surrado cachorro de pelúcia que trouxera quando viera para a casa. Era ainda mais raro a menina pedir qualquer coisa.

Já fazia quase um mês que Emma entrara em suas vidas e Bev ainda estava longe de definir seus sentimentos.

Apenas umas poucas semanas antes, seus planos eram claros e objetivos. Queria que Brian tivesse sucesso. Mais do que isso, porém, queria ter um lar e uma família com ele.

Fora criada na igreja anglicana, numa família calma, de classe média superior. Moral, responsabilidades e imagem haviam sido partes importantes de sua criação. Recebera uma educação boa e sólida, com a noção de que teria um casamento sensato, criaria filhos sólidos e sensatos.

Nunca se rebelara, em grande parte porque a rebeldia nunca passara por sua cabeça. Até Brian.

Sabia que os pais, embora tivessem comparecido ao casamento, nunca a perdoariam por ter saído de casa para viver com Brian antes da cerimônia. Também jamais compreenderiam por que decidira casar com um músico irlandês que não apenas questionava a autoridade, mas também compunha canções em que a desafiava.

Também não podia haver a menor dúvida de que haviam ficado consternados e surpresos com a filha ilegítima de Brian e o fato de Bev tê-la aceitado. Mas o que mais ela podia fazer? A criança existia.

Bev amava os pais. Uma parte dela sempre ansiaria por sua aprovação. Mas ela amava Brian ainda mais, amava tanto que às vezes era assustador. E aquela menina era filha de Brian. Independentemente do que desejava antes, independentemente dos seus planos, isso significava que a criança agora era sua também.

E era difícil olhar para Emma sem sentir alguma coisa. Não era uma criança que se fundisse com móveis e utensílios, por mais quieta e discreta que tentasse ser. Era a sua aparência, sem dúvida. O mesmo rosto elegante e angelical do pai. Mais do que isso, era o senso de inocência, uma inocência que por si só era um milagre, ao se considerar como a criança vivera durante os três primeiros anos de sua vida. Uma inocência e uma aceitação, pensou Bev. Sabia que se entrasse na sala naquele momento, aos gritos, dando palmadas, Emma aceitaria os maus-tratos, quase sem chorar. E isso parecia a Bev mais trágico do que a pobreza abjeta da qual a criança fora salva.

A filha de Brian... Numa reação instintiva, Bev pôs a mão na vida que trazia no ventre. Desejara desesperadamente dar o primeiro filho a Brian. Isso não seria possível. Mas cada vez que tinha algum ressentimento bastava olhar para Emma que ele se desvanecia. Como podia se ressentir de uma criança tão vulnerável? Ainda assim, não era capaz de amá-la, não de uma maneira inquestionável, automática, como Brian amava.

Não queria amar, Bev admitia. Aquela menina era filha de outra mulher, um vínculo que sempre a lembraria da intimidade de Brian com Jane. Não fazia importância se cinco ou dez anos haviam passado. Enquanto houvesse Emma, Jane seria parte da vida deles.

Brian fora o primeiro homem com quem ela fora para a cama. Embora soubesse, quando se envolveram, que ele já tivera outras mulheres, fora fácil bloquear, dizer a si mesma que a união dos dois fora uma iniciação para ambos.

Mas por que ele tivera de ir embora logo agora, num momento de convulsão? Havia aquela criança circulando pela casa como uma sombra. Havia operários martelando e serrando, hora após hora. E havia a imprensa. Era tão horrível quanto Brian avisara que seria, as manchetes apregoando o nome dele, de Bev e de Jane. Como ela odiava, como detestava ver sua foto e a de Jane na mesma página de um jornal! Como abominava aquelas reportagens escandalosas e maldosas sobre esposas novas e amantes antigas!

Não haviam desaparecido tão depressa quanto ela torcera para que acontecesse. Havia especulações e indagações sobre as áreas mais pessoais de sua vida. Ela era agora a Sra. Brian McAvoy e se tornara propriedade pública. Dissera a si mesma, por vezes incontáveis, que casar com Brian era o que mais queria, e por isso seria capaz de tolerar a superexposição, a falta de liberdade, as manchetes insidiosas.

E agüentaria firme. Mas, quando Brian se ausentava daquele jeito, a milhares de quilômetros, não sabia como seria capaz de suportar uma vida inteira a ser fotografada e assediada, fugir de microfones, usar peruca e óculos escuros para fazer uma coisa tão corriqueira quanto comprar sapatos. Especulava se Brian algum dia seria capaz de compreender como era humilhante para ela ver uma coisa tão íntima quanto a gravidez anunciada em manchetes para que estranhos lessem ao chá da manhã.

Não podia rir das histórias quando Brian não estava com ela e também não podia ignorá-las. Por isso, quase nunca saía de casa durante sua ausência. Em menos de duas semanas, a casa que ela imaginara para os dois, com os cômodos aconchegantes e o sol entrando pelas janelas, tornara-se uma prisão. E era uma prisão que ela partilhava com a filha de Brian.

Mas Bev era bastante filha de seu pai para conhecer seu dever, e cumpri-lo sem hesitação.

— Emma... — Bev fixou um sorriso no rosto quando a menina se virou. — Pensei que estaria pronta para o chá.

Não havia nada que Emma não percebesse mais depressa nem desconfiasse no mesmo instante do que um falso sorriso.

— Não estou com fome — murmurou ela, apertando Charlie com mais força ainda.

— Acho que também não estou. — Se as duas tinham de ficar juntas, decidiu Bev, poderiam pelo menos conversar. — É difícil tomar um chá sossegado com toda essa barulheira de obra.

Ela se adiantou para sentar no banco, ao lado de Emma.

— Este lugar é bastante agradável. Mas não acha que eu deveria plantar mais roseiras aqui?

Emma espichou um lábio, enquanto dava de ombros.

— Tínhamos um jardim lindo quando eu era criança — continuou Bev, desesperada. — No verão eu adorava sair de casa com um livro e ouvir as abelhas zumbindo. Às vezes eu nem lia. Apenas sonhava. Estava no jardim na primeira vez em que ouvi a voz de Brian.

— Ele morava com você?

Ela tinha agora a atenção de Emma, pensou Bev. Fora preciso apenas mencionar o nome.

— Não. Ouvi pelo rádio. Foi aquele primeiro disco que eles fizeram, *Shadowland.* A letra dizia... "À noite, meia-noite, quando as sombras abraçam a lua...".

Bev começou a cantarolar a música, mas parou de repente, quando Emma continuou, numa voz de contralto surpreendente, clara e firme:

— "E a terra é quente e imóvel; ofegante, espero por você."

— Era essa letra mesmo. — Sem pensar, Bev estendeu a mão para acariciar os cabelos da menina. — Senti que ele cantava apenas para mim. Mas tenho certeza que todas as garotas sentiam a mesma coisa.

Emma não disse nada por um momento, recordando como a mãe ouvia sempre essa música no toca-discos, bebendo e chorando, enquanto as palavras ressoavam pelo apartamento.

— Gostou dele porque ele cantou?

— Isso mesmo. Mas depois que o conheci gostei dele muito mais.

— Por que ele foi embora?

— Por causa de sua música, seu trabalho. — Bev fitou os olhos enormes de Emma, faiscando com as lágrimas. Ali estava a afinidade que não quisera nem esperava. — Oh, Emma, também sinto saudade. Mas ele voltará para casa em poucas semanas.

— E se ele não voltar?

Era um absurdo, mas Bev às vezes acordava de madrugada com esse medo terrível.

— Claro que ele voltará. Um homem como Brian precisa de pessoas para escutar sua música, e precisa estar presente quando a ouvem. Ele viajará com freqüência, mas sempre voltará. Ele ama você e também me ama. — Tanto para confortar a menina quanto para confortar a si mesma, Bev pegou a mão de Emma. — E há mais uma coisa. Você sabe de onde os bebês vêm?

— Os homens metem nas mulheres, mas depois não querem mais saber.

Bev conteve uma imprecação. Poderia ter esganado Jane naquele momento, com a maior satisfação. Embora a própria mãe de Bev sempre tivesse sido reservada, incapaz de falar de intimidades, a não ser de uma maneira vaga, Bev acreditava com firmeza na franqueza.

— Homens e mulheres que se amam fazem bebês juntos, e na maioria das vezes os dois querem muito. Tenho um bebê aqui. — Ela comprimiu a mão contra sua barriga. — O bebê de seu pai. Quando nascer, será seu irmão ou irmã.

Depois de um momento de hesitação, Emma passou a mão pela barriga de Bev. Não sabia como podia haver um bebê ali dentro. A Sra. Perkins, no outro lado da viela, ficara com a barriga enorme, inchada, antes de o pequeno Donald nascer.

— Onde está?

— Aqui dentro. É muito pequeno agora. Ainda tem quase mais seis meses para crescer, antes de chegar o momento de sair.

— O bebê vai gostar de mim?

— Acho que sim. Brian será o pai dele, assim como é o seu.

Encantada, Emma começou a acariciar a barriga de Bev, como às vezes fazia com Charlie.

— Cuidarei do bebê. Não vou deixar ninguém machucá-lo.

— Ninguém vai machucá-lo.

Com um suspiro, Bev passou o braço pelos ombros de Emma, olhando para a sebe. Desta vez Emma não recuou. Permaneceu onde estava, imóvel, ainda fascinada, com a mão na barriga de Bev.

— Tenho um pouco de medo de ser mãe, Emma. Talvez você possa me deixar praticar com você.

Bev respirou fundo. Levantou-se, puxando Emma.

— Vamos começar agora mesmo. Subiremos para você pôr seu lindo vestido rosa. E, depois, sairemos para tomar um chá.

Que se danassem os repórteres e os curiosos.

— Seremos as duas mulheres mais lindas de Londres quando formos tomar um chá no Ritz — acrescentou ela.

* * *

PARA EMMA, FOI O INÍCIO DE SEU PRIMEIRO RELACIONAMENTO com outra mulher que não estava baseado no medo ou intimidação. Nos dias subseqüentes, elas fizeram compras na Harrods, passearam pelo Green Park e almoçaram no Savoy. Bev ignorava os fotógrafos que as assediavam. Quando descobriu o fascínio de Emma por tecidos macios e cores fortes, decidiu mimá-la por completo. Em duas semanas, a menina, que entrara na casa com a roupa do corpo, tinha um armário quase estourando de tanta coisa.

Mas à noite a solidão voltava, quando deitavam na cama, ambas sonhando com o mesmo homem.

Os anseios de Emma eram mais diretos. Queria que Brian voltasse porque ele fazia com que se sentisse bem. O amor não era uma coisa que aprendera a definir ou pela qual se agoniasse.

Mas Bev se agoniava. Ficava preocupada com a possibilidade de Brian se cansar dela, encontrar outra mais em consonância com o mundo em que ele vivia. Sentia falta do sexo bom e firme que partilhavam. Era muito fácil acreditar que ele sempre a amaria, sempre estaria ao seu lado, naquele momento de serenidade depois do amor e antes de dormir. Mas agora, sozinha na enorme cama de latão, ela especulava se Brian preencheria sua própria solidão com mulheres, além de música.

O céu começava a clarear quando o telefone tocou. Bev tateou para atender ao terceiro toque.

— Ahn... — Ela limpou a garganta. — Alô?

— Bev...

A voz de Brian tinha um tom de urgência. Desperta no mesmo instante, ela sentou na cama.

— Bri! O que foi? O que aconteceu?

— Nada. E tudo. Somos um sucesso, Bev. — Havia atordoamento e vibração em sua risada. — O público se torna maior a cada noite. Tiveram de dobrar a segurança para impedir as garotas de subirem no palco. É uma loucura, Bev. Esta noite uma delas agarrou a manga de Stevie quando corríamos para a limusine. Rasgou toda a manga. A imprensa está nos chamando de vanguarda da segunda invasão britânica. Vanguarda!

Bev arriou nos travesseiros, fazendo um esforço para projetar entusiasmo.

— Isso é maravilhoso, Bri! Houve notícias na televisão aqui, mas não falaram muita coisa.

— É como ser um gladiador, parado no palco, escutando os rugidos. — Brian não podia explicar, nem mesmo para ela, o terror e a emoção. — Acho que até Pete ficou impressionado.

Bev sorriu, pensando no agente, tão pragmático, sempre pensando em negócios, do primeiro ao último lugar.

— Neste caso, deve ser uma coisa incrível.

— E é mesmo. — Ele puxou o baseado que acendera para prolongar a emoção. — Eu gostaria que você estivesse aqui.

Ela podia ouvir o barulho ao fundo, música alta, risadas de homens e mulheres.

— Eu também.

— Pois então venha. — Brian empurrou para o lado uma loura seminua, os olhos vidrados, que tentara rastejar para seu colo. — Faça a mala e pegue um avião.

— Como?

— Falo sério. Não é tão bom quanto seria se você estivesse aqui.

No outro lado da sala, uma morena alta, com mais de um metro e oitenta, fazia um lento striptease. Stevie, o guitarrista principal da banda, meteu um Quaalude na boca como se fosse uma bala.

— Sei que conversamos a respeito e decidimos que era melhor você ficar em casa. Mas estávamos enganados. Você precisa vir para cá.

Ela sentiu lágrimas nos olhos, mesmo enquanto os risos borbulhavam.

— Você quer que eu vá para os Estados Unidos?

— Assim que puder. Encontre-se conosco em Nova York, na... Oh, merda! Johnno, quando estaremos em Nova York?

Esparramado no sofá, Johnno tomou o resto da garrafa de Gim Beam.

— Onde estamos agora?

— Não importa. — Brian esfregou os olhos cansados e tentou se concentrar. Tinha a mente atordoada de bebida e maconha. — Pedirei a Pete para que acerte os detalhes. Você só precisa fazer as malas.

Bev já saíra da cama.

— O que devo fazer com Emma?

— Traga-a também. — Num ímpeto de sentimento de família, Brian sorriu para a loura. — Pete dará um jeito de tirar seu passaporte. Alguém ligará para você esta tarde e lhe dirá o que fazer. Não sabe como sinto saudades, Bev.

— Também sinto. Estaremos aí assim que pudermos. Eu amo você, Bri, mais do que qualquer outra coisa no mundo.

— Também amo você. Tornaremos a falar em breve.

Sombrio e irrequieto, Brian pegou a garrafa de conhaque assim que desligou. Queria Bev com ele agora, não daqui a um dia, não daqui a uma hora. Só de escutar sua voz ficara com tanto tesão que até doía.

Ela continuava como na noite em que a conhecera, tímida, um pouco hesitante. Parecia deslocada no pub enfumaçado em que sua banda tocava. Mesmo com a timidez, no entanto, dava para perceber que havia alguma coisa sólida e sincera em Bev. Brian não conseguira mais tirá-la de sua mente, nem naquela noite nem em qualquer outra noite desde então.

Ele levantou a garrafa e tomou um gole do conhaque. Parecia que Stevie e a morena não iam se dar ao trabalho de procurar a privacidade de um dos quartos para fazer sexo. A loura já desistira de Johnno e esfregava o corpo esguio contra P.M., o baterista.

Meio divertido, meio com inveja, Brian tomou outro gole. P.M. mal completara vinte e um anos, o rosto ainda redondo e jovem, com erupções de acne no queixo. Parecia ao mesmo tempo assustado e satisfeito porque a loura abaixara o rosto para seu colo.

Brian fechou os olhos e pegou no sono, enquanto a música povoava sua cabeça.

Sonhou com Bev, a primeira noite que haviam passado juntos. Sentados no chão de seu apartamento, de pernas cruzadas, conversando sério, sobre música, sobre poesia. Yeats, Byron e Browning. Sonhadores, partilhando um baseado. Ele não tinha a menor idéia de que era a primeira experiência de Bev com drogas. E também não tinha a menor idéia, ao penetrá-la ali mesmo, no chão, as velas acesas derretendo, que era sua primeira experiência com sexo.

Bev chorara um pouco. Em vez de fazerem com que se sentisse culpado, as lágrimas despertaram um sentimento de proteção. E se apaixonara, perdidamente, de uma forma um tanto poética. Isso acontecera há mais de um ano e ele nunca estivera com outra mulher desde então. Sempre que a tentação era muito forte, via o rosto de Bev.

O casamento fora por ela e pela criança que esperava. Brian não acreditava em casamento, na insensatez de um contrato de amor, mas também não se sentira acuado. Pela primeira vez desde sua infância miserável, ele tinha mais alguma coisa além da música para confortá-lo e excitá-lo.

Eu amo você, Bri, mais do que qualquer outra coisa no mundo.

Ele não podia dizer isso com a mesma facilidade e sinceridade. Provavelmente nunca seria capaz. Mas amava-a, e era leal quando amava.

— Vamos, meu garoto. — Sem conseguir acordá-lo direito, Johnno levantou-o. — Está na hora de ir para a cama.

— Bev vem se encontrar comigo.

Johnno olhou para os corpos emaranhados.

— Parece que estamos tendo muitos encontros.

— Ela vai se encontrar conosco em Nova York. — Com uma meia risada, Brian passou o braço firme pelo pescoço de Johnno. — Vamos para Nova York, Johnno. A grande Nova York. Porque somos os melhores.

— Incrível, não é? — Com um pequeno grunhido, Johnno largou Brian na cama. — Durma até passar o efeito, Bri. Conversaremos sobre tudo amanhã.

— Tenho de acordar Pete — murmurou Brian, enquanto Johnno tirava seus sapatos. — Passaporte para Emma. Passagens. Tenho de fazer tudo certo.

— E fará.

Cambaleando um pouco, cortesia do Gim Beam, Johnno olhou para seu novo relógio suíço. Tinha a impressão de que Pete não ficaria nem um pouco satisfeito por ser acordado àquela hora, mas saiu do quarto, trôpego, para fazer o que Brian pedira.

Capítulo Quatro

Em seu primeiro vôo transatlântico, Emma viajou de primeira classe. E sentiu um enjôo terrível. Não pôde, como Bev recomendava de vez em quando, admirar as lindas nuvens, nem folhear os livros de desenhos coloridos que levava na bolsa. Mesmo vazio, o estômago revirava. Tinha apenas uma vaga consciência dos afagos desamparados de Bev e da voz tranqüilizadora da aeromoça.

Não importava que ela estivesse de roupa nova, uma saia vermelha curta e uma blusa florida. Não importava a promessa de um passeio ao topo do Empire State Building. A náusea era tão intensa que nem importava mais se ia ver o pai.

Quando o avião pousou no aeroporto JFK, ela sentia-se fraca demais para ficar de pé. Bev, embora exausta, carregou-a pelo portão. Depois de passar pela alfândega, ela quase desatou a chorar quando avistou Pete.

Em seu terno impecável de Savile Row, ele adiantou-se apressado para a criança pálida e a mulher nervosa.

— Viagem difícil?

Em vez de lágrimas, Bev descobriu-se a soltar uma risada histérica.

— Claro que não. Foi um prazer, do início ao fim. Onde está Brian?

— Ele queria vir, mas eu vetei. — Pete pegou a bolsa de Bev e segurou-a pelo braço. — Os rapazes não podem abrir uma janela para respirar um pouco de ar fresco sem causar uma histeria em massa.

— E você adora quando isso acontece.

Ele sorriu, enquanto a conduzia para a saída do terminal.

— Apesar de otimista, nunca esperei por isso. Brian vai ser um homem muito rico, Bev. Todos nós seremos muito ricos.

— O dinheiro não vem em primeiro lugar para Bri.

— Não, mas posso vê-lo nadando em dinheiro. Vamos embora. Tenho um carro à nossa espera.

Ela mudou Emma de posição. A menina gemeu, inerte em seus braços.

— As malas...

— Serão entregues no hotel. — Pete levou-a para fora do terminal. — Há também muitas fotos suas nas revistas.

O carro à espera era uma limusine Mercedes, branca, tão grande quanto um barco. Ao olhar perplexo de Bev, Pete sorriu de novo.

— Já que está casada com um rei, meu amor, pode muito bem viajar em grande estilo.

Sem dizer nada, Bev acomodou-se na limusine. Acendeu um cigarro. Esperava que fosse apenas o vôo longo e aflitivo que a fazia se sentir tão deslocada e vazia. Emma enroscou-se no banco, entre ela e Pete, e dormiu, suada, durante sua primeira viagem de limusine.

Pete não parou no saguão do Waldorf. Levou-as direto para um elevador. Ele não sabia se devia se sentir aliviado ou desapontado pela sorte que tinham. Uma cena de multidão no aeroporto ou na rua, na frente do hotel, seria inconveniente, mas daria uma excelente publicidade. E a publicidade vendia mais discos.

— Reservei uma suíte de dois quartos.

A despesa extra incomodava sua alma prática, mas ele a justificava pela certeza de que a presença de Bev tornaria Brian mais cooperativo, mais criativo. E não faria mal nenhum se a imprensa tomasse conhecimento de que a família de Brian o acompanhava na excursão. Se não podia promover Brian como um homem solteiro e sensual, podia promovê-lo como um marido e pai afetuoso. Qualquer coisa era vantajosa.

— Estamos todos no mesmo andar — acrescentou Pete. — E a segurança é bastante rigorosa. Em Washington D.C., duas adolescentes conseguiram entrar no quarto de Stevie num carrinho da copa.

— Deve ter sido engraçado.

Pete limitou-se a dar de ombros, recordando que Stevie estava tão bêbado que aceitara as ofertas das garotas. O guitarrista racionalizara que duas adolescentes de dezesseis anos equivaliam a uma mulher de trinta e dois anos. Isso as transformava numa mulher mais velha.

— Os rapazes têm algumas entrevistas marcadas para hoje e amanhã vão comparecer ao programa do Sullivan na televisão.

— Brian não disse para onde iríamos em seguida.

— Filadélfia, depois Detroit, Chicago, St. Louis...

— Não importa.

Bev deixou escapar um suspiro profundo e agradecido, enquanto as portas do elevador se abriam. Qualquer lugar servia. Estava aqui. Não tinha importância se sentia um tremendo cansaço ou se os braços doíam de carregar a pequena Emma adormecida. Estava ali, e quase que podia sentir a energia de Brian no ar.

— Melhor assim. — Pete tirou uma chave do bolso. — Vocês têm duas horas antes da entrevista. É para uma revista nova que será lançada este ano. O nome é *Rolling Stone.*

Bev pegou a chave, satisfeita por constatar que ele possuía bastante sensibilidade para não se intrometer nas duas horas de privacidade que teria com Brian.

— Obrigada, Pete. Providenciarei para que ele esteja pronto na hora para a entrevista.

No momento em que ela abriu a porta, Brian veio correndo do quarto adjacente para abraçar as duas.

— Graças a Deus!

Ele encheu o rosto de Bev de beijos. Pegou Emma, sonolenta e inerte.

— Qual é o problema com ela?

— Agora nenhum. — Bev acariciou os cabelos da criança. — Mas ela passou muito mal no avião. Quase não dormiu. Mas acho que vai ficar bem depois que descansar.

— É para já. Não saia daqui.

Ele levou Emma para o segundo quarto. A menina só se mexeu uma vez, quando Brian ajeitou-a entre os lençóis.

— Da?

— Sou eu mesmo. — Ele ainda se sentia comovido. — Durma agora. Está tudo bem.

Confortada pelo som de sua voz, Emma acreditou e tornou a mergulhar no sono.

Numa reação automática, ele deixou a porta entreaberta. Foi parar na frente de Bev, contemplando-a, as olheiras fazendo com que seus olhos parecessem enormes e escuros. O amor aflorou em Brian, mais forte e mais premente do que qualquer outra coisa que já experimentara. Sem dizer nada, ele a pegou no colo e levou-a para a cama.

Brian não tinha palavras naquele momento, embora sempre fosse um homem em que as palavras transbordavam. Palavras para a poesia, poesia para as letras das músicas. Mais tarde, as palavras o envolveriam, resmas de palavras, fluindo por todo o seu ser, tudo derivando daquele momento, que poderia ser a sua hora mais preciosa com Bev.

Naquela hora, ela lhe pertenceu por completo.

O rádio na mesinha-de-cabeceira estava ligado, assim como a televisão na frente da cama. Brian afugentara o silêncio de seus aposentos com vozes. Quando a tocava, Bev era toda a música de que precisava.

E, por isso, ele a saboreou. Despiu-a, lentamente, admirando-a, absorvendo-a. O tremor do tráfego além da janela... mais tarde, ele se lembraria do som, em seus acordes. Os sons pequenos de rendição que ela deixava escapar eram baixos, como um contraponto. Brian podia ouvir até o sussurro de suas mãos deslizando sobre o corpo de Bev.

Havia a luz do sol entrando pela janela, a cama enorme, macia e acolhedora.

O corpo de Bev já começara a mudar, sutilmente, com a vida que crescia em seu ventre. Brian estendeu a mão sobre a barriga arredondada, aturdido, deslumbrado, humilde. Reverente, ele baixou seus lábios para aquela carne.

Era um absurdo, pensou Brian, mas sentia-se como um soldado que volta da guerra, coberto de cicatrizes e medalhas. Ou talvez não fosse tão absurdo. A arena em que lutara e vencera não era a mesma em que podia tomá-la. Bev sempre estaria à sua espera. Era o que ele podia ver em seus olhos, em seus braços, quando o enlaçaram com uma profunda ternura. A promessa e a paciência pairavam nos lábios de Bev quando se abriram para os seus. Ela tinha uma paixão mais firme que a de Brian, menos egoísta, contrabalançando seus impulsos mais nervosos e mais perigosos. Com Bev, ele sentia-se mais um homem, menos um símbolo, num mundo tão faminto por símbolos.

Quando a penetrou, ele falou finalmente, dizendo seu nome, num suspiro longo e suave, de gratidão e esperança.

Mais tarde, quando ela continuava deitada, meio cochilando, sob os lençóis emaranhados, Brian sentou ao pé da cama, de cueca. Estava saciado do sexo, mas a mente funcionava a todo vapor. Tudo o que sempre quisera, sempre sonhara, estava ao seu alcance.

— Pete filmou o show em Atlanta. Meu Deus, Bev, foi uma loucura. Não apenas as fãs berrando, embora houvesse muito disso. Às vezes mal dava para ouvir sua própria voz cantando, por causa do barulho. Era como... não sei... estar na pista de um aeroporto com aviões decolando ao redor. Mas, misturadas com as garotas histéricas, havia pessoas que só estavam ali para ouvir, entende? Às vezes podia-se ver através das luzes e da fumaça dos baseados, e lá estava um rosto. Podia-se cantar apenas para esse rosto. E depois Stevie entrava num solo, como em "Undercover", e as garotas enlouqueciam de novo. Era como... não sei... uma grande trepada.

— Lamento não ter aplaudido.

Ele puxou o tornozelo de Bev, rindo.

— Não imagina como me sinto contente por você estar aqui. Este verão é especial. Dá para sentir no ar, ver nos rostos das pessoas. Nunca mais vamos voltar, Bev.

Ela ficou tensa, observando-o.

— Para Londres?

— Não. — Brian sentiu-se meio impaciente, meio divertido pela objetividade de Bev. — Para a forma como as coisas eram. Suplicando para tocar em algum pub imundo, recebendo cerveja e batata frita como pagamento. Agora, Bev, estamos em Nova York, e depois de amanhã milhões de pessoas nos ouvirão. E isso tem algum valor. Nós vamos valer algo. É tudo o que eu sempre quis.

Bev sentou na cama para pegar as mãos de Brian.

— Você sempre valeu, Bri.

— Não. Eu era apenas mais um cantor de segunda classe. Deixei de ser, Bev. E nunca mais voltarei a ser. O dinheiro nos permitirá fazer algumas experiências... ir um pouco além do rock para os jovens se divertirem. Há uma guerra no mundo, Bev. Toda uma geração está em convulsão. Podemos ser suas vozes.

Ela não compreendia os sonhos grandiosos e arrebatados de Brian, mas fora seu idealismo que a atraíra desde o início.

— Só não quero que me deixe para trás.

— Eu não poderia. — Ele falava com absoluta sinceridade. — Eu lhe darei o melhor, Bev. Para você e o bebê. Juro. Agora, tenho de me vestir.

Brian beijou as mãos de Bev. Jogou para trás os cabelos desgrenhados.

— Pete está dando a maior importância ao primeiro número dessa nova revista, que sai em novembro. — Ele jogou para Bev uma camisa *tiedyed.* — Vamos embora.

— Pensei que ficaria aqui.

— Bev... — Já haviam conversado a respeito antes. — Você é minha esposa. As pessoas querem saber sobre você, sobre nós.

Ele reprimiu a irritação quando Bev sentou na cama, apenas passando as mãos pela camisa.

— Se dermos um pouco, eles não vão nos assediar por mais. — Quando dizia isso, Brian acreditava. — É especialmente importante por causa de Emma. Quero que todos vejam que nos tornamos uma família de verdade.

— A família deve ser assunto privado.

— Concordo. Mas as histórias sobre Emma já se espalharam.

Brian vira dezenas de reportagens e notas em colunas, classificando Emma como uma filha do amor. Podia haver coisas piores, pensava ele, já que Emma não nascera de qualquer coisa que parecesse sequer remotamente com amor. Era a outra criança, refletiu ele agora, pondo outra vez a mão gentil na barriga de Bev, que fora concebida no amor.

— Preciso de você ao meu lado nessa entrevista.

Mesmo detestando, Bev saiu da cama e começou a se vestir.

Vinte minutos depois, ela atendeu uma batida na porta.

— Sou eu, Johnno.

Ele sorriu para Bev.

— Eu sabia que você não poderia ficar longe de mim.

Levantando-a num abraço exagerado, ele a beijou. Enquanto ela ria, Johnno virou a cabeça para a porta por onde Brian passava.

— Ah, ele nos descobriu. Mas é melhor que tudo seja às claras.

Mas Brian limitou-se a perguntar:

— Onde você arrumou esse chapéu ridículo?

Depois de pôr Bev no chão, Johnno ajeitou o chapéu branco de aba mole.

— Gostou? É um estouro.

— Faz você parecer um cafetão — comentou Brian, antes de se encaminhar para o bar.

— É isso aí. Eu sabia que tinha feito a escolha certa. Quase me custou a vida, mas consegui escapar do hotel, e fui fazer compras na Quinta Avenida. Vou querer um desses, querido.

Ele acenou com a cabeça para o uísque que Brian estava servindo.

— Você saiu?

Brian parou, com a garrafa numa das mãos, o copo na outra.

— De óculos escuros, uma túnica florida... — Johnno torceu o nariz. — E colares de contas. O disfarce deu certo, até que tentei voltar. Perdi as contas.

Ele pegou o copo da mão de Brian. Com um suspiro de satisfação, arriou no sofá.

— Este é o lugar para mim, Brian. Estou em Nova York.

— Pete vai arrancar sua cabeça se descobrir que saiu sozinho.

— Foda-se o Pete... embora ele não seja o meu tipo. — Sorrindo, ele tomou todo o uísque. — Onde está a garota?

— Dormindo — respondeu Bev, pegando um cigarro.

Brian foi abrir quando bateram de novo na porta. Stevie entrou. Ofereceu um aceno de cabeça distraído para Bev e seguiu direto para o bar. P.M. seguiu-o, um pouco pálido. Arriou numa cadeira.

— Pete disse que faremos a entrevista aqui — informou ele. — Já vai trazer o repórter. Onde você arrumou o chapéu, Johnno?

— É uma história longa e triste, filho. — Ao se virar, ele avistou Emma parada na fresta da porta do quarto. — Não olhem agora, mas temos companhia. Oi, cara de ameixa.

Ela riu um pouco, mas não entrou na sala. Naquele momento, seus olhos se concentravam em Brian. Ele foi até a porta, pegou-a no colo, deu um tapinha em sua bunda.

— Emma, qual é a sensação de ser uma viajante internacional?

Ela havia pensado que era um sonho o momento em que ele a ajeitara na cama e beijara seu rosto. Mas não era um sonho, porque lá estava ele agora sorrindo, sua voz fazendo com que todo o enjôo no estômago de Emma desaparecesse por completo.

— Estou com fome — disse ela, com um enorme sorriso.

— Não me surpreende. — Ele beijou a covinha no canto da boca da filha. — Que tal um bolo de chocolate?

— Sopa — interveio Bev.

— Sopa e bolo. E um bom chá.

Largou-a no chão, foi até o telefone e ligou para o serviço de quarto.

— Venha até aqui, Emma. Tenho uma coisa para você.

Johnno apalpou a almofada ao seu lado. Emma hesitou. A mãe lhe dizia isso com freqüência. E a coisa que tinha para lhe dar era sempre um tapa. Mas Johnno mostrava um sorriso sincero. Quando ela sentou, Johnno tirou do bolso um pequeno ovo de plástico transparente. Dentro havia um anel de brinquedo, com uma espalhafatosa pedra vermelha.

Emma soltou um gritinho quando ele pôs o ovo em sua mão. Aturdida, sem dizer nada, ela virou o ovo para um lado e outro, vendo o anel deslizar.

Fora uma coisa fortuita, pensou Johnno. Uma máquina que aceitava moedas americanas de vinte e cinco centavos, e sobraram trocados de sua expedição de compras. Mais comovido do que queria que os outros vissem, ele abriu o ovo, e pôs o anel no dedo de Emma.

— Pronto. Estamos noivos.

Emma olhou radiante para o anel, depois para ele.

— Posso sentar no seu colo?

— Pode. — Ele inclinou-se para o ouvido da menina. — Mas se fizer pipi no meu colo, o noivado está terminado.

Emma riu, acomodou-se no colo de Johnno e começou a brincar com o anel.

— Primeiro minha mulher, depois minha filha — comentou Brian.

— Só teria de se preocupar se tivesse um filho.

Stevie fez a observação com a mesma facilidade com que tomava um trago. Depois desejou ter cortado a língua. Enquanto o silêncio persistia na sala, ele acrescentou:

— Peço desculpas. Ressaca. Fico insuportável.

À batida na porta, Johnno deu de ombros, indiferente.

— É melhor exibir aquele sorriso famoso, filho. É hora do espetáculo.

Johnno estava furioso, mas escondeu bem, enquanto o repórter, jovem e barbudo, sentava. Os outros não tinham a menor idéia do que era, pensou ele. Com exceção de Brian, que fora colega de escola e se tornara seu amigo. Os nomes de que era chamado... veado, bicha, boneca... doíam muito mais do que as surras ocasionais. Johnno sabia que ficaria com o rosto deformado de tanto apanhar em várias ocasiões se não fosse pelos punhos decididos e a lealdade de Brian.

Haviam sido atraídos um para o outro, dois meninos de dez anos com pais bêbados. A pobreza não era incomum na zona leste de Londres, e sempre havia valentões dispostos a quebrar um braço por algumas moedas. Havia meios de escapar. Para ele e Brian, a fuga fora a música.

Elvis, Chuck Berry, Muddy Waters. Os dois juntavam todo dinheiro que podiam ganhar ou roubar para comprar os preciosos discos em 45. Aos doze anos, colaboraram em sua primeira canção... muito ruim. Johnno ainda lembrava, muitas rimas à base de amor/dor, num ritmo de três acordes, que dedilhavam em velhas guitarras. Haviam trocado uma garrafa de gim do pai de Brian pela guitarra. Por isso, Brian levara uma tremenda surra. Mas faziam música, o que era o mais importante.

Johnno já tinha quase dezesseis anos quando compreendera o que era. Angustiara-se por isso, chorara muitas vezes, atacara qualquer garota que desse bola, numa tentativa de mudar seu destino. Mas suor, lágrimas e sexo não conseguiram mudá-lo.

Ao final, fora Brian quem o ajudara a aceitar. Estavam bebendo, tarde da noite, no porão do prédio em que Brian morava. Desta vez fora Johnno quem roubara uma garrafa de uísque do pai. O fedor de lixo era horrível, os dois sentados ali, com uma vela entre eles, a garrafa passando de um para outro. No toca-discos velho, Roy Orbison cantava *Only the Lonely*. A confissão de Johnno saíra com um choro de bêbado e desvairadas ameaças de suicídio.

— Não sou nada, e nunca serei nada. Vivo como um porco. — Ele tomara um gole do uísque. — Meu velho fica peidando na sala, e mamãe chora e reclama, mas nunca faz nada para mudar. Minha irmã trabalha nas ruas, e meu irmão caçula já foi preso duas vezes este mês.

— Depende de nós sair dessa — declarara Brian, na filosofia de quem está de porre.

Com os olhos meio fechados, ele escutava Orbison. Queria cantar assim, com uma melancolia de outro mundo.

— Temos de fazer uma diferença para nós mesmos, Johnno. E é o que faremos.

— Diferença... Não posso tornar diferente. A não ser que me mate. Talvez seja a melhor solução... me matar para acabar logo com isso.

— Mas do que está falando?

Brian procurou no maço amassado de Pall Mall e encontrou um cigarro.

— Sou bicha.

Johnno abaixara a cabeça para os braços cruzados e chorara.

— Bicha? — Brian hesitara, com o fósforo a um centímetro da ponta do cigarro. — Ora, Johnno, não diga besteira.

— Eu disse que sou bicha. — A voz se alteara, enquanto ele levantava o rosto manchado de lágrimas, com uma expressão desesperada. — Gosto de homem. Sou um veado nojento, uma aberração.

Embora Brian ficasse abalado, o uísque fora um amortecedor para deixá-lo com a mente aberta.

— Tem certeza?

— Por que eu diria isso se não tivesse certeza? Só consegui trepar com Alice Ridgeway porque estava pensando no irmão dela.

Era mesmo nojento, pensara Brian, mas conseguira ocultar seus sentimentos. Eram amigos há mais de seis anos, haviam defendido um ao outro, mentido um pelo outro, partilhado sonhos e segredos. Brian riscara outro fósforo, acendera o cigarro e pensara um pouco.

— Ora, se você foi feito assim, então é assim. Não é motivo para cortar os pulsos.

— Você não é bicha.

— Não, não sou.

Brian torcera fervorosamente para não ser... e jurara que passaria as próximas semanas provando para si mesmo que não era, com todas as garotas que pudesse persuadir a abrir as pernas. As acrobacias sexuais que experimentara com Jane Palmer deveriam ser uma boa indicação de suas preferências sexuais. Ao pensar nela, ele sentira que começara a ficar excitado. Mudara a posição das pernas. Não era o momento para ficar com tesão, mas sim o de pensar no problema de Johnno.

— Muitas pessoas são bichas, Johnno. Como escritores, pintores e assim por diante. Somos músicos, e assim você pode pensar a respeito como parte de sua alma criativa.

— Isso é besteira.

Mesmo assim, Johnno enxugara o nariz pingando.

— Pode ser, mas, de qualquer forma, é melhor do que cortar os pulsos. Eu teria de procurar um novo parceiro.

Com uma insinuação de sorriso, Johnno tornara a pegar a garrafa.

— Quer dizer que ainda somos parceiros?

— Claro. — Brian passara o cigarro. — Enquanto eu não começar a deixar você com tesão.

E isso fora o fim do problema.

Quando arrumava um amante, Johnno mantinha a maior discrição e nunca fazia qualquer comentário a respeito. Sua preferência sexual era do conhecimento de todos na banda. Mas, pela sua privacidade e por insistência de Pete, ele cultivava uma imagem de garanhão heterossexual. De um modo geral, ele se divertia com a situação.

Mas havia inconvenientes, por mais que ele detestasse admiti-los. Ocorreu-lhe agora, enquanto balançava Emma em seu colo, que nunca teria uma criança sua.

E, frustrado, foi forçado a reconhecer, enquanto observava Brian passar o braço em torno de Bev, que o único homem que amava de verdade nunca seria seu amante.

Capítulo Cinco

Emma estava deslumbrada com Nova York. Depois de um café da manhã já um pouco tarde, em que Brian ofereceu-lhe geléia de morango e doces, ela ficou aos cuidados de Bev. Não se preocupou por isso, não desta vez. Seu Da apareceria na televisão naquela noite e prometera que ela poderia ir ao lugar em que as imagens eram feitas para assistir a tudo.

Enquanto esperavam, ela e Bev circularam pela cidade no enorme carro branco. Ela riu da peruca loura e dos enormes óculos escuros de Bev. Embora Bev não sorrisse muito a princípio, o excitamento de Emma logo a distraiu. Emma gostava de ver as pessoas seguindo apressadas pelas calçadas, esbarrando umas nas outras, atravessando nos cruzamentos ao coro de buzinas. Havia mulheres de saia curta e saltos altos, os cabelos bufantes duros como pedra. Havia outras de jeans e sandálias, os cabelos descendo pelas costas. Nas esquinas, havia vendedores de cachorro-quente, refrigerantes e sorvetes, que os pedestres não hesitavam em comprar, à medida que subia a temperatura fora do casulo gelado da limusine. Havia um nervosismo e agressividade no tráfego que Emma não compreendia, mas achava engraçado.

Impassível, impecável em seu uniforme bege e seu quepe de aba engomada, o motorista parou junto do meio-fio. Não era um grande apreciador de música, a menos que fosse Frank Sinatra ou Rosemary Clooney, mas tinha certeza de que as suas duas filhas adolescentes vibrariam de alegria quando levasse os autógrafos para casa, ao final dos dois dias de trabalho.

— Chegamos, madame.

— Ahn...

Um pouco atordoada, Bev olhou pela janela.

— O Empire State Building — explicou ele, gesticulando para a entrada do prédio. — Gostaria que eu viesse buscá-la dentro de uma hora?

— Uma hora... está bem.

Bev pegou a mão de Emma, enquanto o motorista abria a porta, e acrescentou:

— Vamos embora, Emma. A Devastation não é a única coisa que vai subir até o topo.

Havia uma fila longa e sinuosa, com bebês chorando e crianças reclamando. Elas foram para o final da fila, os dois seguranças ficando para trás e logo desaparecendo. Um grupo de estudantes franceses entrou segundos depois, todos carregando bolsas de compras da Macy's e falando muito depressa em sua língua. Em meio à mistura de perfume, suor e fraldas sujas, Emma sentiu o cheiro adocicado de maconha. Ninguém mais parecia notar... ou ninguém se importava. Elas entraram num elevador.

Longos e sufocantes minutos depois, saltaram do elevador. Tiveram de esperar de novo, em outra fila. Emma não se importou. Enquanto segurasse a mão de Bev, estaria tudo bem. Podia esticar o pescoço e olhar para as pessoas. Cabeças descobertas, chapéus de aba mole, barbas desgrenhadas. Quando cansava o pescoço, ela observava os sapatos. Sandálias de corda, sapatos pretos de verniz com furinhos nas pontas, sapatos pretos de saltos altos. Algumas pessoas arrastavam os pés, outras batiam com a ponta no chão, e mais outras deslocavam o peso do corpo de um pé para outro. Quase ninguém permanecia quieto.

Quando cansou de observar canelas e pés, Emma passou a prestar atenção nas vozes. Ouviu um grupo de garotas discutindo ali perto. Como adolescentes, despertaram sua inveja imediata.

— Stevie Nimmons é o mais bonito — insistiu uma garota. — Tem aqueles enormes olhos castanhos e um bigode maravilhoso.

— Sou mais Brian McAvoy — protestou outra. — Ele é fabuloso.

Para comprovar o que dizia, ela tirou da bolsa de madras uma foto recortada de uma revista. Um suspiro coletivo se elevou, enquanto as garotas agrupavam-se ao redor.

— Cada vez que olho para esta foto tenho vontade de morrer.

Ao mesmo tempo satisfeita e aturdida, Emma levantou os olhos para Bev.

— Essas garotas estão falando sobre o Da.

— Psiu... — Bev achava a cena bastante engraçada para ter vontade de relatá-la a Brian, mas também não podia esquecer que usava a peruca e os óculos escuros por um motivo. — Sei disso, mas temos de manter em segredo quem somos.

— Por quê?

— Explicarei depois.

Bev sentiu-se aliviada quando chegou a vez de entrarem no elevador. Os olhos de Emma se arregalaram quando os ouvidos estalaram, como acontecera no avião. Por um momento, sentiu-se apavorada com a possibilidade de passar mal de novo. Mordeu o lábio, fechou os olhos e desejou, desesperada, que o Da estivesse ali.

E também desejou não ter vindo. Desejou ter trazido Charlie para confortá-la. E rezou, tão fervorosa quanto uma menina de três anos podia fazê-lo, para não despejar o delicioso café da manhã em cima dos sapatos novos e lustrosos.

Até que as portas se abriram e o terrível movimento de balanço cessou. Todas as pessoas riam e falavam ao sair do elevador. Emma obedeceu ao puxão de Bev em sua mão, permanecendo ao seu lado, enquanto fazia um esforço para conter o enjôo.

Havia uma sala vasta, com prateleiras de souvenirs ao longo das paredes, e janelas enormes, pelas quais podiam ser vistos o céu e a vasta extensão de prédios que era Manhattan. Espantada, Emma permaneceu imóvel, enquanto as pessoas passavam ao seu redor. A náusea transformou-se em admiração.

— É um espetáculo incrível, não é mesmo, Emma?

— Estamos vendo todo o mundo?

Embora estivesse tão impressionada quanto a menina, Bev soltou uma risada.

— Não. É apenas uma pequena parte. Vamos sair para o terraço.

O vento envolveu-as, fazendo a saia de Emma subir. Ela cambaleou para trás. Mas a sensação deixou-a excitada, em vez de assustada, da mesma forma que Bev, que riu de novo.

— Estamos no topo do mundo, Emma.

Enquanto olhava por cima do muro alto, Emma sentiu o estômago se agitar. Tudo se espalhava lá embaixo, as ruas se cruzando, no fundo dos desfiladeiros formados pelos prédios, os carros e ônibus tão pequenos que pareciam de brinquedo.

Quando Bev pôs uma moeda, Emma olhou através da luneta. Mas preferia ver com os próprios olhos.

— Podemos morar aqui?

Bev mexeu na luneta, até focalizar a Estátua da Liberdade.

— Aqui em Nova York?

— Aqui em cima.

— Ninguém mora aqui, Emma.

— Por que não?

— Porque é uma atração turística — respondeu Bev, distraída. — Uma das maravilhas do mundo. Não se pode morar numa maravilha.

Mas Emma olhava por cima do muro alto, e pensava que ela poderia.

* * *

O ESTÚDIO DE TELEVISÃO NÃO IMPRESSIONOU EMMA. NÃO parecia tão bonito ou tão grande quanto na tela. As pessoas eram comuns. Mas ela gostou das câmeras. Eram grandes e volumosas, e as pessoas por trás pareciam importantes. Ela especulou se olhar por uma daquelas câmeras era como espiar pela luneta no Empire State Building.

Antes que ela pudesse perguntar a Bev, um homem magricela começou a falar em voz alta. Era o sotaque americano mais estranho que ela já ouvira. Não pôde entender a metade do que ouvia, mas registrou a palavra "Devastation". Foi quando ocorreu a explosão de gritos.

Depois do choque inicial, Emma parou de se encolher contra a saia de Bev. Esticou a cabeça para olhar. Não entendia os gritos, mas achou que não era um som ruim. Era um estrondo de juventude, gritos que ricocheteavam nas paredes e no teto. Fazia-a sorrir, embora sentisse um ligeiro tremor na mão de Bev.

Gostou da maneira como o pai avançou pelo palco, aos pulos, enquanto a voz, forte e clara, fundia-se com a de Johnno, depois com a de Stevie. Os cabelos de Brian faiscavam como ouro sob as luzes fortes. Emma era uma criança, e podia reconhecer a magia sem a menor dificuldade.

Enquanto vivesse, guardaria aquela imagem na mente e no coração, quatro jovens num palco, envoltos pela luz, pela sorte e pela música.

A CINCO MIL QUILÔMETROS, JANE ESTAVA SENTADA EM SEU novo apartamento. Havia uma garrafa de Gilbey's na mesinha ao seu lado, junto com trinta gramas da Ouro Colombiana. Acendera velas, dezenas de velas, para melhorar seu ânimo, com a ajuda da maconha. A voz clara de tenor de Brian saía pelo aparelho de som.

Ela se mudara para Chelsea com o dinheiro que recebera de Brian. Havia jovens ali, músicos, poetas e pintores, e as mulheres que os seguiam. Ela achava que encontraria outro Brian em Chelsea. Um idealista com um lindo rosto e mãos hábeis.

Podia freqüentar os pubs, sempre que tivesse vontade, escutar a música, escolher um companheiro para a noite.

Tinha um apartamento de seis cômodos, com móveis novos. Os armários estavam cheios de roupas das butiques mais elegantes. Havia em seu dedo um anel com um enorme diamante, que comprara na semana anterior, quando se sentia deprimida. E já não suportava mais aquele anel.

Pensara que cem mil libras eram todo o dinheiro do mundo. Ela passou a mão pelo chambre de seda que vestia, muito satisfeita com a sensação. Não demorara a descobrir que se podia gastar muito dinheiro com a mesma facilidade com que se gastava pouco. Ainda tinha o suficiente para sustentá-la por mais algum tempo, mas não levara muito tempo para compreender que vendera Emma barato.

Ele pagaria até o dobro, pensou Jane, enquanto bebia o gim. Mais do que o dobro, por mais que o filho-da-puta do Pete protestasse. Brian queria Emma. Tinha o coração mole por crianças. Ela sabia disso, mas não fora bastante esperta para explorar o fato, refletiu agora, irritada consigo mesma.

Apenas vinte e cinco mil libras por ano... Como ela poderia viver com tão pouco dinheiro?

Já meio de porre do gim, Jane enrolou um baseado.

Ainda se prostituía de vez em quando, mas era mais pela companhia do que pelo dinheiro extra. Não tinha idéia do quanto sentiria saudade de Emma. À medida que as semanas passavam, o conceito de maternidade assumia significados novos e emocionais.

Dera à luz. Trocara fraldas sujas. Gastara seu dinheiro ganho com tanta dificuldade em comida e roupas. Agora, era provável que a pirralha nem se lembrasse de que ela existia.

Contrataria um advogado. E contrataria o melhor, com o dinheiro de Brian. A justiça haveria de prevalecer. Não havia um único tribunal no país que não reconhecesse que uma criança pertencia à mãe. Pegaria Emma de volta ou, melhor, arrancaria duas vezes mais dinheiro.

Depois que os explorasse um pouco, Brian e sua nova esposa, tão metida a besta, não a esqueceriam. Ninguém a esqueceria, nem a porcaria da imprensa, nem o público estúpido, muito menos sua própria filha.

Com esse pensamento pairando na mente, Jane pegou a Methedrine no esconderijo e preparou-se para voar.

Capítulo Seis

Emma não poderia esperar por muito mais tempo. Havia um granizo ameaçador caindo lá fora, mas ela continuava a comprimir o rosto contra a janela na tentativa de ver alguma coisa.

Eles viriam em breve. Fora o que Johnno dissera. E Emma era bastante esperta para saber que ele ficaria irritado se perguntasse de novo agora. Mas ela não podia esperar. Depois que o nariz ficou gelado, ela deu um passo para trás, balançando o corpo de um pé para outro. Seu Da estava voltando para casa, com Bev e seu irmão bebê. Darren... O nome do irmão era Darren. Ela experimentou pronunciar o nome para si mesma, num sussurro. O simples som a fez sorrir.

Nada em sua vida jamais fora tão grande, tão importante quanto ter um irmão. Seria todo seu, e precisaria de seus cuidados. Teria de tomar conta do irmão. Vinha praticando há semanas e semanas com as bonecas que agora enchiam seu quarto.

Sabia que tinha de segurar a cabeça dele com todo cuidado, ou caía para trás e se quebrava. Às vezes os bebês acordavam no meio da noite, chorando para mamar. Não se importaria, pensou Emma. Ela esfregou seu peito liso, sem saber se Darren encontraria leite ali.

Não haviam deixado que fosse ao hospital para ver o irmão. O que a deixara tão transtornada que, pela primeira vez desde que viera para a casa nova, escondera-se dentro de um armário. Ainda se sentia furiosa, mas sabia que importava muito pouco para os adultos se as crianças ficavam com raiva.

Cansada de ficar de pé, ela sentou no banco junto da janela para acariciar Charlie e esperar.

Tentou pensar em outras coisas. O tempo que passara na América. Recordou todas as coisas que vira, enquanto cantarolava para si mesma. A enorme arcada prateada em St. Louis. O lago em Chicago, que parecia tão grande quanto o mar. E Hollywood. Gostaria de ver de novo as imensas letras brancas. Tentou imaginar como era cada uma.

O pai cantara num teatro imenso que havia ali perto, ao ar livre. Eles chamavam de Bowl. Ela achara esquisito dar a um teatro esse nome, que significava tigela, mas fora divertido ouvir as palmas e os gritos ao ar livre.

Comemorara o aniversário, o terceiro, em Hollywood. Todos foram comer o bolo branco com as bolas prateadas em cima.

Viajavam de avião quase todos os dias. E ela sempre sentia medo, mas, pelo menos, conseguira não ficar mais enjoada. Havia sempre muitas pessoas viajando com eles. O pai dizia que eram *roadies*, os técnicos e ajudantes que montavam os equipamentos. Emma também achava esquisito, porque *roadies* deviam ser os que andavam pela estrada, enquanto eles só viajavam de avião.

Mas ela apreciava os hotéis, com serviço de quarto e camas novas todas as noites. Adorava olhar as novas cidades pela janela, ver novas pessoas todas as manhãs.

Com um bocejo, ela se acomodou no banco, o cachorro aninhado debaixo de um braço.

Quando fossem de novo para um hotel, Darren poderia ir junto. Tinha certeza de que todos o adorariam.

Observar o granizo cair deixou-a sonolenta. E pensou no Natal. Fora o primeiro que já tivera com uma meia com seu nome pendurada na lareira. Por baixo da árvore toda ornamentada havia pilhas e mais pilhas de presentes. Brinquedos, jogos e bonecas em lindos vestidos. Todos brincaram de esconde-esconde de tarde, até mesmo Stevie. Ele fingira roubar só para fazê-la rir, e depois a levara em seu cangote por uma correria aos gritos pela casa.

Mais tarde, o pai destrinchara um enorme ganso de Natal. Com sono depois de tanto comer, ela se enroscara na frente da lareira, ouvindo a música.

Fora o melhor dia de sua vida. O melhor até hoje. O barulho de um carro acordou-a. Emma tornou a comprimir o rosto contra a janela e espiou. Pulou do banco, com um grito estridente.

— Johnno! Johnno! Eles chegaram!

Ela saiu em disparada pela sala, os sapatos ressoando no assoalho de madeira, que fora todo reformado e envernizado.

— Espere um instante. — Johnno parou de escrever a letra para a canção que soava em sua mente e pegou-a na corrida. — Quem chegou?

— Meu Da, Bev e meu bebê.

— Seu bebê, hem?

Ele apertou o nariz de Emma e depois se virou para Stevie, que experimentava novos acordes ao piano.

— Vamos dar as boas-vindas ao mais novo McAvoy?

— Já estou indo!

— Esperem por mim! — P.M. meteu na boca o último pedaço do bolo de passas antes de se levantar do chão. — Fico pensando como eles conseguiram sair do hospital sem serem assediados pela multidão.

— As precauções que Pete tomou para isso fazem com que as aventuras de James Bond pareçam insignificantes. Duas limusines de isca, vinte guardas corpulentos e a fuga final no furgão de um florista.

Com uma gargalhada, Johnno começou a atravessar a sala, com Emma em sua esteira.

— A fama nos obriga a usar disfarces, Emma querida. Não se esqueça disso.

Ela não se importava com a fama, nem com disfarces ou qualquer outra coisa. Só queria ver seu irmão. No instante em que a porta foi aberta, ela soltou a mão suada de Johnno e correu para a frente.

— Quero ver meu irmão!

Brian abaixou-se e puxou a manta do bebê em seu colo. Para Emma, a primeira visão do irmão foi de amor. Incondicional, total. Era muito mais do que qualquer coisa que ela imaginara.

Não era uma boneca. Mesmo enquanto ele dormia, dava para ver o suave movimento das pestanas escuras. A boca era pequena e úmida, a pele fina, de uma palidez delicada. Ele usava uma touca azul, mas o pai lhe dissera que o bebê tinha cabelos escuros como os de Bev. A mão se contraía num punho. Emma tocou-a, gentilmente, com as pontas dos dedos. Calor, um ligeiro movimento.

O amor envolveu-a como um raio de luz.

— O que você acha? — perguntou Brian.

— Darren... — ela murmurou o nome, saboreando-o. — É o bebê mais lindo do mundo.

— Tem o rosto lindo de um McAvoy — comentou Johnno, demonstrando um sentimentalismo embaraçoso. — Bom trabalho, Bev.

— Obrigada.

Ela sentia-se contente por ter acabado. Nenhum dos livros que lera antes a preparara para a dor intensa e extenuante do parto. Sentia-se orgulhosa por ter trazido o filho para o mundo num parto natural, embora fosse muito difícil nas horas finais. Agora, queria apenas descansar e ser mãe.

— O médico não quer que Bev fique muito tempo de pé durante os próximos dias — disse Brian. — Quer subir e deitar, meu amor?

— A última coisa que eu quero neste momento é me meter em outra cama.

— Então vamos sentar na sala, e tio Johnno pode preparar um delicioso chá.

— Maravilhoso.

— Vou subir e pôr o bebê na cama. — Brian sorriu pela maneira como P.M. mantinha-se afastado, olhando aturdido para o bebê. — Ele não morde, meu caro. Ainda não tem dentes.

P.M. sorriu e enfiou as mãos nos bolsos.

— Só não me peça para tocá-lo por algum tempo.

— Cuidem de Bev. Ela passou por momentos muito difíceis. Uma enfermeira virá esta tarde, mas não quero que Bev faça qualquer esforço desnecessário até lá.

— Isso eu posso providenciar.

Ele se encaminhou para a sala.

— Vamos pôr o bebê para dormir — anunciou Emma, com a mão na beira da manta. — Posso mostrar como se faz.

Começaram a subir a escada, com Emma na frente.

O quarto do bebê tinha cortinas brancas franzidas, as cores do arco-íris pintadas nas paredes de um azul claro. Havia um carrinho de bebê antigo num canto, vigiado por um urso de pelúcia de dois metros de altura. Uma velha cadeira de balanço esperava junto da janela.

Emma postou-se ao lado do berço, enquanto o pai deitava o bebê. Depois que a touca foi tirada, ela inclinou-se para afagar com todo cuidado a penugem preta na cabeça.

— Ele vai acordar daqui a pouco?

— Não sei. Tenho a impressão de que os bebês são bastante imprevisíveis. — Brian agachou-se ao lado da filha. — Precisamos ter muito cuidado com ele, Emma. O bebê é indefeso.

— Não deixarei que nada aconteça com ele... nunca.

Ela pôs a mão no ombro do pai e ficou observando o bebê dormir.

* * *

EMMA NÃO TINHA CERTEZA SE GOSTAVA DA SRTA. WALLINGSford. A jovem enfermeira tinha lindos cabelos vermelhos e atraentes olhos cinzentos, mas quase nunca permitia que Emma tocasse em Darren. Bev entrevistara dezenas de candidatas e sentia-se bem satisfeita com Alice Wallingsford. Ela tinha vinte e cinco anos, era de boa família e apresentara excelentes referências, além de ser simpática.

Nos primeiros meses depois do nascimento de Darren, Bev sentia-se tão cansada e desanimada que os serviços de Alice se tornaram muito valiosos. Mais do que isso, era outra mulher com quem conversar, sobre coisas como dentição, amamentação no seio, dieta. Bev estava determinada a recuperar seu corpo esguio, além de ser uma boa mãe. Com Brian compondo novas canções junto com Johnno ou em reuniões com Pete para discutir o próximo disco, Bev empenhava-se em oferecer o lar que tanto queria para sua família.

Escutava quando Brian falava de coisas como a guerra na Ásia, os distúrbios raciais nos Estados Unidos, mas seu mundo concentrava-se em saber se o sol esquentaria bastante para dar um passeio com Darren. Aprendeu a fazer pão e tentou o tricô, enquanto Brian fazia suas canções e discursava contra a guerra e o preconceito.

À medida que o corpo começava a voltar ao normal, sua mente se tranqüilizou. Para Bev, aquele era o momento mais doce de sua vida. O filho era roliço e saudável, e o marido tratava-a como uma princesa na cama.

Com Darren no seio e Emma a seus pés, ela balançava na cadeira ao lado da janela, no quarto do bebê. Chovera naquela manhã, mas o sol brilhava agora. Ela pensava em sair de tarde para um passeio no parque com o bebê e Emma.

— Vou pôr Darren no berço agora, Emma. — Bev puxou a blusa para cobrir o seio. — Ele pegou no sono.

— Posso segurá-lo no colo quando ele acordar?

— Pode, mas só quando eu estiver com você.

— A Srta. Wallingsford nunca me deixa pegar o bebê.

— Ela está apenas sendo cautelosa.

Bev alisou a manta que cobria Darren, antes de recuar. O menino tinha quase cinco meses agora. E ela já não podia imaginar a vida sem ele.

— Vamos descer e preparar um bolo, Emma. Seu Da adora um bolo de chocolate.

Como sabia que tinha de se contentar com isso, Emma seguiu-a para o corredor. Encontraram Alice, carregando uma pilha de roupas de cama limpas para o quarto do bebê.

— Ele deve dormir durante algum tempo, Alice — disse Bev. — Está de barriga cheia.

— Pois não, madame.

— Emma e eu estaremos na cozinha.

Uma hora depois, quando tiravam o bolo para esfriar, ela ouviu a porta da frente bater.

— Seu Da deve ter voltado mais cedo para casa.

Numa reação automática, Bev afofou os cabelos, antes de sair apressada da cozinha para receber o marido.

— Bri, eu não o esperava até... O que aconteceu?

Ele estava muito pálido, os olhos vermelhos. Sacudiu a cabeça, como se quisesse desanuviá-la, enquanto Bev estendia as mãos em sua direção.

— Atiraram nele.

— Como? — Os dedos de Bev apertaram os dele, com toda força. — Atiraram em quem?

— Kennedy... Robert Kennedy. Ele foi assassinado.

— Oh, meu Deus...

Bev estava horrorizada. Lembrava quando o presidente americano fora assassinado e o mundo chocado o lamentara. Agora, era o irmão mais jovem, tão inteligente.

— Estávamos ensaiando para o álbum quando Pete entrou no estúdio — contou Brian. — Tinha acabado de ouvir a notícia pelo rádio. Nenhum de nós acreditou, até que também ouvimos. Há poucos meses foi King, e agora acontece isso. O que está acontecendo com o mundo, Bev?

— Sr. McAvoy... — Alice começou a descer a escada, o rosto tão branco quanto o avental. — É mesmo verdade? Tem certeza?

— Tenho sim. Parece um pesadelo, mas é verdade.

— Oh, aquela pobre família... — Alice retorcia as mãos no avental. — Aquela pobre mãe...

— Ele era um homem de bem — murmurou Brian. — Seria o próximo presidente americano. E tenho certeza que acabaria com aquela guerra sangrenta.

Emma ficou perturbada ao ver lágrimas nos olhos do pai. Os adultos estavam absorvidos demais em sua própria dor para notá-la. Ela não conhecia ninguém chamado Kennedy, mas sentia pena por ele ter morrido. Talvez fosse um amigo de seu Da. Ou um soldado na guerra de que o pai sempre falava.

— Alice, prepare um chá para nós, por favor — murmurou Bev, enquanto levava Brian para a sala.

— Para que tipo de mundo trouxemos nossas crianças, Bev? Quando vão compreender, Bev? Quando finalmente vão compreender?

Emma subiu para sentar com Darren, deixando os adultos entregues às lágrimas e ao chá.

Encontraram-na ali, no quarto do bebê, uma hora depois. Ela entoava um dos acalantos que Bev costumava cantar quando ninava Darren. Em pânico, Bev avançou pelo quarto, mas Brian segurou-a pelo braço.

— Não faça isso. Não percebe que eles estão bem?

E ver as crianças abrandou um pouco sua amargura. Emma sentava na cadeira de balanço, os pés longe do chão, o bebê bem acomodado em seus braços. Ela levantou os olhos e ofereceu um lindo sorriso.

— Darren começou a chorar, mas está feliz agora. Sorriu para mim. — Emma inclinou-se para dar um beijo no rosto do irmão, que balbuciou. — Ele me ama... não é mesmo, Darren?

— Tem toda razão, ele ama você.

Brian foi se ajoelhar na frente da cadeira de balanço e abraçou as crianças.

— Tenho de agradecer a Deus por vocês — murmurou ele, estendendo a mão para Bev. — Se não fosse por vocês, acho que eu já teria enlouquecido.

BRIAN MANTEVE A FAMÍLIA AINDA MAIS UNIDA DURANTE AS semanas seguintes. Sempre que possível, trabalhava em casa; e até aventou a idéia de construir ali um estúdio de gravação. A guerra no Sudeste Asiático deixava-o angustiado. A luta horrível e inútil em sua terra natal, a Irlanda, também o afligia. Seus discos subiam nas paradas de sucesso, mas isso não lhe proporcionava mais a satisfação que já experimentara nos primeiros dias. Usava a música tanto como uma projeção de seus sentimentos quanto como um amortecedor para as piores angústias. A necessidade da família mantinha-o sob controle.

Era a sanidade, tinha certeza.

Foi Bev quem lhe deu a idéia de levar Emma para o estúdio de gravação. Estavam prestes a gravar as primeiras faixas de seu terceiro álbum. Era um álbum que Brian considerava ainda mais importante que o de estréia. Agora, ele tinha de provar que a Devastation não era apenas uma banda de sucesso temporário, uma pálida imitação na esteira de grupos como os Beatles e Rolling Stones. Tinha de provar para si mesmo que a magia, tão ofuscada durante o último ano, ainda existia.

Ele queria alguma coisa singular, um som nitidamente próprio. Pusera de lado uma dúzia de músicas de rock que compusera com Johnno. Podiam esperar. Apesar das objeções de Pete, o resto do grupo apoiava-o na decisão de salpicar o álbum com declarações políticas, o rock mais rebelde e canções folclóricas irlandesas. Guitarras elétricas e gaitas.

Quando entrou no estúdio, Emma não tinha noção de que estava testemunhando a produção da história da música. Para ela, apenas passaria o dia com o Da e seus amigos. Parecia uma enorme brincadeira, os equipamentos, os instrumentos, a sala de paredes de vidro. Ela sentou numa enorme cadeira giratória, tomando Coca-Cola direto da garrafa.

— Não acha que a garota vai achar muito chato? — perguntou Johnno, enquanto afinava seu órgão elétrico.

Ele usava dois anéis agora, um diamante num dedo mindinho, uma safira no outro.

— Se não pudermos distrair uma garota, é melhor desistirmos. — Brian ajustou a correia de sua guitarra. — De qualquer forma, quero mantê-la por perto. Jane está querendo criar caso de novo.

— Uma vaca desgraçada... — murmurou Johnno.

Ele pegou um copo de Coca-Cola, com uma dose generosa de rum.

— Ela não vai conseguir nada desta vez, mas mesmo assim é uma chatice. — Brian lançou um olhar rápido para Emma, que estava absorvida numa conversa com Charlie. — Jane alega que foi enganada ao assinar os documentos. Pete está cuidando de tudo.

— Ela só quer mais dinheiro.

Com um sorriso sombrio, Brian acenou com a cabeça em concordância.

— Só que ela não vai arrancar mais nada de Pete. Nem de mim. Agora vamos verificar a afinação.

— Olá, Emma querida. — Stevie parou ao lado da menina e espetou um dedo em sua barriga. — Vai fazer uma audição para a banda?

— Só vou assistir.

Ela fitou-o, fascinada pela argola de ouro que Stevie agora usava na orelha.

— Isso é ótimo. Sempre tocamos melhor com uma grande audiência. Diga-me uma coisa, Emma. — Ele abaixou-se e sussurrou: — Quem é o melhor da turma aqui?

Tornara-se um jogo habitual a essa altura. Conhecendo as regras, Emma levantou os olhos, baixou-os, desviou-os de um lado para outro. Arqueou os ombros e gritou:

— O Da!

O que lhe valeu uma risada de protesto e muitas cócegas nas costelas. Com um esforço para não molhar a calcinha de tanto rir, ela recuou para trás na cadeira.

— É ilegal neste país fazer lavagem cerebral em crianças — declarou Stevie ao se juntar a Brian.

— A criança tem bom gosto.

— O que é uma pena. — Ele tirou a Martin da caixa e passou os dedos pelo pescoço, num gesto afetuoso. — O que vamos tocar primeiro?

— Vamos gravar a parte instrumental de *Outcry*.

— Guardando o melhor para o começo. — Com um aceno de cabeça, Stevie tocou alguns acordes experimentais. — Muito bem, pessoal, vamos começar.

Dos quatro, Stevie era o único que crescera com bastante dinheiro, numa casa de verdade, com um jardim e duas empregadas. Estava acostumado às melhores coisas, esperava-as e se cansava com facilidade quando as tinha. Apaixonara-se pela guitarra e fizera com que os pais conservadores se arrependessem do dia em que lhe deram de presente.

Aos quinze anos, ele formara sua própria banda. Stevie e os Rousers. Durara seis semanas, antes de ser dissolvida por violentas brigas internas. Sem desanimar, ele formara outra, depois uma terceira. Seu talento natural e exuberante com a guitarra atraíra muitos músicos esperançosos. Mas queriam também liderança, e ele tinha uma incapacidade inata de oferecê-la.

Conhecera Brian e Johnno numa festa no Soho, uma dessas reuniões com velas acesas, muita fumaça e incenso, do tipo que deixava seus pais apavorados. Sentira-se imediatamente atraído pela intensidade de Brian em relação à música e pelo espírito cáustico e despreocupado de Johnno. Pela primeira vez na vida, Stevie aderira a uma banda, em vez de formá-la. E seguira a liderança de Brian com o maior alívio.

Passaram por dias difíceis, tocando em pubs, suplicando pela oportunidade de uma apresentação. Tiveram dias inebriantes a escrever letras e compor músicas. E houvera mulheres, muitas e muitas, gloriosas, dispostas a se estenderem de costas diante de um jovem louro com uma guitarra nas mãos.

Houvera Sylvie, a garota que ele conhecera na primeira apresentação da banda em Amsterdã. Bonita, rosto redondo, Sylvie, com seu inglês trôpego e olhos inocentes. Fizeram amor como maníacos, num quarto pequeno e imundo, com vazamentos no teto, as janelas cobertas por uma camada de fuligem. Stevie apaixonara-se tanto quanto acreditava que era capaz. Até acalentara a idéia de levá-la para Londres, morar com ela em algum apartamento sem aquecimento.

Mas Sylvie engravidara.

Stevie ainda se lembrava do momento em que ela lhe dissera, o rosto pálido, os olhos cheios de esperança e medo. Ele não queria ter filhos. Por Cristo, tinha apenas vinte anos! Sua música vinha em primeiro lugar. E se os pais descobrissem que ele tivera uma criança com uma garçonete holandesa... Fora angustiante compreender que não fazia diferença a distância em que se afastara, o quanto ele protestava, pois o que seus pais pensavam ainda era muito importante.

Pete arrumara um aborto, discreto e caro. Sylvie, as lágrimas escorrendo pelo rosto, fizera o que ele pedira. Depois, saíra de sua vida. Até que ela desaparecesse, Stevie não sabia que a amava ainda mais do que acreditava ser capaz.

Não queria pensar a respeito, detestava se lembrar de Sylvie e das circunstâncias. Mas, ultimamente, cada vez mais a lembrança se manifestava. Talvez fosse por causa de Emma, pensou ele, enquanto olhava em sua direção, para vê-la corada e feliz, na cadeira giratória. A criança, se nascesse, teria agora mais ou menos a idade de Emma.

O dia no estúdio foi divertido para Emma. Tão divertido que seu único pesar foi o fato de Darren não estar presente para partilhar. Ver o pai e seus amigos tocarem agora era diferente de vê-los nos teatros e auditórios por toda a América. Havia uma energia diferente ali. Emma não compreendia, mas podia sentir.

Na excursão, ela começara a vê-los como uma unidade, como um corpo com quatro cabeças. A imagem que projetara em sua mente a fazia rir de si mesma, mas parecia verdadeira. Hoje, eles discutiam, praguejavam, gracejavam ou apenas ficavam sentados em silêncio durante os playbacks. Emma não conhecia o significado dos termos técnicos que eram gritados a todo instante... nem precisava saber. Divertia-se quando os quatro se juntavam, ou quando tiravam um tempo para brincar com ela. Comeu muita batata frita gordurosa e estufou a barriga com Coca-Cola.

Durante um intervalo, sentou no colo de P.M. e bateu nos tambores. Disse seu nome num microfone e ouviu sua voz ecoar pelo estúdio. Com uma baqueta de reserva na mão, cochilou na cadeira giratória, a cabeça usando como travesseiro o fiel Charlie. E acordou com a voz do pai se elevando numa balada de amor trágico.

Fascinada, ficou observando, enquanto esfregava os olhos para afastar o sono e bocejava no pêlo de Charlie. O coração era muito jovem para ficar comovida com a letra. Mas o som atingiu-a. Nunca ouviria a canção de novo sem recordar o momento em que despertara para ouvir a voz de Brian povoando sua cabeça. Povoando o mundo.

Quando ele acabou, Emma esqueceu que deveria ficar quieta. Ela bateu palmas, balançando na cadeira.

— Da!

Na cabine de controle, Pete soltou um palavrão. Mas Brian ergueu a mão.

— Deixe assim. — Com uma risada, ele virou-se para Emma. — Não tire nada.

Ele estendeu os braços para a filha. Quando ela correu, Brian levantou-a.

— O que acha, Emma? Acabo de transformá-la numa estrela.

Capítulo Sete

Se a fé de Brian no homem fora abalada em 1968 com o assassinato de Martin Luther King, depois de Robert Kennedy, voltou a se expandir no verão de 1969, com Woodstock. Foi para ele uma celebração da juventude e da música, do amor e da fraternidade. Simbolizava a oportunidade de mudar o ano do derramamento de sangue e da guerra, dos distúrbios e do descontentamento. Teve certeza, lá em cima no palco, ao contemplar aquele mar de corpos, que nunca teria uma apresentação tão grande e tão memorável.

Mesmo enquanto o emocionava, por deixar sua marca, também o deixava deprimido e apavorado, porque a década, com seu espírito, chegava ao fim.

Agitou-se durante três dias no norte do estado de Nova York, numa intensidade febril de energia emocional e criativa, alimentada pelo clima, aguçada pelas drogas, que eram tão acessíveis quanto pipoca numa matinê de sábado, e impulsionado por seus próprios medos pelos rumos a que o sucesso o levara. Passou uma noite inteira sozinho no trailer que a banda usava, compondo para uma apresentação de maratona, que duraria vinte e quatro horas, enquanto a cocaína pulsava em seu organismo. Numa tarde iluminada, sentou no bosque com Stevie, ouvindo a música e as aclamações de quatrocentas mil pessoas. Com a ajuda do LSD, viu universos inteiros criados numa folha de bordo.

Brian absorveu Woodstock, o conceito do espetáculo, sua realidade. Seu único pesar era o de que nenhum dos seus argumentos persuadira Bev a acompanhá-los. Mais uma vez, Bev esperava por ele. Só que desta vez esperava na casa que haviam comprado nas colinas de Hollywood. A paixão de Brian pelos Estados Unidos estava apenas começando. Sua segunda excursão americana era como uma volta para casa. Era o ano do festival de rock, um fenômeno que Brian considerava como uma demonstração da força da cultura do rock.

Ele queria e precisava recapturar aquele momento no auge do excitamento, quando o sucesso era novo, quando a banda, com sua unidade, era como uma força elétrica abalando o mundo da música e garantindo o reconhecimento público. Ao longo do último ano, ele sentira que essa eletricidade, essa unidade, pareciam se desvanecer, como os anos 60. Mas tornara a sentir toda a vibração em Woodstock.

Quando embarcaram no avião, deixando para trás os fiéis de Woodstock, Brian sentia uma profunda exaustão. Ao seu lado, Stevie engoliu dois barbitúricos e apagou. Johnno recostou-se para jogar pôquer com um dos homens da equipe técnica. Só P.M. permaneceu acordado e sozinho, olhando pela janela, irrequieto.

Queria se lembrar de tudo. Incomodava-o o fato de que, ao contrário de Brian, via as condições miseráveis por trás do simbolismo e da declaração do festival. A lama, o lixo, a falta de instalações sanitárias adequadas. A música, pelo bom Cristo, fora maravilhosa, quase a um ponto insuportável. Mas, com freqüência, até demais, ele sentia que a audiência estava desligada demais para notar.

Ainda assim, mesmo alguém tão pragmático e simples como P.M. experimentara o senso de compromisso e unidade. E de paz... três dias pacíficos em que quatrocentas mil pessoas viveram como uma só família. Mas também houvera sexo obsceno, promíscuo e descuidado, sem falar na abundância de drogas.

As drogas assustavam-no. Não podia admiti-lo, nem mesmo para os homens que considerava seus irmãos. As drogas deixavam-no passando mal, comportando-se como um idiota, ou faziam-no dormir. Só as tomava quando não havia nenhuma maneira elegante de se esquivar. Sentia-se ao mesmo tempo espantado e consternado pela jovialidade com que Brian e Stevie experimentavam qualquer droga que aparecesse. E sentia-se mais do que um pouco assustado pela facilidade com que Stevie, de uma forma tranqüila e sistemática, injetava heroína nas veias.

Johnno era mais exigente com o que bombeava em seu organismo, mas a personalidade de Johnno era tão forte que ninguém ria dele por se recusar a tomar ácido, estimulante ou coca.

P.M. sabia que personalidade não era seu ponto forte. Não era sequer um músico, não como os outros. Sabia, é claro, que podia se comparar a qualquer outro na bateria. Mas não era capaz de compor música, não sabia lê-la. E sua mente não era propensa à poesia ou a declarações políticas.

E não era um homem bonito. Mesmo agora, aos vinte e três anos, ainda era atormentado por erupções ocasionais de espinhas.

Apesar do que considerava como suas muitas desvantagens, fazia parte de um dos maiores e mais bem-sucedidos grupos de rock do mundo. Tinha amigos, bons e verdadeiros, que o apoiariam em tudo. Em dois anos, ganhara mais dinheiro do que jamais esperara ganhar em toda a sua vida.

E era cuidadoso com seu dinheiro. O pai de P.M. tinha uma pequena oficina mecânica em Londres. Ele sabia alguma coisa de negócios e contas. Dos quatro, era o único que fazia perguntas a Pete sobre despesas e lucros. E era o único que se dava ao trabalho de ler qualquer dos formulários ou contratos que assinavam.

Ter dinheiro agradava-o, não apenas porque podia enviar cheques para casa... uma espécie de prova concreta para os pais desconfiados de que podia ter sucesso. Também o agradava ouvir o dinheiro retinindo em seu bolso.

Não crescera tão pobre quanto Johnno e Brian, mas também estivera muito longe de conhecer os confortos da infância de Stevie.

Agora, estavam a caminho do Texas. Outro festival, num ano repleto de festivais. P.M. não se importava. Depois, viria outra apresentação, em outra cidade. Tudo começava a se misturar e se confundir, os meses, os palcos. Mas ele não queria parar. Pois quando parava sentia um medo desesperado de recair na obscuridade.

Sabia que iriam para a Califórnia, para Hollywood, quando o verão acabasse. Por algumas semanas, viveriam entre artistas de cinema. E por algumas semanas, pensou ele, com pontadas de culpa e prazer, ficaria perto de Bev. A única pessoa que P.M. amava mais do que Brian era a esposa de Brian.

EMMA ARMOU OS BLOCOS COM LETRAS. SENTIA-SE MUITO orgulhosa de estar aprendendo a ler e soletrar, e estava determinada a ensinar a Darren.

— E-M-M-A — disse ela, batendo em cada bloco. — Emma. Diga Emma.

— Ma! — Rindo, Darren misturou os blocos. — Ma! Ma!

— Emma! — Mas ela inclinou-se para beijá-lo. — Aqui está uma palavra fácil.

Ela juntou dois blocos.

— D-A. Da.

— Da! Da! Da! Da!

Exultante, Darren levantou-se, cambaleando sobre as pernas roliças, e foi até a porta, à procura de Brian.

— O Da não está em casa agora, mas a mamãe está na cozinha. Vamos ter uma festa grande esta noite para comemorar o novo álbum, que está quase pronto. E voltaremos em breve para a Inglaterra.

Emma aguardava ansiosa por isso, embora gostasse da casa na América quase tanto quanto gostava do castelo nos arredores de Londres. Há mais de um ano que ela e sua família voavam através do oceano entre uma casa e outra, quase como outras famílias atravessavam uma cidade.

Ela completara seis anos no outono de 1970 e tinha um tutor britânico, por insistência de Bev. Quando voltassem para a Inglaterra, Emma sabia que começaria a freqüentar a escola, junto com outras crianças de sua idade. A perspectiva era ao mesmo tempo assustadora e maravilhosa.

— Quando voltarmos para casa, vou aprender muito mais e ensinar tudo para você. — Enquanto falava, ela empilhava os blocos numa torre meticulosa. — Aqui está seu nome. O melhor nome. Darren.

Com um grito de júbilo, ele voltou a se agachar e examinou as letras. *D.A.Z.L.M.N.O.P.* Depois de lançar um olhar malicioso para Emma, ele estendeu o braço. Os blocos caíram e se espalharam.

— Darren! — gritou ele. — Darren McAvoy!

— Sabe dizer seu nome direitinho, não é mesmo?

Em três anos, o fluxo e a cadência da voz de Emma haviam passado a refletir a voz de Brian. Ela sorriu ao começar a armar alguma coisa mais intrincada para o irmão demolir.

Darren era a luz de sua vida, o irmão caçula de cabelos escuros e olhos risonhos, verdes da cor do mar. Aos dois anos, tinha o rosto de um querubim de Botticelli e a energia de um demônio. Fizera tudo antes do tempo. Por exemplo, começara a engatinhar antes da época indicada pelos livros de Bev.

Seu rosto já aparecera na capa de *Newsweek, Photoplay* e *Rolling Stone*. O mundo demonstrava uma paixão permanente por Darren McAvoy. Ele tinha nas veias o sangue de camponeses irlandeses e de sólidos conservadores britânicos, mas era um príncipe. Por mais cuidadosa que Bev fosse, os *paparazzi* conseguiam tirar novas fotos de Darren quase todas as semanas. Os fãs clamavam por mais.

Mandavam-lhe caminhões com brinquedos, que Bev despachava para hospitais e orfanatos. Recebiam inúmeras propostas de endosso publicitário. Comida de criança, uma linha de roupas infantis, uma rede de lojas de brinquedos. A recusa era sistemática. Em meio a toda atenção e adulação, Darren permanecia um menino feliz e saudável, no momento passando — e desfrutando — pela terrível idade de dois anos. Se soubesse da atenção que lhe dispensavam, sem dúvida teria concordado alegremente que merecia.

— Este é o castelo — disse Emma, enquanto arrumava os blocos. — E você é o rei.

— Eu sou o rei.

Darren arriou no chão sobre o traseiro acolchoado.

— Isso mesmo. Rei Darren Primeiro.

— Primeiro. — Ele sabia qual era o significado da palavra, e gostava de ocupar a posição. — Darren é primeiro.

— Você é um rei muito bom e gentil com todos os animais.

Ela puxou Charlie, sempre fiel, para mais perto. Obediente, Darren inclinou-se para dar um beijo babado no cachorro.

— E aqui estão todos os seus bons e corajosos cavaleiros. — Meticulosa, Emma arrumou bonecos e bichos de pelúcia. — Da e Johnno, Stevie e P.M. E aqui está Pete. Ele é... humm... primeiro-ministro. E esta é a linda Lady Beverly.

Satisfeita, Emma puxou sua boneca predileta, uma bailarina.

— Mamãe... — Darren beijou a boneca. — Mamãe é bonita.

— É a mais bonita dama do mundo. Há uma feiticeira horrível que não gosta dela, e a trancou numa torre. — Emma teve uma vaga imagem da própria mãe, mas logo passou. — Todos os cavaleiros saem a galope para salvar a dama.

Imitando o som de cascos de cavalos, ela empurrou os outros brinquedos na direção da boneca.

— Mas Sir Da é o único que pode romper o encantamento.

— Sir Da!

A combinação de palavras parecia tão engraçada que Darren rolou pelo chão e derrubou o castelo.

— Se você vai continuar a derrubar seu próprio castelo, eu desisto.

— Ma... — Darren passou os braços em torno da irmã e apertou-a. — Ma... Ma... Ma... Vamos brincar de fazenda.

— Está bem. Mas temos de guardar os blocos, ou a durona da Srta. Wallingsford vai dizer que somos crianças bagunceiras.

— Mijona. Mijona. Mijona.

— Darren! — Emma levou as mãos à própria boca e riu. — Não diga isso!

Porque a fazia rir, ele disse de novo, o mais alto que podia.

— Que palavra para se ouvir num quarto de criança...

Bev parou na porta, sem saber se achava engraçado ou se repreendia o filho.

— Ele queria dizer durona — explicou Emma.

— Entendo... — Bev estendeu os braços, e Darren correu em sua direção. — A diferença entre as duas palavras é muito importante, meu rapaz. O que vocês dois estavam fazendo?

— Brincávamos de castelo, mas Darren derrubou tudo.

— Darren, o Destruidor.

Bev fungou no pescoço do filho, até que ele soltou risadas estridentes. As pernas roliças enlaçaram-na, para que a mãe pudesse segurá-lo em sua posição predileta. De ponta-cabeça.

Ela não sabia que era possível amar tanto. Até mesmo a paixão que sentia por Brian era ofuscada pelo amor que tinha por Darren. Ele retribuía sem sequer saber que estava dando alguma coisa. Simplesmente fazia, com um abraço, um beijo, um sorriso. Sempre no momento certo. Darren era a parte melhor e mais luminosa de sua vida.

— Agora vá ajudar sua irmã a arrumar os blocos.

— Posso fazer isso sozinha.

Depois de pôr o filho no chão, Bev sorriu para Emma.

— Ele tem de aprender a arrumar suas coisas, Emma. Por mais que você e eu preferíssemos fazer tudo por ele sempre.

Ela observou-os juntos, a menina loura e delicada, o menino moreno e forte. Emma era uma criança meticulosa, de boas maneiras. Não se escondia mais em armários. Brian fizera uma grande diferença em sua vida. E Bev esperava ter contribuído também para transformar Emma na menina inteligente e alegre que ela era hoje. Mas fora Darren, ela sabia, quem de fato inclinara a balança. Em sua devoção ao irmão, Emma se esquecera de sentir medo, de ser tímida. Em troca, Darren demonstrava um amor total pela irmã.

Mesmo quando bebê, ele parava de chorar mais depressa se Emma o acalmava. A cada dia, o vínculo entre os dois aumentava.

Bev ficara satisfeita no dia em que Emma, há alguns meses, passara a chamá-la de mamãe. Era raro agora que olhasse para Emma e pensasse nela como a filha de Jane. Não sentia — nem podia sentir — por Emma o amor intenso e desesperado que tinha por Darren. Mesmo assim, seu amor pela menina era profundo e firme.

Porque gostava do barulho que faziam, Darren largou os blocos dentro da caixa.

— D — disse ele, segurando sua letra predileta por cima da caixa. — Dedo, dia, Darren!

Ele largou o bloco e ficou feliz porque achou que sua letra fez mais barulho. Convencido de que cumprira seu dever, ele montou no cavalo de balanço vermelho e branco e seguiu para oeste.

— Vamos brincar de fazenda.

Emma pegou na prateleira o estábulo e o silo enormes. Ao ouvir a palavra "fazenda", Darren saiu do cavalo. Virou o silo ao contrário para despejar os animais e pessoas de cara redonda.

— Vamos logo! — exclamou ele.

Os dedos ainda desajeitados esforçaram-se em erguer as cercas brancas em linha reta. Emma firmou as mãos do irmão, antes de olhar para Bev.

— Você pode brincar também?

Bev pensou que tinha um milhão de coisas para fazer, com tantas pessoas que Brian convidara para aquela noite. Dentro de poucas horas, a casa estaria cheia. Parecia sempre cheia, como se Brian tivesse medo de passar umas poucas horas em sua própria companhia. Bev não sabia do que ele fugia e duvidava que o próprio Brian soubesse.

Quando voltarmos para Londres, pensou ela. Tudo se ajustaria em seus lugares quando estivessem em casa de novo.

Ela olhou para as crianças... suas crianças. E riu.

— Eu adoraria brincar com vocês.

Uma hora depois, Brian encontrou os três no tapete que representava um milharal. As espigas estavam sendo colhidas por uma frota de caminhões Tonka. Antes que ele pudesse dizer qualquer coisa, Emma se levantou.

— O Da está em casa!

Ela saiu correndo e pulou, certa de que os braços do pai estariam à espera para segurá-la. Brian deu um beijo ruidoso na menina em seu colo. O braço livre levantou Darren.

— Quero um beijo grande, filho.

O menino deu um beijo babado em seu rosto. Com os dois nos braços, Brian contornou as cercas de plástico branco e as figuras espalhadas pelo chão.

— Fazenda de novo?

— É a brincadeira predileta de Darren.

Bev esperou que ele sentasse, depois sorriu. Como sempre, Brian mostrava-se o melhor possível no círculo da família.

— Sinto muito, mas você acaba de sentar na pilha de estrume.

— É mesmo? — Ele inclinou-se para puxá-la. — Não seria a primeira vez que sento na merda.

— Merda — repetiu Darren, com uma dicção perfeita.

— Que bom exemplo — murmurou Bev.

Brian apenas sorriu. Fez cócegas no filho.

— Qual é o plano?

Bev sentou direito. Darren deixou o braço do pai para ir sentar em seu colo.

— Vamos derrubar o milharal agora que decidimos plantar soja.

— Uma idéia muito sensata. Você é um fazendeiro e tanto, não é mesmo, meu filho? — Brian espetou um dedo na barriga rechonchuda do filho. — Temos de fazer logo aquela planejada viagem à Irlanda. Você poderá andar num trator de verdade.

— Vamos logo! Vamos logo!

Darren pulava no colo da mãe, enquanto entoava sua frase predileta.

— Darren não pode andar de trator enquanto não for maior — declarou Emma, cruzando as mãos sobre os joelhos.

— Tem toda razão. — Com um sorriso, Bev acenou com a cabeça na direção de Brian. — Assim como também não pode usar o bastão de críquete e a bicicleta que alguém comprou para ele.

— Mulheres... — disse Brian para o filho. — Não compreendem as coisas de macho.

— Mijona! — exclamou Darren, satisfeito com a nova palavra que aprendera.

— O que foi que disse?

Brian teve de fazer um esforço para conter a risada.

— Não me pergunte. — Bev deu um abraço rápido no filho e tirou-o de seu colo. — Vamos arrumar tudo aqui para podermos tomar nosso chá.

— Excelente idéia. — Brian levantou-se. Pegou a mão de Bev. — Emma, você está encarregada de tudo aqui. Mamãe e eu temos uma coisa para fazer antes do chá.

— Brian...

— A Srta. Wallingsford acaba de descer. — Ele continuou a arrastar Bev para fora do quarto. — Não esqueça de lavar as mãos depois que acabar aqui, Emma.

— Brian, o quarto aqui está uma bagunça...

— Emma cuidará de tudo. Ela sempre foi arrumada. — Brian continuou a levá-la para o quarto do casal. — E gosta ainda por cima.

— Mesmo assim, eu... — Ela segurou as mãos de Brian, quando ele puxou sua *camiseta*. — Não podemos fazer isso agora, Bri. Tenho um milhão de coisas para providenciar.

— E isto está no alto da lista.

Ele beijou-a na boca, satisfeito porque ela parou de resistir.

— Estava no alto da lista ontem de noite — murmurou Bev, passando as mãos pelos flancos do marido, até os quadris. — E outra vez esta manhã.

— Sempre está no alto da lista.

Brian abriu o jeans da mulher. Sempre o espantava constatar como ela era pequena e firme. Depois de dois filhos... Não, um filho só, ele lembrou a si mesmo. Esquecia com freqüência, talvez deliberadamente, que ela não gerara Emma. Por mais familiar que o corpo de Bev tivesse se tornado, tocá-la daquele jeito sempre o levava de volta à primeira noite que haviam passado juntos.

Tinham percorrido um longo caminho desde o apartamento de quarto e sala, com uma cama de solteiro que rangia o tempo todo. Eram donos agora de duas casas, em dois países. Mas o sexo continuava tão intenso e doce quanto no tempo em que Brian não tinha nada nos bolsos e só contava com as esperanças desesperadas e os sonhos dourados.

Rolaram pela cama, pernas e braços emaranhados, as bocas se tornando mais e mais famintas. Quando Bev ficou por cima, ele podia ver o imenso prazer refletido em seu rosto.

Ela mudara muito pouco. A pele era pálida, leitosa, delicadamente corada da paixão que a esquentava. Brian ergueu-se, contornando os seios com beijos lentos e suaves. Quando Bev deixou a cabeça pender para trás, ele sugou-os, sôfrego, excitado pelos murmúrios de desamparo que ela deixava escapar.

Com Bev ele queria a beleza. Com Bev ele a encontrava.

Estendeu as mãos para os quadris de Bev e ajeitou-a. Deixou que ela determinasse o ritmo. Deixou que ela o levasse para onde queria ir.

* * *

NUA, ELA ESTICOU-SE. DEPOIS, ENROSCOU-SE CONTRA BRIAN. Os olhos meio fechados, podia ver o sol entrando pelas janelas. Queria fingir que era de manhã, uma manhã de indolência, sem nada para fazer, em que poderiam continuar na cama por horas e horas.

— Achei que não gostaria de ficar aqui desta vez, durante todos os meses em que você gravava. Mas tem sido maravilhoso.

— Podemos ficar mais um pouco. — A energia de Brian começava a se acumular de novo, como sempre acontecia depois que faziam amor. — Poderíamos continuar aqui por mais algumas semanas, sem fazer nada. Talvez visitar de novo a Disneylândia.

— Darren já está pensando que é o seu parque de diversões particular.

— Neste caso, teremos de construir um parque para ele. — Brian virou de lado. Soergueu metade do corpo, apoiado num cotovelo. — Bev, tive uma rápida reunião com Pete antes de vir para casa. *Outcry* já é platina.

— Oh, Bri, isso é maravilhoso!

— É mais do que maravilhoso. Eu estava certo. — Brian puxou-a pelos ombros, até que ela ficou sentada ao seu lado. — As pessoas estão ouvindo... e ouvindo de verdade. *Outcry* tornou-se uma espécie de hino para o movimento contra a guerra. Está fazendo uma diferença.

Brian não percebia o desespero em sua voz, o desespero de um homem tentando convencer a si mesmo.

— Vamos lançar outro *single* do álbum. *Love Lost*, eu acho, embora Pete insista que não é bastante comercial.

— É uma canção muito triste.

— Justamente por isso.

As palavras saíram incisivas. Ele conteve sua impaciência para continuar com mais calma:

— Eu gostaria de tocá-la no Parlamento Britânico, no Pentágono, na ONU, em todos os lugares em que os filhos-da-puta gordos e presunçosos tomam as decisões. Precisamos fazer alguma coisa, Bev. Se as pessoas me escutam porque tenho discos de sucesso, então devo ter alguma coisa importante para dizer.

NO APARTAMENTO DE COBERTURA QUE ALUGARA, NO CENtro de Los Angeles, Pete Page sentava à escrivaninha, considerando as possibilidades. Como Brian, ele exultava com o sucesso de *Outcry*. Em seu caso, a questão das vendas era mais importante do que a consciência social. Mas era para isso que lhe pagavam.

Como previra apenas três anos antes, Brian e os outros estavam muito ricos. E providenciaria para que se tornassem ainda mais ricos.

A música deles era ouro puro. Pete percebera isso desde que ouvira a primeira fita de demonstração da banda, seis anos antes. Era um pouco agressivo, um pouco tosco, mas exatamente o som certo para seu tempo. Antes, ele conseguira bons contratos de gravação para dois outros grupos, mas Devastation fora sua chance de glória.

Precisava da banda. E a banda precisava dele. Saíra pelo mundo com eles, sentara nas piores espeluncas, assediara produtores de discos, pressionara todos os seus conhecidos. Compensara, muito além de suas expectativas iniciais. Mas suas expectativas eram flexíveis. Queria mais para a banda. E queria mais para si mesmo.

A banda, individualmente e como um grupo, começava a preocupá-lo. Vagueavam sozinhos com muita freqüência agora, Johnno com suas constantes viagens a Nova York, Stevie passando semanas a fio só Deus sabia onde. P.M. estava sempre ao alcance do braço, mas se envolvera numa ligação com uma ambiciosa *starlet*. Pete não achava mais que era uma simples aventura. E havia Brian, sempre apregoando a política contra a guerra à menor provocação.

Eram uma banda, no final das contas, uma banda de rock-and-roll, e o que faziam em separado afetava o que faziam como um grupo. E o que faziam como um grupo afetava suas vendas. Já estavam desistindo de planejar uma excursão depois que o novo álbum fosse lançado.

Mas ele não permitiria que houvesse uma ruptura entre eles, como acontecera com os Beatles.

Depois de respirar fundo, Pete recostou-se para pensar sobre eles, como eram antes, o que haviam se tornado agora.

Sentia-se satisfeito pela coleção de carros de Johnno. O Bentley, o Rolls, a Ferrari. Havia uma coisa importante em Johnno, pensou Pete, sorrindo. O homem sabia como aproveitar o dinheiro. Pete quase parara de se preocupar com a possibilidade de vazar para a imprensa as preferências sexuais de Johnno. Ao longo dos anos, Pete adquirira o maior respeito pela inteligência, bom senso e talento de Johnno.

Não precisava se preocupar com Johnno, concluiu Pete, enquanto olhava para os papéis na mesa. Era alguém que podia manter seus assuntos pessoais em particular. E o público adorava-o por seus trajes exóticos e língua ferina.

No caso de Stevie, as drogas eram um problema. Ainda não afetavam seu desempenho, mas ele notara que as oscilações de humor de Stevie eram mais amplas e mais freqüentes. Aparecera drogado nas duas últimas sessões de gravação, e até mesmo Brian, que não era santo no departamento de drogas, ficara contrariado.

Isso mesmo, ele teria de ficar de olho em Stevie.

P.M. era tão confiável quanto o nascer do sol. Era verdade que Pete sentia-se ao mesmo tempo irritado e divertido pelo fato de o baterista esmiuçar cada palavra em cada contrato. Mas o garoto investia bem seu dinheiro, e nesse ponto merecia o respeito de Pete. Fora também uma surpresa, agradável e lucrativa, que as garotas aceitassem com tanta facilidade seu rosto feio. Onde Pete se preocupava antes que P.M. se tornar o elo fraco, ele se revelara um dos mais fortes.

Brian... Pete serviu-se de dois dedos de Chivas Regal, recostou-se na cadeira de couro e refletiu a respeito. Brian, sem a menor sombra de dúvida, era o coração e a alma do grupo. Era o impulso criativo, a consciência.

Fora uma sorte que o problema de Emma não se tornasse prejudicial. Pete ficara bastante preocupado, mas depois o caso despertara compaixão e aumentara as vendas de discos. Era verdade que Pete ainda tinha de brigar com Jane Palmer de vez em quando, mas a confusão nunca afetara a popularidade da banda. Nem o casamento de Brian. Pete sentira-se frustrado por não poder apresentá-los como quatro jovens solteiros. Mas a vida familiar de Brian acabara se tornando uma benesse em termos de imprensa.

Havia um problema nos comícios pela paz nos discursos. Brian proclamava sua adesão aos Estudantes por uma Sociedade Democrática, aos americanos que fugiam da convocação militar. Quase haviam alcançado a capa da revista *Time* antes de Brian fazer algumas críticas desavisadas ao julgamento dos Sete de Chicago.

Pete compreendia o poder da imprensa. Sabia como uma declaração descuidada podia alienar as massas... as massas que compravam discos. John Lennon abrira sua lata de vermes poucos anos antes, com um comentário precipitado e sarcástico sobre os Beatles serem mais famosos do que Jesus. Brian chegara perto, muito perto, de cometer o mesmo erro.

Claro que ele tinha direito às suas posições políticas, pensou Pete, enquanto tomava um gole do uísque. Mas havia um ponto em que as convicções pessoais e o sucesso público se separavam. Entre o encantamento de Stevie com as drogas e o idealismo de Brian, havia a possibilidade de um desastre.

Havia meios de evitá-lo, é claro, e Pete já começara a considerar alguns. Precisava que o público visse Stevie não como um roqueiro drogado, mas sim como um músico extraordinário. E precisava que vissem Brian não como um ativista contra a guerra, um *peacenik*, mas sim como um pai devotado.

Com o equilíbrio certo das imagens, não apenas a juventude compraria discos e revistas, mas seus pais também.

Capítulo Oito

Eles permaneceram na Califórnia por mais duas semanas, passando os dias ao sol, despreocupados, fazendo amor à tarde, dando festas que se prolongavam pela noite toda. Houve viagens à Disneylândia no meio da semana, em disfarces cuidadosos. Os fotógrafos contratados por Pete para registrar os passeios eram tão discretos que Bev nunca os notava.

Ela decidiu jogar fora as pílulas anticoncepcionais. Brian compunha canções de amor.

Quando se aproximava o momento de voltarem à Inglaterra, o grupo fez as pazes. Realizaram uma reunião informal na casa de Brian.

— Devemos todos ir. — Solene, Johnno passou adiante o cigarro de maconha partilhado. — *Hair* foi o primeiro musical importante de nossa geração. Um musical de rock.

Ele gostou da frase, que parecia grandiosa. Já começava a ter idéias para um musical assim. Esperava, quando voltassem a Londres, que pudesse se reunir com Brian para criarem um musical que superaria *Hair* e o atual sucesso do Who's, *Tommy*.

— Podemos passar dois dias em Nova York, ver a peça e agitar um pouco antes de seguirmos para Londres — acrescentou ele.

— Eles ficam mesmo pelados em cena? — perguntou Stevie.

— Completamente, filho. Só isso já deve valer o preço do ingresso.

— Temos de ir.

Enternecido pela companhia e a maconha, Brian encostou a cabeça no joelho de Bev. Já permanecera no mesmo lugar por mais tempo do que gostava, e a perspectiva de parar em Nova York o atraía.

— Pela música e pela declaração — arrematou Brian.

— Você vai pela declaração. — Stevie sorriu. — Eu pelas garotas peladas.

— Vamos pedir a Pete para organizar tudo. O que acha, Bev?

Ela não gostava de Nova York, mas podia perceber que Brian já tomara sua decisão. E não queria estragar o clima tranqüilo e descontraído das últimas semanas.

— Será divertido. Talvez possamos levar Darren e Emma ao zoológico e ao Central Park antes de voarmos para casa.

EMMA FICOU ENCANTADA. LEMBRAVA-SE MUITO BEM DE SUA primeira viagem a Nova York, a cama enorme no quarto do hotel, a emoção profunda de subir ao topo do mundo, os passeios gloriosos no carrossel do Central Park. Queria partilhar tudo isso com o irmão.

Tentou explicar as maravilhas para Darren ao se prepararem para a viagem. Enquanto Alice Wallingsford arrumava o quarto, ela evitava que Darren fizesse qualquer travessura com seu brinquedo predileto de fazenda.

— A vaca faz *mu* — disse ele, pegando a peça preta e branca. — Quero ver uma vaca fazendo *mu*.

— Acho que não tem vacas ali, mas veremos os leões no zoológico.

Emma imitou um rugido, o que fez o irmão soltar gritos estridentes.

— Está deixando-o agitado demais, Emma — disse Alice, numa reação automática. — E já é quase hora de deitar.

Emma revirou os olhos, enquanto Darren pulava ao seu redor. Ele usava um macacão Oshkosh e Keds vermelhos. Para aprovação de Emma, tentou dar uma cambalhota, meio sem jeito.

— Tanta energia... — Alice estalou a língua, embora na verdade fosse fascinada pelo menino. — Não sei como conseguiremos fazer com que ele durma esta noite.

— Não mande Charlie na bagagem — interveio Emma, antes que Alice pudesse largar o cachorro de pelúcia numa caixa. — Ele tem de viajar no avião comigo.

Com um suspiro, Alice pôs de lado o cachorro, já bem velho e gasto.

— Charlie precisa de uma lavagem. Não quero mais que você o ponha no berço, Emma

— Eu adoro Charlie — anunciou Darren, tentando outra cambalhota.

Ele caiu em cima de sua bancada de ferramentas de brinquedo Playskool. Em vez de chorar, no entanto, pegou o martelo de madeira e começou a bater nos pinos coloridos.

— Eu adoro Charlie — entoou ele, em seu ritmo.

— Sei disso, querido, mas ele está ficando um pouco fedorento. E não quero germes na cama com meu bebê.

Darren ofereceu-lhe um sorriso radiante.

— Eu adoro germes.

— Você é um conquistador irresistível. — Ela o pegou no colo. — Agora Alice vai dar um bom banho em você, antes de ir para a cama, com bastante espuma.

Alice parou na porta e acrescentou:

— Emma, não deixe esses brinquedos espalhados. Pode tomar seu banho assim que Darren acabar. Depois, deve descer e dar boa-noite para seus pais.

— Está bem.

Ela esperou até Alice sair do quarto para se levantar e pegar Charlie. Ele não fedia, pensou Emma, enquanto comprimia o rosto contra o pêlo. E o deixaria no berço de Darren, porque Charlie tomava conta de seu irmão quando ela dormia.

— EU GOSTARIA QUE VOCÊ NÃO TIVESSE CONVIDADO TANTAS pessoas para esta noite.

Bev afofou as almofadas no sofá, embora soubesse que esses retoques eram um desperdício de tempo.

— Temos de nos despedir, não é mesmo? — Brian pôs para tocar um disco de Jimi Hendrix, porque servia para lembrá-lo de que o artista podia estar morto, mas a música continuava. — Além do mais, teremos de trabalhar muito depois que voltarmos a Londres. Quero relaxar enquanto posso.

— Como pode relaxar com cem pessoas circulando pela casa?

— É a nossa última noite, Bev.

Ela tornou a abrir a boca, mas fechou-a quando Alice entrou na sala com as crianças.

— Ah, meu filho!

Ela pegou Darren no vôo, antes de piscar para Emma.

— Charlie está pronto para a viagem?

Bev compreendia a apreensão de Emma em aviões. Passou a mão pelos cabelos da menina.

— Ele apenas se sente um pouco nervoso. Mas ficará bem se viajar comigo.

— Tenho certeza.

Bev deu um beijo na área delicada entre o pescoço e a orelha do filho.

— Já tomou banho?

Ela bem que gostaria de dar banho em Darren naquela noite. Era uma das coisas que Bev mais gostava, brincar com Darren na banheira, passar a esponja com sabonete em sua pele clara e lustrosa.

— Os dois estão de banho tomado e prontos para dormir — informou Alice. — Só vieram dar boa-noite. Depois eu os levarei para a cama.

— Pode deixar que eu faço isso, Alice. Com toda a confusão hoje, quase não tive tempo para as crianças.

— Está bem, madame. Terminarei de arrumar as coisas para a viagem.

Emma ofereceu a Brian um sorriso tímido.

— Da, pode nos contar uma história... por favor?

Ele planejava preparar um baseado, com a maconha da melhor qualidade, e puxar fumo enquanto ouvia música. Mas tinha dificuldade para resistir ao sorriso da filha ou à risada exuberante do filho.

E subiu com a família, deixando Hendrix com seu lamento na sala.

Precisou contar duas histórias antes que os olhos de Darren começassem a se fechar. O menino resistia ao sono, assim como se esquivava de todas as atividades sedentárias. Queria fazer coisas, correr, rir, dar cambalhotas. Acima de tudo, queria ser o jovem e corajoso cavaleiro de que o pai falava. Queria empunhar a espada mágica reluzente e enfrentar os dragões.

Darren bocejou, aconchegado no colo da mãe e começou a cochilar. Podia sentir o cheiro de Emma, e adormeceu feliz, porque ela estava perto.

Não acordou quando Bev ajeitou-o na cama. Darren dormia da maneira como fazia tudo. Com o coração transbordando. Ela ajeitou a manta azul com a borda de cetim em torno de seus ombros, tentando não pensar que em breve o filho estaria grande demais para um berço.

— Ele é tão bonito...

Incapaz de resistir, Bev passou os dedos pelo rosto quente do menino. Com a cabeça de Emma em seu ombro, Brian contemplou o filho.

— Quando ele está assim, é difícil acreditar que pode desmontar um quarto com uma só mão.

Bev riu baixinho, passando um braço pela cintura de Brian.

— Ele usa as duas mãos.

— E os pés.

— Nunca conheci alguém que ama tanto a vida. Quando olho para ele, compreendo que tenho tudo o que sempre desejei. Posso vê-lo daqui a um ano... daqui a cinco anos. Faz com que a idéia de envelhecer se torne mais agradável.

— Os astros do rock não envelhecem. — Ele franziu o rosto, e pela primeira vez Bev sentiu em sua voz um tom de sarcasmo, talvez de desilusão. — Eles acabam com uma overdose ou passam a tocar em Las Vegas de roupa branca.

— Não você, Bri. — Ela contraiu o braço em torno da cintura do marido. — Ainda estará no topo daqui a dez anos.

— Acredito. E, se algum dia eu pensar em comprar uma roupa branca com lantejoulas, trate de me dar um chute no rabo.

— Com o maior prazer. — Ela o beijou e estendeu a mão para acariciar seu rosto, como poderia fazer com uma das crianças. — Vamos pôr Emma na cama.

— Quero fazer tudo certo pelas crianças, Bev. — Ele mudou Emma de posição e saiu para o corredor a caminho do quarto da filha. — Por elas e por você.

— Você está fazendo o que é certo.

— O mundo virou uma loucura. Eu costumava pensar que, se fizéssemos sucesso, as pessoas ouviriam o que tínhamos a dizer. Que isso faria uma diferença. Agora não sei mais.

— Qual é o problema, Bri?

— Não sei.

Ele pôs Emma na cama. Desejava poder determinar o motivo para o mal-estar que começara a sentir.

— Há dois anos, quando os caminhos começaram a se abrir para nós, eu achava que tudo era fabuloso. Aquelas garotas gritando, nossas fotos em todas as revistas, nossas músicas em todas as rádios.

— Era o que você queria.

— Era e continua a ser. Mas tenho dúvidas. Como podem ouvir o que estamos tentando dizer, que diferença faz se somos bons ou não, se gritam durante todo o show? Não passamos de uma mercadoria, uma imagem que Pete refinou para vender discos. Detesto isso. — Ele enfiou os punhos nos bolsos, frustrado. — Às vezes acho que deveríamos voltar ao ponto em que começamos... os pubs, onde as pessoas ouviam ou dançavam quando tocávamos. Quando podíamos alcançá-las. Não sei...

Brian passou a mão pelos cabelos.

— Acho que não compreendia como nos divertíamos naquele tempo. Mas não se pode voltar.

— Eu não sabia que você se sentia assim. Por que não me contou?

— Nem eu mesmo sei o que está me acontecendo. Apenas sinto que não sou mais Brian McAvoy. — Como ele podia explicar que o sentimento que ressuscitara em Woodstock se desvanecera lentamente no ano transcorrido desde então? — Eu não imaginava como seria frustrante não poder sair com a turma para tomar um drinque ou apenas sentar na praia, sem ser cercado pela multidão, querendo me arrancar um pedaço.

— Você pode parar de cantar e se dedicar a compor.

— Não, não posso parar. — Ele olhou para Emma, mergulhada num sono tranqüilo. — Tenho de gravar, tenho de tocar em público. Cada vez que estou no palco ou no estúdio, tenho certeza, lá no fundo, que é isso o que quero fazer. O que preciso fazer. Mas o resto... O resto é uma porcaria, e eu não sabia que seria assim. Talvez seja por isso que Hendrix e Joplin morreram daquele jeito. Um terrível desperdício. E depois os Beatles se separaram. É como se fosse o fim de alguma coisa... e eu ainda não acabei.

— Não é o fim. — Bev pôs a mão no ombro de Brian, massageando automaticamente os músculos tensos. — É apenas uma mudança.

— Não percebe que vamos começar a andar para trás se não avançarmos?

Mas ele sabia que Bev não podia entender. Tentou traduzir seus sentimentos em palavras mais compreensíveis:

— Talvez seja porque Pete está nos pressionando a fazer outra excursão. Ou persuadindo Stevie a se encontrar com outros grupos em sessões no estúdio, fazendo música para filmes. Tudo que sei com certeza é que não somos mais nós quatro nos encontrando para tocar a música que sai de nossos corações. Tudo se resume agora a imagem e marketing, a corretores e paraísos fiscais.

Emma revirou os olhos, murmurando no sono.

— E acho que me preocupo com a perspectiva de Emma ir para a escola, de Darren ter de sair de casa um dia. O que vai acontecer com eles? As pessoas vão cercá-los, querendo arrancar pedaços, por minha causa? Não quero que tenham a infância terrível que eu tive. Mas estou fazendo o que é melhor para as crianças, ao torná-las parte de uma coisa que é maior do que todos nós? E mais faminta?

— Você pensa demais. — Ela virou-se para pegar o rosto de Brian entre as mãos. — E é isso o que mais amo em você. As crianças estão bem. Basta olhar para saber. Talvez não levem uma infância normal, mas são felizes. E vamos mantê-las felizes e seguras. O que quer que você seja, independentemente de quem seja, é o Da das crianças. Daremos um jeito em todo o resto.

— Eu amo você, Bev. Devo estar maluco ao me preocupar com essas coisas. Temos tudo.

Brian puxou-a. Encostou a cabeça em seus cabelos. E desejou ser capaz de compreender por que tudo se tornara insuportável.

O DESCONTENTAMENTO DE BRIAN DESAPARECEU DEPOIS DE dois baseados. A casa estava cheia de pessoas que Brian achava que o compreendiam, sabiam o que ele queria fazer, para onde queria ir. A música era alta, as drogas abundantes e variadas. Cocaína, maconha, haxixe turco, estimulantes, anfetaminas. O rock pungente e angustiante de Janis Joplin espalhava-se pela casa, enquanto os convidados tomavam uma dose depois de outra. Brian queria ouvi-la, muitas e muitas vezes, ouvi-la cantar *Ball and Chain.* De alguma forma, ajudava-o a absorver o fato de que continuava vivo, que ainda tinha uma chance de usar sua música para fazer a diferença.

Ele observou Stevie dançar com uma ruiva numa minissaia púrpura. Stevie não se preocupava em ficar em segundo plano ou virar um pôster no quarto de alguma garota, pensou Brian, enquanto comia *pretzels* com uísque irlandês. Stevie pulava exultante de uma mulher para outra, sem se importar com qualquer coisa. É verdade que ele passava a maior parte do tempo drogado. Com uma risada, Brian pegou outro baseado na tigela e decidiu que era tempo de se drogar.

Do outro lado da sala, Johnno observou Brian recostar-se. Alienado, refletiu Johnno, enquanto pegava um Gauloise, em vez de um cigarro de maconha. Vinha acontecendo com uma freqüência cada vez maior nos últimos tempos. Talvez porque estivesse mais próximo de Brian, Johnno fora o único a perceber. Pensou agora que Brian só parecia sintonizado quando os dois sentavam para compor. Melodia, contramelodia, frases, pontes.

Ele sabia que Brian ficara transtornado com as mortes de Hendrix e Joplin. O que também acontecera com Johnno. De certa forma, fora tão terrível quanto os assassinatos dos irmãos Kennedy. As pessoas deveriam envelhecer e se tornarem decrépitas antes de morrer. Mas embora ficasse abalado, Johnno não lamentara tanto quanto Brian. Mas também Brian sempre se importara mais, sempre precisara mais.

Como Brian, ele olhou para Stevie. Não gostou do que viu. Não importava nem um pouco se Stevie comia todas as mulheres do continente, embora Johnno achasse que o comportamento carecia de uma certa finura. O problema estava nas drogas, no fato de que Stevie perdia rapidamente o controle sobre o consumo. Era isso que preocupava Johnno. Não se importava com a imagem que começavam a projetar, de roqueiros drogados.

Deslocando o olhar, ele se fixou em P.M. Havia um problema ali também. Não por causa das drogas. O pobre P.M. mal conseguia se manter de pé depois de uma tragada num baseado. Era por causa da vagabunda loura que grudara no baterista da banda há dois meses. P.M. não parecia estar fazendo qualquer esforço para se livrar da mulher.

Johnno observou-a agora, a loura de rosto comprido, olhos castanho-claros... pernas e peitos se destacando num vestido vermelho muito justo. Ela não era tão burra quanto tentara dar a impressão, refletiu Johnno. Ao contrário, era bastante esperta e sabia tocar a melodia que P.M. queria ouvir. Se não tomassem cuidado, ela acabaria conseguindo um casamento. E não permaneceria quieta, em segundo plano, como Bev. Não, não aquela mulher.

Os três, cada um à sua maneira, estavam à beira de destruir o grupo. E nada era mais importante para Johnno.

QUANDO EMMA ACORDOU, O CHÃO VIBRAVA COM A MÚSICA que saía do aparelho de som. Ela continuou deitada por um momento, imóvel, escutando, tentando reconhecer a canção apenas pelo ritmo, como costumava fazer.

Já se acostumara às festas. O Da gostava de ter a casa cheia. Com muita música, muito riso. Quando fosse mais velha, ela também iria a festas.

Bev sempre providenciava para que a casa estivesse limpa antes da chegada dos convidados. O que era bobagem, pensou Emma. Pela manhã, a casa estaria uma bagunça, com copos fedendo, cinzeiros transbordando. Com bastante freqüência, ainda havia alguns convidados, esparramados em sofás e poltronas, dormindo.

Emma se perguntou como seria passar a noite inteira assim, conversando, rindo, ouvindo música. Quando já adulto, ninguém lhe dizia a que horas devia deitar, a que horas tomar banho.

Com um suspiro, ela virou de costas. A música era mais acelerada agora. Emma podia sentir a vibração do baixo nas paredes. E ouviu também outra coisa. Passos descendo o corredor. Emma pensou que devia ser a Srta. Wallingsford. Já se preparava para fechar os olhos e fingir que dormia quando outro pensamento lhe ocorreu. Talvez fosse o Da ou a mãe vindo verificar como ela e Darren estavam. Se fosse, ela podia fingir que acabara de acordar e depois persuadi-los a contar tudo sobre a festa.

Mas os passos passaram direto. Ela sentou na cama, segurando Charlie. Queria companhia, mesmo que fosse por um ou dois momentos. Queria falar sobre a festa ou sobre a viagem para Nova York. Queria saber qual era a canção que estava tocando. Ela sentou na cama, uma menina pequena, sonolenta, de camisola rosa, iluminada pelo brilho suave de um abajur em forma de Mickey Mouse.

Ela achou que ouviu Darren chorando. Empertigou-se, fazendo um esforço para ouvir melhor. Tinha certeza agora de que podia ouvir os soluços furiosos de Darren, apesar da vibração da música. Numa reação automática, ela saiu da cama, levando Charlie debaixo do braço. Sentaria com Darren até que ele se acalmasse, e deixaria Charlie em sua cama para tomar conta dele pelo resto da noite.

O corredor estava escuro, o que a surpreendeu. Havia sempre uma luz acesa ali, caso Emma precisasse usar o banheiro durante a noite. Ela teve um mau pressentimento na porta, imaginando as coisas que espreitavam no escuro. Queria continuar em seu quarto, com o risonho Mickey.

E foi nesse instante que Darren soltou um grito, quase um uivo.

Não havia nada nos cantos, disse Emma a si mesma, enquanto avançava pelo corredor escuro. Não havia absolutamente nada ali. Nada de monstros, nada de fantasmas, nada de coisas que se arrastavam e escorriam.

Era uma música dos Beatles que estava tocando agora.

Emma umedeceu os lábios. Apenas o escuro, nada mais do que o escuro, ela disse a si mesma. Seus olhos já haviam se ajustado ao escuro quando alcançou a porta de Darren. Estava fechada. O que também era estranho. Sua porta sempre ficava aberta para que pudessem ouvi-lo com facilidade quando acordasse.

Ela estendeu a mão e teve um sobressalto ao ter a impressão de ouvir alguma coisa se mexer por trás. O coração batendo forte,

Emma virou-se para esquadrinhar o corredor escuro. Sombras em movimento se aproximaram, monstros anônimos, fazendo o suor brotar em sua testa e costas.

Não havia nada ali, não havia nada ali, ela disse a si mesma... e Darren estava gritando.

Ela virou a maçaneta e abriu a porta.

Lennon cantava: "*Venha para mim...*"

Havia dois homens no quarto. Um deles segurava Darren, fazendo um tremendo esforço para mantê-lo quieto, enquanto o menino se debatia e gritava de medo e raiva. O outro tinha alguma coisa na mão, uma coisa que faiscava, refletindo a luz do abajur aceso na cômoda.

— O que estão fazendo?

O homem virou-se ao ouvir sua voz. Não era um médico, pensou Emma, embora visse a seringa em sua mão. Ela reconheceu-o, e sabia que não era um médico. E Darren não estava doente.

O outro homem soltou um grunhido, uma torrente breve de palavrões horríveis, enquanto se esforçava para impedir que Darren escapulisse de seus braços.

— Emma...

O homem que ela conhecia falou em voz baixa e calma. E sorriu. Mas era um sorriso falso, um sorriso de raiva. Emma sentiu isso... e também notou que ele continuava a segurar a seringa enquanto se adiantava em sua direção. Ela virou-se e saiu correndo. Por trás dela, ouviu Darren gritar:

— *Ma!*

Aos prantos, Emma disparou pelo corredor. Havia mesmo monstros, a mente em pânico escarneceu. Havia monstros e coisas com dentes afiados nas sombras. E partiam em seu encalço agora.

O homem quase alcançou a barra de sua camisola esvoaçando. Com um grunhido, ele mergulhou para pegá-la. A mão alcançou o tornozelo, mas escorregou. Emma gritou, como se tivesse sido escaldada. Ao chegar ao topo da escada, gritou pelo pai, a voz estridente, muitas e muitas vezes.

E, depois, as pernas se embaralharam. Emma rolou pelos degraus.

Na cozinha, alguém sentou no balcão e pediu cinqüenta pizzas pelo telefone. Bev abriu o freezer para verificar o gelo, balançando a cabeça. Ninguém usava mais gelo do que os americanos. Pôs uma pedra de gelo em seu vinho quente. Quando em Roma, faça como os romanos, pensou ela, enquanto se virava para a porta.

E deparou com Brian no limiar.

Com um sorriso, ele passou o braço por sua cintura e deu-lhe um beijo longo e indolente.

— Oi.

— Oi. — Ainda segurando o copo de vinho, ela juntou as mãos por trás do pescoço do marido. — Bri...

— O que é?

— Quem são todas essas pessoas?

Ele riu e beijou o pescoço de Bev.

— Você me pegou.

A fragrância deixou-o louco de tesão. Em movimentos no ritmo da canção de Lennon/McCartney, Brian colou os corpos.

— O que acha de uma excursão lá para cima, deixando o resto da casa para os convidados?

— Seria uma grossura. — Apesar do comentário, Bev comprimiu-se contra ele. — Um ato infame, vergonhoso... e a melhor idéia que já ouvi nas últimas horas.

— Neste caso...

Brian fez uma tentativa sem muito empenho de pegá-la no colo, o que deixou os dois cambaleando. O vinho gelado derramou pelas costas de Brian, fazendo Bev rir.

— Talvez seja melhor você me carregar, Bev...

E foi nesse instante que eles ouviram o grito de Emma. Brian esbarrou numa mesinha ao se virar. Atordoado pelas drogas e pelo álcool, ele correu para o saguão. Já havia pessoas agrupadas ali. Ele abriu caminho e viu a filha caída ao pé da escada.

— Emma! Oh, Deus!

Ele estava com pavor de tocá-la. Havia sangue no canto da boca da menina. Com um dedo trêmulo, Brian limpou-o. Levantou os olhos para um mar de rostos, indistintos, irreconhecíveis. Sentiu o estômago se contrair e tentar subir pela garganta.

— Chamem uma ambulância... — balbuciou ele, antes de se inclinar de novo sobre a filha.

— Não mexa nela. — Bev tinha o rosto pálido como giz ao se ajoelhar ao lado do marido. — Acho que não se deve mexer em alguém que sofreu uma queda. Precisamos de um cobertor.

Alguém alerta estendeu uma manta no mesmo instante.

— Ela vai ficar bem, Bri. — Com todo cuidado, Bev estendeu a manta sobre Emma. — Ela vai ficar bem...

Ele fechou os olhos. Balançou a cabeça para desanuviá-la. Mas, quando tornou a abri-los, Emma continuava estendida no chão, pálida, como se estivesse morta. Havia muito barulho, a música ressoando nos tetos, as vozes murmurando, um zumbido incessante. Ele sentiu uma mão em seu ombro. Um aperto rápido, tranqüilizador.

— A ambulância já está a caminho — informou P.M. — Agüente firme, Bri.

— Mandem todo mundo sair. — Ele levantou os olhos, fitando o rosto pálido e chocado de Johnno. — Todo mundo tem de ir embora.

Johnno acenou com a cabeça e começou a pedir às pessoas para se retirarem. A porta estava aberta, a noite iluminada por refletores e faróis, quando eles ouviram o gemido da ambulância.

— Vou subir — avisou Bev, muito calma. — Para contar a Alice o que aconteceu e ver como Darren está. Vamos com ela para o hospital. Emma vai ficar boa, Brian. Tenho certeza.

Ele pôde apenas acenar com a cabeça, sem desviar os olhos do rosto imóvel e pálido de Emma. Brian não podia deixá-la. Se fosse capaz, iria para o banheiro e enfiaria um dedo na garganta para tentar livrar o organismo de algumas das substâncias químicas que ingerira durante aquela noite.

Era tudo como um sonho, pensou ele, um sonho vago e infeliz. Até que olhava para o rosto de Emma. E então passava a ser real, muito real.

O álbum *Abbey Road* continuava a tocar, a faixa sugestiva sobre assassinato. O martelo de prata de Maxwell estava descendo.

— Bri... — Johnno pôs a mão em seu braço. — Afaste-se um pouco para que eles possam cuidar de Emma.

— Como?

— Afaste-se um pouco. — Gentilmente, Johnno ajudou-o a levantar. — Eles precisam examiná-la.

Atordoado, Brian observou os atendentes da ambulância agacharem ao lado da filha.

— Ela deve ter rolado a escada.

— Ela vai ficar boa. — Johnno lançou um olhar desamparado para P.M., no outro lado de Brian. — As meninas são mais resistentes do que parecem.

— É isso mesmo. — Um pouco trôpego, Stevie postou-se atrás de Brian, pondo as mãos em seus ombros. — Nossa Emma não vai deixar que uma queda da escada a mantenha quieta por muito tempo.

— Vamos para o hospital com você.

Pete também se aproximou. Observaram Emma ser levantada com todo cuidado para a maca.

Lá em cima, Bev gritou... e gritou e gritou, até que o som ecoava por todos os cantos da casa.

Capítulo Nove

Lou Kesselring roncava como um elefante ferido. Se tomava uma cerveja antes de deitar, roncava como dois elefantes feridos. Sua esposa há dezessete anos tinha de usar tampões nos ouvidos todas as noites. Lou sabia que Marge o amava, à sua maneira firme e séria. Considerava-se honesto por não ter deitado com ela antes do casamento. Era um homem honesto, mas guardara esse pequeno segredo. Quando ela descobrira, Lou já enfiara a aliança em seu dedo.

Ele parecia uma manada ferida naquela noite. Há trinta e seis horas que não dormia em sua cama. Agora que o caso Calarmi fora encerrado, ele aproveitaria não apenas uma boa noite de sono, mas também todo o fim de semana de preguiça.

Até sonhava em cuidar do jardim, talvez podar as roseiras, jogar um pouco de bola com o filho. Assariam alguns hambúrgueres na grelha e Marge faria sua salada de batata.

Lou tivera de matar um homem doze horas antes. Não fora a primeira vez, mas ainda assim, graças a Deus, era uma ocorrência rara. Sempre que o trabalho o levava a esses extremos, ele precisava, desesperadamente, do corriqueiro, do cotidiano. Salada de batatas e hambúrgueres na grelha, a sensação do corpo firme da esposa contra o seu durante a noite. A risada do filho.

Ele era um policial. E dos bons. Nos seis anos em que trabalhava na Homicídios, aquela era a segunda vez em que tinha de descarregar a arma. Como a maioria dos colegas, sabia que a atividade policial consistia de dias de monotonia... andar de um lado para outro ouvindo testemunhas, o trabalho burocrático, telefonemas. E momentos, frações de segundo, de terror.

Também sabia que, como policial, veria coisas, experimentaria coisas, que a maior parte do mundo ignorava... homicídios, guerras no gueto, facadas em becos escuros, sangue, violência, lixo.

Lou tinha consciência de tudo isso, mas não sonhava com o trabalho. Estava com quarenta anos, e nunca, nem uma única vez, desde que entrara para a polícia, aos vinte e quatro anos, levara o trabalho para casa.

Mas, às vezes, o trabalho o seguia.

Ele rolou na cama, acordando em meio a um ronco, quando o telefone tocou. Numa reação instintiva, estendeu a mão, os olhos ainda fechados, e tirou o fone do gancho.

— Kesselring.

— Tenente, sou eu, Bester.

— Que porra você quer?

Ele sabia que era seguro dizer um palavrão enquanto Marge estava com os ouvidos tampados.

— Lamento acordá-lo, mas temos um incidente. Sabe quem é McAvoy... Brian McAvoy, o cantor?

— McAvoy?

Kesselring passou a mão pelo rosto, fazendo um esforço para acordar direito.

— Daquela banda de rock chamada Devastation.

— Ah, sim... — Ele não gostava muito de rock, a não ser que fosse Elvis ou os Everly Brothers. — O que aconteceu? Alguns jovens tocaram muito alto a música deles e fritaram o cérebro?

— Alguém matou o filho de McAvoy. Parece que foi uma tentativa frustrada de seqüestro.

— Oh, merda... — Bem desperto agora, Lou sentou na cama e acendeu a luz. — Dê-me o endereço.

A luz acesa acordou Marge. Ela olhou, viu Lou sentado na beira da cama, nu, escrevendo num bloco. Sem se queixar, ela se levantou, vestiu o roupão de algodão e desceu para fazer um café.

LOU ENCONTROU BRIAN NO HOSPITAL. NÃO SABIA O QUE esperar. Vira Brian algumas vezes em jornais, na televisão, quando o cantor se manifestava contra a guerra. Um *peacenik*, como se costumava dizer. Lou não tinha muita consideração pelos jovens que se drogavam, deixavam os cabelos crescer e distribuíam flores nas esquinas. Mas também não tinha muita consideração pela guerra. Perdera um irmão na Coréia, e o filho de sua irmã partira para o Vietnã há três meses.

Mas não era a posição política de McAvoy, nem seu estilo de penteado que preocupavam Lou naquele momento.

Ele esperou um pouco, avaliando Brian, esparramado numa poltrona florida. Parecia mais jovem pessoalmente, concluiu Lou. Jovem, um pouco magro e estranhamente bonito para um homem. Brian exibia aquela expressão atordoada que acompanha um choque terrível. Havia outras pessoas ali, e a fumaça se elevava de vários cinzeiros.

Num gesto mecânico, Brian levou um cigarro aos lábios, deu uma tragada, largou o cigarro de volta no cinzeiro, soprou a fumaça.

— Sr. McAvoy...

Brian, repetindo a rotina com cigarro, levantou os olhos. Viu um homem alto e esguio, os cabelos escuros, bem penteados, o rosto longo e sonolento. Usava um terno cinza, a gravata conservadora, quase da mesma cor, a camisa branca engomada. Os sapatos pretos estavam engraxados, as unhas aparadas. Tinha um talho pequeno no queixo, onde se cortara ao fazer a barba.

É estranho como podem ser notadas algumas coisas, pensou Brian, enquanto dava outra tragada.

— Pois não?

— Sou o tenente Kesselring. — Ele tirou o distintivo do bolso, mas Brian continuou a fitar seu rosto. — Preciso fazer algumas perguntas.

— Não pode esperar, tenente? — Pete Page lançou um olhar longo e atento para o documento de identidade. — O Sr. McAvoy não está em condições de falar a respeito neste momento.

— Ajudaria a todos nós se pudéssemos acabar logo com a entrevista preliminar. — Lou sentou. Guardou o distintivo. Pôs as mãos nos joelhos. — Sinto muito, Sr. McAvoy. Não quero aumentar seu sofrimento, mas preciso descobrir quem é o responsável.

Brian acendeu um cigarro na guimba do outro, sem dizer nada.

— O que pode me dizer sobre o que aconteceu esta noite?

— Eles mataram Darren. Meu filho pequeno. Tiraram-no do berço e o largaram no chão.

Com uma profunda angústia, Johnno pegou seu copo de plástico cheio de café e virou-se. Lou tirou do bolso o bloco e o lápis de ponta afiada.

— Conhece alguém que poderia querer fazer mal ao menino?

— Não. Todos amam Darren. Ele é inteligente e divertido.

Brian sentiu um aperto na garganta. Olhou ao redor, à procura de seu copo com café.

— Sei que é difícil. Pode me falar sobre a noite?

— Tivemos uma festa. Viajaríamos para Nova York e decidimos fazer uma festa.

— Eu gostaria de ter uma lista dos convidados.

— Não sei. Bev pode...

A voz definhou ao lembrar que Bev estava num quarto do hospital, fortemente sedada.

— Com a participação de todos, podemos definir uma lista bastante acurada. — Pete tentou tomar mais café, embora tivesse a sensação de que o líquido estava abrindo um buraco em seu estômago. — Mas pode ter certeza de que nenhuma das pessoas que Brian convidou para sua casa seria capaz de fazer aquilo.

Era o que Lou tencionava descobrir.

— Conhecia todas as pessoas na festa, Sr. McAvoy?

— Não sei. Provavelmente não.

Ele apoiou os cotovelos nos joelhos por um momento para esfregar os olhos com as palmas das mãos. A dor era o mais próximo que ele podia chegar do conforto.

— Amigos, mas também amigos de amigos... é sempre assim. Você abre a porta e as pessoas entram. Não dá para impedir.

Lou acenou com a cabeça, como se compreendesse. Lembrava-se das festas que Marge planejava. A lista cuidadosa de convidados. RSVP. A verificação meticulosa da comida. A festa de quinze anos de casamento fora planejada com o rigor de um banquete oficial.

— Vamos investigar os nomes da lista — declarou Lou. — Sua filha se chama Emma, não é mesmo?

— É sim... Emma.

— Ela estava lá em cima durante a festa.

— Isso mesmo. Dormindo. — As crianças em suas camas, sãs e salvas. — Os dois dormiam.

— No mesmo quarto?

— Não. Eles têm quartos separados. Alice Wallingsford, a babá, também estava lá em cima.

— Eu sei. — Lou já recebera a informação de que a babá fora encontrada amarrada, amordaçada e apavorada em sua cama. — E a menina rolou pela escada?

A mão de Brian apertou o copo de plástico, numa reação espasmódica. O café derramou e caiu no chão.

— Ouvi Emma me chamar. Eu estava saindo da cozinha com Bev. — Ele lembrava com absoluta nitidez aquele beijo ardente que haviam trocado antes do grito. — Corremos e a encontramos no chão, ao pé da escada.

— Vi quando ela caiu. — P.M. piscou os olhos injetados. — Levantei os olhos e ela rolava pela escada. Aconteceu muito depressa.

— Disse que ela gritou. — Lou olhou de novo para P.M. — Ela gritou antes de começar a cair ou depois?

— Eu... antes. Isso mesmo. Foi o motivo pelo qual abri bem os olhos. Ela gritou e depois pareceu perder o equilíbrio.

Lou anotou a informação. Teria de conversar com a menina.

— Espero que ela não tenha ficado gravemente ferida.

— Os médicos... — O cigarro de Brian queimara até o filtro. Ele largou-o no cinzeiro e tomou um gole do café frio que ainda restava no copo mutilado. — Os médicos ainda não me disseram nada. Não posso perdê-la também.

O resto do café derramou, enquanto a mão tremia ainda mais. Johnno sentou ao seu lado.

— Emma é uma menina forte. As crianças estão sempre sofrendo quedas. — Johnno lançou um olhar irritado para Lou. — Não pode deixá-lo em paz?

— Só mais algumas perguntas. — Lou estava acostumado a olhares irritados. — Foi sua esposa, Sr. McAvoy, quem encontrou o menino?

— Isso mesmo. Ela subiu quando ouvimos a sirene da ambulância. Queria ver... Queria ter certeza que Darren não havia acordado. Ouvi seus gritos. E subi correndo. Quando entrei no quarto de Darren, ela estava sentada no chão, com nosso filho no colo. E gritando. Tiveram de dar um sedativo para que ela apagasse.

— Sr. McAvoy, houve alguma ameaça contra o senhor, sua esposa ou seus filhos?

— Não.

— Nada?

— Nada... a não ser a correspondência de ódio de vez em quando. A maior parte de natureza política. Pete sempre verifica.

— Gostaríamos de ver tudo o que recebeu nos últimos seis meses.

— É um bocado de correspondência, tenente — informou Pete.

— Daremos um jeito.

Brian ignorou os dois quando o médico entrou na sala.

— Emma...

Foi tudo o que ele disse... tudo o que podia dizer.

— Ela está dormindo. Sofreu uma concussão, um braço fraturado, algumas costelas abaladas, mas não há lesões internas.

— Ela vai ficar boa.

— Terá de permanecer em observação durante os próximos dias, mas as perspectivas são boas.

Brian chorou nesse momento, como não fora capaz de chorar quando viu o corpo sem vida do filho, como não fora capaz de chorar quando o afastaram de sua família e o deixaram na sala de espera de paredes verdes. Lágrimas quentes escorreram pelos dedos quando ele cobriu o rosto com as mãos.

Discreto, Lou fechou o bloco e guardou-o no bolso. Gesticulou para que o médico o acompanhasse até o corredor.

— Sou o tenente Kesselring. Homicídios. — Lou mostrou o distintivo ao médico. — Quando poderei falar com a menina?

— Não por um dia, talvez dois.

— Preciso interrogá-la o mais depressa que puder. — Lou tirou um cartão de visita do bolso e entregou ao médico. — Eu agradeceria se me avisasse assim que ela puder falar. E a esposa, Beverly McAvoy?

— Sedada. Vai demorar dez ou doze horas antes que acorde. Mesmo então, não garanto que ela terá condições de falar... nem que eu permitirei.

— Só peço que me telefone. — Lou lançou um olhar para a sala de espera. — Também tenho um filho, doutor.

EMMA TEVE SONHOS TERRÍVEIS. QUERIA CHAMAR O DA, A mãe, mas era como se uma mão tapasse sua boca, cobrisse os olhos. Enormes pesos pareciam pressioná-la para baixo.

O bebê estava chorando. O som ressoava no quarto, em sua cabeça, até que parecia que Darren estava dentro de sua mente, gritando para sair. Emma queria ir ao seu encontro, tinha de ir... mas havia serpentes de duas cabeças e *coisas* que rosnavam e mordiam, os dentes pingando, ao redor de sua cama. Cada vez que ela tentava sair da cama, as coisas avançavam em sua direção, sibilando, babando, sorrindo.

Se continuasse na cama, ficaria segura. Mas Darren a chamava.

Ela tinha de ser corajosa, bastante corajosa, para correr até a porta. Sob seus pés, o chão parecia vivo, em movimento, vibrando. Emma olhou para trás. Era apenas seu quarto, com brinquedos e bonecas, tudo arrumado com o maior cuidado nas prateleiras, Mickey Mouse exibindo seu sorriso jovial. Enquanto ela observava, o sorriso transformou-se numa expressão de pura maldade.

Ela correu para o corredor no escuro.

Havia música. As sombras pareciam dançar no ritmo. Havia outros sons. De respiração, pesada, ofegante, rosnados, o movimento de alguma coisa seca rastejando pelo assoalho. Enquanto corria na direção dos gritos de Darren, Emma sentia o bafo quente em seus braços, as bicadas rápidas e dolorosas em seus tornozelos.

A porta estava trancada. Ela a empurrou e bateu, enquanto os gritos do irmão tornavam-se mais altos, apenas para serem abafados pela música. Sob seus pequenos punhos, a porta se dissolveu. Ela viu o homem, só que não tinha rosto. Só dava para perceber os olhos faiscando, os dentes brancos.

O homem começou a avançar em sua direção. Emma sentiu mais medo dele do que das cobras e monstros, dentes e garras. Cega pelo medo, ela correu de novo, os gritos de Darren se elevando por trás.

E depois ela sentiu que caía, caía e caía, para um poço escuro. Ouviu um som, como um graveto estalando, e tentou gritar na agonia. Mas apenas caiu, uma queda silenciosa, interminável, desamparada, com a música e os gritos do irmão ressoando em sua cabeça.

Quando ela acordou, a claridade era intensa. Não havia bonecas nas prateleiras. Nem mesmo havia prateleiras, apenas as paredes vazias. A princípio, ela até pensou que se encontrava num hotel.

Tentou lembrar, mas a dor começou... uma dor vaga, que parecia latejar por toda parte ao mesmo tempo. Gemendo, Emma virou a cabeça.

O pai dormia numa cadeira. Tinha a cabeça inclinada para trás, um pouco de lado. Por baixo da barba por fazer, o rosto era pálido. As mãos em seu colo estavam contraídas.

— Da...

Já à beira do sono, ele despertou no mesmo instante. Viu-a deitada entre os lençóis brancos do hospital, os olhos arregalados, com um medo evidente. As lágrimas afloraram de novo, obstruindo a garganta de Brian, ardendo nos olhos. Ele resistiu ao choro, com o pouco de força que ainda lhe restava.

— Emma!

Brian se adiantou, sentou na beira da cama, comprimiu o rosto exausto contra a garganta da filha.

Ela começou a erguer o braço para enlaçá-lo, mas era pesado demais com o gesso. O que fez com que o medo a dominasse de novo. Podia ouvir em sua mente o som daquele estalo seco, o grito de dor que o acompanhara.

Não fora um sonho... e, se tudo fora real, então o resto...

— Onde está Darren?

Tinha de ser a primeira pergunta de Emma, pensou Brian, enquanto fechava os olhos e os apertava com força. Como podia contar? Como podia dizer à filha o que ele próprio ainda não compreendia nem acreditava? Ela era apenas uma criança... sua única criança.

— Emma...

Ele a beijou na face, na têmpora, na testa, como se isso pudesse de alguma forma atenuar a dor. Para os dois. Pegou a mão da filha.

— Lembra quando lhe contei uma história sobre os anjos, como eles vivem no céu?

— Eles voam, tocam música e nunca machucam uns aos outros.

Ele era mesmo esperto, pensou Brian, amargurado, bastante esperto para inventar uma história tão bonita.

— Isso mesmo. E às vezes pessoas especiais se tornam anjos.

Brian procurou sua fé católica, e descobriu que pesava demais em seus ombros.

— Às vezes Deus ama tanto essas pessoas que as leva para lhe fazer companhia no céu. É lá que Darren se encontra agora. É um anjo no céu!

— Não! — Pela primeira vez desde que rastejara de baixo da pia suja, há mais de três anos, Emma afastou-se do pai. — Não quero que ele seja um anjo!

— Eu também não quero.

— Diga a Deus para mandá-lo de volta! — exclamou Emma, furiosa. — Agora!

— Não posso. — As lágrimas afloraram de novo; Brian não podia contê-las. — Ele foi embora, Emma.

— Então quero ir para o céu também e cuidar de Darren!

— Não! — O medo envolveu-o, secando as lágrimas. Seus dedos apertaram os ombros da menina, causando equimoses, pela primeira vez. — Não pode, Emma. Eu preciso de você. Não posso trazer Darren de volta e não quero perdê-la.

— Eu odeio Deus! — declarou Emma, os olhos secos, veemente.

E eu também, pensou Brian, enquanto a apertava contra seu peito. Eu também.

MAIS DE CEM PESSOAS ENTRARAM E SAÍRAM DA CASA DE McAvoy na noite do crime. O bloco de Lou transbordava de nomes, anotações, impressões. Mas ele não estava mais próximo de uma resposta. A janela e a porta do quarto do menino foram encontradas abertas, embora a babá insistisse que fechara a porta depois que pusera o menino para dormir. Também insistia que trancara a janela. Mas não havia qualquer sinal de arrombamento.

Havia pegadas por baixo da janela. Tamanho quarenta e um, pensou Lou. Mas não havia no chão as marcas que uma escada teria deixado, nem vestígios de corda no peitoril da janela.

A babá quase não podia ajudar. Acordara com uma mão tapando sua boca. Fora vendada, amarrada e amordaçada. Nas duas entrevistas que Lou tivera, ela mudara a estimativa da hora, de meia-noite e meia para duas horas da madrugada. Figurava no final da lista de suspeitos, mas ele esperava pela verificação de antecedentes que pedira.

Era com Beverly McAvoy que Lou tinha de conversar agora. Adiara o interrogatório ao máximo possível. E só se decidira depois de ver as fotos que a polícia tirara do pequeno Darren McAvoy.

— Seja o mais breve que puder — recomendou o médico a Lou, no corredor, junto da porta do quarto. — Ela tomou um sedativo brando, mas sua mente está lúcida... talvez até lúcida demais.

— Não quero tornar a situação mais difícil para ela do que já é. — Mas Lou sabia que isso era quase inevitável, projetando em sua mente a imagem do menino. — Preciso conversar também com a menina. Ela já tem condições?

— Ela está consciente, mas não sei se falará com você. Não disse mais do que duas palavras para qualquer pessoa, com exceção do pai.

Com um aceno de cabeça, Lou entrou no quarto. A mulher estava sentada na cama. Embora mantivesse os olhos abertos, não o focalizou. Parecia muito pequena, jovem demais para ter um filho... e perdê-lo. Usava um casaco de deitar azul-claro. As mãos sobre o lençol branco estavam absolutamente imóveis.

Brian sentava numa cadeira ao lado da cama, a barba por fazer, o rosto com uma palidez doentia. Os olhos pareciam de um velho, vermelhos, inchados, das lágrimas e da falta de sono, turvados pelo desespero. Quando ele ergueu o rosto, Lou viu mais alguma coisa naqueles olhos. Fúria.

— Lamento incomodá-los.

— O médico nos disse que viria. — Brian não se levantou, nem gesticulou para uma cadeira, apenas continuou a fitar o policial. — Já sabe quem fez isso?

— Ainda não. Eu gostaria de conversar com sua esposa.

— Bev... — Brian pôs a mão sobre a dela, mas não houve reação. — Este é o policial que está tentando descobrir... descobrir o que aconteceu.

Ele fez uma pausa, tornando a olhar para Lou.

— Desculpe, mas não me lembro de seu nome.

— Kesselring... tenente Kesselring.

— O tenente precisa lhe fazer algumas perguntas. — Ela não fez qualquer movimento. Mal respirava. — Por favor, Bev...

Talvez fosse o desespero na voz do marido que a alcançou lá no fundo, onde tentava se esconder. Ela estendeu a mão, num movimento brusco, à procura da mão de Brian. Fechou os olhos por um momento, apertando-os com toda força, desejando estar morta. Tornou a abri-los e fitou Lou.

— O que você quer saber?

— Tudo o que puder me dizer sobre aquela noite.

— Meu filho morreu. O que mais importa?

— Alguma coisa me diz que pode me ajudar a descobrir quem matou seu filho, Sra. McAvoy.

— Isso trará Darren de volta?

— Não.

— Não sinto mais nada. — Ela continuou a fitá-lo, os olhos enormes e cansados. — Não sinto as pernas, os braços, nem a cabeça. Quando tento sentir, a dor é intensa. Talvez seja melhor não tentar, não é mesmo?

— Talvez sim, pelo menos por algum tempo. — Lou puxou uma cadeira para perto da cama. — Mas, se for possível, pode me dizer o que se lembra daquela noite?

Ela encostou a cabeça no travesseiro. Ficou olhando para o teto. A descrição monótona que fez da festa era parecida com a que o marido apresentara, assim como os relatos de outros presentes que Lou entrevistara. Rostos familiares, rostos estranhos, pessoas entrando e saindo. Alguém ao telefone da cozinha pedindo pizza.

Essa era uma informação nova e Lou anotou-a.

Conversar com Brian, depois ouvir o grito de Emma... e encontrá-la ao pé da escada.

— As pessoas se agruparam ao redor — murmurou Bev. — Alguém, não sei quem, chamou uma ambulância. Não mexemos nela... ficamos com medo de mudar a posição do corpo. Ouvimos a sirene se aproximando. Eu queria ir com ela para o hospital... com ela e Brian. Mas precisava primeiro ver como estava Darren, acordar Alice, avisá-la do que acontecera.

Bev fez uma pausa.

— Parei para pegar o roupão de Emma. Não sei direito por quê... apenas pensei que ela poderia precisar. Comecei a seguir pelo corredor. Fiquei irritada porque as luzes estavam apagadas. Sempre deixamos uma luz no corredor acesa, por causa de Emma. Ela tem medo do escuro. O que não acontece com Darren.

Ela falou com um meio sorriso:

— Ele nunca tem medo de nada. Só deixamos um abajur aceso em seu quarto porque é mais fácil para nós se ele acordar. Darren gosta de companhia. — Bev levou a mão ao rosto, enquanto a voz começava a tremer. — Não gosta de ficar sozinho.

— Sei que é muito difícil, Sra. McAvoy. — Mas ela fora a primeira pessoa a chegar ao local, encontrara o corpo, pusera-o no colo. — Preciso saber o que encontrou quando entrou no quarto.

— Encontrei meu bebê. — Ela afastou a mão de Brian. Não suportaria ser tocada naquele momento. — Ele estava caído no chão, ao lado do berço. Pensei... pensei... Oh, Deus, ele passou por cima da grade e caiu. Não se mexia, estendido ali, no tapete azul. Não pude ver seu rosto. Peguei-o no colo. Mas ele não acordou. Sacudi-o e gritei, mas ele não acordou.

— Viu alguém lá em cima, Sra. McAvoy?

— Não. Não havia ninguém lá em cima. Apenas o bebê. Meu bebê. Levaram meu bebê, não querem trazê-lo de volta para mim. Brian, pelo amor de Deus, por que não deixa eu ficar com Darren?

— Sra. McAvoy... — Lou levantou-se. — Farei tudo o que puder para descobrir quem fez isso. Prometo.

— Que diferença isso faz? — Ela começou a chorar, lágrimas enormes e silenciosas. — Que diferença pode fazer?

Fazia uma diferença, pensou Lou, enquanto saía para o corredor. Tinha de fazer.

EMMA ESTUDOU LOU COM UMA INTENSIDADE DIRETA QUE O deixou contrafeito. Era a primeira vez, ao que podia se lembrar, de uma criança deixá-lo com vontade de verificar se não tinha manchas na camisa.

— Já vi policiais na televisão — disse ela, quando Lou se apresentou. — Eles atiram nas pessoas.

— Às vezes. — Hesitou, procurando alguma coisa para dizer. — Gosta de televisão?

— Gosto. *Vila Sésamo* é o nosso programa predileto, meu e de Darren.

— De quem você gosta mais, do Garibaldo ou do Beto?

Emma sorriu.

— Gosto do Gugu, porque ele é bravo.

Por causa do sorriso, Lou decidiu correr o risco. Abaixou a grade e sentou na beira da cama. Emma não protestou.

— Não vejo *Vila Sésamo* há algum tempo. Gugu ainda mora numa lata de lixo?

— Mora. E grita com todo mundo.

— Acho que gritar pode às vezes fazer com que a pessoa se sinta melhor. Sabe por que estou aqui, Emma?

Ela não disse nada. Apenas comprimiu contra o peito um velho cachorro de pelúcia preto.

— Preciso falar com você sobre Darren — acrescentou Lou.

— O Da diz que ele é agora um anjo no céu.

— Tenho certeza que é mesmo.

— Não é justo que ele tenha ido embora. Nem se despediu de mim.

— Não podia.

Emma sabia disso, porque sabia, no fundo de seu coração, o que tinha de fazer para se tornar um anjo.

— O Da disse que Deus queria Darren junto dele. Mas acho que foi um erro, e Deus vai mandá-lo de volta.

Lou passou a mão pelos cabelos da menina, tão comovido por sua lógica obstinada quanto ficara com o sofrimento da mãe.

— Foi um erro, Emma, um erro terrível, mas Deus não pode mandá-lo de volta.

O lábio inferior projetou-se para a frente, mas era mais uma expressão de desafio que de irritação.

— Deus pode fazer qualquer coisa que quiser.

Lou avançou, indeciso, por um terreno instável.

— Nem sempre. Às vezes os homens fazem coisas que Deus não conserta. Nós é que temos de consertar. E acho que você pode me ajudar a descobrir como esse erro aconteceu. Quer me contar tudo o que houve naquela noite... na noite em que você rolou pela escada?

Ela deslocou os olhos para Charlie, puxando o pêlo.

— Quebrei o braço.

— Sei disso. E sinto muito. Tenho um filho. Ele é mais velho do que você. Tem quase onze anos. Quebrou o braço quando tentou andar de skate no telhado.

Impressionada, Emma tornou a fitá-lo, os olhos arregalados.

— É mesmo?

— E quebrou o nariz também. Desceu do telhado no skate e caiu em cima de uma azaléia.

— Como ele se chama?

— Michael.

Emma queria conhecê-lo, perguntar qual era a sensação de voar de um telhado. Parecia muito corajoso. Como uma coisa que Darren poderia tentar. Ela recomeçou a puxar o pêlo de Charlie.

— Darren faria três anos em fevereiro.

— Sei disso.

Lou pegou a mão da menina. Depois de um momento, ela entrelaçou os dedos.

— Eu o amava mais do que tudo — murmurou ela. — Darren morreu?

— Morreu, Emma.

— E não pode voltar, mesmo que tenha sido um erro?

— Não, não pode. Sinto muito.

Ela tinha de perguntar.... o que não tivera coragem de perguntar ao pai. O pai choraria e podia não lhe dizer a verdade. Aquele homem de olhos claros e voz suave não choraria.

— Foi minha culpa?

Seus olhos tinham uma expressão desesperada quando se levantaram para fitá-lo.

— Por que pensa assim?

— Fugi. Não cuidei de Darren. Prometi que sempre cuidaria, mas fugi.

— De que você fugiu?

— Das cobras — respondeu ela, sem a menor hesitação, recordando apenas o pesadelo. — Havia cobras e coisas com dentes enormes.

— Onde?

— Em torno da cama. Elas se escondem no escuro e gostam de comer meninas más.

— Entendo... — Lou tirou um bloco de anotações do bolso. — Quem lhe disse isso?

— Minha mãe... minha mãe antes de Bev. Bev diz que não tem cobra nenhuma, mas só fala isso porque não vê.

— E você viu as cobras na noite em que caiu?

— Tentaram me impedir de alcançar Darren quando ele chorou.

— Darren estava chorando?

Satisfeita porque ele não a corrigira em relação às cobras, Emma acenou com a cabeça em confirmação.

— Eu ouvi. Às vezes Darren acordava de noite, mas voltava a dormir depois que eu conversava com ele e levava o Charlie.

— Quem é Charlie?

— Meu cachorro.

Ela estendeu-o para a inspeção de Lou.

— Charlie é muito bonito. — Lou afagou a cabeça empoeirada do cachorro. — Levou Charlie para Darren naquela noite?

— Eu ia levar. — Ela contraiu o rosto, enquanto fazia um esforço para lembrar. — Charlie sempre vai comigo para afugentar as cobras e as outras coisas. Estava escuro no corredor. E nunca fica escuro no corredor. Eles estavam ali.

Os dedos de Lou apertaram o lápis.

— Quem estava ali?

— Os monstros. Podia ouvi-los se arrastando e uivando. Darren chorava muito alto. Precisava de mim.

— Entrou no quarto de Darren, Emma?

Ela balançou a cabeça. Podia se ver, nitidamente, parada no corredor escuro, os sons sibilando e estalando ao seu redor.

— Os monstros estavam com Darren.

— E você viu os monstros?

— Havia dois monstros no quarto de Darren.

— Viu seus rostos?

— Eles não têm rosto. Um dos monstros segurava Darren, apertando-o com tanta força que ele chorava. Gritou por mim. Mas eu fugi, deixando Darren com os monstros. E eles mataram meu irmão. Mataram porque eu fugi.

— Não... — Lou abraçou-a, deixando-a chorar contra seu peito, enquanto afagava os cabelos macios. — Não foi isso. Você fugiu para buscar ajuda, não é mesmo, Emma?

— Eu queria que meu Da viesse.

— Era a coisa certa para fazer. Não eram monstros, Emma. Eram homens... homens maus. E você não poderia evitar que fizessem aquilo.

— Prometi que cuidaria de Darren, que nunca deixaria que acontecesse qualquer coisa com ele.

— Você tentou cumprir a promessa, meu bem. Ninguém a culpa pelo que aconteceu.

Mas ele estava enganado, pensou Emma. Ela se culpava. E sempre se culparia.

ERA QUASE MEIA-NOITE QUANDO LOU CHEGOU EM CASA. Passara horas à sua mesa na delegacia, repassando cada anotação, cada fragmento de informação. Era policial há muito tempo e sabia que a objetividade era seu melhor instrumento. Mas o assassinato de Darren McAvoy tornara-se uma questão pessoal. Não podia esquecer a foto em preto-e-branco do menino, quase um bebê. A imagem gravara-se em seu cérebro.

Tinha também a imagem do quarto do menino. As paredes azuis e brancas, os brinquedos, o pequeno macacão dobrado numa cadeira de balanço, os tênis usados ao lado.

E a seringa, ainda cheia de fenobarbital, a poucos passos do berço.

Não chegaram a ter a chance de usá-la, pensou Lou, amargurado. Não tiveram tempo de espetar a agulha numa veia para fazer o menino mergulhar num sono profundo. Pretendiam levá-lo pela janela? Brian McAvoy receberia um telefonema poucas horas depois, exigindo dinheiro pela devolução do filho são e salvo?

Não haveria telefonema agora, nenhum pedido de resgate.

Lou começou a subir a escada, esfregando os olhos cansados. Amadores, pensou ele. Invasores. Assassinos. Onde estariam agora? E quem eram?

Que diferença isso faz?

Fazia uma diferença, ele disse a si mesmo, enquanto contraía as mãos. A justiça sempre fazia uma diferença.

A porta do quarto de Michael estava aberta. Ele foi atraído pelo som baixo da respiração do filho. Podia ver, à tênue claridade do luar, a confusão de brinquedos e roupas espalhados pelo chão, em cima da cama, amontoados na cômoda. De um modo geral, isso o fazia suspirar. O desleixo jovial de Michael era um mistério para Lou. Tanto ele quanto a mulher eram arrumados e organizados por natureza. Michael era um tornado, um vendaval que pulava de um lugar para outro, deixando a destruição e o caos em sua esteira.

Isso mesmo, em qualquer outro dia ele teria suspirado e planejado a preleção que faria pela manhã. Mas naquela noite a desordem trouxe lágrimas de gratidão a seus olhos. O filho estava são e salvo.

Lou avançou com cuidado entre as coisas no chão. Foi até a cama. Teve de empurrar para o lado o engarrafamento de carrinhos da Matchbox, a fim de encontrar um lugar para sentar. Michael dormia de barriga para baixo, o lado direito do rosto no travesseiro, os braços estendidos, as cobertas emaranhadas a seus pés.

Por um momento, depois cinco, depois dez, Lou apenas ficou sentado ali, contemplando o menino que ele e Marge haviam gerado. Os cabelos compridos escuros, herança da mãe, caíam emaranhados em torno do rosto. A pele era bronzeada, mas ainda exibia o brilho de orvalho do início da juventude. O nariz era torto, acrescentando firmeza a um rosto que poderia ser um pouco bonito demais para um menino. O corpo pequeno era firme e compacto, começava a ter um desenvolvimento rápido. Com marcas de equimoses e arranhões.

Seis anos de tentativa, com dois abortos, pensou Lou agora. Até que, finalmente, ele e Marge conseguiram juntar espermatozóide e óvulo naquela vida forte e vibrante. E Michael reunia o que havia de melhor nos dois.

Lou recordou o rosto de Brian McAvoy. O sofrimento atordoado, a fúria, o desamparo. Claro que ele podia compreender.

Michael mexeu-se quando ele passou a mão por seu rosto.

— Papai?

— Eu só queria dar boa-noite. Volte a dormir.

Michael mudou de posição, bocejando, e derrubou alguns carrinhos no chão.

— Não queria quebrar nada — murmurou ele.

Com uma meia risada, Lou comprimiu as mãos contra os olhos. Não sabia o que era e não se importava.

— Está bem. Eu amo você, Michael.

Mas o filho já mergulhara outra vez num sono profundo.

Capítulo Dez

Era um dia claro, quase agradável. A brisa que soprava do Atlântico fazia ondular a relva verde e alta. Emma ouvia as canções secretas que sussurrava. Por cima dessa música soava a voz baixa e solene do padre.

Ele era alto, o rosto avermelhado, os cabelos muito brancos, num contraste intenso com a batina preta. Embora a voz fosse bastante parecida com a de seu pai, Emma não compreendia boa parte do que ele dizia. E não queria entender. Preferia escutar o murmúrio da relva e os mugidos monótonos do gado na colina, além da sepultura.

Darren finalmente tinha sua fazenda, na Irlanda, embora nunca fosse ver um trator, nem correr atrás das indolentes vacas malhadas.

Era um lugar adorável, com a relva tão verde que parecia pintada. Emma se lembraria para sempre daquele verde e do cheiro fascinante de terra recém-revirada. E também se lembraria do ar em seu rosto, tão impregnado de maresia que até pareciam lágrimas.

Havia uma igreja ali perto, uma estrutura pequena, de pedra, com um campanário branco e alguns vitrais. Haviam entrado ali para rezar, antes que o caixão pequeno e lustroso fosse carregado para a sepultura. Lá dentro, o cheiro era muito forte e muito doce, de flores e incenso. Velas ardiam, embora o sol passasse pelos vitrais, em raios coloridos.

Havia estátuas pintadas de pessoas em túnicas, além de um homem sangrando numa cruz. Brian dissera que era Jesus, que estava cuidando de Darren no céu. Emma achava que alguém que parecia tão triste e cansado não podia tomar conta de Darren e fazê-lo rir.

Bev não dissera coisa alguma. Ficara imóvel, o rosto muito pálido. Stevie tocara a guitarra de novo, como fizera no casamento, só que agora se vestia de preto e a melodia era suave e triste.

Emma não gostou do interior da igreja e ficou contente quando saíram para o sol. Johnno e P.M., os olhos vermelhos de tanto chorar, haviam carregado o caixão, junto com quatro outros homens, que eram primos de Emma. Ela estranhou por ser preciso tantos homens para carregar Darren, que não pesava muito. Mas teve medo de perguntar.

Ajudou olhar para as vacas, a relva alta e as aves pairando lá no alto.

Darren teria gostado de sua fazenda, pensou ela. Mas não parecia certo, não parecia justo que ele não pudesse estar ali, ao seu lado, pronto para correr, rir, brincar.

O irmão não deveria estar naquela caixa, pensou Emma. Não deveria ser um anjo, mesmo tendo asas e música. Se ela fosse forte e corajosa, se tivesse cumprido sua promessa, Darren não teria morrido. Ela é que deveria estar naquela caixa, decidiu Emma, enquanto as lágrimas começavam a escorrer. Não salvara o irmão dos monstros.

Johnno pegou-a no colo quando ela desatou a chorar. Balançou-a um pouco, e o movimento foi confortador. Emma encostou a cabeça no ombro de Johnno e escutou as palavras que ele dizia, junto com o padre:

— O Senhor é meu pastor, nada me faltará...

Mas faltava uma coisa para ela. Faltava Darren. Piscando para remover as lágrimas, Emma tentou ver a grama ondular com o vento. Ouviu a voz do pai, trêmula com o desespero:

— ... mesmo que eu passe pelo vale da sombra da morte, não temerei o mal...

Mas havia o mal, ela sentiu vontade de gritar. O mal existia, e matara Darren. Só que o mal não tinha rosto.

Emma observou uma ave passar por cima, e acompanhou seu caminho. E no alto da colina próxima avistou um homem. Ele estava parado, observando a pequena sepultura e o pesar de todos, enquanto tirava fotos, em silêncio.

ELE NUNCA MAIS SERIA O MESMO, PENSOU BRIAN, ENQUANTO bebia, a garrafa de uísque irlandês na mesa, ao seu lado. Nada jamais voltaria a ser como antes. A bebida não atenuava a dor, como ele pensava que aconteceria. Apenas fazia com que fincasse suas raízes ainda mais fundo.

Não podia sequer confortar Bev. E Deus sabia que tentara. Queria muito. Desejava confortá-la, ser confortado por ela. Mas Bev estava sepultada dentro daquela mulher pálida e silenciosa que se postava ao seu lado, enquanto o caixão do filho baixava para a sepultura.

E ele precisava de Bev. Precisava de alguém que lhe dissesse que havia razões para o que acontecera, que havia esperança, mesmo agora, naqueles dias que eram os mais sinistros de sua vida. Fora por isso que trouxera Darren para a Irlanda, porque insistira na missa, nas orações, na cerimônia. Uma pessoa nunca era tão católica quanto nos momentos de morte, pensou Brian. Mas nem mesmo as palavras familiares, nem mesmo a esperança que o padre oferecera com a hóstia da comunhão haviam atenuado a dor.

Ele nunca mais veria Darren, nunca mais o abraçaria, não acompanharia seu crescimento. Toda aquela conversa sobre a vida eterna nada significava quando ele não podia pegar o filho no colo.

Brian queria ter raiva, mas sentia-se cansado demais para isso ou para qualquer outro tipo de paixão. Mas se não havia conforto, pensou ele, enquanto servia outra dose de uísque, teria de aprender a viver com a dor.

A cozinha recendia a temperos e carne assada. As fragrâncias ainda pairavam no ar, embora os parentes já tivessem partido há horas. Haviam comparecido... e Brian queria se sentir grato por isso. Apresentaram-se para ficar ao seu lado, preparar a comida que deveria alimentar a alma. Lamentavam a perda do menino que a maioria não conhecera.

Brian não podia deixar de admitir que se afastara da família. Porque formara sua própria família. Agora, o que restava de sua nova família dormia lá em cima. Darren estava a poucos quilômetros à sombra de uma colina, ao lado da avó, que jamais conhecera.

Brian esvaziou o copo. Sem pensar, serviu-se de outra dose.

— Filho?

Brian levantou os olhos para deparar com o pai na porta, hesitante. Teve vontade de rir. Era uma inversão de papéis, total e irônica. Podia se lembrar, com absoluta nitidez, da época em que se esgueirava pela cozinha, quando menino, enquanto o pai sentava à mesa, bebendo sem parar.

— O que é?

Ele levantou o copo, observando o pai por cima da borda.

— Devia tentar dormir um pouco.

Brian percebeu que os olhos do pai se fixavam na garrafa. Sem dizer nada, empurrou-a em sua direção. Ele entrou na cozinha, Liam McAvoy, um velho aos cinqüenta anos. Tinha o rosto redondo e avermelhado, com as marcas das capilares arrebentada na pele. Tinha os olhos azuis sonhadores que legara ao filho, os mesmos cabelos de um louro-claro, agora repletos de fios brancos. Era magro, os ossos frágeis; deixara de ser o homem enorme e poderoso que Brian imaginava quando era pequeno. Logo que ele pegou a garrafa, Brian teve um sobressalto. As mãos do pai eram iguais às suas, graciosas, os dedos compridos. Por que ele nunca notara?

— Foi um lindo funeral — murmurou Liam, ainda hesitante. — Sua mãe ficaria satisfeita pelo neto ser enterrado ao seu lado.

Ele serviu-se de uma dose. Bebeu os três dedos de um gole só. Lá fora, a suave chuva da Irlanda começou a cair.

Nunca haviam bebido juntos antes, pensou Brian, enquanto despejava mais uísque nos dois copos. Talvez, finalmente, tivessem encontrado um terreno comum. Com uma garrafa entre os dois.

— É uma chuva de fazendeiro — comentou Liam, tranqüilizado pela chuva e o uísque. — Suave, mas encharcando a terra.

Uma chuva de fazendeiro... O sonho de Darren era ser fazendeiro. Seria possível que o menino tivesse herdado tanta coisa do avô?

— Não queria que ele ficasse sozinho. Achei que seria melhor trazê-lo para ficar com a família na Irlanda.

— Fez o que era certo.

Brian acendeu um cigarro. Empurrou o maço na direção do pai. Já haviam conversado antes alguma vez? Se isso acontecera, Brian não podia se lembrar.

— Não deveria ter acontecido.

— Há muita coisa neste mundo que não deveria acontecer. — Liam acendeu um cigarro. Pegou seu copo. — Mas tenho certeza que vão pegar os desgraçados que fizeram isso com o menino.

— Já passou uma semana. — Para Brian, parecia anos. — E até agora não descobriram nada.

— Mas vão descobrir — insistiu Liam. — E os miseráveis assarão no inferno. Só assim o pobre menino descansará em paz.

Brian não queria pensar em vingança agora. Não queria pensar em seu doce filho debaixo da terra. O tempo passara e se perdera. Tinha de haver uma razão para o que acontecera.

— Por que você nunca apareceu? — Brian inclinou-se para a frente. — Mandei as passagens várias vezes para o casamento, quando Brian nasceu, o aniversário de Emma, o aniversário dele. Você só foi vê-lo no velório. Por que nunca apareceu?

— Cuidar de uma fazenda dá muito trabalho. — Liam falava entre goles. Era um homem com tantos pesares que um se fundia no outro. — Não posso sair para me divertir a qualquer momento que você quiser.

— Nem mesmo uma única vez... — Subitamente, parecia vital para Brian ter uma resposta, uma resposta verdadeira. — Poderia ter mandado mamãe, antes de sua morte. Deveria ter deixado que ela fosse me visitar.

— O lugar de uma mulher é ao lado do marido. — Liam inclinou o copo na direção de Brian. — E você deve se lembrar disso.

— Você sempre foi um filho-da-mãe egoísta.

A mão de Liam, surpreendentemente forte, apertou a de Brian.

— Tome cuidado com o que fala.

— Não vou fugir e me esconder desta vez, pai.

Os olhos e a voz de Brian eram firmes. Ele teria apreciado uma batalha naquele momento.

Lentamente, Liam retirou a mão. Pegou o copo.

— Não vou brigar com você hoje. Não no dia em que meu neto foi enterrado.

— Ele nunca foi seu neto. Nunca o viu até que ele morreu. Nunca se deu ao trabalho. Vendia as passagens que eu mandava e com o dinheiro arrecadado comprava mais uísque.

— E onde você esteve durante esses últimos anos? Onde estava quando sua mãe morreu? Em algum lugar no exterior, tocando a droga de sua música.

— É a droga dessa música que põe um teto sobre sua cabeça.

— Da...

Com o cachorro de pelúcia nos braços, Emma estava parada na porta, os olhos arregalados e assustados, o lábio inferior tremendo. Ouvira as vozes e sentira o cheiro quente do uísque, antes de alcançar a cozinha.

— Emma... — Um pouco trôpego, Brian foi pegá-la no colo, tomando cuidado com o braço engessado. — O que está fazendo aqui?

— Tive um pesadelo.

As cobras haviam voltado, assim como os monstros. E ainda podia ouvir o eco dos gritos de Darren.

— É difícil dormir numa cama estranha. — Liam levantou-se. A mão era desajeitada, mas foi gentil quando afagou a cabeça da menina. — Seu avô vai preparar um leite quente.

Ela fungou quando Liam pegou uma panela velha e amassada.

— Posso ficar com você, Da?

— Claro.

Brian foi sentar na cadeira, com a filha no colo.

— Acordei e não encontrei você.

— Estou aqui, Emma. — Ele afagou os cabelos da filha, olhando para o pai por cima de sua cabeça. — Estarei sempre aqui por você.

MESMO ALI, PENSOU LOU. MESMO NUM MOMENTO COMO aquele. Ele estudou as fotos granuladas do funeral de Darren McAvoy no tablóide. Vira o jornal no supermercado quando fora comprar o pão de trigo integral que Marge pedira. Como qualquer outra coisa relacionada com os McAvoy, atraiu seu interesse e sua simpatia. Mas sentira-se mais do que um pouco embaraçado ao comprar o tablóide na frente de todo mundo, de Sally, o caixa.

Na privacidade de sua própria casa, sentiu-se ainda mais como um voyeur. Por algumas moedas, ele e milhares de outras pessoas podiam testemunhar a intimidade da dor. Estava ali, em todos aqueles rostos, embora não fossem muito nítidos. Podia ver a menina, o braço engessado na tipóia.

Especulou o quanto ela vira, o quanto lembraria. Todos os médicos consultados por Lou haviam alegado que ela bloqueara a recordação, se testemunhara alguma coisa. Podia se lembrar amanhã, daqui a cinco anos ou talvez nunca.

DEVASTATION À BEIRA DA SEPULTURA

Outras manchetes já haviam saído, dezenas de manchetes. Lou tinha uma gaveta cheia de recortes.

EMMA MCAVOY TESMUNHOU A HORRÍVEL MORTE DO IRMÃO?

MORTE DO FILHO ABALA DEVASTATION

CRIANÇA ASSASSINADA DURANTE ORGIA DOS PAIS

MORTE DE BEBÊ DE ROQUEIRO EM RITUAL:
SEGUIDORES DE MANSON SÃO RESPONSÁVEIS?

Lixo, pensou Lou. Tudo aquilo era lixo. Ele se perguntou se Pete Page conseguira resguardar os McAvoy do pior. Frustrado, apoiou a cabeça nas mãos e continuou a olhar para a foto.

Não conseguia se desligar daquele caso. Passara a levar o trabalho para casa, de uma maneira obsessiva. Havia pastas, fotos e anotações cobrindo sua escrivaninha, no canto da sala impecável de Marge. Embora tivesse investigadores competentes trabalhando no caso, conferia tudo o que faziam. Entrevistara pessoalmente todas as pessoas na lista de convidados que recebera. Lera com toda atenção os relatórios da perícia e tornara a vasculhar o quarto de Darren.

Mais de duas semanas haviam passado desde o assassinato, e Lou ainda não tinha nada.

Para amadores, os homens haviam apagado muito bem todas as pistas, pensou ele. E eram mesmo amadores. Profissionais não sufocariam uma criança que poderia valer um milhão de dólares em resgate. Nem fariam uma tentativa tão medíocre de dar a impressão de que ocorrera um arrombamento.

Os criminosos haviam entrado pela porta da frente. Lou tinha certeza. Isso não significava que seus nomes constavam da lista que

Page conseguira compilar. Metade dos habitantes do sul da Califórnia poderia ter entrado na casa naquela noite... e recebido um drinque, um cigarro de maconha ou qualquer das drogas disponíveis na festa.

Não havia impressões digitais estranhas no quarto do menino, nem mesmo na seringa. As únicas impressões eram dos McAvoy e da babá. Tudo indicava que Beverly McAvoy era uma excelente dona-de-casa. O primeiro andar apresentava a desordem esperada na esteira de uma festa, mas o segundo andar, reservado à família, estava limpo e arrumado. Marge teria aprovado, pensou Lou, enquanto visualizava os quartos. Sem impressões digitais estranhas, sem poeira, sem sinas de luta.

Mas houvera uma luta, uma luta de vida e morte. Em algum momento, durante essa luta, a mão de alguém tapara a boca de Darren McAvoy... e também o nariz, talvez inadvertidamente.

A luta ocorrera entre o momento em que Emma ouvira o irmão gritar — se é que ela ouvira mesmo — e o instante em que Beverly McAvoy subira para ver como estava o filho.

Quanto tempo levara? Cinco minutos. Dez. Não mais do que isso, com toda certeza. Segundo o médico-legista, Darren McAvoy morrera entre duas horas e duas e meia da madrugada. O pedido de uma ambulância para Emma fora registrado às 2h17min.

Só que nada disso adiantava, pensou Lou agora. Não adiantava ter uma correlação de horários, ter pilhas de anotações, pastas com etiquetas meticulosas. Ele precisava apenas descobrir uma coisa fora do lugar, um nome que não se ajustasse, uma história que não combinasse com as outras.

Precisava descobrir os assassinos de Darren McAvoy. Se não conseguisse, sabia que seria atormentado para sempre pelo rosto do menino, pela pergunta em lágrimas da irmã:

Foi minha culpa?

— Papai?

Lou teve um sobressalto. Virou-se para deparar com o filho, parado ali, jogando uma bola de futebol americano de uma mão para outra.

— Não seja tão sorrateiro, Michael.

— Não fui.

Michael revirou os olhos quando o pai tornou a se virar. Se batia as portas e circulava pela casa como uma pessoa normal, estava sendo barulhento demais. Se tentava ser silencioso, era sorrateiro. Não dava para vencer.

— Papai...

— O que é?

— Você disse que ia me ensinar alguns passes esta tarde.

— Assim que eu acabar aqui, Michael.

Michael deslocou o peso do corpo de um pé para outro, metidos nos tênis pretos e velhos. Nas últimas semanas era essa a resposta habitual do pai, "Assim que eu acabar".

— E quando vai acabar?

— Não sei, mas acabarei mais rápido se você não me incomodar.

Mas que droga, pensou Michael, sem manifestar a imprecação, numa atitude sensata. Ninguém tinha mais tempo para qualquer coisa. Seu melhor amigo estava de bobeira na casa da avó, e o segundo melhor amigo caíra de cama, com uma gripe ou qualquer coisa parecida. De que adiantava um sábado se você não tinha o que fazer?

Ele bem que tentou seguir o conselho do pai. Havia a árvore de Natal para admirar, com todos os presentes empilhados por baixo. Michael pegou um embrulho com seu nome, o papel mostrando duendes ridículos dançando por toda parte. Sacudiu-o, com todo cuidado. O barulho foi mínimo, mas proporcionou-lhe uma imensa satisfação.

Queria um avião com controle remoto. Era o primeiro item em sua lista de presentes de Natal, escrito com letras maiúsculas e depois sublinhado três vezes. Apenas para que a mãe e o pai soubessem como era sério. Tinha certeza agora, absoluta, de que o avião estava dentro da caixa.

Ele largou o presente. Ainda se passariam alguns dias antes que pudesse desembrulhá-lo, antes que pudesse sair com o avião para dar *loops* e mergulhos.

Precisava de alguma coisa para fazer *agora.*

Havia aromas de coisas assando na cozinha, uma boa perspectiva. Mas sabia que, se entrasse ali agora, a mãe o recrutaria para enrolar massa de biscoito ou enfeitar os pãezinhos de mel. Coisas de mulher.

Como ele poderia se tornar um dos atacantes do Los Angeles Rams se não tinha ninguém com quem treinar a passagem de bola, por mais que tentasse?

E o que podia haver de tão interessante numa porção de papéis e fotos idiotas? Ao voltar para junto da escrivaninha, Michael passou a língua pelo dente que lascara na semana anterior, quando treinava voltas na bicicleta de três marchas. Gostava do fato de que o pai era da polícia, e se gabava disso sempre que podia. Sempre dizia que Lou era capaz de sacar a arma com a mesma rapidez de um xerife do Velho Oeste e que prendia malucos como Charlie Manson pelo resto da vida. Seria lamentável se tivesse de contar à turma que o pai preenchia formulários e estudava pastas de arquivo como um bibliotecário.

Com a bola sob o braço, ele inclinou-se por cima do ombro do pai. Tinha uma idéia: se perturbasse bastante, o pai largaria o trabalho para jogar com ele. Foi nesse instante que viu a foto de Darren McAvoy.

— Puxa, esse garoto está morto?

— Michael! — Lou virou-se, mas o sermão secou em sua língua quando viu os olhos chocados e fascinados do filho. Seguiu pelo instinto, pondo a mão no ombro do filho. — Está sim.

— O que aconteceu? Ele ficou doente ou qualquer coisa parecida?

— Não. — Lou especulou se deveria se sentir culpado por usar a tragédia de uma criança como uma lição para outra. — Ele foi assassinado.

— É apenas um menino pequeno. As pessoas não deviam assassinar meninos assim.

— Não, não deviam. Mas às vezes acontece.

Ao contemplar a foto da polícia, Michael pensou na própria mortalidade, pela primeira vez em seus onze anos vertiginosos.

— Por quê?

Lou lembrou que dissera a Emma que não havia monstros. Quanto mais pensava no que fora feito com Darren, porém, mais certeza tinha de que existiam.

— Não sei. Estou tentando descobrir. Esse é meu trabalho... descobrir quem comete crimes.

Ter um policial como pai nunca impedira Michael de assumir a imagem transmitida pela televisão da justiça em ação.

— E como vai descobrir?

— Conversando com as pessoas, examinando as pistas. E pensando muito.

— Parece um trabalho chato.

Michael não conseguia desviar os olhos da foto.

— E é mesmo, na maior parte do tempo.

O garoto sentiu-se contente pela decisão de ser um astronauta. Olhou para o tablóide que o pai acabara de trazer para casa. Tinha a mente ágil e relacionou os fatos no mesmo instante.

— Esse é o filho de Brian McAvoy. Alguém tentou seqüestrá-lo, ou algo parecido, mas ele acabou morrendo. Toda a turma está falando a respeito.

— É isso mesmo.

Lou tornou a guardar a foto no envelope.

— Ei, você está trabalhando nesse caso! Conheceu Brian McAvoy e falou com ele?

— Claro.

O pai se encontrara com Brian McAvoy! Michael fitou-o, impressionado, reverente.

— Isso é incrível... um barato! Conheceu também o resto da banda? Falou com todo mundo?

Lou balançou a cabeça, enquanto começava a arrumar tudo. A vida era mesmo muito simples quando se tinha onze anos da idade.

E como deveria continuar simples, ele acrescentou, enquanto passava a mão pelos cabelos escuros e desgrenhados do filho:

— Conversei com todos, Michael. E me pareceram muito simpáticos.

— Simpáticos? — Os olhos de Michel se arregalaram. — Eles são os maiores. Os melhores que já existiram. Espere até eu contar para a turma!

— Não quero que conte a ninguém sobre isso.

— Não contar? — Michael passou a mão por seus cabelos rebeldes. — Como é possível? A turma está na maior curiosidade, ninguém fala de outra coisa. Tenho de contar!

— Não, não pode contar. Quero que guarde essas informações só para você, Michael.

— Mas por quê?

— Porque há algumas coisas que são pessoais. — Lou tornou a olhar para as manchetes sensacionalistas. — Ou deveriam ser pessoais. Esta é uma delas. Vamos sair.

Lou pegou a bola de futebol americano. Cabia com perfeição em sua mão.

— Vamos ver se você consegue pegar minha bomba.

Capítulo Onze

P.M. contemplou a onda deslizar pela areia. Mesmo depois de um mês, ainda se surpreendia ao pensar que aquela casa era sua. A casa na praia em Malibu... sua casa na praia em Malibu... tudo o que o corretor prometera. O teto alto, uma enorme lareira de pedra, vastas extensões de vidro. No quarto lá em cima, onde sua amante ainda dormia, havia duas clarabóias, outra lareira e uma varanda que contornava todo o segundo andar.

Até mesmo Stevie ficara impressionado quando conhecera a casa. P.M. experimentara um maravilhoso sentimento de realização ao mostrar a casa, com a decoração de bom gosto, o mais moderno aparelho de som estereofônico que mandara instalar. Mas agora Stevie estava em Paris, Johnno em Nova York e Brian em Londres. E P.M. sentia-se muito solitário.

Ainda se falava sobre uma excursão quando o novo disco fosse lançado, na primavera, mas P.M. não sabia se Brian teria condições de participar. Quase dois meses haviam passado desde aquela noite terrível e Brian continuava isolado. Ele especulou se Brian sabia que

Love Lost alcançara o primeiro lugar na lista de *singles* e já ganhara um disco de ouro. E se isso teria alguma importância para Brian.

P.M. sabia que a polícia não estava mais próxima de descobrir quem matara Darren. Fizera questão de se manter em contato com Kesselring. Era o mínimo que podia fazer por Brian e Bev.

Ele pensou em Bev, como ela se mostrara pálida e abalada no dia do funeral. Não dissera nada para ninguém. P.M. queria demais confortá-la. Não sabia como; e ficara tão chocado com a fantasia de levá-la para a cama, de fazer amor ternamente até que a dor passasse, que se tornara incapaz de fazer mais do que afagar sua mão rígida e fria.

Angie Parks desceu a escada circular, usando uma camiseta rosa que mal cobria os quadris. Ela arrumara tempo para acrescentar alguma maquilagem... um pouco de rímel, uma camada de gloss nos lábios. Escovara os cabelos para remover os nós que o sono e o sexo haviam deixado nos cabelos louros compridos. Depois, com todo cuidado, desmanchara-os um pouco para dar a impressão de que continuavam como estavam no momento em que se levantara.

A melhor maneira de conseguir o que você queria de um homem era através do sexo. E ela queria muita coisa de P.M.

Angie correu os olhos pela sala grande e envidraçada. Era um bom começo, ela refletiu. Um excelente começo. Gostaria de manter a casa para os fins de semana, depois de convencer P.M. a morar em Beverly Hills. Era ali que as estrelas moravam, e ela tinha toda a intenção de se tornar uma estrela.

P.M. era o seu trampolim. A ligação romântica com ele já lhe proporcionara alguns comerciais e um bom papel no elenco de apoio de um filme para a TV. Mas ela queria coisas melhores, maiores, e estava disposta a fazer tudo para manter P.M. feliz para consegui-las.

Sentia-se grata a ele. Sem o interesse que atraíra, desde que a imprensa tomara conhecimento do caso, ela poderia ser obrigada a fazer alguns filmes pornôs. Angie flexionou o pulso para que a luz refletisse na pulseira de diamantes e safiras que P.M. lhe dera. Não teria mais que se preocupar com o aluguel.

Ela virou-se para as portas de vidro e avistou-o no deque. Parado ali, ao sol do início da manhã, P.M. parecia quase bonito, pensou ela. E solitário. Até mesmo um coração tão naturalmente ambicioso quanto o de Angie podia sentir compaixão. Ele não era mais o mesmo desde que o menino morrera. Angie lamentava o que acontecera, mas a tragédia deixara-o ainda mais dependente dela. E a publicidade fazia com que valesse seu peso em ouro. Uma mulher esperta aproveitava as oportunidades que surgiam em seu caminho e tratava de tirar o máximo de proveito.

Angie passou a mão pelos seios, satisfeita porque eram bastante firmes para se manterem empinados mesmo sem sutiã. Ela aproximou-se por trás de P.M., comprimiu-se contra suas costas, passou os braços por seu pescoço.

— Senti sua falta, querido.

Ele levantou o braço para pegar a mão de Angie, embaraçado porque seu primeiro pensamento fora para Bev.

— Eu não queria acordá-la.

— Sabe que adoro quando você me acorda. — Ela ficou de frente para P.M., os braços envolvendo-o, macios e compridos. Com um suspiro, Angie beijou-o na boca. — Detesto ver você tão triste.

— Pensava em Bri. Estou preocupado com ele.

— Você é um bom amigo. — Ela espalhou beijos rápidos e ligeiros sobre o rosto de P.M. — É uma das coisas que mais aprecio em você.

Ele a apertou, como sempre aturdido e exultante ao ouvi-la dizer que o amava. Angie era linda, com seus enormes olhos castanhos e a boca redonda e cheia de boneca. E sua voz resfolegante era como uma música que só era tocada para ele.

Angie comprimiu-se ainda mais quando ele subiu as mãos por suas pernas para acariciar a carne firme das nádegas. Aquele corpo era como um sonho, longo e sensual, dourado como um pêssego. Quando ela estremeceu, P.M. sentiu-se como um rei.

— Preciso de você, Angie.

— Sou toda sua.

Ela inclinou a cabeça para trás, fitando-o com as pestanas meio fechadas. Lentamente, sem desviar os olhos dele, Angie estendeu as mãos para baixo, pegou a bainha da camisa e tirou-a pela cabeça. Ficou imóvel, ao sol, numa nudez erótica, os seios de bicos rosados, tão dourados quanto o resto do corpo. P.M. manteve o bom senso apenas pelo tempo suficiente para puxá-la para dentro da casa, antes de abaixá-la até o chão.

Angie deixou que ele fizesse o que queria, apreciando a maior parte, acrescentando alguns gemidos e gritos calculados, quando achava que era apropriado. Não se podia dizer que P.M. não a excitava. Até que ele o fazia, de uma forma um tanto branda. Mas preferiria se ele fosse um pouco mais vigoroso, se a deixasse com algumas equimoses.

Mas as mãos rudes de baterista de P.M. eram quase reverentes ao deslizarem por seu corpo. Mesmo quando sua respiração se tornava explosiva, o suor começava a escorrer, ele ainda a tratava como um cristal delicado, atencioso demais para apoiar todo o seu peso em Angie, polido demais, mesmo no ardor da paixão, para arremeter com toda a força e fazer com que os gritos da mulher se tornassem sinceros.

Possuiu-a com extrema gentileza, num ritmo firme, que a levou à beira da total satisfação. Ficou estendido por cima dela apenas por um momento, enquanto recuperava o controle... e Angie estudava a madeira envernizada do teto. Sempre preocupado com seu peso, P.M. rolou para o lado. Ajeitou a cabeça de Angie em seu ombro.

— Foi maravilhoso... — Ela acariciou o peito claro e suado de P.M. Sempre prática, sabia que poderia chegar sozinha ao orgasmo quando subisse. — Você é o melhor, querido. O máximo.

— Eu amo você, Angie.

Ele deixou a mão perdurar nos cabelos de Angie. Refletiu que era aquilo que queria. Jamais gostara de todo aquele sexo frenético e anônimo. Queria saber, quando viajava numa excursão, que havia alguém à sua espera, em casa ou naqueles miseráveis quartos de hotel. Queria o que Brian tinha.

Não Bev, P.M. assegurou a si mesmo, sentindo uma pontada angustiada de deslealdade. Mas uma esposa, uma família, um lar. E poderia ter tudo isso com Angie.

— Quer casar comigo, Angie?

Ela ficou imóvel. Era o que esperava desde o início e agora estava acontecendo. Já podia imaginar os agentes de contratação de elenco à sua procura... e a imensa casa branca em Beverly Hills. O sorriso iluminou seu rosto. Quase riu de satisfação. Depois, respirando fundo, mudou de posição. Havia lágrimas em seus olhos quando o fitou.

— Fala sério? Quer mesmo casar comigo?

— Farei você feliz, Angie. Sei que não será fácil casar com alguém que faz parte de uma banda como a minha. Por causa das excursões, as fãs, os repórteres. Mas podemos criar uma vida separada, só para nós dois.

— Eu amo o que você é — declarou Angie, com absoluta honestidade.

— Quer dizer que aceita? Concorda em casar comigo e começar uma família?

— Casarei com você.

Já uma família era muito diferente, pensou Angie, enquanto ele tornava a abaixá-la para o chão. Mas como esposa de P.M. Ferguson, sua carreira só podia subir.

BRIAN NÃO SABIA POR QUANTO TEMPO MAIS PODERIA SUportar, perambulando pela casa dia após dia, dormindo noite após noite ao lado de uma mulher que se afastava, arrepiada, ao menor contato.

Telefonava quase todos os dias, esperando que Kesselring pudesse lhe dar alguma coisa... qualquer coisa. Precisava de um nome, um rosto em que pudesse descarregar sua fúria.

Não tinha mais nada, além de um quarto de bebê vazio e uma esposa que vagueava pela casa como o fantasma da mulher que ele amara outrora.

E tinha Emma. Dava graças a Deus por Emma.

Ele passou a mão pelo rosto. Afastou-se da mesa, onde tentara compor alguma coisa. Sabia que teria enlouquecido, nas últimas semanas, se não fosse por Emma.

Ela também lamentava, em silêncio, desolada. Muitas vezes Brian sentava ao seu lado muito além da hora de dormir, contando histórias, cantando ou apenas escutando. Um podia fazer com que o outro sorrisse; e, quando isso acontecia, a dor diminuía.

Brian sentia-se apavorado sempre que ela saía de casa. Nem mesmo os seguranças que contratara para acompanhá-la quando ia e voltava da escola evitavam o medo desesperado que sentia quando a filha saía de casa.

E como se sentiria quando chegasse o seu momento de sair de casa? Por mais que sentisse saudade do filho, ainda viria o dia em que teria de voltar ao palco, voltar ao estúdio, voltar à música. Não poderia amarrar uma menina de seis anos em sua cintura e levá-la para toda parte.

E não havia a menor possibilidade de deixá-la com Bev. Não agora... e também não em um futuro próximo, pelo que Brian podia prever.

— Com licença, Sr. McAvoy.

— Pois não, Alice.

Haviam-na mantido, embora não houvesse mais uma criança precisando de babá. Agora, ela era a babá de Bev, pensou Brian, enquanto pegava um cigarro no maço que deixara em cima da mesa.

— O Sr. Page está aqui.

Brian olhou para a mesa, os papéis espalhados, a confusão de notas musicais, frases inacabadas.

— Pode mandá-lo entrar.

— Olá, Brian.

Com um olhar, Pete absorveu a cena de um homem tentando trabalhar, mas sem muito êxito. Bolas de papel, um cigarro ardendo num cinzeiro transbordando, um tênue cheiro de álcool, embora ainda não fosse meio-dia.

— Espero que não se importe com a minha presença. Preciso resolver alguns problemas, e achei que você não gostaria de ir ao escritório.

— Não gostaria mesmo. — Brian pegou a garrafa, que nunca ficava longe de sua mão. — Aceita uma bebida?

— Não, obrigado. Ainda é cedo para mim.

Pete sentou, tentando exibir um sorriso descontraído. O ânimo entre os dois se tornara tenso e formal, muito diferente do que era. Ninguém parecia saber como se comportar na presença de Brian, que perguntas fazer, que assuntos evitar.

— Como está Bev? — arriscou ele.

— Não sei. — Brian se lembrou do cigarro e pegou-o entre as pontas no cinzeiro. — Ela quase não fala e não quer sair de casa.

Ele deixou a fumaça escapar, com um suspiro longo e irregular. Quando fitou Pete, havia mesmo um desafio e uma súplica em seus olhos. A mesma expressão que ele exibira anos antes, pensou Pete, quando o procurara e pedira que se tornasse seu agente.

— Ela passa horas a fio sentada no quarto de Darren, Pete. Mesmo de madrugada, acordo às vezes para encontrá-la sentada ali, naquela droga de cadeira de balanço. — Brian tomou um gole do copo, depois outro, ainda mais profundo. — Não sei mais o que fazer.

— Já pensou em terapia?

— Está falando de um psiquiatra?

Brian afastou-se da mesa. As cinzas do cigarro caíram no tapete. Era um homem simples, de uma família simples. Os problemas, os problemas particulares, eram resolvidos em particular.

— De que adiantaria pôr Bev para falar sobre sua vida sexual, como odiava o pai ou alguma outra besteira parecida?

— É apenas uma idéia, Bri. — Pete estendeu a mão, mas abaixou-a para o braço da cadeira. — Alguma coisa para pensar.

— Mesmo que eu achasse que poderia ajudar, não sei se conseguiria convencer Bev a concordar.

— Talvez ela precise de um pouco mais de tempo. Só passaram dois meses.

— Completou três meses na semana passada. Oh, Jesus...

Sem dizer nada, Pete levantou-se para servir mais uísque no copo de Brian. Entregou o copo, depois ajudou Brian a sentar.

— Recebeu alguma notícia da polícia?

— Ligo sempre para Kesselring. Eles não estão mais próximos de descobrir o assassino. De certa forma, isso torna tudo pior. Não saber quem foi.

Pete sentou de novo. Precisavam superar a tragédia, todos, e seguir adiante.

— Como está Emma?

— Os pesadelos pararam e o gesso está para ser retirado. Ela tem a escola para ocupar sua mente, mas está sempre pensando no que aconteceu. Dá para perceber em seus olhos.

— Ela não se lembrou de mais nada?

Brian sacudiu a cabeça em negativa.

— Não sei se ela viu alguma coisa ou se apenas teve um pesadelo, Pete. Para Emma, foi tudo coisa dos monstros. Quero que ela esqueça, deixe para trás... é o que todos nós deveríamos fazer.

Pete fez uma pausa, considerando a situação.

— É um dos motivos pelos quais estou aqui. Não quero pressioná-lo, Bri, mas a gravadora gostaria muito que vocês começassem uma excursão com o lançamento do novo álbum. Estou tentando ganhar tempo, mas não posso deixar de me perguntar se não seria bom para vocês.

— Uma excursão significaria deixar Bev e Emma.

— Sei disso. Não precisa me dar uma resposta agora. Pense a respeito. — Pete pegou um cigarro. Acendeu-o. — Podemos viajar pela Europa, Estados Unidos, Japão, se vocês quiserem. O trabalho pode ser o que você precisa para ajudá-lo a superar.

— E venderia muitos discos.

Pete deu um sorriso contrafeito.

— Isso também. Não há como levar um álbum ao topo das listas dos mais vendidos sem uma excursão. Por falar em discos, assinei um contrato com aquele novo cantor, Robert Blackpool. Creio que já o mencionei.

— Já sim. Disse que tinha grandes esperanças.

— E continuo a ter. Vai gostar do estilo dele, Bri. É por isso que quero que o deixe gravar *On the Wing*.

A simples surpresa fez com que Brian tomasse outro gole do uísque.

— Sempre gravamos nossa música.

— Até agora. Mas é bom começar a se expandir um pouco.

Pete esperou um pouco, avaliando a disposição de Brian. Como sentiu que a reação era melhor do que esperava, resolveu insistir:

— Você tirou essa música do último álbum, e combina à perfeição com Blackpool. Não seria nada mau se outro cantor gravasse uma música que você e Johnno fizeram. Na verdade, neste caso, servirá para aumentar a reputação de vocês como compositores.

— Não sei... — Brian esfregou os olhos. Não parecia ter qualquer importância. — Falarei com Johnno.

— Já falei. — Pete sorriu. — Ele concorda, se você aceitar.

BRIAN ENCONTROU BEV NO QUARTO DE DARREN. EMBORA fosse preciso um imenso esforço, ele entrou no quarto, tentando não olhar para o berço vazio, os brinquedos arrumados nas prateleiras e o enorme urso de pelúcia que comprara junto com Bev antes de Darren nascer.

— Bev...

Ele pôs a mão sobre a dela e esperou em vão que a mulher o fitasse.

Ela estava muito magra. Os ossos do rosto eram tão proeminentes agora que não se podia mais falar em elegância. Desaparecera por completo o brilho nos olhos, nos cabelos, na pele. Brian descobriu-se a cerrar os dentes para não agarrá-la pelos ombros e sacudi-la, até que a vida tornasse a desabrochar em Bev.

— Eu gostaria que descesse para tomar um chá, Bev.

Ela pôde sentir o cheiro de álcool. Deixou-a com o estômago embrulhado. Como ele era capaz de sentar, beber e compor suas músicas? Bev retirou a mão, abaixando-a para seu colo.

— Não quero nenhum chá.

— Tenho notícias. P.M. vai casar.

Ela fitou-o, um olhar rápido, desinteressado.

— Ele espera a nossa visita. Gostaria de mostrar a casa na praia e a mulher de peito grande.

— Nunca voltarei àquela terra.

Havia uma violência súbita e furiosa em sua voz. Brian quase recuou. Mas a emoção não o deixou tão atordoado quanto a expressão nos olhos de Bev ao se encontrarem com os seus. Era de aversão.

— O que você quer de mim? — Ele inclinou-se, pondo as mãos nos braços da cadeira de balanço. — Afinal, o que você quer?

— Quero apenas que me deixe em paz.

— Eu a tenho deixado em paz... para sentar aqui por horas e horas. Deixei-a em paz quando precisava desesperadamente de você, apenas para abraçá-la. E continuo a deixá-la em paz à noite, quando esperava que se virasse para mim. Mesmo que fosse por uma única vez. Ele também era meu filho, Bev.

Ela não disse nada, mas as lágrimas começaram a escorrer. Quando ele estendeu a mão, Bev se esquivou, num movimento brusco.

— Não me toque. Não posso suportar.

Quando Brian recuou, ela se levantou e foi até o berço.

— Você não suporta que eu a toque — disse Brian, com a fúria acumulada. — Não suporta que eu olhe para você, nem que tente conversar. Hora após hora, dia após dia, fica sentada aqui, como se fosse a única pessoa a sentir dor. É tempo de parar com isso, Bev.

— É fácil para você, não é? — Bev pegou uma manta no berço e comprimiu-a contra os seios. — Pode sentar, beber e compor sua música como se nada tivesse acontecido. É fácil demais para você.

— Não, não é nem um pouco fácil. — Cansado, Brian comprimiu os dedos contra os olhos. — Mas não posso parar de viver. Ele morreu, e não posso mudar esse fato.

— Não, não pode mudar. — A dor impotente aflorou para reabrir a ferida, deixá-la em carne viva. — Você tinha de dar a festa naquela noite. Com todas aquelas pessoas em nossa casa. A família nunca foi suficiente para você... e agora ele morreu. Você queria sempre mais. Mais pessoas. Mais música. Sempre mais. E uma das pessoas que você deixou entrar na casa matou meu bebê.

Brian não podia falar. Se ela pegasse uma faca e o cortasse do coração ao ventre, ele não poderia sentir mais dor. E o choque, com toda certeza, seria menor. Os dois ficaram imóveis, separados pelo berço vazio.

— Ele não deixou os monstros entrarem. — Emma estava parada na porta, os livros pendendo da correia, os olhos escuros contra a pele branca. — O Da não deixou os monstros entrarem.

Antes que Brian pudesse falar, ela saiu em disparada pelo corredor, os soluços em sua esteira.

— Bom trabalho — balbuciou Brian, quase rangendo os dentes. — Já que você quer ficar sozinha, sairei com Emma.

Bev queria chamá-lo quando ele se afastou. Mas não foi capaz. Cansada, muito cansada, tornou a arriar na cadeira de balanço.

BRIAN PRECISOU DE UMA HORA PARA ACALMAR EMMA. Quando as lágrimas fizeram-na dormir, ele iniciou as ligações. A última foi para Pete, a decisão tomada.

— Vamos partir para Nova York amanhã — anunciou ele, incisivo. — Emma e eu. Vamos nos encontrar com Johnno lá e tirar alguns dias de folga. Preciso encontrar uma boa escola e contratar seguranças. Depois que Emma estiver acomodada e segura, iremos para a Califórnia e começaremos os ensaios. Pode organizar a excursão, Pete... e que seja bem longa.

Ele tomou um gole do uísque antes de arrematar:

— Estamos prontos para cair no rock.

Capítulo Doze

— Ela não quer voltar.

Brian observava Emma vaguear pelo salão de ensaio com sua câmera nova. Ele a dera de presente durante a despedida chorosa na Academia Feminina Saint Catherine, no norte do estado de Nova York.

— Ela mal passou um mês ali antes desses feriados da primavera. — Johnno adorava a menina, que naquele momento batia uma foto da guitarra Martin de Stevie, em seu suporte no canto. — Dê-lhe tempo para se ajustar.

— Parece que tudo que sempre fazemos agora é nos ajustarmos.

Oito semanas haviam passado desde que ele deixara Bev e a saudade ainda era intensa. As mulheres que tivera desde então eram como uma droga, e as drogas como mulheres. Só serviam para atenuar a dor por uns poucos momentos de cada vez.

— Você pode telefonar para ela — sugeriu Johnno, lendo os pensamentos do parceiro com a facilidade permitida por uma relação antiga.

— Não. — Brian considerara a possibilidade, mais de uma vez. Mas os jornais haviam noticiado a separação e o apetite que ele demonstrara desde então. Duvidava que ele e Bev tivessem qualquer coisa para dizer um ao outro que não contribuísse para piorar a situação. — Minha preocupação agora é com Emma. E com a excursão.

— As duas serão o maior sucesso. — Johnno lançou um olhar insinuante para Angie. — Com umas poucas exceções.

Brian deu de ombros. Tocou alguns acordes no piano.

— Se ela conseguir o contrato para o tal filme, pelo menos não vai mais ficar em cima da gente.

— Uma sacana insidiosa. Viu aquela pedra enorme que ela fez P.M. comprar? — Johnno inclinou a cabeça para o lado e imitou um sotaque de classe superior: — De muito mau gosto, querido.

— Recolha as garras. Enquanto P.M. estiver apaixonado por ela, não podemos fazer nada. E temos mais com que nos preocupar do que a nossa pequena Angie.

Ele olhou para Stevie, que voltava à sala. Brian já havia notado que Stevie passava cada vez mais tempo no banheiro. E não tinha nada a ver com a bexiga. O que Stevie injetara, engolira ou fungara desta vez levara-o às alturas. Ele parou ao lado de Emma, para balançá-la por um momento, e depois foi pegar sua guitarra. Como o amplificador estava desligado, seu frenético solo foi silencioso.

— É melhor esperar até que passe o efeito antes de conversar — sugeriu Johnno. — Se é que em algum momento vai encontrá-lo limpo.

Ele fez menção de acrescentar algo, mas depois decidiu que Brian já tinha coisas demais na cabeça. E não seria nada bom contar o que ele ouvira antes de deixarem Nova York.

Imagine Jane Palmer escrevendo um livro. Claro que alguém escreveria por ela, pois Jane não tinha a menor capacidade para juntar duas frases. Mesmo assim, ele podia imaginar que Jane receberia muito dinheiro pelo livro. E não era provável que seus comentários no pequeno diário pudessem agradar Brian. Era melhor deixar Pete cuidar do problema e só avisar Brian depois da excursão.

Emma não prestou muita atenção ao ensaio quando recomeçou. Já ouvira todas as canções antes, dezenas de vezes. A maioria era do álbum que o pai e os outros haviam gravado na visita anterior à Califórnia. Ela tivera permissão para ir ao estúdio algumas vezes. E uma ocasião Bev até levara Darren.

Ela não queria pensar em Darren, porque doía demais. E foi envolvida por uma desesperada onda de culpa por querer bloquear a lembrança.

Também sentia saudade de Charlie. Deixara-o em Londres, no berço de Darren. Esperava que Bev cuidasse dele. E talvez um dia, quando voltassem para casa, Bev tornaria a falar com ela, riria de novo, como fazia antes.

Ela não entendia direito o que era penitência, mas achava que deixar Charlie no berço do irmão era a coisa certa.

E havia o problema da escola. Tinha certeza de que ir para aquele lugar, tão distante de todas as pessoas que mais amava, era a sua punição por não tomar conta de Darren como prometera.

Lembrava os castigos que sofrera antes, os tapas e gritos. Parecia mais fácil, pensou agora, porque depois que os tapas acabavam não havia mais punição. Para seu castigo atual, no entanto, parecia não haver fim.

Só que o Da não chamava de castigo, refletiu ela. Dizia que ela ia para uma boa escola, onde aprenderia a ser inteligente. Onde estaria segura. Havia homens ali para vigiá-la, o que Emma detestava. Eram homens enormes e silenciosos, com cara de chateados. Não eram como Johnno e os outros. Emma queria acompanhá-los de cidade em cidade, mesmo que isso significasse ter de viajar de avião. Queria ficar em hotéis, pular nas camas, pedir chá ao serviço de quarto. Mas tinha de voltar à escola, ao convívio com as irmãs de olhos bondosos e mãos firmes, às orações pela manhã e aulas de gramática.

Ela olhou para trás quando o pai começou a cantar *Soldier Blues*. Era outra canção sobre a guerra, a letra agressiva acompanhando um ritmo ainda mais agressivo. Emma não sabia por que aquela música a atraía tanto. Talvez fosse por causa do estilo vigoroso de P.M. na bateria, batendo os pratos com freqüência, ou pelo acelerado frenético da guitarra de Stevie. Mas, quando a voz de Johnno se fundiu com a de Brian, ela levantou a câmera.

Gostava de tirar fotos. Nunca lhe ocorrera que a câmera era muito cara e difícil de dominar para uma criança de sua idade. Assim como também nunca lhe ocorrera que o presente era uma espécie de compensação para o sentimento de culpa de Brian por mandá-la para uma escola obscura.

— Emma...

Ela virou-se para estudar um homem alto e moreno. Não era um dos seguranças, mas havia alguma coisa familiar em seu rosto. E, de repente, ela se lembrou. Deu um sorriso, porque ele fora gentil quando a procurara no hospital; e não a fizera se sentir embaraçada quando chorara em seu ombro.

— Lembra de mim? — perguntou Lou.

— Lembro. O homem da polícia.

— Isso mesmo. — Ele pôs a mão no ombro do menino ao seu lado, tentando desviar a atenção do filho, que olhava para a banda ensaiando. — Este é Michael. Falei sobre ele.

Emma animou-se, mas era muito tímida para perguntar sobre a queda de skate do telhado.

— Oi.

— Oi.

O menino lançou-lhe um olhar rápido, um sorriso fugaz. Era tudo o que podia se permitir, antes de tornar a fixar os olhos nos quatro homens no meio da sala.

— Precisamos dos alto-falantes — comentou Brian, quando sinalizou para uma pausa. — Não podemos ter uma noção completa do som sem isso.

Seu coração parou quando avistou o homem ao lado de Emma. Depois, lentamente, hesitante, recomeçou a bater.

— Tenente...

— Sr. McAvoy... — Depois de um olhar de advertência para o filho, Lou atravessou a sala. — Lamento interromper seu ensaio, mas queria lhe falar de novo... e com sua filha, se for possível.

— Tem...

— Não tenho quase nada a acrescentar ao que já sabe. Mas poderia me ceder alguns minutos de seu tempo?

— Claro. Ei, pessoal, não está na hora de almoçar? Irei me encontrar com vocês daqui a pouco.

— Posso esperar por você — propôs Johnno.

— Não precisa. — Brian deu um aperto rápido no ombro do amigo. — Mas obrigado.

Emma percebeu a expressão nos olhos de Michael. Já vira aquela mesma expressão nas garotas na escola quando descobriam quem era seu pai. Ela contraiu um pouco os lábios. Gostava do rosto daquele menino, com o nariz um pouco torto, os olhos de um cinza claro.

— Gostaria de conhecê-los?

Michael enxugou as palmas suadas no jeans.

— Claro. Seria o máximo.

— Espero que não se importe — disse Lou para Brian, ao notar que Emma o poupara da pergunta. — Trouxe meu filho. Não é um procedimento correto, mas...

— Eu compreendo.

Brian lançou um olhar demorado e invejoso para o menino, enquanto Michael olhava, radiante, para Johnno. Darren seria tão esperto e forte aos onze anos de idade?

— Acho que vou mandar um disco para ele. O novo, que só será lançado dentro de duas ou três semanas. Ele vai fazer o maior sucesso na escola.

— É muita gentileza sua.

— Não é nada. Tenho a impressão de que você dedicou muito mais tempo ao que aconteceu com Darren do que deveria.

— Não temos aquele emprego de horário fixo, de nove às cinco, Sr. McAvoy.

— Tem razão. Sempre detestei a polícia. — Ele deu um sorriso embaraçado. — Acho que acontece com todo mundo, até que se precisa. Contratei uma agência de investigação particular, tenente.

— Sei disso.

Era estranho, mas Brian sentiu a facilidade de sua própria risada.

— Foi o que imaginei. Eles me informaram que você investigou mais pistas nos últimos meses do que cinco policiais juntos poderiam fazer. Foi a única coisa que puderam me dizer que você ainda não havia me contado. Quase que dá para pensar que você quer pegar os culpados tanto quanto eu.

— Era um lindo menino, Sr. McAvoy.

— Por Jesus, era mesmo! — Brian baixou os olhos para a guitarra ainda em suas mãos. Porque sentia vontade de tocá-la, largou-a com um gesto exagerado no suporte. — Sobre o que deseja me falar?

— Apenas uns poucos detalhes que eu gostaria de repassar. Sei que é repetitivo.

— Não tem importância.

— Gostaria de falar também com Emma.

A descontração passou tão depressa quanto surgira.

— Ela não pode contar nada.

— Talvez eu ainda não tenha feito as perguntas certas.

Brian passou a mão pelos cabelos. Cortara-os por vários centímetros, e ainda se surpreendia quando a mão logo flutuava pelo ar.

— Darren morreu, e não quero arriscar o estado mental de Emma. Ela está muito sensível neste momento. Só tem seis anos, e foi separada das raízes pela segunda vez em sua vida. Tenho certeza que já leu nos jornais que minha mulher e eu nos separamos.

— Sinto muito.

— Está sendo muito difícil para Emma. Não quero perturbá-la de novo.

— Não vou pressioná-la.

Lou decidiu guardar a idéia de sugerir a hipnose. Emma aproximou-se com Michael neste momento, adorando o papel de anfitriã.

— Da, este é Michael.

— Olá, Michael.

— Olá.

Michael descobriu-se com a língua presa. Só foi capaz de sorrir, embaraçado.

— Gosta de música?

—Gosto muito. Tenho todos os seus discos. — Ele queria desesperadamente pedir um autógrafo, mas tinha medo de parecer um tolo. — Foi sensacional ouvi-lo tocar. O máximo.

— Obrigado.

Emma tirou uma foto.

— Meu pai vai mandar uma cópia — prometeu ela, admirando o dente lascado de Michael.

QUANDO LOU FOI EMBORA, LEVANDO O FILHO RELUTANTE, tinha um princípio de dor de cabeça e um terrível sentimento de frustração. Cumprira a promessa e não pressionara Emma. Não fora capaz. No momento em que mencionara a noite em que o irmão morrera, os olhos da menina se tornaram vazios, o corpo ficou rígido. O instinto dizia-lhe que ela vira ou ouvira alguma coisa, mas a lembrança daquela noite era indistinta. Era povoada por sombras e monstros rosnando.

Ele não se importava de admitir que a solução do caso dependia de uma apavorada menina de seis anos, cuja lembrança daquela noite, segundo os psicólogos que consultara, talvez nunca mais voltasse.

Havia ainda o homem da pizza, pensou Lou, sombrio. Levara dois dias para localizar a pizzaria certa e falar com o empregado do turno da noite. Ele se lembrava do pedido de cinqüenta pizzas, que achara que era uma brincadeira. Mas também se lembrara do nome da pessoa que fizera o pedido.

Tom Fletcher, um músico que tocava sax alto e tenor, e que estava com vontade de comer pizza naquela noite. Lou precisou de semanas para localizá-lo, além de outras semanas de trabalho burocrático para trazê-lo de volta de sua temporada na Jamaica.

Era em Tom Fletcher que Lou depositava suas esperanças. Quem estivera no quarto de Darren não descera pela escada principal, nem saltara pela janela. Isso deixava a escada da cozinha, onde Tom Fletcher tentava convencer o empregado do turno da noite na pizzaria a enviar as cinqüenta pizzas com tudo.

— Foi o máximo, papai. — Michael arrastava os pés na calçada para ganhar mais alguns momentos. Abriu a porta do Chevelle 1968 do pai, esticando a cabeça para olhar as janelas superiores do prédio por trás. — Os caras vão ficar loucos quando eu contar. Posso contar agora, não é? Todo mundo sabe que você está investigando o caso.

— Pode. — Lou apertou o alto do nariz com o polegar e o indicador. Não sabia se a dor de cabeça fora causada pela tensão ou pela vibração furiosa da música. — Todo mundo já sabe.

Afinal, ele tivera de enfrentar três entrevistas coletivas.

— Como eles conseguiram todos aqueles seguranças?

— Que seguranças?

— Aqueles ali.

Enquanto o pai se acomodava no carro, Michael apontou para quatro homens de ombros largos, usando ternos escuros, perto da entrada do prédio.

— Como sabe que são seguranças?

— Ora, papai... — Michael revirou os olhos. — Sempre dá para perceber, até quando são da polícia.

Lou não sabia se devia estremecer ou rir. Especulou como seu capitão reagiria se soubesse que um garoto comum de onze anos era capaz de reconhecer um agente secreto da polícia.

— Os homens estão ali para evitar que eles sejam importunados, que alguém os machuque. E a menina... alguém pode tentar seqüestrá-la.

— Está querendo dizer que eles vivem cercados de seguranças durante todo o tempo?

— Isso mesmo.

— Mas que droga! — A sinceridade de Michael era evidente. Ele não tinha mais certeza se ainda queria se tornar um astro do rock. — Eu detestaria se houvesse pessoas me vigiando durante todo o tempo. Como se pode ter algum segredo desse jeito?

— É uma vida dura.

Enquanto o pai partia, Michael lançou um último olhar para trás.

— Podemos ir ao McDonald's?

— Claro.

— Acho que ela não faz essas coisas.

— Como?

— A menina, Emma... acho que ela não vai ao McDonald's.

— Também acho que não — murmurou Lou, desmanchando os cabelos do filho.

Michael só levou uns poucos minutos para escolher um cheeseburger, batatas fritas e um milkshake. Lou deixou o filho no reservado para fazer uma ligação. Da cabine telefônica lá fora, podia ver Michael, através da janela, despejando mais ketchup no sanduíche.

— Kesselring — disse ele. — Estarei na delegacia dentro de uma hora.

— Tenho más notícias, Lou.

— O que aconteceu?

— Fletcher, o homem da pizza.

— Ele não conseguiu vir para Los Angeles?

— Conseguiu. Mandei dois guardas irem buscá-lo esta manhã para o interrogatório. Eles chegaram com seis horas de atraso. Foi o tempo em que Fletcher já estava morto.

— Mas que merda!

— Parece um caso de overdose. Ele usou heroína. Estamos esperando o relatório do médico-legista.

— Oh, merda! — Lou bateu com a mão na parede da cabine telefônica com tanta força que uma mãe que passava fez as três crianças andarem mais depressa. — O pessoal do laboratório examinou o quarto do hotel?

— De alto a baixo.

— Dê-me o endereço. — Lou tirou o bloco de anotações do bolso. — Tenho de deixar meu filho em casa, e depois irei até lá.

Lou anotou o endereço, soltou outro palavrão e bateu com o fone no gancho. Abriu a porta, esperou um momento, encostado na cabine. Podia ver o filho mastigando o cheeseburger com a maior satisfação.

Capítulo Treze

Academia Saint Catherine, 1977

Mais duas semanas, pensou Emma. Mais duas semanas, longas, chatas, insuportáveis, e ela sairia para as férias de verão. Poderia ver o pai, Johnno e os outros. Poderia respirar sem que ninguém lhe dissesse que respirava por Deus. Seria capaz de pensar sem ser advertida sobre os pensamentos impuros.

Até onde ela podia imaginar, as freiras deviam estar cheias de pensamentos impuros, caso contrário não teriam certeza de que todas as garotas os tinham.

Emma voltaria ao mundo real por umas poucas semanas preciosas. Ela fechou os olhos por um momento, tentando trazer os sons, os cheiros e a vida daquele outro mundo para o seu quarto sossegado. Com um suspiro, apoiou os cotovelos na mesa, arriando de uma maneira que faria irmã Mary Alice bater com a régua na mesa. Não se concentrou nos verbos franceses que deveria conjugar.

Em vez disso, olhou para o gramado verde, que se estendia até o muro de pedra alto, que separava a escola do mundo pecaminoso.

Nem todo o mundo era pecaminoso, pensou Emma. Ela estava cheia de pecado e sentia-se grata porque sua colega de quarto, Marianne Carter, também estava condenada. Seus dias em Saint Catherine seriam uma tortura sem Marianne.

Ela sorriu ao pensar na ruiva sardenta e divertida, colega de quarto e melhor amiga. Marianne era cheia de pecados, sem a menor dúvida, e naquele momento mesmo estava pagando a penitência por sua última transgressão. Mas a caricatura que Marianne desenhara da madre superiora valia a pena duas horas lavando banheiros.

Se não fosse por Marianne, ela poderia ter fugido. Embora não tivesse a menor idéia para onde fugiria.

Só havia um lugar para onde queria ir, e era ao lado do pai. E o pai a mandaria de volta para a escola sem hesitar.

Não era justo. Ela tinha quase treze anos, era quase uma adolescente e estava encalhada naquela escola antiquada, conjugando verbos, recitando o catecismo, dissecando rãs. Era mesmo insuportável.

Claro que não odiava as freiras. Isto é, admitia que talvez odiasse irmã Immaculata. A diretora. Mas quem não odiaria alguém com uma boca que parecia uma ameixa seca, uma verruga no nariz e uma imensa satisfação por determinar tarefas extras para as meninas pelas menores infrações?

Mas o Da apenas achara engraçado quando ela lhe falara de irmã Immaculata.

Sentia saudade dele, sentia saudade de todos.

Queria voltar para casa. Mas não sabia direito onde era sua casa. Pensava bastante na casa em Londres, o castelo onde fora feliz por tão pouco tempo. Pensava em Bev, e detestava porque o pai nunca falava nela. Embora nunca tivessem se divorciado, pensou Emma. Algumas garotas na escola tinham pais divorciados, mas não se podia falar a respeito.

Ainda pensava em Darren, seu doce irmãozinho. Havia ocasiões em que mal podia lembrar como ele parecia, como falava. Mas, quando sonhava com Darren, seu rosto e sua voz eram nítidos como a vida.

Não se lembrava quase nada da noite em que ele morrera. As freiras tendiam a expulsar absurdos pagãos, como monstros, da cabeça das meninas. Mas sempre que sonhava com aquela noite, como acontecia quando estava doente ou transtornada, recordava o terror de avançar pelo corredor escuro, os sons ao redor, os monstros sinistros segurando Darren, enquanto ele gritava e se debatia. Também se lembrava de ter caído.

E quando acordava não se lembrava de mais nada. Marianne passou pela porta nesse momento, com uma pose arrogante exagerada. Estendeu as mãos.

— Arruinadas! — Ela se jogou na cama. — Que conde francês vai querer beijá-las agora?

— Foi tão difícil assim? — perguntou Emma, fazendo um esforço para não sorrir.

— Cinco banheiros. Uma nojeira. Quando eu sair desta porcaria vou contratar uma empregada para minha empregada.

Marianne virou de barriga para baixo, cruzando os tornozelos no ar. Emma limitou-se a sorrir, apreciando o exuberante sotaque americano da amiga.

— Ouvi Mary Jane Witherspoon conversar com Teresa O'Malley. Ela vai até o fim com o namorado quando voltar para casa neste verão.

— Quem?

— Não sei. Seu nome é Chuck, Huck ou qualquer coisa parecida.

— Eu queria saber qual das duas, Mary Jane ou Teresa?

— Mary Jane, sua pateta. Ela tem dezesseis anos e o corpo já formado.

Emma baixou os olhos para seu peito liso, o rosto franzido. Especulou se também teria seios quando chegasse aos dezesseis anos. E se teria um namorado para fazer alguma coisa.

— O que acontece se ela engravidar, como aconteceu com Susan na primavera passada?

— A família de Mary Jane daria um jeito. Tem dinheiro que não acaba mais. De qualquer forma, ela tem um diafragma.

— Todo mundo tem um diafragma.

— Não é do músculo que estou falando, pateta, mas do anticoncepcional.

— Ahn...

Como sempre, Emma acatava o maior conhecimento de Marianne.

— Você põe o diafragma no cofre sagrado, com geléia, e mata os espermatozóides. E não se pode engravidar com espermatozóides mortos. — Marianne virou de costas. Bocejou, olhando para o teto. — Não posso deixar de me perguntar se a irmã Immaculata fez isso algum dia.

A possibilidade foi suficiente para tirar Emma de sua depressão.

— Acho que não. Tenho certeza que ela toma banho sem tirar o hábito.

— Pelo santo inferno, eu já ia esquecendo!

Marianne tornou a se virar. Enfiou a mão no bolso do uniforme amarrotado e tirou meio maço de Marlboro.

— Encontrei no banheiro do segundo andar. — Ela procurou uma caixa de fósforos na gaveta das roupas de baixo. — Alguém prendeu com uma fita adesiva atrás de um vaso.

— E você pegou.

— O Senhor ajuda quem se ajuda. E eu me ajudei. Tranque a porta, Emma.

As duas partilharam um cigarro, soprando a fumaça pela janela aberta. Nenhuma das duas apreciava o gosto, mas mesmo assim continuaram a fumar. Era uma atitude adulta e um pecado, duas coisas pelas quais ansiavam.

— Mais duas semanas... — murmurou Emma, sonhadora.

— Você vai para Nova York. Estão me mandando de novo para o acampamento.

— Não será tão ruim assim. Irmã Immaculata não estará presente.

— Já é alguma coisa. — Marianne tentou adotar uma pose sofisticada com o cigarro. — Tentaram convencer meus pais a me deixarem passar duas semanas com minha avó. Ela é legal.

— Vou tirar muitas fotos.

Marianne balançou a cabeça, pensando um pouco mais além.

— Quando sairmos daqui, vamos arrumar um apartamento em Greenwich Village ou em Los Angeles. Algum lugar bacana. Serei uma pintora, e você será uma repórter fotográfica.

— Daremos muitas festas.

— As maiores. E usaremos as roupas mais deslumbrantes. — Ela levantou a bainha do uniforme. — Sem saia escocesa.

— Prefiro morrer.

— Só faltam mais quatro anos.

Emma virou-se para olhar pela janela. Era difícil pensar em termos de anos quando não se sabia direito como sobreviver às duas próximas semanas.

A UM CONTINENTE DE DISTÂNCIA, MICHAEL KESSELRING contemplou sua imagem de beca e barrete. Não podia acreditar. Finalmente acabara. Deixava a escola secundária e preparava-se para virar uma nova esquina da vida. Teria a universidade, é claro, mas ainda faltava um verão inteiro.

Tinha dezoito anos, com idade suficiente para beber, votar... e graças ao presidente Carter não precisava se preocupar com a convocação militar para interromper seus planos.

Quaisquer que fossem, pensou ele.

Não tinha a menor idéia do que fazer com a vida que se estendia à sua frente. Seu emprego em tempo parcial na Buzzard's Tee Shirt Shop era basicamente para pagar a gasolina e os encontros românticos. Não tinha qualquer intenção de passar a vida fazendo silkscreen em camisas. Mas o que faria ainda era um mistério nebuloso.

Foi um pouco assustador tirar a beca e o barrete. Como se despedir da juventude. Com as duas peças nas mãos, correu os olhos por seu quarto. Estava atravancado de roupas, lembranças, discos... e a coleção intacta da revista *Playboy*, já que a mãe desistira há muito tempo de arrumar seu quarto. Havia também as medalhas que ele ganhara no atletismo e no beisebol... as medalhas que usara para persuadir Rose Anne Markowitz a passar para o banco traseiro de seu Pinto de segunda mão, e ir até o fim, ao som de *Feeling Alright*, de Joe Cocker.

Fora abençoado com um corpo firme e atlético, as pernas compridas, reflexos rápidos. Como seu pai, a mãe gostava de dizer. Ele tinha muita coisa parecida com o pai, embora o relacionamento fosse entremeado de batalhas. Sobre o comprimento dos cabelos, as roupas, política, toque de recolher. O capitão Kesselring era inflexível.

O que combinava com a profissão de policial, pensou Michael. Ainda se lembrava da única ocasião em que fora bastante descuidado para voltar para casa com um único baseado. Passara um mês de castigo. E umas poucas multas por excesso de velocidade também lhe haviam custado caro.

A lei era a lei, o velho Lou gostava de dizer, pensou Michael agora. Graças a Deus que ele não tinha a menor intenção de se tornar também um policial.

Ele tirou a bola do barrete, antes de jogá-lo, junto com a beca, na cama desarrumada. Guardá-la talvez fosse um ato sentimental, mas ninguém precisava saber. Ele procurou na gaveta de cuecas pela velha caixa de charutos em que guardava alguns dos seus bens mais preciosos. A carta de amor que Lori Spiker lhe escrevera... antes de trocá-lo por um motoqueiro com uma Harley e o corpo cheio de tatuagens. O canhoto do ingresso para o show dos Rolling Stones a que comparecera, depois de muito sangue e suor para convencer os pais de que podia ir que não haveria problemas. A chapinha da primeira garrafa de cerveja que tomara. Ele sorriu antes de pegar a foto em que aparecia ao lado de Brian McAvoy.

A menina cumprira a promessa, pensou Michael. A foto chegara pelo correio apenas duas semanas depois daquele dia incrível em que o pai o levara para conhecer a banda Devastation. Acompanhava o novo álbum, um exemplar de distribuição especial. Ele fora o alvo da inveja dos amigos por muitas semanas.

Michael recordou aquele dia, o excitamento quase insuportável que sentira, o suor nas axilas. Há muito tempo que não pensava naquele dia. Agora, talvez por causa de sua recém-adquirida condição de adulto, ocorreu-lhe que fora sensacional o que o pai fizera. E insólito. Não que o velho não fosse capaz de fazer coisas sensacionais. Mas ele fora ao ensaio para tratar de assuntos da polícia. O capitão Lou Kesselring nunca misturava os assuntos da polícia com os prazeres pessoais.

Mas fora o que fizera naquele dia, pensou Michael.

Era estranho, mas agora que estava recordando tudo podia ver o pai trazendo as pastas da investigação para casa, noite após noite. Até onde Michael podia lembrar, o pai nunca trouxera trabalho para casa assim antes daquele caso... nem depois.

O menino, o filho de Brian McAvoy, fora assassinado. As notícias saíram em todos os jornais. Até hoje ainda havia reportagens de vez em quando, porque a polícia nunca conseguira resolver o caso.

E o caso era de seu pai, recordou Michael.

Fora o ano em que Michael fora escolhido o MVP, o melhor jogador, da Pequena Liga de beisebol. E o pai perdera quase todos os jogos. E muitos jantares.

Fora há muito tempo, pensou Michael, especulando se o pai ainda pensava em Brian McAvoy e seu filho morto. Ou na menina que tirara a foto. Algumas pessoas diziam que ela testemunhara o que acontecera com o irmão e enlouquecera. Mas não parecia louca quando Michael a conhecera. Ele a lembrava apenas vagamente, como uma menina franzina, de cabelos claros, olhos grandes e tristes. E uma voz suave, com um sotaque atraente, ele recordou agora. Uma voz muito parecida com a do pai.

Pobre criança, pensou Michael, enquanto punha a borla por cima da foto. E se perguntou o que teria acontecido com ela.

Capítulo Catorze

Emma não podia acreditar que seu tempo estava quase se esgotando. Em menos de uma semana, voltaria para o estado de Nova York e a Academia Saint Catherine. Era verdade que sentia saudade de Marianne. As duas levariam semanas para contar todas as coisas que haviam acontecido durante o verão. O melhor verão de sua vida, embora só tivesse passado duas semanas em Nova York.

Haviam voado para Londres, a fim de filmar parte de uma sessão de gravação para um novo documentário. Tomaram chá no Ritz, como ela fizera com Bev tantos anos antes. Passara algum tempo com Johnno, Stevie e P.M., ouvindo-os tocar, comendo peixe e batata frita na cozinha, enquanto conversavam sobre o novo álbum.

Tirara rolos de filmes, e mal podia esperar para guardar as fotos em seus álbuns fotográficos, onde poderia vê-las muitas e muitas vezes, reavivando as lembranças.

O pai lhe oferecera a primeira sessão como adulta num salão de beleza, como um presente de aniversário antecipado. Agora, tinha os cabelos, que desciam até os ombros, ondulados num permanente, o que a fazia se sentir muito adulta.

E começava a se desenvolver.

Emma lançou um olhar rápido e furtivo para a parte de cima do biquíni. Ainda não eram seios bem definidos, mas pelo menos não seria mais confundida com um menino. E estava bronzeada. Emma não tinha certeza se gostaria de passar suas últimas semanas na Califórnia, mas o bronzeado fazia com que valesse a pena.

E ainda havia o surfe. Tivera de realizar uma grande campanha antes que Brian concordasse em deixá-la experimentar a viagem nas ondas. Emma sabia que tinha de agradecer a Johnno pela prancha, de um vermelho brilhante. Se não fosse pelo muito que ele gracejara e zombara de Brian, ela ainda estaria definhando na areia, observando todo mundo deslizar nas ondas.

Talvez não fosse capaz de fazer muito mais do que ir além da arrebentação, tentar pegar uma onda e cair, mas pelo menos o processo afastava-a dos seguranças, que suavam demais sob um guarda-sol próximo. Era ridículo, pensou Emma, enquanto levava sua prancha para a água. Ninguém ali sabia quem ela era.

A cada ano ela pensava que o pai os dispensaria; mas a cada ano eles permaneciam em suas funções, os rostos solenes, os ombros largos. Pelo menos podiam segui-la na água, pensou Emma, enquanto deitava na prancha e começava a remar com as mãos. Embora soubesse que os homens a observavam através de binóculos, ela fingia que estava sozinha... ou melhor, com um dos grupos de adolescentes que freqüentavam a praia.

Ela passou pela crista de uma onda, adorando a subida e descida, sentindo o estômago mergulhar com o movimento. O barulho das ondas misturava-se com o tumulto musical de dezenas de rádios portáteis. Ela observou um garoto alto, de calção azul-marinho, pegar uma onda e deslizar suavemente até a areia... e invejou-o pela habilidade e liberdade.

Se não podia ter a segunda, pensou Emma, daria um jeito de desenvolver a primeira.

Ficou esperando, com a paciência excitada de uma surfista, pela onda certa. Prendeu a respiração, agachou-se na prancha, depois se levantou e deixou que a onda a levasse, com a fé dos jovens. Conseguiu se manter de pé por cerca de dez segundos, antes de perder o equilíbrio. Quando voltou à superfície, viu que o garoto de calção azul-marinho olhava em sua direção, erguendo a mão e empurrando para trás os cabelos escuros e molhados, num gesto descontraído. O orgulho fez com que ela tornasse a subir na prancha.

Tentou de novo e de novo, cada vez se mantendo de pé apenas por alguns segundos, antes que a onda arrancasse a prancha de baixo de seus pés e a fizesse voar. E a cada vez tornava a subir na prancha, voltava à linha da arrebentação e esperava.

Imaginou os seguranças tomando os refrigerantes mornos e comentando como ela era inepta. Cada fracasso era uma humilhação pública, e só fazia com que sentisse uma determinação ainda maior de alcançar o êxito, pelo menos uma vez. Isso mesmo, deslizar numa onda até a areia pelo menos uma vez.

Os músculos das pernas tremiam quando ela se levantou. Podia ver a onda rolando em sua direção, um túnel azul-verde, a espuma branca na crista. Queria pegar aquela onda. Precisava disso. Só uma vez... um sucesso total e absoluto.

E Emma pegou a onda. O coração bateu na garganta quando começou a deslizar pelo tubo. Podia ver a praia se aproximando, o brilho da lente do binóculo. O barulho da onda era como música em sua cabeça, em seu coração. Por um instante ela saboreou o gosto. Liberdade.

A muralha de água fechou por trás dela, empurrando-a para fora da prancha. Num momento estava ao sol, no instante seguinte rolava sob o impulso da onda. O impacto foi tremendo, deixando-a sem ar, sem qualquer controle, girando, braços e pernas agitados, como se fossem de borracha.

Os pulmões ardendo, ela fez um esforço para aflorar à superfície. Podia ver a claridade tremeluzindo por cima, mas a força da onda puxava-a para o fundo, inexorável. Debateu-se na água, mas afundou ainda mais, girando, até que a superfície estava além de seus pés, mas também inacessível.

Enquanto perdia as forças, ela se perguntou, atordoada, se deveria rezar. O Ato de Contrição flutuou em seu cérebro:

Meu Deus, estou arrependida de todas as ofensas...

Enquanto era sugada outra vez para o fundo, a oração se desvaneceu e a música povoou sua mente:

Vamos juntos. Agora. Só nós dois.

O pânico dominou-a. Estava escuro... e os monstros haviam voltado. Seus esforços para retornar à superfície eram apenas uma agitação frenética. Ela abriu a boca para gritar e engoliu água.

Mãos a seguraram. Em seu terror, Emma tentou empurrá-las, batendo com força. Era o monstro, o mesmo que sorrira para ela, o que queria matá-la, como matara Darren. Quando um braço envolveu-a pelo pescoço, bolas vermelhas dançaram na frente de seus olhos. E se tornaram cinzentas quando ela subiu à tona.

— Tente relaxar! — gritou alguém. — Vou levá-la para a areia. Só quero que fique calma, relaxe um pouco.

Ela estava se sufocando. Tentou arrancar o braço de sua garganta, antes de compreender que não estava cortando seu ar. Podia ver o sol; e quando abriu a boca, para uma respiração dolorosa, foi o ar que ardeu em sua garganta, não água. Ainda estava viva. As lágrimas surgiram nos olhos, tanto em vergonha quanto em gratidão.

— Você vai ficar bem.

Ela pôs a mão no braço que a envolvia. Conseguiu balbuciar:

— Caí da prancha.

Houve uma risada, rápida, um pouco ofegante.

— E não foi brincadeira. Mas, antes, deslizou que foi uma beleza.

Era verdade, Emma compreendeu. E concentrou-se em não ficar ainda mais humilhada pelo impulso de vomitar. Havia areia em contato com sua pele agora. Ela deixou que seu salvador a deitasse na areia quente. Mas os primeiros rostos que viu nesse instante foram dos seguranças. Fraca demais para falar, Emma lançou-lhes um olhar furioso. Não fez com que recuassem, mas pelo menos não se aproximaram ainda mais.

— Tente não ficar de pé por alguns minutos.

Emma virou a cabeça, e cuspiu um pouco de água salgada. Havia música... Eagles, pensou ela, ainda tonta. *Hotel California.* Havia música antes, no escuro, mas ela não podia se lembrar das palavras agora, nem da melodia. Tossiu de novo, piscou contra a intensa claridade do sol, depois focalizou seu salvador.

O garoto de calção azul-marinho, pensou. Conseguiu oferecer um sorriso fraco. A água escorria dos cabelos escuros do garoto. Os olhos também eram escuros, de um cinza profundo, tão transparentes quanto a água de um lago.

— Obrigada.

— Não foi nada.

Ele sentou ao lado de Emma, sentindo-se contrafeito no papel de cavaleiro na armadura reluzente. Os amigos iam gozá-lo por semanas. Mas não podia deixá-la sozinha ali. Afinal, era apenas uma criança. Uma criança atraente, pensou ele... o que o deixou ainda mais constrangido. Ele apertou de leve o ombro da menina, num gesto fraternal. Ela tinha os olhos maiores e mais azuis que já vira.

— Acho que perdi minha prancha.

Ele protegeu os olhos com a mão, enquanto olhava para o mar.

— Não. Fred está trazendo. É uma boa prancha.

— Sei disso. Ganhei há apenas duas semanas.

— Já a vi por aqui.

Ele olhou para Emma. Ela se erguera, apoiada nos cotovelos, os cabelos caindo pelas costas. A voz era bonita, pensou ele, suave e musical.

— Você é inglesa ou alguma coisa parecida?

— Irlandesa. Na maior parte. Só passaremos mais uns poucos dias aqui.

Ela suspirou, enquanto o garoto chamado Fred chegava com sua prancha.

— Obrigada.

Sem saber o que mais dizer, Emma concentrou-se em remover a areia úmida de seus joelhos.

O garoto de calção azul-marinho acenou com a mão para Fred e os outros agrupados ao redor, o que fez com que se afastassem.

— Quando souber o que aconteceu, meu pai nunca mais vai me deixar surfar.

— Por que ele tem de saber?

— Ele sempre sabe.

Emma fez um esforço concentrado para não olhar na direção dos seguranças.

— Todo mundo se estabaca. — Olhos lindos, pensou ele de novo, antes de virar o rosto para o mar, num gesto decidido. — E você estava indo muito bem.

— Acho que sim. — Ela ficou um pouco vermelha. — Você é sensacional. Observei-o surfar várias vezes.

— Obrigado.

Ele sorriu, exibindo um dente lascado. Emma fitou-o atentamente, enquanto a lembrança aflorava.

— Você é Michael?

— Isso mesmo. — O sorriso se alargou ainda mais. — Como sabe?

— Não se lembra de mim? — Ela sentou. — Já nos conhecemos, há muito tempo. Sou Emma... Emma McAvoy. Seu pai o levou ao ensaio uma tarde.

— McAvoy? — Michael passou a mão pelos cabelos molhados. — Brian McAvoy?

Quando disse o nome, ele viu Emma lançar um olhar rápido ao redor, como se receasse que alguém pudesse ter ouvido.

— Claro que lembro de você. Mandou-me uma foto. Ainda a guardo.

Os olhos se contraíram quando ele olhou para trás.

— Então é isso o que eles estavam fazendo aqui — murmurou Michael. — Pensei que eram da Narcóticos ou algo parecido.

— Seguranças... — Emma deu de ombros. — Meu pai se preocupa.

— Posso imaginar.

Michael lembrou, com absoluta nitidez, a foto policial de um menino morto. O que o deixou sem mais nada para dizer.

— Lembro de seu pai. — Emma começou a desenhar círculos na areia. — Ele foi me visitar no hospital depois que meu irmão morreu.

— Ele é capitão agora — informou Michael, por falta de outra coisa para dizer.

— Isso é ótimo. — Emma fora criada para ser polida em todas as circunstâncias. — Pode dizer a ele que mandei lembranças?

— Claro.

Esgotaram as coisas que tinham a dizer. O barulho das ondas preencheu o silêncio.

— Não quer tomar uma Coca-Cola ou qualquer outra coisa? — perguntou Michael.

Ela levantou os olhos, fascinada por ter sido convidada. Era a primeira vez em sua vida que tinha uma conversa de mais de cinco minutos com um garoto. Conversava com homens feitos, é verdade. Havia muitos em sua vida. Mas ser convidada para tomar uma Coca-Cola com um garoto que era apenas uns poucos anos mais velho era uma experiência maravilhosa, inebriante. Ela quase aceitou, antes de se lembrar dos seguranças. Não suportaria que eles os vigiassem.

— Obrigada, mas é melhor eu ir embora. Meu pai deveria vir me buscar daqui a duas horas, mas acho que não quero mais surfar hoje. Ligarei para ele.

— Eu poderia levá-la.

Michael fez um movimento irrequieto com os ombros. Era uma estupidez sentir a língua presa com uma menina. Mas não podia se lembrar de outra ocasião em que se sentira mais nervoso desde que convidara Nancy Brimmer para o Baile do Dia dos Namorados, quando estava na oitava série.

— Dar uma carona até sua casa — acrescentou ele, quando Emma fitou-o nos olhos, aturdida. — Se você quiser.

Michael queria se encontrar de novo com seu pai, concluiu Emma, depois de um momento extasiado. Um garoto como ele — ora, devia ter pelo menos dezoito anos — não se interessaria por ela. Mas a filha de Brian McAvoy era diferente. Emma armou outro sorriso, enquanto se levantava. Michael salvara sua vida. Se ver seu pai era o único pagamento que ela podia oferecer, não havia como negar.

— Aceito a carona, se não der muito trabalho.

— Não é nenhum trabalho.

Ele se controlou antes de mexer os pés na areia. Emma devia estar pensando que ele era um idiota.

— Volto num instante.

Ela se afastou, apressada, na direção dos seguranças, pegando a saída de praia e a bolsa na passagem.

— Meu amigo vai me dar uma carona até em casa — anunciou ela, no tom mais incisivo.

— Srta. McAvoy... — O segurança chamado Masters limpou a garganta. — Seria melhor se ligasse antes para seu pai.

— Não há necessidade de incomodá-lo.

O outro segurança, Sweeney, enxugou o suor da testa.

— Seu pai não vai gostar se pegar carona com um estranho.

— Michael não é um estranho. — O tom altivo fez com que ela se sentisse horrível por dentro, mas não podia ser humilhada na presença de Michael. — Eu o conheço... e meu pai também o conhece. O pai de Michael é capitão da polícia de Los Angeles.

Emma vestiu a camisa comprida, com as cores do arco-íris, por cima do biquíni.

— Vocês irão atrás de nós. Qual é o problema?

Ela virou-se e voltou de cabeça erguida para o lugar em que Michael esperava, com as pranchas.

— Espere um pouco — disse Sweeney, pondo a mão no ombro de Masters. — Vamos dar uma chance à garota. Ela não tem muitas.

O mostrador do tanque de gasolina do carro de Michael pairava perigosamente próximo do vermelho quando ele parou na frente dos portões de ferro da casa em Beverly Hills. Viu a surpresa no rosto do guarda antes que acionasse o controle para abrir os portões. Ele lamentou, enquanto seguia pelo caminho margeado por árvores, não ter mais do que as sandálias velhas e o blusão do tempo de atleta para usar com o calção.

A casa era toda de pedras de tom rosa e mármore branco, quatro andares, ocupando uma grande parte do vasto gramado. As portas em arcada tinham vidros trabalhados. Ele não sabia se devia achar graça ou ficar impressionado com o pavão que desfilava pelo gramado.

— Uma bela casa.

— É de P.M. Ou, melhor, da mulher de P.M. — Emma sentiu-se um pouco embaraçada pelos leões de mármore em tamanho natural que ladeavam a entrada. — Era de uma pessoa do cinema... nunca me lembro quem... mas Angie mudou tudo. Como ela está na Europa, numa filmagem, viemos passar algumas semanas aqui. Tem tempo para entrar?

— Ahn... tenho sim. — Ele franziu o rosto, olhando para os pés sujos de areia. — Se você tem certeza que não é um problema.

— Claro que não é.

Emma saltou do carro, o mesmo Chevelle 1968 que Lou guiava ao ir ao ensaio em que os dois haviam se conhecido. Ela esperou que Michael tirasse sua prancha do teto antes de subir os degraus.

— Terei de contar a papai o que aconteceu. De qualquer forma, os seguranças dirão. Espero que não se importe se o meu relato der a impressão de que foi uma coisa de menor importância. Pode entender, não é?

— Claro. — Ele sorriu de novo, fazendo o jovem coração de Emma palpitar. — Os pais sempre reagem com o maior exagero. Acho que não podem evitar.

Ele ouviu a música no momento em que Emma abriu a porta. Um piano, uma série de acordes trovejantes, depois uma sucessão experimental de notas, seguidas pelos acordes trovejantes outra vez. Emma pegou sua prancha e encostou-a na parede.

— Eles já voltaram para casa.

Depois de um momento de hesitação, ela pegou a mão de Michael e levou-o por um corredor largo e branco. Ele nunca vira uma casa assim, embora se sentisse embaraçado demais para dizê-lo. Portas em arcada davam para uma sala depois de outra, em que quadros abstratos eram manchas de cor frenéticas nas paredes brancas. Até mesmo os pisos eram brancos. Por isso, Michael não conseguia se livrar da sensação de que caminhava por alguma espécie de templo.

E foi então que ele viu a deusa, o retrato da deusa, por cima de uma lareira de pedra branca. Era loura, com uma expressão mal-humorada, usando um vestido branco de lantejoulas, que deslizava perigosamente sobre os seios exuberantes.

— Puxa...

— Essa é Angie. — Emma torceu o nariz, num gesto automático. — Ela casou com P.M.

— Sei disso. — Michael teve a sensação de que os olhos no retrato estavam vivos e se fixavam nele, famintos. — Vi seu último filme.

Ele não contou que em seguida tivera sonhos eróticos fascinantes, mas acrescentou:

— Ela é uma coisa.

— É mesmo.

Embora ainda não tivesse completado treze anos, Emma já sabia o que esse "uma coisa" significava. Deu um puxão impaciente na mão de Michael e continuou pelo corredor.

Era apenas na última sala que ela se sentia à vontade... o único lugar naquele mausoléu em que imaginava que P.M. tivera a chance de expressar seu gosto. Havia cor ali, uma mistura de azuis, vermelhos e amarelos ensolarados. Havia troféus de músicas em cima do consolo da lareira; discos de ouro ornamentavam as paredes. Havia também duas árvores florescentes perto da janela. Eram limoeiros, e Emma sabia que P.M. plantara as sementes e as cultivara com carinho.

O pai sentava a um piano que aparecera num filme, cujo título ela sempre esquecia. Johnno sentava ao seu lado, fumando o cigarro francês habitual. Havia papéis espalhados pelo chão, um jarro de limonada embaçado na mesinha de café. Os copos, com o gelo derretendo devagar, já formavam rodelas de água na madeira.

— Vamos manter assim na passagem — disse Brian, enquanto batia os acordes. — Bem forte, acrescentando as cordas e os metais, mas sempre mantendo a guitarra como a força dominante.

— Fica ótimo, mas ainda não é a batida certa.

Johnno empurrou as mãos de Brian para o lado. Os diamantes faiscavam em cada dedo mínimo, enquanto deslizavam sobre o teclado. Brian pegou um cigarro, virando-o entre os dedos.

— Detesto quando você está certo.

— Da...

Ele levantou os olhos. O sorriso desapareceu quando viu Michael.

— Emma, você deveria telefonar se quisesse voltar mais cedo.

— Eu sei, mas encontrei Michael. — Os lábios de Emma se contraíram num sorriso encantador, as covinhas aparecendo. — Uma onda me derrubou e ele me ajudou a pegar a prancha.

Como queria deixar esse assunto por aí, ela se apressou em acrescentar:

— Achei que você gostaria de vê-lo de novo.

Havia alguma coisa perturbadora em ver sua filha, sua garotinha, de mãos dadas com um garoto que era quase um homem.

— De novo?

— Não se lembra dele? O pai levou-o a um ensaio há muitos anos. Era aquele policial.

— Kesselring... — Brian sentiu o estômago embrulhado. — Você é Michael Kesselring?

— Isso mesmo, senhor. — Michael não tinha certeza se era apropriado estender a mão para um aperto com um gigante da música. Por isso, ficou esfregando as mãos no calção sujo de areia. — Eu tinha onze anos quando o conheci. Foi sensacional.

Brian estava acostumado demais a se mostrar no palco, sob a luz dos refletores, para deixar a angústia transparecer. Olhou para Michael, alto, moreno, forte, e não viu o filho de Lou Kesselring, mas sim o potencial de seu próprio filho perdido.

— É um prazer vê-lo de novo. Lembra de Michael, Johnno?

— Claro. Conseguiu convencer seu velho a comprar aquela guitarra elétrica?

— Consegui. — Michael sorriu, lisonjeado por descobrir que era lembrado. — Tomei aulas durante algum tempo, mas fui considerado um caso perdido. Mas ainda toco um pouco a harmônica.

— Por que não pega uma Coca-Cola para Michael, Emma? — Brian sentou no braço de uma poltrona e gesticulou para um sofá. A aliança de casado faiscava em seu dedo. — Sente-se.

— Não quero interromper seu trabalho.

— Vivemos para ser interrompidos. — Johnno atenuou o sarcasmo com um sorriso. — O que achou da canção?

— Sensacional. Tudo o que vocês fazem é sensacional.

Johnno alteou as sobrancelhas, não tanto em sarcasmo agora, mas divertido.

— Eis aqui um garoto inteligente, Brian. Talvez devêssemos contratá-lo.

Michael sorriu, sem saber se deveria se sentir embaraçado.

— Juro que é verdade. Gosto de tudo o que vocês fazem.

— Não prefere a música de discoteca?

— Claro que não!

— Um garoto muito inteligente! — proclamou Johnno. — Como se encontrou com a nossa Emma na praia?

Ele continuou a falar, sabendo que Brian precisava de mais um momento para relaxar.

— Ela teve um pequeno problema com uma onda e ajudei-a a sair da água. — Michael contornou o incidente com a habilidade de um adolescente acostumado a enrolar os adultos. — Ela tem jeito para o surfe, Sr. McAvoy. Só precisa de um pouco mais de prática.

Brian conseguiu dar outro sorriso. Sacudiu a limonada quente.

— Você surfa muito?

— Sempre que tenho uma oportunidade.

— Como vai seu pai?

— Está ótimo. É capitão agora.

— Eu já soube. Você deve ter acabado o curso secundário.

— Formei-me em junho.

— Vai continuar a estudar?

— Pretendo. Achei que era melhor ir para a universidade. Meu pai está contando com isso.

Johnno pegou seu maço de cigarros. Descontraído, ofereceu um cigarro a Michael. A primeira tragada do cigarro forte, de gosto exótico, deixou Michael com o estômago embrulhado.

— Planeja seguir a carreira de policial de seu pai? — perguntou Johnno, um pouco divertido.

Hesitante, Michael deu outra tragada no Gauloise.

— Acho que não fui feito para ser da polícia. Mas papai é ótimo nisso. Muito paciente... como no caso de seu filho. Trabalhou anos no caso, mesmo depois que o departamento resolveu arquivar a investigação.

Ele se conteve, consternado por ter levantado o assunto. E arrematou, num fio de voz:

— Ele é muito dedicado.

— Tem razão. — Mais à vontade, Brian exibiu o sorriso encantador e terno que fazia com que as fãs o amassem. Gostaria de ter acrescentado rum à limonada. — Dê minhas lembranças a ele, está bem?

— Claro.

Foi com um alívio profundo que Michael viu Emma voltar nesse instante, trazendo os refrigerantes gelados numa bandeja. Uma hora mais tarde, Emma acompanhou-o até o carro.

— Quero agradecer por não ter contado a papai como fui estúpida hoje.

— Não foi nada.

— Foi muito importante. Ele fica... transtornado. — Ela olhou para os muros altos de pedra que cercavam a propriedade. Para onde quer que fosse, sempre acabava esbarrando num muro. — Acho que ele me poria para viver numa bolha, se pudesse.

O impulso de tocar nos cabelos de Emma foi tão intenso, tão inesperado, que Michael ergueu a mão antes de se controlar... e passou-a pelos próprios cabelos.

— Deve ter sido muito difícil depois do que aconteceu com seu irmão e o resto.

— Ele sempre tem medo de que alguém tente me liquidar também.

— E você não tem?

— Acho que não. Como os seguranças estão sempre por perto, nunca tive uma chance de sentir medo.

Michael hesitou, a mão na maçaneta da porta do carro. Não estava atraído por ela, nem qualquer coisa parecida, disse a si mesmo. Afinal, era apenas uma menina.

— Talvez possamos nos encontrar na praia amanhã.

Um coração de mulher palpitou no peito jovem.

— Talvez...

— Eu poderia lhe dar algumas indicações sobre o surfe... como se manter de pé na prancha.

— Seria ótimo.

Ele entrou no carro, mexendo nas chaves por um longo momento, antes de ligar o motor.

— Obrigado pela Coca-Cola e todo o resto. Foi incrível me encontrar de novo com seu pai.

— Quando quiser. Adeus, Michael.

— Até a próxima.

Ele seguiu pelo caminho arborizado. Quase perdeu o controle e invadiu o gramado, porque a observava pelo espelho retrovisor.

MICHAEL VOLTOU À PRAIA TODOS OS DIAS, MAS NÃO TORNOU a vê-la pelo restante daquele verão.

Capítulo Quinze

Ainda tinham uma hora antes do momento de deitar. Uma hora antes que a irmã Immaculata se arrastasse pelos corredores, em seus sapatos pretos pesados, metendo o nariz com a verruga em todos os quartos, para ter certeza que não havia mais ninguém ouvindo música e todas as roupas estavam penduradas nos armários.

Tinham uma hora, e Emma receava que seria tempo suficiente.

— Já estão dormentes?

— Acho que não.

Marianne contraiu os olhos, enquanto batia com o pé, acompanhando a música do último álbum de Billy Joel. Estava convencida de que ele tinha razão. As garotas católicas começavam tarde demais.

— Emma, você está com o gelo nas orelhas há vinte minutos. Já deve ter uma ulceração do frio.

O gelo derretia, a água escorria pelos pulsos, mas Emma mantinha os cubos de gelo comprimidos contra as orelhas.

— Tem certeza que sabe o que está fazendo?

— Claro que tenho.

Os quadris de Marianne balançavam por baixo da camisola de algodão, enquanto ela se encaminhava para o espelho. Parou ali, admirando as pequenas bolas de ouro nas orelhas recém-perfuradas.

— Observei cada movimento que minha prima fez quando furou minhas orelhas. — Ela fez uma pausa, antes de acrescentar, com um carregado sotaque alemão: — Nós terr tuda que serr precisa. Gelo, argulha.

Jovial, ela levantou uma batata, que faiscou à luz.

— A batata foi roubada da cozinha. Duas espetadelas rápidas e suas orelhas insípidas se tornam sofisticadas.

Emma olhou para a agulha. Procurava uma saída para manter as orelhas e o orgulho intactos.

— Nunca perguntei a papai se podia fazer isso.

— Por Deus, Emma, furar as orelhas é uma opção pessoal. Você tem a menstruação, os peitos crescem... como os seus. — Marianne sorriu. — Isso faz com que você seja uma mulher.

Emma não tinha certeza se queria ser uma mulher, se isso significava que a melhor amiga tinha de espetar uma agulha no lóbulo de sua orelha.

— Não tenho brincos.

— Já disse que pode pegar os meus emprestados. Tenho uma porção. E agora quero ver uma amostra dessa coragem britânica.

— Está bem. — Emma respirou fundo. Tirou o gelo da orelha. — Tome cuidado para não fazer uma besteira.

— Eu? — Marianne ajoelhou-se ao lado da cadeira. Desenhou um pequeno x no lóbulo da orelha com uma caneta púrpura de ponta de feltro. — Mas, para o caso de eu errar e espetar a agulha no cérebro, posso ficar com sua coleção de discos?

Ela riu, ajeitou a batata atrás da orelha de Emma e empurrou a agulha. Foi difícil decidir quem ficou mais nauseada.

— Oh, Deus... — Marianne abaixou a cabeça entre os joelhos. — Pelo menos meus pais não precisam se preocupar com a possibilidade de eu me tornar viciada. Espetar uma agulha na veia deve ser horrível.

Emma arriou no chão, mole, como se não tivesse ossos no corpo.

— Você não disse que eu sentiria. — O estômago embrulhado, ela concentrou-se em ficar imóvel e respirar. — Nem disse que eu ouviria.

— Não sabia. Mas também Marcia e eu tomamos uma garrafa inteira de bourbon do bar de papai. Acho que não estávamos sentindo ou ouvindo qualquer coisa.

Ela levantou a cabeça, focalizando. Havia sangue, apenas uma gota, no lóbulo da orelha de Emma. Mas fez com que ela pensasse no sangrento filme de horror que assistira com a prima no verão.

— Temos de furar a outra.

Emma fechou os olhos.

— Oh, Cristo...

— Você não pode sair por aí só com uma orelha furada. Já que chegamos a este ponto, Emma, vamos continuar até o fim.

Marianne tinha as mãos suadas quando tirou a agulha da linha e preparou-a para a segunda espetadela.

— Minha parte é a mais difícil. Fique quieta e espere um instante.

Ela rangeu os dentes, mirou e espetou. Emma soltou um gemido e arriou por completo no chão.

— Acabou. Agora você tem de limpar com água oxigenada, para não infeccionar. E mantenha os cabelos por cima das orelhas durante algum tempo para que nenhuma das irmãs note.

Quando a porta se abriu, as duas se levantaram, com o maior esforço. Mas não era a irmã Immaculata. Teresa Louise Alcott, a garota exuberante e irritante do quarto no outro lado do corredor, entrou, usando seu roupão rosa de algodão e sandálias de plumas.

— O que está acontecendo?

— Estamos fazendo uma orgia. — Marianne tornou a arriar no chão. — Nunca bate na porta?

Teresa apenas sorriu. Era uma dessas garotas animadas, que sempre se oferecia como voluntária para tudo, sempre completava seus trabalhos no prazo e chorava nas Estações da Cruz. Marianne detestava-a por princípio. Como era insensível, além de animada, Teresa considerava os insultos como sinais de amizade.

— Você estava furando as orelhas! — Ela ajoelhou-se para examinar as linhas que pendiam dos lóbulos de Emma. — A madre superiora terá um ataque se souber.

— Por que você mesma não tem um ataque, Teresa? — sugeriu Marianne. — Em seu quarto.

Mas Teresa apenas sorriu.

— Doeu?

Emma abriu os olhos, desejando que Teresa fosse para o inferno eterno.

— Não. Foi maravilhoso. Marianne vai furar meu nariz em seguida. Você pode assistir.

Teresa ignorou o sarcasmo. Examinou suas unhas que acabara de fazer.

— Eu adoraria furar minhas orelhas também. Talvez possa fazê-lo, depois da inspeção de irmã Immaculata.

— Não sei se posso, Teresa. — Marianne levantou-se para pôr um disco de Bruce Springsteen. — Ainda não acabei meu trabalho sobre *Silas Marner*. Pretendia trabalhar esta noite.

— O meu já está pronto. — Teresa deu seu sorriso exuberante. — Se furar minhas orelhas, eu lhe darei todas as anotações que fiz.

Marianne empinou os ombros, como se estivesse ponderando sobre a proposta.

— Está bem.

— Maravilhoso! Ah... já ia esquecendo por que vim até aqui. — Ela enfiou a mão no bolso fundo do roupão rosa e tirou uma página de revista. — Minha irmã me mandou isto porque sabe que você estuda aqui, Emma. Tirou da *People*. Conhecem a revista? É uma beleza. Tem fotos de todo mundo. Já teve capa com Robert Redford e Burt Reynolds... os homens mais lindos de Hollywood.

— Eu conheço — declarou Emma, porque sabia que era a única maneira de fazer Teresa calar.

— Nem podia deixar de conhecer, porque seu pai já apareceu uma porção de vezes na revista. Mas achei que você gostaria de ver isto, e resolvi trazer.

Porque seu estômago já assentara, Emma ergueu-se e pegou a página da revista. A náusea voltou com toda a força.

ETERNO TRIÂNGULO

Lá estava Bev, no chão, engalfinhada com outra mulher. E o Da, com uma expressão de fúria aturdida, inclinando-se para ela. Bev tinha o vestido rasgado e havia uma raiva selvagem em seus olhos. Emma pensou que era a mesma raiva que ela vira na última vez em que se encontrara com Bev.

— Eu sabia que você ia querer ver — disse Teresa, jovial. — Foi por isso que eu trouxe. Não é sua mãe?

— Minha mãe... — murmurou Emma, olhando para Bev na foto.

— A loura de vestido cintilante. Eu morreria para ter um vestido assim. Jane Palmer. É sua mãe, não é mesmo?

— Jane...

Ela focalizou a outra mulher agora. O medo antigo voltou, tão real e intenso quanto fora dez anos antes. Sentia-se tão atordoada quanto ficara quando outra garota mostrara um exemplar contrabandeado do livro *Devastada,* com a foto de Jane na quarta capa.

Era mesmo. Bev brigava com ela, na presença do Da. Por que teriam brigado? A esperança sobrepôs-se ao medo. Talvez o Da e Bev estivessem juntos de novo. Talvez todos pudessem voltar a morar juntos.

Ela sacudiu a cabeça para desanuviá-la e concentrou-se no texto.

As pessoas da classe alta britânica, que pagaram duzentas libras por cabeça para um jantar de caridade com musse de salmão e champanhe, em Mayfair, Londres, receberam em troca mais do que esperavam. Beverly Wilson, decoradora bem-sucedida, ex-esposa de Brian McAvoy, da banda Devastation, teve uma briga com Jane Palmer, ex-amante do músico e autora de um livro de sucesso, *Devastada*, um *roman à clef.*

O que motivou a briga de puxões de cabelos é uma questão de especulação, mas as fontes informam que a antiga rivalidade entre as duas nunca esfriou. Jane Palmer é a mãe da filha de McAvoy, Emma McAvoy, de treze anos, que herdou a aparência poética do pai. Ela estuda numa escola particular em algum lugar dos Estados Unidos.

Beverly Wilson, separada de McAvoy há vários anos, era a mãe do único filho de McAvoy, Darren. O menino teve um fim trágico, fora assassinado há sete anos, um crime que a polícia ainda não conseguiu esclarecer.

McAvoy não foi à festa com Miss Palmer ou Miss Wilson, mas sim com sua atual paixão, a cantora Dory Cates. Embora McAvoy tenha separado as duas pessoalmente, ele quase não falou com Wilson. Ela foi embora com P.M. Ferguson, baterista do veterano grupo de rock. Nem McAvoy nem Wilson estavam disponíveis para comentar o incidente, mas Palmer informa que incluirá a cena em seu novo livro.

Para tomar emprestada uma letra de McAvoy, parece que "o fogo antigo é quente e queima por muito tempo".

Havia mais informações sobre os outros presentes, com seus comentários a respeito do incidente. Havia uma descrição das roupas, com observações irônicas sobre o que Jane e Bev vestiram e rasgaram. Mas ela não leu mais nada. Não precisava.

— Não é sensacional a maneira como rasgaram o vestido uma da outra em público? — Os olhos de Teresa brilhavam de excitamento. — Acha que brigaram por causa de seu pai? Ele é tão lindo que só pode ter sido. Igual aos filmes.

— É verdade.

Como estrangular Teresa só serviria para lhe arrumar uma suspensão, Marianne vetou a idéia. Havia outras maneiras, mais sutis, de lidar com idiotas. Ela pegou a agulha. Furaria as orelhas de abano de Teresa. E se esquecesse o gelo seria um erro honesto.

— É melhor você sair agora, Teresa. Irmã Immaculata deve chegar a qualquer momento.

Com um gritinho estridente, Teresa levantou-se de um pulo. Não queria arruinar seu boletim perfeito com um demérito.

— Trarei as anotações às dez horas. E você pode furar minhas orelhas.

— Combinado.

Teresa levou os dedos aos lóbulos das orelhas.

— Mal posso esperar.

— Também estou ansiosa. — Marianne esperou até que a porta fosse fechada. — Mas que merdinha!

Ela se deslocou para passar o braço pelos ombros de Emma.

— Você está bem?

— Nunca acaba.

Emma olhava para a foto. Era uma boa foto, pensou ela, imparcial, bem focalizada, bem iluminada. Os rostos não estavam indistintos, as expressões eram bastante definidas. Era fácil, fácil demais, ver o ódio nos olhos de sua mãe.

— Acha que eu poderia ser como ela?

— Como quem?

— Minha mãe.

— Ora, Emma, você não a vê desde que era bebê.

— Tem os genes, a hereditariedade, essas coisas.

— Tudo isso é besteira.

— Às vezes sou má... às vezes quero ser má, do jeito como ela era.

— E daí? — Marianne levantou-se para tirar o disco de Bruce Springsteen. Irmã Immaculata poderia aparecer a qualquer momento e confiscá-lo. — Todo mundo é mau de vez em quando. Isso acontece porque nossa carne é fraca e estamos cheios de pecado.

— Eu a odeio. — Era um alívio dizer isso... um alívio terrível. — Eu a odeio. E também odeio Bev por não me querer. E ao Da por me manter aqui. Odeio os homens que mataram Darren. Odeio todo mundo. Ela também odeia todo mundo. Dá para perceber em seus olhos.

— Não tem problema. Às vezes eu também odeio todo mundo. E nem mesmo conheço sua mãe.

Por algum motivo, isso fez com que Emma risse. Não sabia explicar por quê, mas desatou a rir.

— Acho que eu também não. — Emma fungou, suspirou. — Mal me lembro dela.

— É isso aí. — Satisfeita, Marianne tornou a arriar no chão. — Se não se lembra, não pode ser como ela.

Parecia lógico, e Emma precisava acreditar.

— Não pareço com ela.

Como queria ser justa, Marianne pegou o recorte e examinou atentamente a foto.

— Não parece nem um pouco. Tem a compleição e a cor de seu pai. Aceite a palavra de uma artista plástica.

Emma levantou as mãos para os lóbulos doloridos.

— Vai mesmo furar as orelhas de Teresa?

— Pode apostar que sim... com a agulha mais rombuda que puder encontrar. Quer furar uma?

Emma sorriu.

Capítulo Dezesseis

Stevie nunca se sentira tão assustado. Havia barras de ferro por toda parte e uma torneira pingando em algum lugar nas proximidades. Vozes se elevavam de vez em quando e ressoavam pelo corredor. Pés se arrastavam pelo chão, e depois vinha um silêncio terrível.

Ele precisava de um pico. O corpo tremia e suava. O estômago estava todo contraído, recusando-se a soltar o vômito no vaso de porcelana todo rachado no canto. O nariz e os olhos escorriam. Era a gripe, ele disse a si mesmo. Estava com a droga da gripe e trancafiado numa cela. Precisava de um médico, mas era deixado apodrecendo ali. Sentado no catre, ele levantou os joelhos para o peito e encostou-se na parede.

Era Stevie Nimmons. O maior guitarrista de sua geração. Era alguém. Mesmo assim, fora metido numa jaula, como um animal. Trancaram-no ali e foram embora. Não sabiam quem ele era? Em que se tornara?

Precisava de um pico. Oh, Deus, só um pico! E, depois, poderia se livrar daquela situação... e riria de tudo.

Fazia frio. Muito frio. Ele pegou o cobertor no catre e se envolveu. Também sentia muita sede. A boca se tornara tão seca que não conseguia formar saliva suficiente para engolir.

Alguém viria, pensou Stevie, enquanto os olhos começavam a lacrimejar. Alguém viria e tudo voltaria a ficar certo. Alguém daria um jeito. Oh, Deus, como precisava de um pico! A mãe viria lhe dizer que já fora tudo resolvido.

Era angustiante. Ele começou a chorar contra os joelhos, enquanto a dor percorria o corpo. Cada respiração parecia conter pequenos cacos de vidro. Os músculos estavam em fogo, a pele parecia gelo.

Só mais um pouco. Só mais um baseado, um pico, uma carreira, e ficaria bom de novo.

Não sabiam quem ele era?

— Stevie...

Ele ouviu seu nome. Os olhos turvos das lágrimas, olhou para a porta da cela. Passou o dorso da mão pela boca, enquanto fazia um esforço para focalizar. Tentou rir, mas o som saiu como um soluço trêmulo. Pete... Pete podia resolver tudo.

Ele se levantou, mas tropeçou no cobertor e caiu esparramado no chão, sob o olhar de Pete. Stevie estava muito magro. As pernas finas dobraram em ângulos estranhos, terminando em botas de couro de cobra de quinhentas libras. O rosto, quando se levantou, era muito pálido, encovado, com sulcos profundos. O branco dos olhos tinha uma tonalidade avermelhada. Um filete de sangue escorria do lábio, no ponto em que batera no chão. E ele fedia.

— Cara, estou passando mal. — Stevie segurava-se nas barras de ferro para não cair, as mãos suadas. — Tenho uma gripe.

A gripe do viciado, pensou Pete, insensível.

— Você tem de me tirar daqui.

Os dedos trêmulos de Stevie apertavam as barras de ferro com toda força de que eram capazes. Embora seu bafo fosse repulsivo, Pete não recuou.

— É uma loucura. Eles entraram na minha casa. Invadiram minha casa, como um bando de nazistas desgraçados. Sacudiram uma porra de um papel na minha cara e começaram a abrir as gavetas. E me arrastaram para cá como se eu fosse algum criminoso. Algemado ainda por cima!

Ele recomeçou a chorar. Limpou o nariz com o dorso da mão.

— As pessoas olhavam quando me tiraram algemado de minha própria casa. E havia gente tirando fotos. Não é certo, Pete. Não é nada certo. Você tem de me tirar daqui!

Durante a explosão, Pete permanecera completamente imóvel. Quando falou, a voz era baixa e calma. Já cuidara de crises antes, e sabia como convertê-las a seu favor.

— Encontraram heroína, Stevie, e o que chamam polidamente de parafernália da droga. Vão acusá-lo de posse de drogas proibidas.

— Só quero que me tire daqui.

— Não está me ouvindo? — A pergunta saiu incisiva, fria e deliberada. — Encontraram droga suficiente em sua casa para prendê-lo.

— Foi plantada, alguém armou para cima de mim. Alguém...

— Não vai conseguir me enrolar. — Os olhos eram duros, mas Pete deu um jeito de esconder qualquer repulsa que pudesse sentir. — Você tem duas opções. Fica preso ou vai para uma clínica.

— Tenho o direito...

— Não tem nenhum direito aqui. Está ferrado, Stevie. Se quer minha ajuda, terá de fazer exatamente o que eu mandar.

— Só quero que me tire daqui. — Stevie arriou no chão, contraindo todo o corpo. — Farei qualquer coisa para sair daqui.

— POR QUANTO TEMPO ELE TERÁ DE FICAR INTERNADO?

Bev serviu o Pouilly Fumé nos copos.

— Três meses. — Johnno observava-a atentamente, satisfeito por constatar que a antiga Bev não estava enterrada muito fundo sob o modelo novo e mais insinuante. — Não sei como Pete conseguiu, e acho que não quero saber. Mas Stevie não será levado a julgamento se passar esse tempo na Clínica Whitehurst.

— Fico contente por isso. Ele precisa de ajuda, não de uma pena de prisão. — Ela sentou no sofá, ao lado de Johnno, sentindo-se estranhamente nervosa. — A notícia foi dada por todas as emissoras de rádio. Já me perguntava o que poderia fazer quando você bateu na porta. Talvez eu possa visitá-lo.

— Não tenho certeza se ele será uma vista agradável.

— Stevie vai precisar dos amigos.

Bev largou o copo de vinho, sem provar.

— E você ainda é uma amiga?

Ela fitou-o nos olhos. Sua expressão suavizou, antes de levantar a mão e tocar no rosto de Johnno.

— Ficou muito bem assim, Johnno. Sempre especulei como seria por baixo da barba.

— Os anos 60 acabaram. Mas é uma pena. Até usei uma gravata na semana passada.

— Não acredito!

— Era de couro branco, mas mesmo assim uma gravata. — Ele inclinou-se e beijou-a. O tempo, pensou, era apenas o tempo. — Sinto saudade de você, Bev.

— Os anos passam muito depressa.

— Para alguns. Ouvi dizer que você e P.M. estão juntos.

Ela pegou o copo de vinho. Tomou um gole, ganhando tempo.

— Dá atenção a fofocas agora, Johnno?

— Sabe que adoro fofocas, querida. Devo fingir que não vi suas fotos com P.M.? — O sarcasmo familiar voltava, fraco, mas ainda afiado como uma navalha. — Claro que minha foto predileta é aquela em que você aparece engalfinhada com Jane, logo depois que deixou seu lábio sangrando.

Ele pegou a mão de Bev, antes que ela pudesse se levantar, e beijou-a.

— Minha heroína!

O riso borbulhou. Embora retirasse a mão, Bev relaxou.

— Eu não tinha a menor intenção de brigar com ela, mas não me arrependo de ter brigado.

— Esse é o espírito, minha Amazona.

— Ela fez um comentário sobre Darren.

— Sinto muito.

O sorriso de Johnno desapareceu. Quando tornou a pegar a mão de Bev, ela não a retirou.

— Vi tudo vermelho. Sei que é um clichê, mas é o que acontece num momento de fúria total. E quando dei por mim estava em cima dela, por Darren, por mim mesma. E por Emma. É muita desfaçatez minha defender Emma depois do que fiz com ela.

— Bev...

— Não, não vamos entrar nisso — interrompeu ela. — Já está feito agora. Imagino que Jane dirá algumas coisas horríveis a meu respeito em seu próximo livro, e meu negócio vai prosperar ainda mais em conseqüência.

Ponha isso de lado, ela disse a si mesma, e siga em frente.

— P.M. me disse que vocês vão ter seu próprio selo.

— Deve ser oficializado dentro de duas ou três semanas. Mas onde está nosso amigo?

— Teve de voar para a Califórnia há dois dias. Para tratar do divórcio. Mas deve voltar para cá a qualquer momento.

— Voltar para cá?

Bev tomou um gole do vinho.

— Isso mesmo, para cá. Algum problema, Johnno?

— Não sei. Há algum?

Um vestígio do fogo antigo surgiu nos olhos de Bev... obstinado, defensivo.

— Ele é um homem muito doce... muito gentil.

— Sei disso. Também gosto dele.

— Eu sei. — Ela suspirou e deixou o fogo morrer. — Não vamos complicar as coisas, Johnno. Estamos apenas procurando um pouco de felicidade, um pouco de paz de espírito.

— Isso é besteira. P.M. é apaixonado por você há muitos anos.

— E daí? Não mereço que alguém me ame? Não mereço que alguém me ponha em primeiro lugar?

— Claro que sim. E ele também não merece a mesma coisa?

Bev levantou-se, foi até a janela e voltou. A chuva escorria pelo vidro como barras.

— Não vou magoá-lo. Ele precisa de alguém neste momento. E eu também. O que há de errado nisso?

— Brian.

— O que ele tem a ver com isso? O que havia entre nós dois já acabou há muito tempo.

Johnno levantou-se devagar.

— Não vou insultá-la por dizer que é mentirosa... ou uma tola. Direi apenas que me preocupo com você e P.M. E com Bri. E me preocupo com a banda, o que somos, o que fizemos, o que ainda podemos fazer.

— Não sou uma Yoko Ono — declarou Bev, tensa. — Não vou atrapalhar sua preciosa banda. Fiz isso alguma vez?

— Não, nunca fez. Talvez não soubesse com que facilidade poderia fazer. Brian nunca amou ninguém como amou você, Bev. Acredite em mim. Eu sei.

— Não precisa me dizer.

Ele já ia responder, mas ouviram a porta da frente ser aberta e passos apressados no corredor.

— Bev! Bev! — P.M. entrou na sala, o casaco aberto, molhado da chuva. — Johnno, graças a Deus que você está aqui! Acabei de ouvir pelo rádio a notícia sobre Stevie. O que aconteceu?

— Sente-se, filho — Johnno recostou-se no sofá — e lhe contarei tudo.

ELE A AMAVA COM UMA IMENSA TERNURA, EM CARÍCIAS gentis. As velas tremeluziam, as chamas dançando com a escuridão, enquanto Bev passava a mão pelas costas de P.M. Os sussurros dele eram suaves, as palavras adoráveis. Era fácil, muito fácil, entregar-se a um homem assim, deixar que a força de seus sentimentos a levasse.

Nunca teria de perguntar a si mesmo se P.M. precisava dela, se sempre seria suficiente para ele. Com P.M., nunca teria de passar as noites especulando, preocupando-se, ansiosa. E também nunca sentiria aquela emoção de união plena, de integridade e integração.

Dava a ele tudo o que podia, ansiosa por isso, abrindo-se para ele, aceitando-o em seu corpo. Mas o corpo não estremecia como o de P.M., o coração não ameaçava explodir. Mas de um orgasmo tranqüilo vinha a paz. E ela sentia-se grata por isso.

Mas deveria saber que as coisas tão simples não podem durar.

As velas ainda tremeluziam quando ele abraçou-a, aconchegou-a em seu calor. P.M. adorava a serenidade que sempre a envolvia depois do sexo, a imobilidade completa e às vezes elegante de seu corpo.

Bev mantinha os olhos meio fechados, os lábios macios entreabertos, as pernas e os braços inertes. Se ele encostasse a cabeça em seu seio, como fazia com freqüência, poderia ouvir a batida firme e forte do coração.

Às vezes conversavam assim... como ele nunca conversara com sua esposa durante sete anos. Conversavam sobre o que lhes acontecera durante o dia ou o que acontecera no mundo. Ou apenas ficavam deitados a escutar o rádio, que deixavam ligado durante o ato de amor. Caíam no sono dessa maneira, quietos e contentes. E P.M. acordava pela manhã deslumbrado e exultante por encontrá-la a seu lado.

Ele mudou de posição para poder passar a mão pelos cabelos de Bev.

— O divórcio vai ser homologado.

Arrancada de um meio cochilo, ela abriu os olhos para observar o padrão de luz e sombra na parede.

— Fico contente.

— Fica mesmo?

— Claro. Sei como as últimas semanas foram difíceis para você. Quer deixar tudo isso para trás.

— Tem razão. Casei com Angie pelas razões erradas, Bev. Eu queria demais assentar, ter uma esposa, um lar, uma família. Mas aquele monstrengo em Beverly Hills nunca foi um lar. E Angie sempre tinha uma excelente desculpa para adiar o momento de ter filhos. Foi melhor assim. Eu era uma péssima escolha para Angie, tanto quanto ela era para mim.

Bev entrelaçou os dedos com os dele.

— Está sendo muito exigente com você.

— Não estou não. É a pura verdade. Fui uma opção de carreira para Angie. É uma pena que ela não tenha compreendido que eu gostava tanto dela que a ajudaria na carreira mesmo sem o casamento. Mas casamos, apesar de tudo, e fomos muito indolentes ou cautelosos para cair fora quando o relacionamento começou a se deteriorar.

P.M. olhou para os dedos de Bev, longos e esguios, entrelaçados com os seus, curtos e roliços.

— Agora, olhando para trás, posso ver todos os erros com a maior nitidez. Não tornarei a cometê-los, Bev... se você me der uma chance.

— P.M., eu...

Ela se agitou, confusa e assustada. As mãos dele subiram para seus ombros, impedindo-a de se virar, com uma firmeza surpreendente.

— Quero casar com você, Bev, por todas as razões certas.

Ela hesitou, o que a deixou surpresa. A resposta não saiu de seus lábios com a mesma rapidez e segurança com que aflorara em sua cabeça. Foi o coração que impediu, compreendeu Bev. O coração que desejava dar o que ele queria. Ela ergueu a mão para cobrir a dele.

— Não posso. Sinto muito, mas não posso.

Ele fitou-a nos olhos, o pesar que havia neles... e o vestígio de compaixão, que o deixou com vontade de gritar.

— Por causa de Brian.

Ela fez menção de concordar, mas depois descobriu que essa resposta também não era satisfatória.

— Não. Por minha causa.

Bev afastou-se, pegou o roupão, saiu da cama.

— Não posso, P.M. Pensei que pudesse... e gostaria muito... mas não posso.

Ela virou-se. Manteve o rosto nas sombras, enquanto a voz saía clara e pesarosa:

— Ficar com você é a melhor coisa que me aconteceu em muito e muito tempo. Fez com que me sentisse feliz de novo. E me fez ver as coisas com clareza pela primeira vez em anos.

— Ainda é apaixonada por ele.

— Isso mesmo. Pensei que poderia viver com isso, que poderia aceitar de alguma forma, e continuar com você... com alguém. Mas fui eu que o forcei a ir embora.

— Como assim?

— Ele nunca contou?

Bev sorriu, enquanto sentava na beira da cama. Era fácil conversar com ele assim, pensar nele como um amigo, não como um amante.

— Era de imaginar que ele não falaria a respeito. Nem mesmo com você. Depois que Darren foi assassinado, cortei Brian da minha vida. Eu o puni, P.M., e puni Emma também. Magoei Brian quando ele mais precisava de mim, culpando-o porque tinha medo de me culpar.

— Pelo amor de Deus, Bev, nenhum dos dois era culpado.

— Nunca tive certeza disso. Não o deixei lamentar comigo. E quando ele sofria, quando ambos sofríamos, eu o rejeitei. Ele não me deixou, P.M. Fui eu que o deixou. E deixei também a pobre Emma. Cada um à sua maneira, acho que ambos a abandonamos. E ver você de novo, ficar com você, fez-me compreender tudo o que fiz. Com todos nós. Você merece melhor do que uma mulher que não amou o suficiente e que sempre se arrependerá por isso.

— Posso fazer com que você seja feliz, Bev.

— Acho que poderia mesmo. — Ela pegou o rosto de P.M. entre as mãos. — Mas eu não o faria feliz, não por muito tempo.

Você sempre soube que eu amei Brian primeiro... e, de certa forma, nunca amarei qualquer outro.

Era verdade, ele sempre soubera... assim como já sabia a resposta de Bev antes mesmo de fazer a pergunta. Ajudaria se pudesse odiá-la por isso. E odiar Brian. Mas ele os amava.

— Por que não volta para ele, não conversa?

— Darren estaria com quase dez anos agora. É tempo demais para voltar, P.M.

EMMA ATRAVESSAVA O TERRENO EM PASSOS RÁPIDOS. SE desse a impressão de que tinha um propósito, nenhuma das freiras a deteria para interrogá-la. Tinha uma resposta preparada se isso acontecesse... um trabalho de botânica para o curso de ciências.

Só queria ficar sozinha. Tinha vontade de gritar e chorar com a necessidade de ficar sozinha. Não queria sequer a companhia de Marianne. Emma arrependia-se de ter mentido para sua maior amiga, e confessaria para o padre Prelenski à tarde. Mas precisava ficar sozinha durante uma hora, uma hora apenas, para pensar.

Ela lançou um olhar rápido para trás e contornou uma fileira de sebes. Com o caderno na mão, entrou num pequeno bosque.

Como era sábado, tinha permissão para usar jeans e tênis. Fazia bastante frio à sombra das árvores para deixá-la contente por ter se lembrado de trazer a suéter. Depois de ter certeza de que se encontrava fora da vista de qualquer janela da academia, ela arriou no chão. Dentro do caderno havia uma dúzia de recortes, a maior parte entregue por Teresa e outras colegas igualmente curiosas.

O primeiro era sobre ela e Michael. A foto fora batida no verão anterior. Emma alisou-a, com todo cuidado, batalhando contra o prazer embaraçado, enquanto examinava seu rosto e corpo, mostrados com nitidez. Parecia molhada e desgrenhada; infelizmente para seu ego, não preenchia o biquíni de uma forma muito interessante.

Mas Michael exibia uma aparência maravilhosa.

Michael Kesselring, pensou ela. Claro que o jornal não dera o nome dele. Não se dera ao trabalho de descobrir. Afinal, era ela quem despertava interesse. Mas todas as garotas ficaram encantadas com Michael, queriam saber quem ele era, e se Emma tivera um romance de verão.

Falar a seu respeito fizera com que Emma se sentisse muito adulta. Claro que ela aumentara a história, mais do que apenas um pouco. Contara que ele a carregara, tivera de fazer respiração boca a boca, jurara um amor eterno. Achava que Michael não se importaria... especialmente porque nunca saberia.

Com um suspiro, ele largou esse recorte e pegou outro. Era o que Teresa lhe entregara na noite em que Emma tivera as orelhas furadas. Não podia contar o número de vezes em que pegara o recorte, estudara a foto, lera o texto, tentara dissecar tudo. Seus olhos eram constantemente atraídos para o rosto da mãe, assustados, enquanto procuravam por alguma semelhança. Mas não se podia perceber qualquer hereditariedade, ela sabia. Era uma boa aluna e demonstrara um interesse especial pela parte da biologia que tratava de hereditariedade e genes.

Aquela era sua mãe e não havia como negar. Crescera dentro daquela mulher, nascera dela. Por mais anos que tivessem passado, Emma ainda podia sentir o fedor de gim, ainda podia sentir os beliscões e tapas, ainda podia ouvir os palavrões.

Apavorava-a... a tal ponto que só de olhar para a foto comprimia as unhas roídas contra as palmas, que começavam a suar.

Com um grito abafado, ela desviou os olhos de Jane para contemplar o pai. Rezava todas as noites para ser parecida com Brian... bondosa, gentil, divertida, justa. Ele a salvara. Lera a história muitas vezes, mas se lembrava de tudo, mesmo sem as palavras escritas. A maneira como o pai a fitara quando ela saíra de baixo da pia, a gentileza em sua voz ao falar. Ele lhe dera um lar, uma vida sem medo. Embora o pai a tivesse mandado embora, Emma nunca esqueceria os anos que ele lhe dera... que ele e Bev haviam lhe dado.

De certa forma, o mais difícil era olhar para Bev. Ela era tão bonita, tão perfeita... Emma nunca amara tanto outra mulher, nunca precisara tanto de outra. E olhar para Bev tornara impossível não pensar em Darren. Darren, que tinha os mesmos cabelos escuros sedosos, os mesmos olhos verdes suaves. Darren, a quem ela jurara proteger. Darren, que morrera.

Culpa sua, pensou Emma agora. Nunca seria perdoada por isso. Bev mandara-a embora. O pai mandara-a embora. Nunca mais teria uma família.

Ela passou algum tempo olhando outros recortes, mais antigos. Fotos suas quando criança, fotos de Darren, as manchetes enormes sobre o assassinato. Escondia esses recortes no fundo da gaveta, sabendo que as freiras contariam a seu pai se descobrissem, e isso o deixaria com aquela expressão triste e magoada nos olhos. Não queria magoá-lo, mas também não podia esquecer.

Ela leu de novo as reportagens, embora já fosse capaz, a esta altura, de recitar os textos de cor. Como sempre, procurava por alguma coisa nova, alguma coisa que explicasse por que acontecera, como ela poderia ter impedido.

Não havia nada. Nunca havia.

Havia novos recortes agora... fotos e notícias sobre Bev e P.M. Algumas diziam que Bev finalmente obteria o divórcio e casaria com P.M. Outras exploravam o escândalo de dois homens que eram como irmãos separados por uma mulher. Havia uma notícia sobre o novo selo da Devastation, Prism, com fotos da festa em Londres no dia de seu lançamento oficial. Lá estavam seu pai, com outra mulher, Johnno, P.M. e Pete. Mas não Stevie. Com um suspiro, Emma pegou outro recorte.

Stevie estava numa clínica onde eram internados os que abusavam de drogas. Chamavam-no de viciado. Outros o chamavam de criminoso. Emma recordou que outrora pensara que ele era um anjo. Achou-o muito cansado na foto... cansado, magro, e assustado. Os jornais diziam que era uma tragédia; diziam que era uma afronta. Algumas garotas riram ao ler as notícias.

Mas ninguém lhe dissera qualquer coisa. Quando interrogara o pai, ele lhe comentara apenas que Stevie perdera o controle e estava recebendo ajuda. Ela não devia se preocupar.

Só que Emma se preocupava. Eram sua família, a única família que lhe restara. Perdera Darren. Precisava ter certeza de que não perderia o resto.

Com todo cuidado, em sua melhor caligrafia, ela começou a escrever cartas.

Capítulo Dezessete

Stevie leu sua carta ao sol, sentado num banco de pedra, no jardim, durante seu passeio matutino. Era um lugar adorável, cercado por rosas malvas, com o canto de passarinhos. Caminhos de lajotas esgueiravam-se por vários lados, entre caramanchões com glicínias e ipoméias. Tanto os funcionários quanto os pacientes em Whitehurst tinham toda liberdade ali. Até que alcançavam os altos muros de pedra.

Ele detestava a clínica, os médicos, os outros pacientes. Desprezava as sessões de terapia, os horários, os sorrisos determinados dos atendentes. Mas fazia o que mandavam e dizia o que queriam ouvir.

Era um viciado. Queria ajuda. E pensaria apenas em um dia de cada vez.

Tomava metadona e sonhava com heroína.

Aprendeu a ser calmo e também a ser astuto. Em quatro semanas e três dias, sairia dali como um homem livre. E dessa vez seria muito mais cuidadoso. Daria um jeito de controlar as drogas. Sorriria para os médicos e repórteres, faria preleções sobre os males das drogas e mentiria o tempo todo. E quando saísse levaria a vida como quisesse.

Ninguém tinha o direito de lhe dizer que estava doente, ninguém tinha o direito de lhe dizer que precisava de ajuda. Se quisesse fazer uma viagem com a droga, ele faria a viagem. O que os outros compreendiam sobre as pressões com que ele vivia, dia após dia? As exigências para se superar, para ser melhor do que o resto?

Talvez ele tivesse ido longe demais. Talvez. Manteria como uma coisa social. As porras dos médicos enchendo a cara de bourbon. Faria uma carreira de cocaína, se tivesse vontade. Fumaria haxixe, se fosse o seu desejo.

E que os outros se fodessem. Todo mundo.

Ele abriu o envelope. Sentia-se satisfeito por Emma lhe escrever. Não podia pensar em qualquer outra mulher por quem tivesse sentimentos tão puros e honestos. Ele acendeu um cigarro, recostou-se no banco e aspirou a fragrância da fumaça e das rosas.

Querido Stevie:

Sei que você está numa espécie de hospital e lamento não poder visitá-lo. O Da diz que ele e os outros estiveram aí e que você parece melhor. Eu queria que soubesse que tenho pensado em você. Talvez, quando você estiver melhor, possamos viajar em férias juntos, todos nós, como fizemos no verão passado, na Califórnia. Sinto muita saudade de você e ainda detesto a escola. Mas só faltam mais três anos e meio. Lembra quando eu era pequena e você me perguntara quem era o melhor? Eu respondi que era o Da e você fingia que ficava zangado. Eu nunca falei, mas você toca a guitarra melhor. Mas não conte a papai que eu disse isso. Aqui está uma foto sua e minha em Nova York, há dois anos. Foi o Da quem tirou, lembra? É por isso que está meio desfocada. Pensei que gostaria de ficar com a foto. Pode me escrever de volta, se tiver vontade. Se não tiver, não tem problema. Sei que deveria escrever vários parágrafos, contar uma porção de coisas nesta carta. Mas esqueci. Eu amo você, Stevie. Fique bom logo.

Com todo amor,
Emma

Stevie deixou a carta no colo. Continuou sentado no banco, fumando. E chorou.

P.M. ABRIU A CARTA NA CASA VAZIA QUE ACABARA DE comprar nos arredores de Londres. Sentava no chão, com uma garrafa de cerveja ao lado, os *blues* de Ray Charles saindo do único móvel que havia na casa, o aparelho de som.

Não fora fácil deixar Bev, mas teria sido muito mais difícil ficar. Ela o ajudara a encontrar a casa, como prometera. E cuidaria da decoração. Faria amor com ele de vez em quando. Mas nunca seria sua esposa.

Ele culpava Brian por isso. Não importava o que Bev lhe dissesse, P.M. atenuava a dor atribuindo a culpa a Brian. Ele não fora bastante homem para ficar ao lado de Bev nos momentos difíceis. E não fora bastante homem para liberá-la. Desde o início que Brian tratara Bev muito mal. Ao levar uma criança de outra mulher e pedir a Bev que a criasse. Ao deixá-la por semanas a fio, quando fazia uma excursão. Ao pressioná-la para um estilo de vida que ela jamais quisera. As drogas, as fãs, as fofocas.

E o que Brian diria, o que todos diriam se ele anunciasse que deixaria o grupo? Isso faria com que todos sentassem e pensassem, refletiu P.M., enquanto tomava outro gole da cerveja. Brian McAvoy podia ir para o inferno e levar a Devastation em sua companhia.

Mais por hábito do que por curiosidade, ele abriu a carta de Emma. Ela escrevia de dois em dois meses. Cartas graciosas, contando as novidades, que ele respondia com um cartão-postal ou um pequeno presente. Não era culpa da menina ter um pai que não prestava, pensou P.M., enquanto começava a ler:

Querido P.M.:

Acho que eu deveria dizer que sinto muito por seu divórcio, mas a verdade é que não sinto. Jamais gostei de Angie. As irmãs dizem que o divórcio é um pecado, mas acho que é um pecado ainda maior fingir que você ama alguém quando não ama. Espero que se sinta feliz de novo, porque estava muito triste na última vez que o vi, no verão passado.

Há muitas notícias nos jornais sobre você e Bev. Talvez eu não devesse falar sobre essas coisas, mas não posso evitar. Se você e Bev casarem, não ficarei zangada. Ela é tão bonita e boa que não se pode deixar de amá-la. E, se ela for feliz com você, talvez não me odeie mais. Sei que você não está brigando com o Da, como dizem alguns jornais. Seria uma estupidez culpá-lo por amar Bev, se você também a ama.

Encontrei esta foto que tirei de você e do Da, há muito tempo. Sei que vão começar o novo álbum muito em breve, e pode lhe mostrar a foto. Espero que você esteja feliz, porque eu o amo. Talvez possamos nos encontrar em Londres neste verão.

Com todo amor,
Emma

P.M. contemplou a foto por um longo momento. Depois, ajeitou-a dentro da carta dobrada e pôs a carta no envelope. Divorciar-se da esposa fora uma coisa, pensou ele. Divorciar-se de sua família era outra muito diferente.

Johnno passou o primeiro dia de volta a Nova York dormindo e o segundo compondo. Vivia sozinho no momento, e sentia-se grato por isso. Seu último amante deixara-o transtornado, com sua obsessão por limpeza. Johnno dava bastante valor à higiene, mas não podia deixar de ficar atordoado pela exigência de que todas as garrafas e latas que vinham do supermercado fossem lavadas.

Ele apreciava o silêncio... depois que a empregada saía. Pensou em passar a noite fora, mas decidiu que estava com muita preguiça. Não era tanto pelo cansaço da viagem, mas sim pela tensão das últimas semanas. Os problemas legais e as atribulações do novo selo, a difícil visita a Stevie na clínica e o tempo ainda pior que passara com Brian, vendo seu amigo mais antigo mergulhar mais e mais na bebida.

Mas a música que Brian compunha agora estava melhor do que nunca. Angustiada, lírica, sonhadora. Ele não falava de seus sentimentos, de sua mágoa ou raiva pelo relacionamento de P.M. com Bev. Mas ficava evidente em sua música.

O que era suficiente para manter Pete feliz, pensou Johnno, enquanto tirava a camisa. Desde que a Devastation continuasse a fazer sucesso, estaria tudo certo com o mundo.

Johnno pegou a salada de camarão que a empregada deixara, abriu uma garrafa de vinho e deu uma olhada na correspondência que se acumulara durante sua ausência. Sorriu quando a letra de Emma num envelope atraiu sua atenção.

Querido Johnno:

Estou me escondendo das freiras por algum tempo. Sei que terei de pagar uma penitência por isso mais tarde, mas acho que começaria a gritar de desespero se não conseguisse passar uns poucos minutos sozinha. Quase todas as freiras estão hoje de mau humor. Três garotas da última série foram expulsas ontem. Há uma regra contra fumar com o uniforme da escola. Por isso, Karen Jones, Mary Alice Plessinger e Tomisina Gibralti ficaram só de combinação no vestiário e acenderam seus cigarros. A maioria das garotas acha que isso foi o máximo, mas a madre superiora não tem muito senso de humor.

Com uma risada, Johnno empurrou para o lado o prato com a salada, pegou o copo de vinho e ajeitou-se para ler o resto da carta.

Tenho pensado muito sobre o Da ultimamente, sobre você e os outros. Li as notícias sobre Stevie e detestei as coisas que andam dizendo a seu respeito. Você tem se encontrado com Stevie? Ele está bem? Tenho uma foto que saiu no London Times, *e ele parece muito velho e doente. Não quero acreditar que ele é um viciado em drogas, mas não sou mais uma criança. O Da não quer me falar a respeito, e por isso pergunto a você. Sempre me disse a verdade. Algumas garotas garantem que todos os cantores de rock são viciados em drogas. Algumas garotas são idiotas rematadas.*

As fofocas conseguem até passar pelos muros da escola. Tenho as notícias e as fotos de Bev, Da e P.M. que saíram na revista People. *Jane também apareceu numa foto. Não quero chamá-la de minha mãe. Por favor, não conte ao Da que escrevi para você falando sobre isso. Ele fica transtornado, e isso não muda nada. Também me senti transtornada a princípio, mas pensei durante muito tempo. Não tem problema se Bev ama P.M., não é mesmo? Quase faz com que ela seja outra vez da família.*

Acho que, no fundo, estou escrevendo para lhe pedir que cuide do Da. Sei que ele finge que não pensa mais em Bev, que não a ama. Mas continua a amar. Posso sentir. Quando eu sair da escola, poderei cuidar dele pessoalmente. Terei um apartamento em Nova York, com Marianne, e poderei acompanhá-lo nas viagens, tirando fotos.

A que segue anexo é um auto-retrato. Tirei na semana passada. Observe os brincos. Marianne furou minhas orelhas e quase desmaiei. Ainda não dei a notícia ao Da. Por isso, peço que você não conte nada, está bem? Faltavam apenas nove dias para as férias da primavera, e muito em breve ele descobrirá o que fiz.

O Da disse que passará a Páscoa na Martinica. Por favor, vá também. Por favor, Johnno.

Eu amo você,
Emma

O que deveria fazer em relação a Emma?, especulou Johnno. Podia mostrar a carta a Brian e dizer: “Leia isto e trate de dar um jeito em sua vida. Tem uma filha que precisa de você.” Mas, se mostrasse a carta, nem Brian nem Emma o perdoariam.

Ela estava crescendo, e crescendo muito depressa. Orelhas furadas, sutiãs de ginástica, filosofia. Brian não seria capaz de mantê-la dentro de uma bolha por muito mais tempo.

Ele tentaria estar presente quando o golpe viesse... o golpe para os dois. Inclinando o corpo, Johnno esvaziou o copo de vinho. E tudo indicava que passaria alguns dias na Martinica.

COM A AREIA BRANCA CADA VEZ MAIS QUENTE, O RUM JÁ morno, Brian observou a filha deslizar por uma onda. Não pôde deixar de especular: contra o que ela corria? Por que parecia estar sempre com pressa de passar de um ponto para o seguinte? Ele poderia dizer à filha que, depois que alcançasse a linha de chegada, a glória seria apenas momentânea. Mas Emma não ouviria.

Uma adolescente... Doce Jesus, como ela se tornara uma adolescente? E como ele se tornara um ícone de trinta e três anos?

Quando tinha treze anos, tudo lhe parecia muito simples. Seus objetivos estavam perfeitamente definidos. Sair do bairro pobre em que nascera e viver, tocar sua música, ser alguém. Conseguira tudo isso. E onde estava a emoção? Ele pegou o copo e tomou um gole enorme. Onde se metera a emoção?

Ele observou Emma mergulhar sob uma onda e depois subir no outro lado, ágil como uma lontra. Gostaria que ela não nadasse para tão longe da praia. Era muito mais fácil se preocupar quando podia vê-la. Nunca se preocupava nos meses que ela passava na escola. Emma era uma boa aluna, de maneiras impecáveis, quieta, obediente. Mas, quando as férias chegavam, ela tornava a figurar em sua vida. E cada vez mais crescida, cada vez mais bonita. Brian via aquela expressão em seus olhos, pensativa, determinada, uma expressão que reconhecia como sua. E isso o assustava.

— Deus, quanta energia! — Johnno arriou ao seu lado. — Ela nunca pára, não é mesmo?

— Nunca. Estamos ficando velhos, Johnno?

— Merda! — Johnno ajeitou seu chapéu de palha e experimentou um gole do rum de Brian. — Os astros do rock nunca envelhecem, meu filho. Tocam em Las Vegas.

Com uma careta, ele tornou a largar o copo na areia.

— Ainda não chegamos lá. — Ele se acomodou, apoiado nos cotovelos. — Mas é claro que também não somos Shaun Cassidy.

— Graças a Deus.

— Continue assim e nunca terá sua foto em *Tiger Beat*.

Os dois permaneceram em silêncio por um momento, ouvindo o barulho das ondas. Johnno sentia-se contente por ter vindo. O sossego da casa alugada e a praia particular eram o contraste perfeito para a multidão apressada de Nova York e a primavera chuvosa de Londres. A casa tinha três andares, com varandas voltadas para o mar, muros altos e sebes em três lados do terreno, e a curva branca da praia no quarto lado. As lindas pedras, em cores pastéis, faiscavam ao sol, enquanto eram envolvidos pela fragrância do mar e as flores em toda parte.

Isso mesmo, ele sentia-se satisfeito por ter vindo, não apenas por causa do sol, mas também pelo tempo de tranqüilidade em companhia de Brian e Emma. Um tempo que ele sabia que acabaria muito em breve.

— Pete telefonou há pouco.

Brian observou Emma de pé, com a água na altura das coxas, o rosto erguido para o sol. Sua pele se tornara mais quente... não bronzeada, pensou ele, nem curtida, mas aquecida. Da cor de damascos. Ele se preocupava com a perspectiva de algum rapaz faminto querer saboreá-la em breve.

— Está tudo marcado para o próximo mês. Podemos começar a gravar.

— E Stevie?

— Ficará num programa de paciente externo. Agora ele é um viciado fichado. — Johnno deu de ombros. — Um programa à base de metadona. Se você não pode comprar drogas nas ruas, recebe de graça do governo. Seja como for, ele estará pronto. E você?

Brian pegou o copo e esvaziou-o. O rum fora aquecido pelo sol e desceu suave por sua garganta.

— Estou pronto.

— Fico contente em saber isso. Não tenciona dar um soco em P.M., não é mesmo?

— Corta essa, Johnno.

— Prefiro vê-lo arrebentando seu nariz do que lhe dando o gelo durante os próximos meses ou pensando em matá-lo durante o sono.

— Não tenho nenhum problema com P.M. — declarou Brian, com todo cuidado. — É a vida dele.

— E sua esposa.

Brian lançou um olhar furioso para Johnno, mas conseguiu, por um triz, controlar as palavras terríveis que afloraram em sua mente.

— Bev não é mais minha esposa há muito tempo.

Johnno deu uma olhada para ter certeza de que Emma se encontrava tão longe que não poderia ouvir.

— Essa resposta é aceitável para todos os outros, Bri. Mas não para mim. — Ele pegou o pulso de Brian, apertou-o, soltou em seguida. — Sei que será difícil para você. Só quero ter certeza de que estará pronto.

Brian levantou o copo. Lembrou que estava vazio e tornou a largá-lo na areia. Apesar da brisa que soprava do mar, descobria que o calor era opressivo.

— Não se pode voltar atrás, Johnno. E não se pode ficar parado. Portanto, você tem de seguir em frente, quer esteja pronto ou não.

— O mar está maravilhoso! — Emma arriou de joelhos entre o pai e Johnno, a água escorrendo dos cabelos. — Vocês deviam entrar comigo!

— No mar? — Johnno abaixou os óculos de sol de lentes azuis. — Emma, querida, há *coisas* no mar. Coisas repulsivas.

Rindo, ela inclinou-se para beijar o rosto de Johnno, depois o pai. Sentiu o cheiro de rum e teve de fazer um esforço para manter o sorriso.

— Os velhos sentam na praia. Pessoas de meia-idade sentam na praia.

— Meia-idade? — Brian deu um puxão de leve nos cabelos da filha. — Quem você está chamando de meia-idade?

— Apenas as pessoas que passam a manhã inteira sentadas na areia, debaixo de um guarda-sol. — Ela sorriu. — Por que vocês dois não continuam sentados aqui, descansando? Trarei uma bebida gelada para vocês. E minha câmera. Tirarei algumas fotos para que possam recordar mais tarde todo o descanso das férias.

— Ela fala demais, Bri.

— Já notei.

— Vamos deixá-la escapar impune?

Ele olhou para o amigo.

— Não há a menor possibilidade.

Emma soltou um grito estridente quando os dois avançaram. Poderia ser mais rápida, se quisesse, mas fez uma boa encenação de resistência, debatendo-se muito, quando o pai agarrou-a pelas pernas e Johnno enfiou as mãos por baixo das axilas.

— Para a água, eu diria.

Johnno inclinou a cabeça para trás de tal maneira que o chapéu caiu na areia. Depois, acompanhando o ritmo de Brian, correu para o mar. Emma prendeu a respiração quando os três caíram na água.

ELA NUNCA SE SENTIRA MAIS FELIZ EM TODA A SUA VIDA. Tudo fora perfeito absolutamente perfeito. Dias ao sol, noites escutando Johnno e o pai tocarem. Trapacear nas cartas com Johnno. Passeios pela praia com o pai. Ela tinha rolos de filmes para revelar, lembranças preciosas para guardar.

Então como podia dormir?, especulou Emma. Era sua última noite na Martinica, sua última noite com o pai. A última noite de liberdade. No dia seguinte embarcaria num avião, de volta à escola, onde havia regras para tudo. A que horas levantar, a que horas dormir, o que vestir, o que pensar.

Com um suspiro, ela sacudiu a cabeça. Muito em breve seria verão, lembrou a si mesma. E iria para Londres. Ali se encontraria também com Stevie e P.M. Poderia ficar assistindo enquanto eles gravassem.

Sobreviveria de alguma forma às próximas semanas. Tinha de sobreviver. Era muito importante para o Da, pensou ela, que recebesse sua educação, que se mantivesse segura, bem cuidada. As freiras faziam isso. Cuidavam bem das alunas, a tal ponto que quase não havia um único momento durante o dia inteiro em que não as estivessem observando.

Emma podia ouvir o barulho do mar. Sentir a maresia. Guiada pelo instinto, ela vestiu um short. Era tarde. Até mesmo os seguranças deviam estar dormindo. Iria até a praia em sua última noite. Sozinha. Podia sentar na areia e contemplar o mar, sem que ninguém a vigiasse.

Ela saiu apressada do quarto, atravessou o corredor da casa alugada, desceu a escada. Prendendo a respiração, sem fazer barulho, saiu pelas portas de vidro e correu.

Concedeu-se apenas uma hora. Quando voltou a casa, nas pontas dos pés, estava toda molhada. Não fora suficiente contemplar o mar, no final das contas. Entrou sem fazer barulho, pensando em correr para seu quarto. Mas recuou para as sombras quando ouviu a voz do pai.

— Não faça barulho, amor. Todos estão dormindo.

Houve uma risadinha feminina, depois um sussurro, com um forte sotaque francês:

— Sou discreta como um camundongo.

Brian entrou na sala, enlaçado por uma morena bonita, usando um sarongue rosa e levando na mão sapatos dourados de saltos altos.

— Estou contente por você ter aparecido esta noite, *chéri.*

Ela subiu as mãos pelos lados de Brian, passou-as pelo pescoço e puxou sua boca para um beijo.

Embaraçada e confusa, Emma fechou os olhos. Mas podia ouvir os gemidos.

— Humm... Você está com pressa. — A francesa riu, enfiando as mãos por baixo da camisa de Brian. — Eu lhe darei todo o valor de seu dinheiro, *chéri.* Não se preocupe. Mas você me prometeu uma festa.

— É verdade.

E isso ajudaria, pensou Brian. Os cabelos da francesa eram escuros e lustrosos, mas os olhos eram castanhos em vez de verdes. Depois de algumas carreiras, porém, não faria qualquer diferença. Nada faria. Ele foi até uma mesa, abriu uma gaveta trancada e tirou um pequeno frasco branco.

— Hora da festa.

A morena bateu palmas. Os quadris balançando, ela foi até a mesinha baixa, de tampo de vidro, e ajoelhou-se.

Consternada, Emma observou o pai arrumar a cocaína. Canudos, espelhos, uma lâmina. Os movimentos eram competentes, experientes. Brian mantinha a cabeça inclinada, junto da cabeça da morena.

— Ahn...

A mulher inclinou-se para trás. Os olhos brilhantes. Encostou um dedo no pó no espelho, depois o esfregou nas gengivas.

— Que delícia...

Brian enganchou um dedo no sarongue dela e puxou-a. Sentia-se incrível. Jovem, poderoso, invencível. Estava excitado e preparado, com uma intensa necessidade. Inclinou a francesa para trás. Tencionava possuí-la depressa na primeira vez. Afinal, pagara pela noite inteira.

— Da...

Ele levantou a cabeça, num movimento brusco. Focalizou, mas parecia um sonho. A filha, com sombras por trás, o rosto pálido, os olhos escuros e úmidos, os cabelos escorrendo pelos ombros.

— Emma?

— Emma? — A francesa repetiu o nome. — Quem é essa Emma?

Irritada porque a atenção de Brian fora desviada, ela virou-se. Houve especulação, depois interesse.

— Então você também gosta de crianças... *Ça va.* Venha participar da festa, menina bonita.

— Cale a boca, sua desgraçada! Ela é minha filha! — Brian fez um esforço para se levantar. — Emma... pensei que estivesse deitada.

— Sei disso.

A voz não tinha qualquer entonação.

— Não deveria estar aqui embaixo. — Ele adiantou-se para pegá-la pelo braço. — Você está fria. E molhada.

Brian teve de fazer um esforço para resistir ao zumbido da cocaína, enquanto acrescentava:

— Onde esteve?

— Fui até a praia.

Emma tentou se virar para a escada, evitando os olhos do pai.

— Sozinha? Foi até a praia sozinha? À noite?

— Isso mesmo. — Emma virou-se para o pai, rangendo os dentes ao cheiro do perfume da francesa. — Fui até a praia sozinha. E agora vou me deitar.

— Você sabe muito bem que não deveria fazer isso! — Brian segurou-a pelos braços e sacudiu-a. — Não deve ir a lugar nenhum sem os seguranças! E ainda nadou! O que aconteceria se tivesse uma câibra?

— Eu morreria afogada.

— Deixe a criança ir para a cama, *chéri.* — A morena preparou outra carreira. — Isto é uma festa.

— Cale a porra dessa boca!

A mulher limitou-se a dar de ombros antes de fungar. Brian tornou a se virar para a filha.

— Nunca mais faça isso! Está me entendendo?

— Claro que estou. — Emma desvencilhou-se das mãos do pai, os olhos intensos e secos. — Juro por Deus que preferia não entender, mas compreendo tudo.

— Falaremos sobre isso mais tarde.

— Sobre o meu passeio na praia... ou sobre isso?

Ela gesticulou para a mulher ainda ajoelhada junto da mesa.

— Isto não é da sua conta.

— Não, não é mesmo. — Os lábios estavam contraídos, mas a voz de Emma era contida, sem qualquer entonação. — Tem toda razão neste ponto. Vou me deitar agora, e o deixarei com sua prostituta e suas drogas.

Ele deu um tapa na filha. O braço foi projetado, antes que ele percebesse que isso aconteceria. A mão atingiu-a em cheio no rosto, antes que Brian pudesse se controlar. Viu a marca no rosto de Emma, a bandeira vermelha da violência que tanto detestava. Atordoado, ele baixou os olhos para sua mão... e viu a mão do pai.

— Emma...

Ela recuou, num movimento rápido e brusco, balançando a cabeça. Quase nunca o pai levantara a voz para ela. Agora, na primeira vez em que o questionava, na primeira vez em que o criticava, ele a esbofeteara. Emma virou-se e subiu correndo a escada.

Johnno deixou-a passar. Estava parado no meio da escada, sem camisa, a calça de algodão do *training* pendurada baixo nos quadris. Tinha os cabelos desgrenhados, os olhos cansados.

— Deixe-me conversar com ela — disse ele, segurando Brian pelo braço, num aperto forte e firme, quando o amigo passava. — Ela não vai querer ouvi-lo agora, Bri. É melhor eu consolá-la antes.

Brian acenou com a cabeça em concordância. A palma da mão ardia do tapa na filha. No rosto de sua criança.

— Johnno... vou compensá-la por isso.

— Claro. — Johnno apertou o ombro dele para depois gesticular. — Primeiro é melhor arrumar a confusão lá embaixo.

Emma tinha os olhos secos. Sentou na beira da cama, alheia às roupas molhadas. Mas não chorava. O mundo, o belo mundo que construíra em torno do pai, acabara de desmoronar. Ela estava perdida de novo.

Levantou-se de um pulo quando a porta foi aberta, mas tornou a arriar na cama quando viu que era Johnno.

— Estou bem, Johnno. Não preciso de ninguém para me dar um beijo e dizer que assim vou me sentir melhor.

— Está bem. — Mesmo assim ele se adiantou e foi sentar na beira da cama ao seu lado. — Quer gritar um pouco comigo?

— Não.

— É um alívio. Por que não tira essas roupas molhadas? — Ele pôs as mãos sobre os olhos, depois abriu os dedos e sorriu. — Sem olhar.

Porque era alguma coisa para fazer, ela se levantou e foi pegar um roupão no armário.

— Você sabia, não é?

— Que seu pai gostava de mulheres? Sabia. Acho que desconfiei pela primeira vez quando tínhamos doze anos.

— Não estou brincando, Johnno.

Muito bem, ela não lhe daria uma saída fácil.

— A verdade, Emmy querida, é que um homem tem direito a sexo. Mas não é uma coisa que ele goste de alardear na presença da filha.

— Ele pagou. A mulher é uma prostituta.

— O que você quer que eu diga?

Quando ela parou na sua frente, usando um roupão branco felpudo, Johnno pegou suas mãos. Ela parecia muito jovem agora, os cabelos molhados envolvendo o rosto, caindo pelos ombros, os olhos tristes e desiludidos.

— Devo lhe dizer que as freiras estão certas, e que é mesmo um pecado? É bem provável que seja. Mas esta é a vida real, Emma, e as pessoas pecam na vida real. Brian sentia-se solitário.

— Então não é problema fazer sexo com uma estranha se você se sente solitário.

— É por isso que Deus cuidou para que eu não me tornasse pai. — E Johnno tentou de novo, da melhor forma que sabia. Com a verdade. — O sexo é fácil e vazio, por mais excitante que seja no momento. Fazer amor com alguém é sempre uma experiência diferente. Você mesma vai descobrir isso. E quando os sentimentos estão envolvidos, acho que se pode dizer que é sagrado.

— Não compreendo. E acho que não quero compreender. Ele saiu, encontrou aquela mulher, pagou por ela. E ele tinha cocaína. Eu vi. Sei que Stevie... mas nunca pensei que o Da fizesse a mesma coisa. Nunca me passou pela cabeça.

— Há todos os tipos de solidão, Emma.

— Você também faz a mesma coisa? — indagou ela, erguendo o queixo, determinada.

— Já fiz.

Johnno detestava admitir uma fraqueza para ela. Era estranho, mas até aquele momento, quando tinha de confessar seus próprios defeitos, ele não imaginara o quanto a amava.

— Provavelmente não perdi muita coisa. Os anos 1960, Emma. Você precisava ter vivido nessa época para saber como era. — Ele riu um pouco, puxou-a para abraçá-la. — Parei porque não gostava. Não me agradava perder o controle por uma viagem rápida. Isso não me transforma num herói. É mais fácil para mim. Não sofro a mesma pressão de Brian. Ele leva tudo para o coração, enquanto eu aceito o que acontece. O grupo é o mais importante para mim, entende? Para Bri, é o mundo. Sempre foi assim.

Emma ainda podia ver o pai, a cabeça inclinada sobre a linha de pó branco.

— Isso não faz com que seja certo.

— Não, não faz. — Ele inclinou a cabeça para Emma. — Acho que não.

As lágrimas afloraram agora, quentes e rápidas.

— Eu não queria vê-lo assim. Não queria saber. Ainda o amo.

— Sei disso. Ele também a ama. Todos nós amamos você.

— Se eu não tivesse saído, se não quisesse ficar sozinha, nada disso teria acontecido.

— Você não teria visto, mas ainda assim aconteceria. — Ele beijou-a nos cabelos. — Agora, pura e simplesmente, você tem de aceitar que ele não é perfeito.

— Não vai ser mais a mesma coisa, não é, Johnno? — Com um suspiro, Emma encostou-se nele. — Nunca mais será a mesma coisa.

Capítulo Dezoito

Nova York, 1982

— O que você acha que ele vai dizer?

Marianne tirou sua mala do táxi, enquanto Emma pagava o motorista.

— Imagino que ele dirá olá.

— Estou falando sério, Emma.

Emma empurrou para trás os cabelos desmanchados pelo vento do final da tarde.

— Ele vai perguntar o que estamos fazendo aqui, e eu lhe direi.

— E ele vai telefonar para seu pai e seremos levadas para a forca.

— Não enforcam mais as pessoas neste estado.

Emma pegou sua mala. Respirou fundo. Cidade de Nova York. Era bom estar de volta. E desta vez ela tencionava ficar.

— Câmara de gás, pelotão de fuzilamento, é tudo a mesma coisa. Seu pai vai nos matar.

Emma parou, com a mão na maçaneta da porta do prédio.

— Quer desistir?

— Não há a menor possibilidade. — Marianne sorriu. Passou a mão pelos cabelos ruivos. — Vamos em frente.

Emma entrou. Parou no meio do saguão e sorriu para o guarda.

— Olá, Carl.

— Olá... Srta. McAvoy! — Ele baixou o sanduíche de pastrami do final da tarde, sorrindo também. — Já tem mais de um ano, não é? Cresceu muito.

— Sou agora uma universitária. — Ela soltou uma risada. — Esta é minha amiga, Srta. Carter.

— Prazer em conhecê-la, Srta. Carter. — Carl limpou os farelos da manga do uniforme. — O Sr. Donovan sabe de sua vinda?

— Claro que sabe. — Ela mentiu com a voz doce, sorrindo. — Ele não o avisou? Johnno é assim mesmo. Só ficaremos dois ou três dias.

Emma encaminhou-se para os elevadores enquanto falava. Seria melhor se o guarda não interfonasse para avisar.

— Passarei a estudar aqui.

— Pensei que ia para alguma universidade importante em Londres.

— Pedi transferência. — Ela piscou para o guarda. — Sabe que meu coração pertence a Nova York.

Enquanto as portas do elevador se fechavam, Marianne revirou os olhos.

— Muito insinuante, McAvoy, muito insinuante...

— A maior parte era verdade. — Emma riu, para depois soltar um suspiro nervoso. — Completei dezoito há dois meses. Já é tempo de experimentar minha independência.

— Completei dezoito anos há sete meses, mas mesmo assim meu pai teve um ataque quando pedi transferência para Nova York. Mas já está feito. Amanhã começaremos a procurar um apartamento. E passaremos a viver da maneira como sempre planejamos.

— Tem toda razão. Agora vamos superar o primeiro obstáculo.

Elas saíram do elevador. Percorreram o corredor largo e silencioso até o apartamento de Johnno.

— Deixe que eu fale. — Ao olhar irônico de Marianne, Emma suspirou e acrescentou: — É sério. Na última vez em que você falou, passamos três sábados consecutivos lustrando os bancos da igreja.

— Sou uma artista plástica, não uma advogada.

Marianne assumiu seu melhor sorriso quando a porta foi aberta.

— Johnno! — Emma jogou-se nos braços dele, beijando-o. — Surpresa!

— Espere um instante.

Ele estava apenas meio vestido, atordoado de sono e do vinho que tomara. Conteve Emma com as mãos em seus ombros. Nos últimos dezoito meses, ela se tornara alta, esguia e graciosa, com insinuações de elegância. Os cabelos louros claros estavam escovados para trás e presos com travessas, caindo lisos e cheios até os ombros. Usava um jeans desbotado, com a camisa listrada metida por dentro. Argolas de ouro pendiam das orelhas.

— Pelo amor de Deus, você parece uma modelo na hora da folga! — Ele deslocou o olhar para Marianne. — E aqui está minha ruiva predileta. O que você fez com seus cabelos?

Johnno passou a mão pelos cabelos curtos e espetados de Marianne.

— É o que está em moda agora. — Ela inclinou o rosto para receber um beijo. — Nós o acordamos?

— Acordaram. Acho que devo deixá-las entrar antes de perguntar o que estão fazendo aqui. — Ele baixou os olhos. — E com malas.

— Oh, Johnno, é tão bom estar aqui! Senti-me em casa no instante em que peguei o táxi no aeroporto.

Emma largou a mala no chão. Deu uma volta rápida pela sala. Sentou num sofá e passou a mão pelas almofadas bege peroladas. Tornou a olhar para Johnno.

— Como você vai?

— Muito bem. — Ele a conhecia bastante bem para perceber que a energia irrequieta era nervosismo. — Mas eu faço as perguntas. Querem beber alguma coisa?

— Por favor.

Johnno foi até o bar de vidro, redondo, e pegou uma garrafa de refrigerante.

— Há algum feriado escolar que eu ignoro?

— Dia da Libertação. Marianne e eu pedimos transferência para estudar em Nova York.

— É mesmo? — Ele despejou a Diet Pepsi em dois copos. — É estranho que Brian não tenha comentado.

— Ele não sabe. — Emma pegou os dois copos e entregou um a Marianne, com um olhar de advertência. — E antes de você dizer qualquer coisa eu gostaria que me ouvisse.

Em resposta, ele deu um puxão de orelha rápido em Emma.

— Como conseguiu escapulir de Sweeney e do outro?

— Uma peruca castanha, óculos de aros de casco de tartaruga e uma manqueira exagerada.

— Muito hábil. — Johnno pegou o copo de Emma e tomou um gole, sem ter certeza se se sentia à vontade no papel de confidente avuncular. — Tem alguma idéia do quanto Brian ficará preocupado?

Houve um brilho de arrependimento nos olhos de Emma, que logo desapareceu com uma expressão de determinação.

— Tenciono telefonar para ele e explicar tudo. Mas já tomei minha decisão, Johnno. E não será alterada por nada que você, ele ou qualquer outra pessoa possa dizer.

— Ainda não tentei fazer com que você mudasse de idéia. — Ele franziu o rosto para Marianne. — Você está muito quieta.

— Fui advertida. E já passei por tudo isso com meus pais. Eles não gostaram, mas estamos determinadas. Emma e eu temos dezoito anos. Sabemos o que queremos.

Johnno sentiu-se velho de repente.

— E ter dezoito anos significa que podem fazer o que bem quiserem?

— Não somos mais crianças — declarou Marianne, antes que Emma pudesse pôr a mão em sua boca.

— Sente-se, Marianne, e fique calada.

Emma tomou seu copo de Johnno.

— Sei o quanto devo a meu pai e a você. Desde os três anos de idade que tenho feito o que ele me pediu. Não apenas por gratidão, Johnno, e você sabe disso, mas também porque o amo mais do que qualquer outra pessoa no mundo. Mas não posso continuar a ser uma criança para ele, me contentando em permanecer em qualquer cela segura de sua escolha. Você queria alguma coisa, e ele também. E os dois foram atrás. Pois eu também quero alguma coisa.

Ela foi até sua mala. Abriu-a e tirou um portfólio. O nervosismo desaparecera. A energia persistia.

— Aqui estão algumas das minhas fotos. Tentarei ganhar a vida com isto. Estudarei aqui e aprenderei tudo o que puder. Partilharei um apartamento com Marianne. Farei novas amizades, freqüentarei casas noturnas, passearei no parque. Serei parte do mundo, para variar, em vez de continuar parada na beira apenas olhando. Por favor, compreenda.

— Até que ponto você se sentia infeliz?

Emma sorriu.

— Não pude nem começar a explicar.

— Talvez devesse.

— Bem que tentei. — Ela desviou os olhos por um momento. — Ele não compreendeu. Não podia compreender. Eu só queria estar com ele, com você. Como isso não era possível, tentei ser o que ele queria. Aquela noite na Martinica...

Emma fez uma pausa. Escolheu as palavras com todo cuidado. Nem mesmo Marianne sabia o que ela vira.

— As coisas mudaram para mim... e para o Da. Terminei o que começara, Johnno. Devia isso a ele... e paguei muito mais do que devia. Mas isto agora é por mim.

— Falarei com ele por você.

— Obrigada.

— Não me agradeça ainda. É bem possível que ele dê um pulo através do Atlântico para me arrancar a cabeça. — Johnno abriu o portfólio. — Você sempre teve talento... as duas.

Johnno acenou com a cabeça para um desenho da Devastation pendurado na parede.

— Eu disse que ia mandar emoldurar.

Marianne levantou-se de um pulso, soltando um grito de prazer. Fizera o desenho na noite da festa de formatura. A casa alugada por Brian em Long Island estava cheia de pessoas. Marianne, que nunca fora tímida, pedira que os quatro posassem.

— Pensei que não falava sério. Obrigada.

— Suponho que você pretende ganhar a vida com seus desenhos, enquanto Emma tira fotos.

— Isso mesmo. Será um pouco difícil sermos artistas famintas com a herança que minha avó me deixou. Mas vamos tentar assim mesmo.

— Por falar em artistas famintas, vocês já comeram?

— Comi um cachorro-quente no aeroporto enquanto esperava o avião de Emma. — Marianne sorriu. — Não foi suficiente.

— Acho que devemos comer antes da minha ligação para Brian. — Johnno saiu de trás do bar. — Pode ser nossa última refeição.

— Ei, Johnno, não estava conseguindo dormir?

As duas garotas se viraram ao ouvir uma voz de homem. Observaram-no descer a escada curva, usando apenas um short de corrida. Era um homem deslumbrante.

— Não sabia para onde você tinha ido... Ei! — Ele parou. Passou os dedos pelos cabelos escuros desmanchados. Sorriu para as meninas. — Olá. Não sabia que tínhamos visita.

— Luke Caruthers, Emma McAvoy e Marianne Carter. — Johnno enfiou as mãos nos bolsos. — Luke escreve para a revista *New York*.

Ele hesitou, deu de ombros e acrescentou:

— Luke mora aqui.

— Ahn... — Emma não pôde pensar em mais nada para dizer. Já vira e invejara bastante intimidade para reconhecê-la. — Olá.

— Então você é Emma. Já ouvi falar muito a seu respeito. — Ele sorriu, estendendo a mão. — Por algum motivo, esperava uma garotinha.

— Não sou mais — murmurou Emma.

— E você é a artista plástica. — Ele ofereceu um sorriso deslumbrante para Marianne. — Um bom trabalho o que vi.

— Obrigada.

Ela inclinou a cabeça, retribuiu o sorriso, esperando parecer bastante sofisticada.

— Eu estava oferecendo uma refeição às jovens. Elas chegaram de viagem.

— Um lanche à meia-noite parece uma grande idéia. Mas é melhor eu preparar. A comida de Johnno é intragável.

Marianne hesitou por um momento, dividida entre o fascínio e o choque de classe média.

— Eu... ahn... vou ajudar.

Ela lançou um olhar rápido para Emma e se esgueirou para a cozinha atrás de Luke.

— Acho que chegamos num mau momento — murmurou Emma. — Não sabia que você tinha... alguém morando aqui.

Ela exalou, ruidosa, e arriou no braço de uma poltrona.

— Não tinha a menor idéia, Johnno.

— O segredo mais bem guardado do mundo do rock. — Johnno falou em tom jovial, mas tinha as mãos cerradas nos bolsos. — Quer que eu a ajude a inventar uma desculpa e fazer uma reserva no Waldorf?

Emma sentiu as faces ficarem vermelhas enquanto baixava os olhos para as mãos.

— Não precisa. O Da sabe... mas é claro que ele sabe. Uma pergunta idiota. Não sei o que dizer. Ele... Luke é muito atraente.

Um brilho divertido iluminou os olhos de Johnno.

— Também acho.

O rosto de Emma se tornou ainda mais vermelho, mas ela conseguiu fitá-lo de novo.

— Está me gozando.

— Não, querida. — A voz era suave. — Eu nunca zombaria de você.

Ela estudou-o, com todo cuidado, tentando descobrir se ele parecia diferente de alguma forma... se podia encontrar algo estranho ou errado no rosto que conhecia tão bem. Mas não havia nada diferente, apenas o Johnno de sempre. Emma contraiu os lábios.

— Bom, acho que terei de mudar meus planos...

Ele sentiu o golpe... mais forte e mais doloroso do que os socos dos outros garotos quando era pequeno.

— Sinto muito, Emma.

— Não tanto quanto eu sinto. Tenho de desistir da minha fantasia de seduzi-lo.

Pela primeira vez em sua vida, Emma viu Johnno ficar completamente aturdido.

— O que disse?

— Sempre pensei que cresceria e quando você me visse como uma mulher... — Ela levantou-se, abriu os braços, abaixou-os para os lados do corpo. — Eu viria visitá-lo aqui, prepararia um jantar, à luz de velas, música tocando, e o seduziria.

Emma tirou uma corrente da blusa. Tinha pendurado um pequeno anel de plástico com uma pedra vermelha ostentosa.

— Sempre pensei que você seria meu primeiro.

Atônito, ele ficou olhando para o anel antes de fitá-la nos olhos. Havia amor ali, do tipo que durava uma vida inteira. E havia compreensão sem culpa. Johnno adiantou-se. Pegou as mãos de Emma. A voz estava rouca de tanta emoção quando conseguiu falar:

— Bem poucas vezes me arrependi de ser gay. — Ele ergueu as mãos de Emma para beijá-las. — Esta é uma dessas raras ocasiões.

— Eu amo você, Johnno.

Ele abraçou-a.

— Também amo você, Emma. Só Deus sabe por quê, já que você é uma terrível sacana. — Quando ela riu, Johnno tornou a puxá-la para um beijo. — Vamos para a cozinha. Luke não apenas é agradável para se contemplar, mas também é um grande cozinheiro.

EMMA ACORDOU CEDO. SEGUIU O CHEIRO DE CAFÉ E OS sons abafados da televisão na cozinha. Não era o cansaço da viagem que sentia agora, mas a desorientação irrequieta de acordar numa cama estranha, depois de alguns breves períodos de sono. Houve um momento embaraçado, enquanto ela parava na porta da cozinha, observando Luke passar manteiga numa torrada, na frente do aparelho de televisão, onde David Hartman entrevistava Harrison Ford.

Ela conseguira relaxar na noite anterior na presença de Luke, enquanto tomavam sopa e comiam sanduíches quentes na cozinha.

Ele tinha boas maneiras, era inteligente, espirituoso, bonito de dar água na boca. E gay. O que também acontecia com Johnno, lembrou Emma a si mesma. Ela fez um esforço para sorrir.

— Bom-dia.

Luke virou-se. Estava diferente naquela manhã, os cabelos penteados, a barba feita. Usava uma calça cinza com vinco, uma camisa azul-clara e uma gravata fina de uma tonalidade mais escura. Parecia alerta e profissional. O jovem executivo em ascensão, pensou ela, um total contraste com Johnno.

— Oi. Não pensei que pudesse acordar antes da tarde. Quer um café?

— Obrigada. Não consegui dormir. Marianne e eu vamos procurar apartamento esta tarde. E acho que me preocupo com a reação de meu pai quando Johnno telefonou.

— Johnno é muito persuasivo. — Ele pôs o café na frente de Emma. — Por que não acabo logo com sua angústia? Quer uma torrada?

— Não. — Ela comprimiu a mão contra a barriga. — Sabe o que aconteceu?

— Eles discutiram muito. — Luke olhou para o relógio, depois sentou ao lado de Emma. — Johnno disse alguns insultos, e acho que ele não gostaria se eu repetisse para você.

Ela baixou o rosto para as mãos.

— Oh, não!

— Ele também prometeu... e acho que foi o chamado juramento de sangue... ficar de olho em você.

— Abençoado seja.

— Ao final, depois de muito tempo, Brian concordou que você estudasse aqui, mas... — Ele se apressou em acrescentar, antes que Emma começasse a pular: — Você tem de manter os seguranças.

— Mas que droga! Não quero aqueles dois desgraçados corpulentos vigiando todos os meus movimentos. É como se voltasse a Saint Catherine. Quando ele vai compreender que não há um seqüestrador espreitando de trás de cada moita? As pessoas nem mesmo sabem quem eu sou, e não se importam.

— Ele se importa. — Luke pôs a mão sobre a dela. — Às vezes, Emma, é preciso aceitar o que podemos conseguir. Falo por experiência pessoal.

— Só quero levar uma vida normal.

— É o que a maioria das pessoas quer. — Ele sorriu de novo, quando Emma levantou os olhos e corou. — Ambos gostamos de Johnno. Imagino que isso faz com que sejamos amigos. Certo?

— Certo.

— Então aqui vai meu primeiro conselho de amigo. Pense da seguinte maneira: você quer viver em Nova York, não é?

— Isso mesmo.

— Quer estudar em Nova York.

— Quero.

— E quer ter seu próprio apartamento.

Emma soltou um suspiro frustrado.

— Claro.

— Pois terá tudo isso.

Depois de pensar por um momento, ela murmurou:

— Você tem razão. Está absolutamente certo. E posso me desvencilhar dos seguranças quando quiser.

— Não ouvi essa parte. — Luke tornou a olhar para o relógio. — Tenho de correr agora. Avise a Johnno que trarei comida chinesa.

Ele pegou uma pasta e se encaminhou para a porta, mas parou de repente.

— Já ia esquecendo. Aquelas fotos são suas?

Ele apontou para o portfólio aberto no balcão da cozinha.

— São.

— Bom trabalho. Importa-se se eu levá-las e mostrar a algumas pessoas?

— Não precisa fazer isso. Só porque sou amiga de Johnno, isso não significa...

— Espere um pouco. Por acaso vi as fotos na sala. Dei uma olhada mais atenta e gostei do que vi. Johnno não me pediu para encher seu ego. Ele nunca faria isso.

Emma esfregou as palmas nas coxas.

— Gosta mesmo das fotos?

— Gosto. Conheço algumas pessoas. Poderia apresentá-la, se você quiser.

— Claro que quero. Tenho muito para aprender... é por isso que estou aqui. Já entrei em alguns concursos e exposições, mas... — a voz definhou. — Obrigada. Eu adoraria.

— Então estamos combinados. Até mais tarde.

Ele ajeitou o portfólio debaixo do braço e saiu. Emma ficou sentada sozinha, respirando com todo cuidado Estava a caminho, pensou. Finalmente estava a caminho.

Capítulo Dezenove

— É nosso.

Emma e Marianne estavam paradas, uma estendendo o braço pelos ombros da outra, olhando por uma das janelas do apartamento no SoHo que haviam acabado de comprar. A voz de Emma era ao mesmo tempo atordoada e exultante ao fazer a declaração.

— Ainda não posso acreditar — murmurou Marianne.

— Pois trate de acreditar. É mesmo nosso... pé-direito de cinco metros, péssimo encanamento e juros exorbitantes. — Com uma risada rápida, Emma deu três giros. — Somos proprietárias, Marianne. Você, eu e o Chase Manhattan.

— Nós compramos...

Marianne sentou no chão de tábuas largas e arranhadas. O barulho do tráfego na rua movimentada chegava nos três andares. Alguma coisa quebrou lá fora; e, mesmo com as janelas fechadas, elas ouviram os gritos e imprecações. Era como música.

O loft era um vasto espaço quadrado, com uma fileira de janelas na frente e um enorme painel de vidro no lado direito.

Um bom investimento, admitira o pai de Marianne, com evidente relutância.

Uma absoluta insanidade, fora o veredicto de Johnno.

Investimento ou insanidade, o imóvel era delas. Ainda vestindo os tailleurs impecáveis que haviam escolhido para a assinatura do contrato, elas contemplaram seu novo lar, o fruto de semanas de busca, telefonemas intermináveis para corretores e numerosas entrevistas no banco. Podia ser um vasto espaço vazio, com os tetos manchados e vidros sujos, mas para elas era o sonho que haviam partilhado ao longo da infância e grande parte da adolescência.

Depois olharam uma para a outra, cada rosto um espelho de terror inebriado. Foi a risada que dissolveu a última tensão. Borbulhou em Emma primeiro, e ressoou pelas altas paredes de reboco. As duas dançaram uma polca improvisada por toda a extensão de seu novo lar.

— Nosso! — balbuciou Emma, quando pararam, cambaleando.

— Nosso!

Trocaram um aperto de mão formal, depois riram de novo.

— Muito bem, co-proprietária, precisamos tomar algumas decisões — disse Marianne.

Elas sentaram no chão, com os desenhos de Marianne, Pepsis mornas e um cinzeiro de lata transbordando entre as duas. Precisavam de uma parede aqui, uma escada ali. Espaço de estúdio por cima, espaço de laboratório por baixo.

E as duas arrumaram, rearrumaram, construíram, demoliram. Ao final, Marianne acenou com o cigarro.

— Então fica assim. Perfeito.

— E inspirado. — Emma pegou o cigarro, por uma questão de legítima defesa, e aproveitou para dar uma tragada. — Você é genial.

— Sou mesmo. — Marianne sacudiu os cabelos espetados enquanto se inclinava para trás, apoiada nos cotovelos. — Mas você ajudou.

— É verdade. Somos ambas geniais. Um espaço para tudo e tudo em seu espaço. Mal posso esperar até... oh, merda!

— Merda? O que está querendo dizer com esse "merda"?

— Não há banheiro. Esquecemos o banheiro.

Depois de um rápido estudo das plantas, Marianne deu de ombros.

— Que se dane o banheiro. Podemos ir até a Associação Cristã de Moças quando precisarmos.

Emma simplesmente pôs a mão no rosto de Marianne e a empurrou.

EMPOLEIRADA NUMA ESCADA, MARIANNE PINTAVA DOIS retratos de corpo inteiro, dela e de Emma, entre duas janelas. Emma assumira a tarefa mais prosaica do abastecimento, e agora guardava os alimentos na Frigidaire reformada.

— É a nossa campainha! — gritou Marianne, por cima do barulho do rádio.

— Sei disso.

Emma equilibrou nos braços duas toranjas, um pacote com seis latas de Pepsi e um vidro de geléia de morango. Quando a campainha tocou de novo, ela largou tudo numa prateleira. Ao lado do elevador, que abria direto para a área da sala de estar, ela pegou o interfone.

— Pois não?

— McAvoy e Carter?

— Isso mesmo.

— Entrega de camas.

Emma soltou a tranca da porta lá embaixo, enquanto soltava um grito de guerra.

— O que é? — perguntou Marianne, sentando um pouco afastada de seu trabalho, para observá-lo com o rosto franzido.

— Camas! — berrou Emma. — Temos camas!

— Não brinque com uma coisa assim, Emma... não enquanto eu estiver pintando ou acabará com uma verruga.

— Não estou brincando. As camas estão subindo.

Marianne hesitou, o pincel pingando em sua mão.

— Camas de verdade?

— Colchões, Marianne. — Emma pôs a mão na escada. — E estrados de molas.

— Jesus! — Marianne fechou os olhos e estremeceu, dramática. — Acho que tive um orgasmo.

Ao barulho do elevador chegando, Emma atravessou o apartamento em disparada. Quando as portas se abriram, ela só pôde ver um colchão enorme, coberto de plástico.

— Onde você quer que ponha? — foi a pergunta abafada.

— Pode levar este por aquela escada ali no canto.

O homem com o nome "Buddy" costurado no boné revirou os olhos, ergueu o colchão para a cabeça e se encaminhou para a escada.

— Só coube um colchão de cada vez no elevador. Meu colega está esperando lá embaixo.

— Está certo.

Emma apertou o botão para abrir de novo a porta lá embaixo.

— Camas de verdade... — murmurou ela, enquanto Marianne vinha se postar ao seu lado.

— Por favor, não perca a cabeça na presença de outras pessoas. O telefone está tocando. Vou atender.

O elevador chegou de novo. Emma orientou o segundo homem — Riko, segundo o boné —, depois sorriu para Buddy, enquanto ele saía para pegar o estrado de molas. Quando o elevador tornou a subir, ela sorriu para o estrado de molas, que ocupava todo o espaço.

— Um sobe, o outro desce. Quer um refrigerante?

Brian saiu de trás do estrado de molas.

— Quero.

— Da!

— Sr. McAvoy! — gritou Marianne, por cima do barulho do rádio. Ela se meteu no caminho, limpando as mãos sujas de tinta no macacão. — Oi!

— Quer sair da frente? — pediu Buddy, manobrando o estrado de molas para a escada.

— Da! — exclamou Emma de novo. — Não sabíamos que estava aqui.

— Isso é óbvio. Por Cristo, Emma, qualquer um pode subir nesse elevador. Sempre deixam a entrada destrancada?

— Estão fazendo uma entrega. Camas. — Ela gesticulou para Riko, entrando com sua carga. Deu um sorriso e beijou o pai. — Pensei que ainda estivesse em Londres.

— Decidi que já era tempo de dar uma olhada no lugar em que minha filha está vivendo.

Ele avançou pelo apartamento, olhando ao redor, com o rosto franzido. Lonas de proteção contra a tinta cobriam a maior parte do chão. O caixote em que viera o fogão servia ao mesmo tempo como mesa e banco, tendo em cima naquele momento jornais velhos, um lampião, um copo com água pela metade e uma lata de tinta. O rádio, no peitoril da janela, irradiava em alto volume as quarenta mais de Casey Kasem. A escada, a mesa de jogo e uma única cadeira dobrável completavam o mobiliário.

— Jesus...

Brian não pôde pensar em outra coisa para dizer.

— Somos um canteiro de obras — disse Emma, com uma jovialidade forçada. — Não parece, mas estamos quase prontas. Os carpinteiros só precisam dar uns remates aqui e ali... e o homem dos ladrilhos virá na segunda-feira para completar o banheiro.

— Parece um armazém.

— Na verdade, era uma fábrica — interveio Marianne. — Fizemos umas separações aqui e ali com paredes de vidro. Foi idéia da Emma. Não ficou sensacional?

Ela apontou para uma parede na altura da cintura, que separava a área da sala da cozinha.

— Temos alguns aparelhos domésticos antigos sensacionais.

Ela pegou Brian pelo braço e levou-o numa excursão pelo apartamento.

— O quarto de Emma será aqui. O vidro permite a privacidade, mas deixa passar bastante claridade. Ficarei lá em cima... uma combinação de estúdio e quarto. O laboratório de Emma já está sendo montado ali. E a partir de segunda-feira o banheiro não só estará funcionando, mas também ficará muito bonito.

Brian detestou o fato de que podia perceber todo o potencial. Detestou porque fazia com que Emma parecesse menos a sua filha pequena e mais uma mulher... e uma estranha ainda por cima.

— Decidiram dispensar os móveis?

— Preferimos esperar até que tudo ficasse pronto. — Emma sabia que sua voz saía rígida, mas não tinha como evitar. — Não estamos com pressa.

— Quer assinar aqui? — Buddy estendeu uma prancheta para Emma. — As camas estão montadas.

Ele assoou o nariz num lenço vermelho, depois olhou para Brian.

— Ei, você não é... mas claro que é! McAvoy... Brian McAvoy! Ei, Riko, este aqui é Brian McAvoy, da Devastation!

— Fala sério?

Numa reação automática, os lábios de Brian se contraíram num sorriso encantador.

— É um prazer conhecê-lo.

— Puxa, isso é incrível! — continuou Buddy. — Minha mulher não vai acreditar. Tivemos nosso primeiro encontro num show seu aqui, em 1975. Pode me dar um autógrafo?

— Claro.

— Ela não vai acreditar!

Enquanto ele tateava os bolsos à procura de um papel, Emma pegou um bloco e o estendeu para o pai.

— Qual é o nome de sua mulher? — perguntou Brian.

— Doreen. Ela vai cair morta.

— Espero que não.

Ainda sorrindo, Brian estendeu o autógrafo. Só dez minutos depois, com outro autógrafo para Riko, é que ficaram a sós de novo. Marianne, percebendo a deixa, desapareceu na escada em caracol de ferro batido.

— Tem uma cerveja? — perguntou Brian.

— Não. Apenas alguns refrigerantes.

Com um dar de ombros irrequieto, Brian foi até as janelas na frente. Ela estava muito exposta ali. Será que a filha não podia perceber isso? As janelas enormes, a própria cidade. O fato de ter comprado a unidade do primeiro andar, para instalar Sweeney e outro homem ali, não parecia mais ter qualquer importância agora que avaliava pessoalmente a situação. Emma estava vulnerável. E ficaria ainda mais cada vez que saísse na rua.

— Eu esperava que escolhesse um prédio residencial, com segurança.

— Um prédio como o Dakota? — Ela se arrependeu no instante mesmo em que falou. — Desculpe, Da. Sei que Lennon era seu amigo.

— Era mesmo. — Brian tornou a se virar para a filha. — O que aconteceu com ele deve fazer com que você compreenda como me sinto. Ele foi assassinado na rua... não por assalto, não por paixão. Apenas por ser quem era e o que era. Você é minha filha, Emma. E isso faz com que seja vulnerável.

— E o que me diz de você? — reagiu ela. — Fica exposto cada vez que aparece num palco. E só é preciso uma pessoa doente entre milhares com o dinheiro para o ingresso. Acha que isso nunca me passou pela cabeça?

Brian balançou a cabeça.

— Não, não pensei que isso tivesse passado por sua cabeça. Nunca me disse nada.

— Faria alguma diferença?

Ele sentou no peitoril da janela e pegou um cigarro, antes de responder:

— Não. Não se pode evitar o que você é, Emma, mesmo querendo. Mas já perdi um filho. — Ele riscou um fósforo e ficou olhando para a chama. — Não poderia sobreviver à perda da única filha que me restou.

— Não quero falar sobre Darren.

A dor antiga aflorou, deixando a voz embargada.

— Estamos falando de você.

— Está bem. Não posso mais viver por você ou passarei a odiá-lo. Dei-lhe Saint Catherine, Da, e um ano numa universidade que detestava. Tenho de começar a viver por mim mesma. É o que estou fazendo aqui.

Brian deu uma tragada, desejando ter alguma coisa para beber.

— Você é tudo o que eu tenho.

— Isso não é verdade. — Emma aproximou-se do pai. Ressentimentos e desilusões foram afastados pelo amor. — Nunca fui tudo em sua vida, e nunca serei.

Ela pegou a mão de Brian, enquanto sentava ao seu lado. O pai ainda era muito bonito. Mesmo sem os olhos preconceituosos de uma filha. Os anos, as tensões e a vida não haviam deixado cicatrizes. Pelo menos não cicatrizes externas. Talvez ele estivesse magro demais, mas o tempo não cobrira de rugas o rosto poético, não pusera fios brancos entre os cabelos de um louro-claro. Qual era a magia, especulou Emma, que a fazia crescer, enquanto o pai não envelhecia? Escolheu as palavras com todo cuidado, sem largar a mão do pai.

— Mas o problema é que você foi, durante a maior parte de minha vida, tudo o que eu tinha. — Seus dedos apertaram a mão de Brian. — E quase tudo o que eu precisava. Agora, Da, preciso de mais. Tudo o que quero neste momento é uma chance de me encontrar.

Brian olhou ao redor.

— Aqui?

— Para começar.

Era impossível argumentar com uma coisa que ele compreendia muito bem.

— Deixe-me instalar um sistema de segurança.

— Da...

— Preciso dormir, Emma.

Ela riu e relaxou um pouco.

— Está bem. Considerarei como um presente para a casa nova. — Ela beijou-o. — Quer ficar para o jantar?

Brian tornou a olhar ao redor. Fazia-o lembrar-se de seu primeiro apartamento, embora só tivesse uma fração de todo aquele espaço. Ainda assim, trazia recordações, de carregar os móveis velhos, passar tinta nas paredes manchadas, fazer amor com Bev no chão.

— Não. — Subitamente, ele não queria mais continuar ali, sentir a juventude, esperança e inocência. — Por que não levo você e Marianne para jantar fora?

Marianne inclinou-se perigosamente da escada.

— Onde?

Brian fitou-a, sorrindo.

— Vocês escolhem.

DEPOIS QUE FOI FORÇADO A ACEITAR A DECISÃO DE EMMA, Brian bancou o pai indulgente. Comprou para ela uma litografia de Warhol, um abajur da Tiffany com os signos do zodíaco e um tapete Aubusson, em tons de azul-claro e rosa. Durante a semana que passou em Nova York, apareceu todos os dias com um novo presente. Emma não podia impedi-lo, e parou de tentar quando compreendeu que isso proporcionava um imenso prazer ao pai.

Deram a primeira festa no apartamento na noite anterior à volta de Brian para Londres. Havia caixotes sobre tapetes de preço inestimável. O abajur da Tiffany enfeitava a mesa de jogo. A comida foi posta em tigelas de plástico e em delicados cristais de Limoges enviados pela mãe de Marianne. O rádio fora substituído, graças a Johnno, por um aparelho de som que fazia tremer as paredes.

Um punhado de estudantes universitários misturava-se com músicos e artistas da Broadway. Os trajes variavam do brim a seda e lantejoulas. Houve discussões e risos, tudo abafado pela música, que ressoava estrondosa.

Fez Emma se sentir nostálgica das festas de que se lembrava de tempos passados, as pessoas esparramadas em almofadas no chão, os belos e inteligentes conversando sobre sua arte. Ela tomava água mineral e observava, como sempre fazia.

— Uma noite agradável — comentou Johnno, passando o braço por seus ombros. — Ainda tem alguma cerveja.

— Vamos dar uma olhada.

Ela conduziu-o para a cozinha. Na geladeira, só restavam um jarro de vinho e parte de uma embalagem de seis Beck's. Emma abriu uma garrafa e entregou-a.

— Como nos velhos tempos — murmurou ela.

— Mais ou menos. — Ele cheirou o copo na mão de Emma. — Você é mesmo uma boa menina.

— Não sou muito de beber.

— E não precisa se desculpar por isso. Bri está se divertindo.

Ele acenou com a cabeça para a parede, onde Brian sentava no chão, dedilhando uma guitarra acústica, como um menestrel ambulante.

Quando Emma fitou-o, tocando e cantando para si mesmo tanto quanto para as pessoas ao redor, o amor envolveu-a.

— Ele gosta de tocar assim, tanto quanto em qualquer estádio ou estúdio.

— Mais até. — Johnno inclinou a garrafa de cerveja. — Mas tenho a impressão de que ele não sabe disso.

— Acho que ele já se sente melhor em relação ao apartamento. — Emma correu os olhos pelas pessoas em sua casa... sua casa! — Ainda mais depois que mandou instalar um sistema de segurança que faria os guardas do Palácio de Buckingham parecerem insignificantes.

— Isso a irrita?

— Não. Embora não me lembre dos números do código na maioria das vezes. — Ela tomou um gole da água mineral, contente por estar na cozinha, a meia parede de distância da multidão e do riso. — Luke contou que mandou meu portfólio para Timothy Runyun?

— Contou. — Johnno inclinou a cabeça para o lado. — Algum problema?

— Não sei. Ele me ofereceu um emprego em meio expediente, como assistente.

Johnno deu um puxão de leve nos cabelos dela, presos num rabo-de-cavalo.

— Há bem poucos que começam por cima, Emma querida.

— Não é isso. Não é esse o problema. Runyun é um dos maiores fotógrafos do país. Começar com ele, como assistente, seria um sonho que se converte em realidade.

— E então?

Emma desviou a atenção da festa para fitá-lo, observar seus olhos.

— Por que ele me ofereceu um emprego, Johnno? Por causa de minhas fotos... ou por sua causa e de papai?

— Talvez seja melhor perguntar a Runyun.

— É o que pretendo fazer. — Ela largou o copo, mas tornou a pegá-lo no instante seguinte. — Sei que a *American Photographer* publicou minha foto porque Luke sugeriu.

— Acha mesmo? Devo supor que a foto não valia essa honra?

— Era uma foto muito boa, mas...

Johnno encostou-se na geladeira e tomou um gole da cerveja.

— Não seja assim, Emma. Não pode passar pela vida tentando descobrir um significado oculto em tudo o que acontece, de bom ou de mau.

— Claro que me sinto grata pelo que Luke fez. Ele tem sido maravilhoso, desde o início. Mas não é a mesma coisa que dar aulas de culinária para Marianne e para mim.

— Nada poderia ser — comentou Johnno, sarcástico.

— Quero esse emprego com Runyun. — Emma jogou os cabelos para trás. Os brincos de ouro faiscavam em suas orelhas. —

Você tem sua música, Johnno. Eu sinto a mesma coisa em relação à fotografia.

— Você é boa nisso?

Ela empinou o queixo.

— Sou muito boa.

— Neste caso... — Johnno considerou o assunto encerrado. Olhou para as pessoas na festa. — Um grupo e tanto.

Emma pensou em insistir, depois passou a mão pelos cabelos e mudou de idéia.

— É uma pena que P.M. e Stevie não estejam aqui.

— Talvez na próxima vez. De qualquer forma, temos rostos antigos entre os novos. Vejo que desencavou Blackpool.

— Na verdade, foi o Da quem o encontrou ontem. Ele vai se apresentar no Madison Square Garden no próximo fim de semana. Não resta um único ingresso à venda na cidade. Você vai?

— Nem sonharia. — Ele alteou uma sobrancelha. — Não se pode dizer que sou um fã.

— Mas ele gravou três canções de McAvoy/Donovan.

— Isso é negócio — declarou Johnno, descartando o assunto.

— Por que não gosta dele?

Johnno deu de ombros e tomou outro gole da cerveja.

— Nunca soube direito. Acho que é alguma coisa naquele sorriso presunçoso.

Emma virou-se e pegou outro saco de batata frita no armário.

— Acho que ele tem direito de ser presunçoso. Quatro discos de ouro, dois Grammys e uma esposa deslumbrante.

— Uma esposa deslumbrante e separada, pelo que sei. E ele está cercando nossa ruiva predileta.

— Marianne?

Emma largou o saco de batata frita, virou-se e procurou, até avistar sua colega de apartamento na sombra do banco junto de uma janela, ao lado de Blackpool. Sentiu um fluxo de emoção, uma mistura de ciúme e alarme.

— Dê-me um cigarro — murmurou ela, fazendo um esforço para minimizar o problema.

— Ela já é uma garota crescida, Emma.

— Claro que é. — Emma aspirou a fumaça do cigarro francês e estremeceu. — E ele tem idade suficiente para...

Ela não continuou, lembrando que Johnno era apenas quatro ou cinco anos mais velho do que Blackpool.

— Grande, menina! — exclamou ele, rindo. — Morda a língua agora!

Mas Emma não sorriu.

— O problema é que ela foi resguardada demais.

— Tem toda razão, madre superiora.

— Não enche, Johnno.

Ela tomou outro gole da água mineral, enquanto continuava a observar Blackpool. O nome combinava, pensou Emma. Ele tinha cabelos escuros e sedosos, gostava de roupas pretas. Couro, camurça, seda. Sempre exibia uma expressão sombria e sensual. Heathcliff, o personagem de *O Morro dos Ventos Uivantes,* como Emma sempre o imaginara. E sempre achara que Brontë criara alguém mais autodestrutivo do que heróico. Ao seu lado, Marianne parecia uma vela esguia e brilhante, pronta para ser acesa.

— Só estou dizendo que ela passou a maior parte de sua vida naquela droga de escola.

— Na cama ao lado da sua — lembrou Johnno.

Ela não sentia a menor disposição para rir.

— É verdade. Mas também passei muito tempo com vocês, vendo coisas, sendo parte de coisas. Marianne ia da escola para o acampamento de verão e a casa dos pais. Sei que ela apresenta uma fachada e tanto, mas é muito ingênua.

— É preciso dar algum crédito à nossa ruiva predileta. Além do mais, Blackpool pode ser insidioso, mas não é um monstro.

— Claro que não.

Mesmo assim, ela ficaria de olho em Marianne. Levantou o cigarro de novo e ficou imóvel.

Alguém pusera outro álbum para tocar. Os Beatles. *Abbey Road.* A primeira faixa do lado A.

— Emma... — Alarmado, Johnno pegou-a pelo pulso. A pulsação disparara, a pele estava gelada. — O que aconteceu? Olhe para mim, Emma!

Ele diz que um e um e um são três.

— Tire o disco... — balbuciou ela.

— Como?

— Tire o disco. — Ela podia sentir que o ar começava a voltar aos pulmões. — Por favor, Johnno, tire esse disco.

— Está bem. Fique aqui.

Johnno abriu caminho pela multidão, o mais depressa que podia, para evitar que alguém o detivesse.

Emma continuou a apertar a beira da parede, até os dedos ficarem dormentes. Não via mais a festa, as lindas pessoas confraternizando, tomando vinho branco em copos de plástico ou garrafas geladas de cerveja importada. Só podia ver as sombras de um corredor, ouvir os sibilos e estalos dos monstros. E os gritos do irmão.

— Emma... — Era Brian agora, parado na pequena cozinha, com Johnno ao seu lado. — O que foi, meu bem? Está passando mal?

— Não. — Era o Da, pensou ela. O Da faria com que tudo desaparecesse. — Não... é Darren. Ouvi Darren chorando.

— Oh, Cristo... — Ele pegou-a pelos ombros e sacudiu-a. — Olhe para mim, Emma.

— Como? — Ela ergueu a cabeça abruptamente. Os olhos vidrados se dissolveram em lágrimas. — Desculpe... sinto muito. Eu fugi.

— Está tudo bem. — Brian abraçou-a. Seus olhos, angustiados, encontraram-se com os de Johnno, por cima da cabeça de Emma. — Precisamos tirá-la daqui.

— Vamos levá-la para o quarto.

Johnno seguiu na frente, abrindo o caminho. Entraram e fecharam as portas de vidro fosco, abafando os sons da festa.

— Vamos deitar, Emma. — Brian manteve a voz tão tranqüilizadora quanto podia ao ajeitá-la na cama. — Ficarei aqui com você.

— Estou bem. — Os mundos haviam se separado de novo. Ela não sabia se devia sentir angústia ou embaraço. — Não sei o que desencadeou a reação. Alguma coisa estalou e eu tinha de novo seis anos de idade. Sinto muito, Da.

— Não fale... — Ele comprimiu os lábios contra a têmpora da filha. — Não tem importância.

— Foi a música — comentou Johnno, sentando no outro lado de Emma. — A música deixou-a transtornada.

— Isso mesmo. — Emma umedeceu os lábios ressequidos. — Foi a música. Estava tocando naquela noite. Quando acordei e ouvi Darren. Estava tocando quando comecei a descer pelo corredor. Eu tinha esquecido. Nunca fui capaz de escutar essa canção, e não sabia o motivo. Esta noite, com a festa, tudo voltou.

— Por que não pedimos às pessoas que fossem embora?

— Não. — Ela pegou a mão de Johnno antes que ele pudesse se levantar. — Não quero estragar a noite para Marianne. Estou bem agora. Foi muito estranho, quase como se eu estivesse ali de novo. E me pergunto se cheguei à porta, se vi...

— Não. — Brian pôs a mão sobre a dela. — Já acabou. É um assunto encerrado. Pertence ao passado. Não quero que pense a respeito, Emma.

Ela estava cansada demais para discutir.

— Acho que vou descansar um pouco. Ninguém dará por minha falta.

— Ficarei com você — declarou Brian.

— Não precisa. Estou bem agora. Só quero dormir um pouco. Faltam poucas semanas para o Natal. Irei para Londres, como prometi. Teremos uma semana juntos.

— Ficarei até você dormir — insistiu Brian.

* * *

ELE JÁ HAVIA IDO EMBORA QUANDO EMMA DESPERTOU DO pesadelo. Fora real demais, de uma nitidez assustadora. Assim como fora terrível a realidade doze anos antes. Sentia a pele pegajosa de suor quando estendeu a mão para acender o abajur. Precisava de luz. Havia coisas demais que podiam se esconder na escuridão.

Havia sossego agora. Cinco horas da manhã, tudo calmo e silencioso. A festa acabara e ela se encontrava sozinha, por trás das paredes de vidro de seu quarto. Com dificuldade, o corpo dolorido, como uma velha, levantou-se, tirou as roupas e vestiu um roupão. Abriu a porta e acendeu outra luz.

A sala estava em total desordem. Havia cheiros... de cerveja quente, fumaça retida perto do teto, a mistura persistente de perfumes e suor. Ela olhou para o alto da escada, onde Marianne dormia. Não queria incomodá-la por arrumar tudo agora, embora impulsionada por seu arraigado sentimento de ordem. Esperaria até o dia clarear.

Havia outra coisa que precisava fazer, e queria fazer agora, o mais depressa possível, antes que a covardia pudesse prevalecer. Emma sentou ao lado do telefone e ligou para o serviço de informações.

— Preciso dos telefones da American, TWA e Pan Am.

Capítulo Vinte

Ela não ia se sentir culpada. Na verdade, naquele momento, Emma não queria sentir qualquer coisa. Sabia que o pai ficaria furioso se soubesse que ela voara para a Califórnia sem os seguranças. Só podia torcer para que ele não descobrisse. Com um pouco de sorte, passaria dois dias na Califórnia, pegaria o último vôo na noite de domingo e estaria de volta a Nova York, comparecendo às aulas, na manhã de segunda-feira, sem que ninguém soubesse, exceto Marianne.

Bendita Marianne, pensou Emma, enquanto o avião pousava. Não fizera qualquer pergunta, depois de compreender que as respostas seriam angustiadas. Em vez disso, acordara logo depois do amanhecer, pusera uma peruca loura, óculos escuros e o casaco de Emma, seguindo de táxi para a primeira missa na Catedral de Saint Patrick, com os seguranças em sua esteira.

Isso dera tempo suficiente a Emma para correr até o aeroporto e pegar o avião para a Costa Oeste. Para Sweeney e seu companheiro, Emma McAvoy estaria passando um fim de semana sossegado em casa. Marianne teria de inventar alguma história se Brian ou Johnno telefonassem... mas ela era competente nesse tipo de coisa.

Seja como for, refletiu Emma, ao desembarcar, a sorte fora lançada. Estava em Los Angeles, e faria o que tinha de fazer.

Precisava ver a casa de novo. Fora vendida há muitos anos, e era duvidoso que conseguisse entrar. Mas tinha de vê-la.

— Beverly Wilshire — disse ela ao motorista do táxi.

Exausta, recostou a cabeça no banco e fechou os olhos, sem tirar os óculos escuros. Fazia muito calor agora para seu casaco de inverno, mas ela não tinha energia suficiente para tirá-lo. Precisava alugar um carro, ela compreendeu, deixando escapar um suspiro irritado. Já deveria ter tomado essa providência. Com um balanço da cabeça, prometeu a si mesma que faria isso, através da recepção, assim que terminasse de guardar as poucas coisas que trouxera na mala.

Havia fantasmas ali, pensou ela. Ao longo do Hollywood Boulevard, em Beverly Hills, nas praias em Malibu, nas colinas em torno da bacia de Los Angeles. Fantasmas dela própria, de sua primeira viagem aos Estados Unidos, de um pai jovem e heróico carregando-a nos ombros na Disneylândia. De Bev, sorrindo, a mão estendida, protetora, sobre a criança em seu útero. E sempre de Darren, rindo e empurrando seu trator pelo tapete.

— Moça?

Emma piscou e focalizou o porteiro uniformizado, que esperava para ajudá-la a sair do táxi.

— Vai ficar no hotel?

— Vou sim. Obrigada.

Em gestos mecânicos, ela pagou o motorista e atravessou o saguão até a recepção. Pegou a chave, esquecendo por um momento que aquela era a primeira vez que se hospedava sozinha num hotel.

No quarto, abriu a discreta mala Gucci, arrumou a lingerie com todo cuidado, como hábito, pendurou as roupas, guardou os artigos de toalete. Isso feito, pegou o telefone.

— Aqui é a Srta. McAvoy, do quarto 312. Eu gostaria de alugar um carro. Dois dias. O mais depressa possível. Está ótimo. Já vou descer.

Havia mais uma coisa que precisava fazer, apesar de todo o seu receio. Ela pegou a lista telefônica, abriu-a, procurou na letra K. Kesselring, L.

Emma anotou o endereço com sua letra impecável. Ele ainda estava na cidade.

— VAI PASSAR A MANHÃ INTEIRA COMENDO, MICHAEL, OU vai aparar a grama?

Michael sorriu para o pai, enquanto punha mais panquecas no prato.

— É um gramado enorme. Preciso de todas as forças que puder acumular. Não é verdade, mamãe?

— O menino não come direito desde que saiu de casa. — Satisfeita por ter seus dois homens à mesa, Marge serviu mais café nas xícaras. — Você está pele e osso, Michael. Ainda tenho a maior parte de um presunto que fiz no início da semana. Pode levá-lo para sua casa.

— Não dê todo o meu presunto a esse relapso! — protestou Lou.

Michael alteou uma sobrancelha, enquanto despejava a calda sobre as panquecas restantes.

— Quem você está chamando de relapso?

— Você perdeu a aposta, mas ainda não vi a grama cortada.

— Vou cortar — resmungou Michael, pegando outra salsicha. — Acho que o jogo foi combinado.

— O Orioles venceu de maneira justa e incontestável. E já tem mais de um mês. Você precisa pagar.

Michael gesticulou com a salsicha. Era uma conversa que tinham todo o fim de semana desde que começara a World Series, a série de quatro partidas entre os vencedores das duas principais ligas do beisebol americano; e continuariam a ter até o princípio do ano, quando haveria a decisão.

— Como capitão de polícia, você devia saber que apostas são ilegais.

— E como um novato, designado para a minha delegacia, você deveria ter mais juízo e não fazer uma aposta de otário. O cortador de grama está no galpão.

— Sei onde está. — Michael levantou-se. Passou o braço pelos ombros da mãe. — Como consegue viver com esse cara?

— Não é fácil. — Marge sorriu e afagou o rosto do filho. — Tome cuidado com as ervas daninhas em torno das roseiras, querido.

Ela observou-o sair, batendo a porta de tela, como sempre fizera. Por um momento, desejou que ele pudesse ter dez anos de novo. Mas esse sentimento logo passou, deixando um suave orgulho.

— Fizemos um bom trabalho, Lou.

— É verdade.

Ele levou sua louça e a de Michael para a pia. Envelhecera bem, engordando menos de cinco quilos durante os últimos vinte anos. Tinha os cabelos bastante grisalhos agora, mas mantivera a maior parte. Embora compreendesse de vez em quando que se encontrava muito próximo dos sessenta anos, sentia-se melhor do que em muitas outras ocasiões de sua vida. Em parte, pensou, enquanto passava o braço em torno de Marge, pelos cuidados diligentes da esposa, que controlava pra valer o colesterol e o açúcar.

Marge assentara satisfeita na meia-idade. Continuava tão esguia quanto era no dia do casamento. Nada a afastava de suas aulas de aeróbica, duas vezes por semana. Os cabelos tinham uma atraente tonalidade cinza-castanha.

Cinco anos antes, Marge tivera o que o marido considerara uma idéia excêntrica, de abrir seu próprio negócio. Ele se considerara indulgente quando concordara que sua mulher abrisse uma pequena livraria. Fora gentil e atencioso, como um adulto afagando a cabeça de uma criança. Mas depois Marge o surpreendera ao demonstrar uma cabeça boa e às vezes inflexível para os negócios.

Expandira suas atividades, até que agora tinha três livrarias, em Hollywood, Bel Air e Beverly Hills.

A vida era cheia de surpresas, pensou ele, enquanto ouvia o barulho do cortador de grama. A esposa, que durante anos parecia contente em espanar o pó dos móveis e fazer tortas, era agora uma comerciante, com seu próprio contador. O filho, que completara o curso superior sem maiores preocupações, e depois passara dezoito meses sem definir uma carreira, matriculara-se na academia de polícia sem dizer nada. Quanto a ele, começara a pensar em fazer uma coisa que sempre lhe parecera a anos de distância. Aposentar-se.

Era uma boa vida, pensou Lou, aspirando o cheiro de salsicha e a fragrância das rosas. Num súbito impulso, ele virou Marge e deu um beijo longo e apaixonado em sua boca.

— O garoto estará ocupado pelo menos por uma hora — murmurou ele, acariciando os seios da esposa. — Vamos subir.

Marge inclinou a cabeça para trás, sorrindo.

Michael virou o cortador de grama, apreciando o esforço físico e o suor que aflorava na pele. Não que gostasse de perder a aposta, pensou ele. Detestava perder qualquer coisa.

Mas sentia falta de um gramado, da aparência, do cheiro. O apartamento era bastante conveniente, com a piscina mínima e os vizinhos barulhentos. Mas um subúrbio como aquele, com suas árvores grandes e frondosas, os jardins bem cuidados, o churrasco no quintal dos fundos, as caminhonetes, era o seu lar. Sempre se sentia como um garoto outra vez quando visitava os pais. Os passeios de bicicleta nas manhãs de sábado. Ricky Jones em disparada pela rua, experimentando seu skate. As garotas bonitas passando em vestidos de algodão, enquanto você trocava figurinhas de beisebol no meio-fio e fingia não notar.

O velho bairro não mudara muito desde a sua juventude. Ainda era um lugar em que os garotos entregavam o jornal sem parar a bicicleta, jogando-o nas moitas. Os vizinhos ainda competiam entre si pelo melhor gramado, o melhor jardim. Pediam ferramentas emprestadas e se esqueciam de devolver.

Estar ali lhe proporcionava um senso de continuidade. Uma coisa que não sabia que queria até que se mudara.

Um movimento atraiu sua atenção. Levantou os olhos a tempo de ver a cortina do quarto dos pais ser abaixada. Ele parou, a boca entreaberta, o cortador ligado e vibrando sob suas mãos. Não precisava ter o distintivo de policial para deduzir o que estava acontecendo lá dentro. Às nove horas da manhã, Michael continuou a olhar por mais um momento, sem saber se devia se sentir divertido, embaraçado ou satisfeito. Decidiu que era melhor não pensar a respeito. Havia alguma coisa inquietante em imaginar os pais fazendo sexo.

Ele passou a conduzir o cortador com uma das mãos apenas enquanto desabotoava a camisa. As lâmpadas de Natal podiam estar penduradas nos beirais das casas, mas a temperatura estaria, no mínimo em 27º C antes do meio-dia. Michael ofereceu um aceno casual para a Sra. Baxter, que saíra de casa para arrancar as ervas daninhas nas proximidades de seus gladíolos. Ela limitou-se a fitá-lo de cara amarrada, e por isso Michael continuou a cantar junto com Bruce Springsteen, que ouvia através dos fones nos ouvidos. Quebrara a vidraça da Sra. Baxter com uma bola de beisebol há mais de dez anos, e ela ainda não o perdoara.

Já aparara a grama nos fundos e a metade do gramado da frente quando começou a especular por que o pai nunca investira num cortador com um banco. Um Mercedes conversível parou junto da calçada. Michael não lançaria mais do que um olhar de passagem se não fosse pela loura ao volante. Tinha um fraco por louras. Ela permaneceu sentada, os olhos ocultos pelos óculos escuros, enquanto um minuto se prolongava para cinco.

Finalmente, ela saiu do carro. Era tão esguia e elegante quanto o Mercedes, pernas compridas, por baixo de uma saia de algodão. Ele notou as mãos, delicadas, mãos que serviam chá, naquele momento apertando uma bolsa cinza de couro, com um nervosismo evidente.

Linda, nervosa, e de outra cidade, deduziu Michael. E rica também. A bolsa e os sapatos eram de couro, visivelmente caros. E havia o brilho opaco de ouro de verdade no pulso e nas orelhas. A maneira de andar anunciava riqueza e privilégio. As mãos podiam denunciar o nervosismo, mas os movimentos eram suaves como os de uma bailarina.

Ela não hesitou na calçada. Era óbvio que tomara a decisão de abordá-lo enquanto sentava no carro. Michael sentiu sua fragrância, suave e sedutora, por cima do cheiro da grama cortada.

Quando ela sorriu, seu coração quase parou. Ele desligou o motor com uma das mãos e arrancou os fones dos ouvidos com a outra, fitando-a. No súbito silêncio, ainda dava para ouvir Springsteen e a E Street Band.

— Bom-dia. Desculpe interromper seu trabalho.

Michael sentiu a boca ressequida. Era uma loucura. Ridículo. Mas não podia evitar. Aquela voz... reproduzira-a em sua mente ao longo dos anos. Aflorara enquanto dormia, na frente da televisão, em conversas com outras mulheres. Quando a viu morder o lábio, ele fez um esforço para se controlar. Tirou os óculos escuros e sorriu.

— Oi, Emma. Tem pegado boas ondas ultimamente?

Os lábios de Emma se entreabriram em surpresa, depois em reconhecimento e se contraíram em satisfação.

— Michael!

Ela sentiu vontade de abraçá-lo. A idéia deixou-a um pouco vermelha, mas limitou-se a estender a mão.

— É muito bom tornar a vê-lo.

A mão dura e suada de Michael apertou a dela. Ele soltou-a quase que no mesmo instante para esfregar as palmas no jeans velho.

— Você... nunca voltou à praia.

— Não. — Emma continuou a sorrir, mas as covinhas desapareceram dos cantos da boca. — Nunca aprendi a surfar. Não sabia que você ainda morava com seus pais.

— E não moro. Perdi uma aposta para o velho, e tenho de cuidar de seu jardim por algumas semanas.

Ele não sabia o que dizer. Emma estava linda, mas parecia frágil, parada ali, em seus sapatos italianos de saltos altos, os cabelos claros agitados pela brisa.

— Como você tem passado? — murmurou ele, depois de um longo momento.

— Muito bem. E você?

— Vejo sua foto de vez em quando nos jornais e revistas. Uma delas foi naquele lugar em que as pessoas esquiam.

— Saint Moritz.

— Acho que é isso. — Os olhos de Emma continuavam iguais, enormes, azuis e angustiados. Ele sentia um frio no estômago só de fitá-los. — Veio... fazer uma visita?

— Não... isto é, sim. Na verdade...

— Michael!

Ele virou-se ao ouvir a voz da mãe. Ela estava parada na porta, impecável.

— Não vai convidar sua amiga para entrar e tomar um refresco gelado?

— Claro. Tem alguns minutos, Emma?

— Tenho sim. Vim até aqui para conversar com seu pai.

Michael sentiu que suas esperanças murchavam como um balão de festa velho. De onde tirara a idéia de que Emma viera à sua procura?

— Papai está lá dentro. — Ele conseguiu sorrir. — Vai ficar na maior satisfação.

Emma seguiu-o até a porta que Marge deixara aberta. Apertava a bolsa agora com toda a força, e não havia esforço mental que pudesse fazê-la relaxar os dedos.

A árvore de Natal estava armada. Emma viu-a, com muitos festões dourados e bolas coloridas, perto da janela da frente. Havia presentes por baixo, bem embrulhados, com laços vistosos, ramos de pinheiro, aqui e ali, perfumando a casa.

Os móveis eram antigos, não gastos, mas bem conservados. Uma família partilhara tudo aquilo, pensou ela. Partilhara por tanto tempo que as pessoas quase não reparavam mais nos móveis, mas sentavam no sofá ou numa cadeira se sentindo à vontade, dia após dia, noite após noite. As cortinas estavam puxadas para deixar a claridade entrar. Três violetas-africanas desabrochavam exuberantes numa jardineira na janela que dava para o leste.

Ela tirara os óculos escuros. Abria e fechava as hastes, enquanto examinava a sala.

— Não quer sentar?

— Obrigada. Não vou ficar muito tempo. Sei que estou atrapalhando o fim de semana de vocês.

— Tem razão. Passei a semana inteira ansioso em cortar a grama. — Michael sorriu, relaxou de novo e apontou para uma cadeira. — Vou chamar meu pai.

Antes que ele pudesse fazê-lo, Marge entrou na sala com uma bandeja, trazendo um jarro de chá gelado, copos e um prato com os biscoitos que fazia.

— Aqui está. Michael, abotoe a camisa. — Ela pôs a bandeja na mesinha de café. — É um prazer receber a visita de uma das amigas de Michael.

— Emma, esta é minha mãe. Mamãe, Emma McAvoy.

O reconhecimento foi imediato. Marge fez um esforço para impedir que a compaixão e o fascínio transparecessem em seus olhos.

— Ah, sim, claro... — Ela serviu o chá. — Ainda tenho o recorte do jornal... quando você e Michael se encontraram na praia.

— Mamãe...

— Uma mãe tem permissão — murmurou ela. — É um prazer conhecê-la finalmente, Emma.

— Obrigada. Lamento ter vindo sem avisar.

— Não diga bobagem. Os amigos de Michael são sempre bem-vindos aqui.

— Emma veio falar com papai.

— Ahn... — A surpresa nos olhos aflorou e desapareceu no mesmo instante. — Ele está lá atrás, verificando se Michael não derrubou suas roseiras. Vou chamá-lo.

— Uma roseira... quando eu estava com doze anos — comentou Michael, pegando um biscoito. — E nunca mais confiarão em mim. Experimente um biscoito. Mamãe faz os melhores do quarteirão.

Ela pegou um biscoito por polidez, apavorada com a perspectiva de pôr qualquer coisa no estômago.

— Você tem uma casa adorável.

Michael recordou sua breve excursão pela mansão em Beverly Hills, onde ela passara aquele verão.

— Sempre gostei. — Ele inclinou-se e pôs a mão sobre a dela. — Qual é o problema, Emma?

Ela não poderia explicar por que aquela pergunta simples, com a mão gentil sobre a sua, quase fez com que perdesse o controle. Seria muito fácil apoiar-se nele, aliviar o coração, ser confortada. Mas isso poderia ser outra fuga.

— Não sei...

Ela levantou-se quando Lou entrou na sala. O sorriso era hesitante, vulnerável... e, para Michael, de uma atração irresistível.

— Capitão.

— Emma! — Com uma satisfação evidente, ele atravessou a sala para pegar as mãos de Emma. — Você cresceu.

Ela quase cedeu nesse instante, quase encostou a cabeça naquele peito e chorou, como fizera há muito e muito tempo. Em vez disso, apertou as mãos de Lou, contemplando seu rosto.

— Quase não mudou desde a última vez em que nos vimos.

— É exatamente o tipo de lisonja que um homem precisa de uma linda mulher.

Ela sorriu, descontraída desta vez.

— É verdade. Estou estudando para ser fotógrafa. Por isso, tento examinar e me lembrar dos rostos. É muita gentileza sua me receber de novo.

— Não diga bobagem. Sente, sente... — Lou viu a bandeja com o chá gelado e pegou um copo, querendo dar mais tempo a Emma para ficar à vontade. — Seu pai está na cidade?

— Não. — Ela correu os dedos pelo copo, mas não tomou o chá. — Ele está em Londres... ou a caminho. Moro agora em Nova York e estudo na universidade da cidade.

— Há anos que não vou a Nova York. — Lou sentou numa poltrona listrada, a que seu corpo se ajustava tão bem que Emma imaginou que ele quase não sentava em qualquer outro lugar da sala. — Fotografia, hem? Lembro que tinha uma câmera na última vez em que a vi.

— Ainda tenho. O Da costuma dizer que criou um monstro quando me deu aquela Nikon.

— Como está Brian?

— Muito bem. — Embora ela não tivesse nenhuma certeza a respeito. — Bastante ocupado.

Disso ela tinha certeza. Emma respirou fundo e anunciou a verdade:

— Ele não sabe que estou aqui... e eu não gostaria que soubesse.

— Por quê?

Ela levantou a mão, mas abaixou-a em seguida, desamparada.

— Ele ficaria transtornado, numa profunda infelicidade, se soubesse que vim até aqui para falar com você... sobre Darren.

— Michael, pode me ajudar numa coisa que preciso fazer?

Marge começou a levantar, mas Emma sacudiu a cabeça.

— Não, por favor. Ninguém precisa se retirar. Não é particular... acho que nunca foi. — Agitada, ela largou o copo. — Tenho me perguntado se não houve alguma coisa que a polícia sabia, alguma coisa de que a imprensa não tomou conhecimento e que acharam que eu era pequena demais para saber. Consegui pôr de lado o que aconteceu durante alguns períodos, mas nunca esqueci por completo. E ontem à noite me lembrei...

— Lembrou o quê?

Lou inclinou-se para a frente.

— Apenas uma canção... uma canção que estava tocando naquela noite. Lembrei que a música vinha lá de baixo quando me encaminhei para o quarto de Darren. Tudo ficou nítido por um momento, muito nítido. A música, a letra, Darren chorando. Mas não consigo chegar até a porta. Em minha cabeça, quando tento me lembrar, só posso me ver parada no corredor.

— Talvez tenha sido tudo o que fez.

Lou ficou olhando para o copo, o rosto franzido. Como Emma, conseguira deixar o crime de lado por longos períodos. Mas sempre voltava. Sabia que o rosto daquele menino sempre haveria de atormentá-lo.

— Emma, nunca tivemos certeza se você chegou ao quarto e viu alguma coisa. Na ocasião, você pensava que vira, mas estava muito confusa. Era igualmente provável que apenas tivesse ouvido alguma coisa que a assustou, correu para a escada, a fim de chamar seu pai, e acabou caindo. Tinha apenas seis anos, e sentia medo do escuro.

Sentia e ainda sinto, pensou ela.

— Nunca fui capaz de lembrar de tudo com nitidez. E detesto não saber, não ter certeza se poderia evitar que acontecesse... se poderia salvá-lo.

— Posso tranqüilizá-la nesse ponto. — Lou largou o copo. Queria que ela o visse agora como um policial. — Havia dois homens no quarto de seu irmão naquela noite. A babá disse que ouviu dois homens sussurrando antes de ser amarrada. As evidências encontradas pelos peritos confirmam isso. A seringa no chão do quarto de seu irmão continha um sedativo, uma dose para criança. Pelo que pudemos calcular, o tempo que transcorreu entre o momento em que a babá foi amarrada e a sua queda foi de menos de vinte minutos. Foi uma tentativa de seqüestro frustrada, Emma, com resultados trágicos. Mas foi bem planejado. Aconteceu alguma coisa para atrapalhar os planos, para confundi-los. Podemos nunca saber o que foi. Mas se você entrasse naquele quarto, se tentasse lutar, não seria capaz de salvar Darren, e é bem provável que morreria também.

Emma torcia para que ele estivesse certo. Rezava para que ele estivesse certo. Mas não serviu para acalmá-la. Quando se retirou, uma hora depois, prometeu a si mesma que tentaria acreditar.

— Você tem pais maravilhosos — comentou, quando Michael acompanhou-a até o carro.

— Também acho.

Ele pôs a mão na maçaneta da porta do carro. Não a deixaria sair de sua vida tão depressa outra vez. Lembrava como ela parecia na praia naquele dia... fora mesmo cinco anos antes? Uma expressão triste... triste e linda. Alguma coisa em Emma despertara um sentimento nele. E o mesmo tornava a acontecer agora.

— Vai ficar aqui muito tempo?

Ela correu os olhos pela rua. Um lindo bairro. Podia ouvir crianças brincando nas proximidades, o zumbido baixo de um cortador aparando um gramado. Especulou, ansiosa, como poderia ser a vida num lugar assim.

— Parto amanhã.

Michael teve vontade de dizer um palavrão.

— Uma viagem rápida.

— Tenho aula na segunda-feira. — Emma levantou os olhos, sentindo-se tão embaraçada quanto ele. Michael era mais atraente do que se lembrava... com o dente lascado, o nariz um pouco torto. — Eu gostaria de ter mais tempo.

— O que vai fazer agora?

— Ahn... ia dar um passeio, uma volta pelas colinas.

Ele compreendeu, e não tinha certeza se gostava da perspectiva.

— Quer companhia?

Emma fez menção de recusar, polidamente, como fora ensinada. Mas se ouviu dizer:

— Quero sim... e quero muito.

— Dê-me um minuto.

Michael afastou-se antes que ela pudesse mudar de idéia. Bateu a porta de tela ao entrar na casa; e bateu-a de novo ao sair. Sorriu ao sentar no banco do carona.

— Você me salvou de mais uma hora cortando grama. E papai não conseguirá deixar o gramado como está até minha volta. Ele é organizado demais.

— Fico satisfeita por poder ajudar.

Emma guiou a esmo por algum tempo, contente em deixar o vento desmanchar seus cabelos, escutar a música que tocava no rádio, jogar conversa fora. Quando a voz do pai saiu pelos alto-falantes, alta e forte, seus lábios se contraíram.

— Sempre parece esquisito?

— Ouvi-lo? — O sorriso se alargou. — Não. Conheci sua voz antes de conhecê-lo. É difícil pensar no Da sem pensar em sua música. A mesma coisa deve acontecer com você. Ele é seu pai, mas também é um policial. Tenho certeza que é natural que pense nele usando uma arma, um distintivo ou qualquer outra coisa.

— Tem razão. Mesmo assim, foi estranho quando comecei a trabalhar para ele.

— Como assim?

— Acabei cedendo. — Michael deu um sorriso descontraído. — Como Johnno disse, estou seguindo as pegadas do velho.

Capítulo Vinte e Um

— Você é da polícia?

Emma parou o carro num sinal de trânsito. Aproveitou para se virar e estudá-lo.

— O que meu pai gosta de chamar de novato. — Ele sorriu de novo. — O que foi? Passei a ter um focinho sem perceber?

— Não.

Emma continuou parada ali por mais um momento, até que o sinal abriu e ela partiu de novo. Não fazia sentido, ela pensou, ter uma noção da polícia pela impressão que tinha de Lou... e, no outro lado do espectro, por séries de televisão como *Starsky and Hutch (Justiça em Dobro)*.

— Apenas é estranho pensar em você dessa maneira — acrescentou ela.

— Já é alguma coisa. Nunca imaginei que você pensasse em mim de qualquer forma.

Ela riu.

— Claro que pensei. Quando nossa foto saiu no jornal, fui a garota mais popular na escola por semanas. Exagerei um pouco o que aconteceu, em meu benefício.

— Eu também. — Ele estendeu o braço por cima do encosto e ficou mexendo nas pontas dos cabelos de Emma. — Tive um encontro romântico com Sue Ellen Cody por causa daquela foto.

— É mesmo?

Emma lançou-lhe um olhar repentino.

— Foram meus quinze minutos de fama. E fiquei torcendo para que você voltasse.

— Sweeney contou tudo para papai. — Ela deu de ombros. — E isso foi o fim de tudo. Gosta de ser policial?

— Gosto. Até o momento em que entrei na academia, tinha certeza que detestaria. Mas não houve jeito. Algumas coisas têm de acontecer. Por mais que você tente se afastar, sempre acaba no lugar a que pertencia desde o início. Entre aqui, se quiser subir até a casa.

Emma parou o carro de novo. Ficou olhando para a frente.

— Como soube?

— Meu pai costumava vir até aqui. Acompanhei-o algumas vezes. Ele não saía do carro. Apenas olhava para a casa. Pensei que você poderia querer saber que ele nunca esqueceu o que aconteceu, e nunca aceitou o fato de não ter descoberto os culpados.

— Acho que eu sabia disso. Foi por isso que eu quis vê-lo, falar com ele de novo. — Emma suspirou. — Você sabia o que eu tencionava quando anunciei que queria dar uma volta.

— Pensei que devia ser isso.

— Por que veio?

— Não queria que viesse sozinha.

Ela se empertigou. Foi um movimento quase imperceptível, mas ele sentiu os ombros levantando, o queixo se projetando.

— Não sou frágil, Michael.

— Está bem. Eu queria continuar a seu lado.

Emma virou-se. Ele tinha os olhos gentis, como os do pai, mas ela ainda podia ver o garoto que a levara da praia até sua casa. Pouco a pouco, seu corpo relaxou.

— Obrigada.

Ela partiu de novo, seguindo as orientações de Michael. As ruas não pareciam familiares. Emma pensara que lembraria. Ocorreu-lhe que nunca encontraria a casa sozinha... o que fez com que se sentisse insensata. Não conversavam agora, exceto pelas instruções ocasionais de Michael, "vire à direita", "siga em frente", mas ouviam pelo rádio do carro os sons de Crosby, Stills e Nash.

Michael não precisou lhe dizer quando parar. Ela reconheceu a casa. Era como uma foto, revelada e arquivada em sua mente. Continuava quase como antes, isolada por árvores e sebes, exibindo as flores do inverno nas colinas. Era um cenário rústico, como só os ricos podiam ter. Tábuas de sequóia e placas de vidro, um gramado estendendo-se para o bosque e o riacho.

Ela viu, assim como Michael, a placa espetada no gramado, avisando que a casa estava à venda.

— Podemos dizer que é o destino. — Michael tocou no braço de Emma. — Quer entrar?

Ela tinha as mãos cruzadas no colo, apertando-as com força. Podia avistar a janela... a janela do quarto em que outrora se postaram, junto com Darren, os dois exultantes ao observarem uma raposa correr entre as árvores.

— Não posso.

— Está bem. Podemos ficar sentados aqui pelo tempo que você quiser.

Emma podia se ver entrando no regato. Bev ria, enquanto Darren jogava água para todos os lados, os pés descalços, as pernas do macacão levantadas. Recordou um piquenique que os quatro haviam partilhado, uma manta estendida sob as árvores, o pai dedilhando a guitarra, Bev lendo um livro, enquanto Darren cochilava em seu colo.

Esquecera esse dia. Como pudera esquecer? Era um dia lindo, um dia perfeito. A relva era fresca, o sol quente, amarelo, onde passava pelas folhas, como uma sombra cinza e suave nos pontos em que era bloqueado. Podia ouvir a voz do pai, as palavras que ele cantava:

Nunca é tarde demais para procurar o amor... nunca é cedo demais para encontrá-lo...

Eram felizes, pensou Emma. Formavam uma família. Depois, no dia seguinte, deram uma festa... e tudo mudara.

— Muito bem — disse ela, abruptamente. — Quero entrar.

— Certo. Talvez seja melhor se não souberem quem você é... sobre a ligação.

Ela acenou com a cabeça e passou pelos portões abertos.

Michael pôs a mão sobre a dela quando pararam na frente da porta. Emma tinha a mão gelada, mas firme. Ele fixou seu melhor sorriso quando a porta foi aberta.

— Oi! Passávamos por aqui quando vimos a placa. Há semanas que procuramos uma casa. Temos um encontro marcado em outra casa dentro de uma hora, mas não pudemos resistir a dar uma olhada nesta. Ainda não foi vendida, não é?

A mulher, que devia ter quarenta e poucos anos, vestia Calvin Klein e mocassins da Bass. Lançou um olhar longo e cauteloso para o casal. Registrou a camisa de trabalho de Michael, a Levis velha, os tênis surrados. Mas foi bastante perceptiva para registrar os sapatos discretos e caros de Emma, a saia e a blusa de Ralph Lauren. Além do Mercedes conversível. Ela sorriu. A casa estava à venda há cinco meses, sem qualquer oferta concreta.

— Temos um possível comprador, mas o contrato não será assinado antes da segunda-feira. — Ela viu o anel de diamantes e safira no dedo de Emma, pequeno mas elegante. — Acho que não há nenhum problema em lhes mostrar a casa.

Ela abriu a porta ainda mais. Alteou uma sobrancelha quando Emma hesitou, antes de entrar.

— Sou Gloria Steinbrenner.

— Prazer em conhecê-la. — Michael estendeu a mão para um aperto. — Sou Michael Kesselring. Esta é Emma.

A Sra. Steinbrenner ofereceu-lhes um sorriso radiante. Que se danasse o corretor que tentava vender a casa. Abrira a porta para um possível cliente, e faria de tudo para fechar o negócio.

— A casa está em perfeitas condições. Eu a adoro. — Ela detestava cada tábua e tijolo. — Parte meu coração ter de vendê-la, mas... devo ser franca... meu marido e eu estamos nos divorciando, e resolvemos liquidar tudo.

— Ahn... — Michael assumiu o que esperava ser uma expressão simpática e interessada. — Sinto muito.

— Não há o que lamentar. — Ela acenou com a mão. — São da área?

— Não. Somos... do Valley. — Era uma sugestão inspirada. — Mas estamos ansiosos em sair de lá. Muita gente, poluição. Não é isso mesmo, Emma?

— Claro que sim. — Emma forçou um sorriso. — É uma linda casa.

— Obrigada. A saleta de estar, como podem ver, é magnífica. Teto alto, vigas de carvalho genuínas, muito vidro, espaços abertos. E a lareira funciona, é claro.

Sei disso, pensou Emma. Não sentara na frente do fogo aceso muitas vezes? Os móveis eram novos, e ela detestou à primeira vista. Pretensiosas esculturas modernas e mesinhas esmaltadas. Onde estavam todas as almofadas, os cestos engraçados, com novelos de lã e fitas, arrumados por Bev?

— A saleta de jantar é ali, mas este canto, junto do terraço, é perfeito para refeições íntimas.

Não, aquilo não era certo, pensou Emma, enquanto seguia a dona da casa, mecanicamente. Bev pusera plantas ali. Uma selva de plantas, em urnas e velhos vasos de barro. Stevie e Johnno trouxeram uma árvore um dia, grunhindo e ofegando ao carregá-la. Era uma brincadeira, mas Bev deixara a árvore ali, e ainda comprara um ridículo rouxinol de gesso para empoleirar num galho.

— Emma?

— O que é? — Ela teve um sobressalto e apressou-se em recuperar o controle. — Desculpe.

— Não tem problema. — A mulher estava exultante porque Emma parecia fascinada. — Perguntei se você cozinhava.

— Não... não muito bem.

— A cozinha é a mais moderna possível. Eu mesma a reformei, há dois anos. — Ela abriu a porta de vaivém e gesticulou. — Tudo embutido. Microondas, fogão, um forno de ventilador. Muito espaço de balcão. E uma despensa, é claro.

Emma olhou para a cozinha moderna e sem alma. Era toda branca e de aço inoxidável. Não havia mais as panelas de cobre que Bev mantinha brilhantes, penduradas em ganchos. Não havia mais os pequenos potes com ervas no peitoril da janela. Nem a cadeira alta de Darren, nem os livros de culinária, nem os jarros coloridos de boticário.

A mulher continuava a falar, obviamente considerando a cozinha como a *pièce de résistance*, enquanto Emma ficava parada, lamentando a mudança.

Quando o telefone tocou, a mulher fechou a porta de um armário branco.

— Você está bem? — murmurou Michael.

— Estou. — Emma queria estar. — Eu gostaria de subir.

— Escute aqui, Jack! — A voz da Sra. Steinbrenner perdera o tom insinuante. — Não estou interessada em suas queixas, nem nas ameaças de seu advogado. Entendido?

Michael limpou a garganta.

— Com licença... — Ele deu um sorriso cativante para a mulher. — Podemos dar uma volta pela casa?

Ela acenou para que eles fizessem isso, antes de gritar pelo telefone:

— Escute aqui, seu babaca!

Enquanto os dois deixavam a cozinha, Michael comentou:

— Parece que ela ficará ocupada durante algum tempo. Tem certeza que quer subir?

Não, ela não tinha certeza. Estava longe de ter certeza sobre qualquer coisa.

— Não posso chegar até este ponto e não concluir o que vim fazer.

— Está certo.

Apesar do ressentimento de Emma contra qualquer sugestão de sua fragilidade, Michael passou o braço por seus ombros quando começaram a subir.

As portas estavam abertas... a porta do quarto em que o pai e Bev outrora dormiam. Onde Emma podia ouvi-los rindo de vez em quando, tarde da noite. O quarto de Alice, que sempre fora arrumado e tranqüilo, tornara-se uma sala de estar, as paredes cobertas por livros, com uma enorme televisão. Seu quarto... Emma parou e olhou.

As bonecas haviam desaparecido, o abajur de Mickey Mouse que ficava aceso durante a noite, os tons rosa e brancos por toda parte, tudo escolhido por Bev para agradá-la. Era agora, obviamente, um quarto de hóspedes. Flores de seda, uma cama enorme, ao melhor estilo de Hollywood, almofadas de cores fortes, material de leitura arrumado com todo cuidado. Um carpete de parede a parede substituía os tapetes felpudos, frívolos e lindos.

— Este era o meu quarto — murmurou ela, sem qualquer inflexão na voz. — Havia um papel de parede com rosas e violetas, cortinas rosadas rendadas nas janelas, no mesmo tom da colcha. Eu tinha bonecas nas prateleiras, várias caixas de música. Acho que era o tipo de quarto que todas as garotas querem ter, pelo menos durante algum tempo. Bev compreendia isso. Não sei por que pensei que continuaria como era antes.

Michael recordou uma citação que lera quando estava na universidade, e que ficara em sua mente.

— Todas as coisas mudam; nada perece. — Ele deu de ombros, contrafeito. Não era o tipo de homem que dizia citações. — Continua igual em sua cabeça. É isso o que conta.

Emma não disse nada. Virou-se e olhou pelo corredor, na direção do quarto de Darren. A porta também estava aberta, como devia ter acontecido naquela noite.

— Eu estava dormindo. — A voz era monótona. — Alguma coisa me acordou. A música. Pensei que era a música. Não ouvia o que era, mas podia sentir. O baixo vibrando. Tentei adivinhar que canção era e o que as pessoas estavam fazendo. Estava ansiosa em ficar mais velha logo para poder participar das festas. Ouvi alguma coisa... alguma coisa...

Irritada, ela levantou as mãos na tentativa de aliviar a dor de cabeça que começava a latejar nas têmporas.

— Não sei o que era. Mas... passos. — A lembrança foi repentina. O coração batia forte contra as costelas. — Ouvi alguém passando pelo corredor. Queria que fosse o Da ou Bev. Queria que falassem comigo por um momento. Talvez pudesse convencê-los a me deixarem descer. Mas não era o Da, nem Bev.

— Calma... — Michael podia ver o suor aflorando em sua testa. Pegou a mão de Emma. — Não se angustie.

— Darren estava chorando. Ouvi-o chorar. Tenho certeza. Não era um sonho. Ouvi-o chorar mesmo. Levantei-me. Alice me dissera para não deixar Charlie no berço. Mas Darren gostava de dormir com Charlie, e estava chorando. Ia levar Charlie para Darren, conversar com ele, até que dormisse de novo. Mas o corredor estava escuro.

Emma correu os olhos pelo corredor agora, iluminado pelo sol que entrava através das janelas dos quartos.

— Estava escuro, mas não deveria estar. Sempre deixavam uma luz acesa por minha causa. Tenho medo do escuro. Há coisas no escuro.

— Coisas? — repetiu Michael, franzindo as sobrancelhas.

— Não queria sair para o corredor no escuro. Mas ele continuava a chorar. Eu podia ouvir a música agora, ao sair para o corredor, o escuro. Era alta. E eu tinha medo.

Emma começou a se encaminhar para a porta do antigo quarto de Darren, como se estivesse num sonho.

— Podia ouvi-los, sibilando nos cantos, arranhando as paredes, arrastando-se pelos tapetes.

— O que você ouvia? — perguntou Michael.

— Os monstros. — Ela virou-se para fitá-lo. — Ouvia os monstros... E... não me lembro. Não me lembro se fui até a porta. Estava fechada, mas não sei se a abri.

Ela parou na porta. Por um instante, viu o quarto como o lembrava... atravancado com os brinquedos de Darren, pintado em cores primárias brilhantes. O berço, a cadeira de balanço, o velocípede novo. E, depois, a cena se dissolveu para o que era agora.

Uma escrivaninha de carvalho e uma cadeira de couro. Porta-retratos, prateleiras de vidro ocupadas pelos objetos mais diversos.

Um escritório. Haviam transformado o quarto de seu irmão num escritório.

— Saí correndo — murmurou ela, depois de um longo momento. — Não me lembro de mais nada, exceto de correr e cair.

— Você disse que foi até a porta. Contou para meu pai, quando ele foi visitá-la no hospital, logo depois da tragédia, que abrira a porta.

— Era como um sonho. E agora não me lembro de mais nada. Tudo se desvaneceu.

— Talvez tenha sido melhor assim.

— Ele era muito bonito. — Doía demais olhar para o quarto. — Bonito demais. Eu o amava mais do qualquer outra coisa ou pessoa. Todos o amavam.

As lágrimas turvavam a visão de Emma, que se apressou em acrescentar:

— Preciso sair daqui.

— Vamos embora.

Michael levou-a pelo corredor. Desceram a escada, pela qual ela rolara naquela noite, anos antes. Ele lançou um olhar contrito para Gloria Steinbrenner, que saía apressada da cozinha.

— Desculpe, mas minha mulher não está se sentindo bem.

— Oh... — A irritação e o desapontamento vieram primeiro. Depois, a esperança. — Cuide para que ela descanse um pouco. Como observaram, esta casa foi feita para crianças. Não vão querer criar um filho no Valley.

— Tem toda razão.

Michael não se deu ao trabalho de corrigi-la. Levou Emma para fora.

— Voltaremos a nos falar! — avisou ele, ao sentar ao volante.

Se não estivesse preocupado com a palidez de Emma e a perspectiva de guiar um carro de trinta mil dólares, Michael teria notado o sedã azul-escuro que os seguiu.

— Desculpe — murmurou ela, depois que começaram a descer pelas ladeiras sinuosas.

— Não diga bobagem.

— Não é bobagem. Não me saí muito bem.

— Você foi ótima. — Ele se inclinou para afagar a mão de Emma, constrangido. — Nunca perdi ninguém muito próximo, mas basta ser humano para imaginar como seria. Não se censure, Emma.

— Relegar ao passado? — Ela deu um sorriso desanimado. — Espero conseguir um dia. Pensei que se voltasse à casa, e pensasse no que aconteceu, tudo voltaria. Como isso não aconteceu...

Ela deu de ombros e pôs os óculos escuros.

— Você foi um grande amigo.

— Esse sou eu — murmurou Michael. — Sempre um companheiro. Está com fome?

Ela começou a sacudir a cabeça em negativa, mas se conteve ao descobrir que tinha fome.

— Estou faminta.

— Posso pagar um hambúrguer... acho.

Michael fez um esforço para lembrar quanto tinha na carteira.

— Eu adoraria comer um hambúrguer. E como você tem sido um companheiro, o convite é meu.

Ele parou no McDonald's. Como descobriu que só tinha na carteira três notas de um dólar e o telefone de uma ruiva de que mal se lembrava, ele pôs de lado o que disse a si mesmo ser um estúpido orgulho machista. Emma não questionou a conveniência de pedir os sanduíches e refrigerantes para viagem, nem a suposição casual de Michael de que continuaria ao volante.

— Pensei em comer na praia.

— Eu adoraria.

Ela tornou a fechar os olhos e encostou a cabeça no banco. Sentia-se contente por ter vindo. Contente por ter subido aquela escada. Contente por estar ali, o vento quente soprando em seu rosto, Michael sentado ao seu lado.

— Estava caindo granizo quando deixei Nova York.

— Também há universidades na ensolarada Califórnia.

Emma sorriu, desfrutando a brisa em seu rosto.

— Gosto de Nova York — comentou ela, distraída. — Sempre gostei. Nós compramos um loft. Está quase habitável agora.

— Nós?

— Eu e Marianne. Estudamos juntas em Saint Catherine. — Como ainda mantinha os olhos fechados, Emma não notou a expressão de alívio satisfeito de Michael. — Sempre juramos que um dia viveríamos em Nova York. É onde moramos agora. Ela é estudante de artes plásticas.

Ele decidiu que já gostava de Marianne.

— Ela é boa?

— Muito boa. Um dia as galerias vão entrar numa briga de foice para expor seus quadros. Ela fazia as caricaturas mais incríveis das freiras.

Emma abriu os olhos e notou que ele estava com o rosto franzido.

— Provavelmente é apenas um instinto de policial novato em hora de folga. Está vendo aquele sedã logo atrás de nós?

Ela olhou para trás.

— Já vi. O que tem ele?

— Está atrás de nós desde que pegamos os hambúrgueres.

Michael trocou de faixa. O sedã fez a mesma coisa.

— Eu diria que está nos seguindo... se o motorista não fosse tão estúpido na manobra.

Emma deixou escapar um suspiro longo e cansado.

— Deve ser Sweeney.

— Quem é Sweeney?

— Meu segurança. Ele sempre me descobre. Às vezes penso que o Da implantou um chip de rastreamento por baixo da minha pele.

— É possível. Acho que faz sentido.

Mas ele não gostava de ser seguido, ainda mais de uma forma tão amadora, na primeira vez em que saía com uma paixão antiga

— Posso despistá-lo.

Emma abaixou os óculos escuros. Por trás deles, os olhos faiscavam, no primeiro riso espontâneo que Michael via nela.

— Jura?

— Posso tentar o melhor possível. Tenho certeza que este carrinho vai fazê-lo comer poeira.

— Pois então vamos embora! — exclamou ela, sorrindo.

Exultante, Michael pisou no acelerador, cortou uma caminhonete e aumentou a velocidade para cento e trinta quilômetros.

— Costumávamos apostar corrida na *freeway*... em minha juventude insensível e desperdiçada.

Ele deu outra guinada no volante, passando entre uma picape e um BMW. Cortou um Caddy em seguida e acelerou o Mercedes para cento e cinqüenta.

— Você é mesmo bom. — Rindo, Emma virou-se no banco para observar o tráfego por trás. — Não posso mais vê-lo.

— Ele continua lá atrás, tentando ultrapassar o Caddy. Deixei o motorista do Caddy tão irritado que ele não quer dar passagem. Agüente firme.

Ele deu outra guinada no volante, trocou de faixa e pegou a rampa de saída. Uma volta em U ilegal, com a ajuda do potente motor do Mercedes, e ele voltou à *freeway*, só que seguindo agora na direção oposta. Passaram pelo sedã. Michael diminuiu para uma velocidade razoável e pegou outra saída.

— Você é mesmo bom — repetiu Emma. — Ensinaram isso na academia de polícia?

— Algumas habilidades são natas. — Ele parou o carro. Afagou o volante. — E fica muito fácil com um carro assim.

Emma inclinou-se e beijou-o no rosto.

— Obrigada... mais uma vez.

Antes que Michael pudesse responder, ela pegou os sacos e correu para a areia.

— Adoro isto! — Ainda rindo, ela se virou num círculo. — Amo o mar, a maresia, o barulho das ondas. Se pudessem levar o mar para a beira da Broadway, seria o paraíso.

Michael teve vontade de agarrá-la nesse instante, abraçá-la em pleno giro, descobrir se ela era mesmo tão deliciosa quanto parecia. Mas Emma arriou na areia e abriu os sacos.

— Isto aqui também tem um cheiro extraordinário. — Ela pegou um sanduíche, antes de perceber que Michael fitava-a fixamente. — O que foi?

— Nada... — Mas ele tinha a boca ressequida outra vez. — Ahn... lembrei que especulei se você ia alguma vez ao McDonald's. Lembra-se do nosso primeiro encontro, no ensaio? Papai me levou para comer um hambúrguer depois. E me perguntei se você também fazia aquilo, cercada por todos aqueles seguranças.

— Não, não fazia... mas o Da ou o Johnno de vez em quando me levavam um sanduíche. Mas não sinta pena de mim. — Ela tornou a enfiar a mão no saco. — Não hoje.

— Está bem. Passe as batatas fritas.

Comeram vorazes, não deixando sequer uma migalha para as gaivotas. Uma brisa soprava, trazendo uma neblina do mar. Havia outras pessoas na praia, umas poucas famílias, moças exibindo os corpos esguios e bronzeados, os inevitáveis rádios tocando alto. Para Emma, no entanto, era um dos mais pacíficos e isolados interlúdios de sua vida.

— Eu poderia me acostumar a isso. — Emma suspirou. Ergueu os braços. — Sentada na praia, ouvindo o mar...

Ela sacudiu a cabeça, e os cabelos escorreram como poeira dourada pelas costas.

— Eu gostaria de ter mais tempo.

— Eu também.

Michael tinha de tocá-la. Não podia se lembrar de um único momento em que não sentira essa vontade. Quando ele desceu um dedo pelo rosto dela, Emma virou a cabeça e sorriu. E o que viu nos olhos de Michael fez seu coração subir para a garganta. Os lábios se entreabriram, não tanto em surpresa, mas numa indagação.

Não resistiu quando ele encostou os lábios nos seus. Com um gemido baixo, virou-se para Michael, convidando-o para alguma coisa que não compreendia direito. Uma ligeira pressão dos dentes de Michael deixou seus lábios ardendo. E, quando o beijo se consumou, Emma ouviu o murmúrio de prazer que ele soltou, sentiu as mãos se contraírem em seus braços.

Sem hesitação, ela comprimiu o corpo contra o de Michael e absorveu a sensação.

Michael acreditaria que era a primeira vez que alguém a beijava assim? A primeira vez que ela se sentia assim? Um desejo intenso, quente, de uma ternura angustiante, envolveu-a por completo. Vinha esperando por isso? Mesmo enquanto especulava, ela fechou os olhos para ajudar a preservar a lembrança.

— Você tem mesmo — murmurou ele, tornando a beijá-la, gentilmente, pois parecia a coisa certa.

— Tenho o quê?

— O gosto que sempre achei que tinha. Venho pensando nisso há muito tempo.

Emma tinha de engolir em seco, tinha de recuar. Havia sentimentos crescendo dentro dela, e não sabia o que fazer com eles. Eram imensos e afloravam muito depressa.

— É o sal.

Confusa, ela se levantou e foi até a beira da água. Era fácil para um homem não distinguir entre confusão e indiferença. Michael continuou sentado, dando tempo para si mesmo. Não tinha sentimentos indiferentes por Emma. Por mais estúpido que pudesse parecer, estava apaixonado. Ela era linda, elegante e devia estar acostumada a ser desejada pelos homens. Homens ricos e importantes. E ele não passava de um policial em início de carreira, de uma família de classe média. Michael deixou escapar um longo suspiro, levantou-se e tentou parecer tão casual quanto ela.

— Está ficando tarde.

— Tem razão.

Emma se perguntou se teria enlouquecido. Tinha vontade de rir e chorar ao mesmo tempo, de dançar e lamentar. Queria correr para Michael, mas sabia que no dia seguinte estaria a cinco mil quilômetros. Ele estava apenas sendo gentil. Ela era a pobre menina rica, um título que detestava, enquanto Michael... Michael fazia alguma coisa com sua vida.

— Preciso mesmo voltar. — Ela virou-se e sorriu. — Foi um prazer sair com você hoje... podermos passar algum tempo juntos.

— Estarei por aí. — Ele pegou a mão de Emma... um gesto cordial, disse a si mesmo. Mas que se danasse a cordialidade. — Quero vê-la de novo, Emma... preciso vê-la.

— Não sei...

— Pode me telefonar quando voltar à Califórnia.

A maneira como Michael a fitava agora fazia com que sua pele ficasse quente e fria, alternadamente.

— Está bem. Será ótimo... mas não sei quando poderei voltar.

— Pensei que viria para o filme.

— Que filme?

Estavam se encaminhando para o carro. Michael parou.

— Se não me engano, começarão a filmar dentro de duas semanas, em Londres, e depois continuarão aqui. Vão providenciar uma segurança extra.

Como Emma desse a impressão de que não sabia de nada, ele explicou:

— O filme vai se chamar *Devastada*, baseado no livro de sua mãe. Angie será a protagonista... Angie Parks. — Michael percebeu que cometera um erro enorme e estúpido. — Desculpe, Emma. Pensei que você já soubesse.

— Não, não sabia — murmurou ela, sentindo de repente um cansaço inacreditável.

ELE ATENDEU O TELEFONE ANTES DE TERMINAR O PRIMEIRO toque. Há horas que esperava e suava.

— Alô?

— Eu a descobri.

A voz tremia... a voz que ele conhecia tão bem.

— E que mais?

— Ela foi procurar o policial, Kesselring. Passou mais de uma hora em sua casa. E depois foi para a casa em que aconteceu tudo. Temos de fazer alguma coisa, o mais depressa possível. Eu lhe disse na ocasião e vou repetir agora. Não arcarei com a culpa pelo que aconteceu.

— Trate de se controlar. — O tom era incisivo, mas a mão tremia um pouco quando ele pegou um cigarro. — Muito bem, ela foi até a casa. Entrou?

— A porra da casa está à venda. Ela e o cara que a acompanhava entraram direto.

— Que cara?

— Um cara. Acho que é o filho do policial.

— Muito bem. — Ele escreveu uma anotação no bloco ao lado do telefone. — Para onde eles foram depois que deixaram a casa?

— Foram para um desses lugares que vendem hambúrgueres.

A ponta do lápis quebrou.

— Como disse, por favor?

— Eu disse que foram comprar hambúrgueres. Depois, saíram para passear na *freeway*, e eu os perdi de vista. Sei onde ela vai passar a noite. Posso arrumar alguém para liquidá-la.

— Não seja idiota. Não há necessidade.

— Já disse que ela falou com o policial. Esteve em sua casa.

— Eu entendi. — A mão estava outra vez firme como uma rocha. Ele se serviu de um drinque, não por nervosismo, mas pelo prazer. — Pense um pouco, pelo amor de Deus. Se ela tivesse se lembrado de alguma coisa, qualquer coisa, iria calmamente comprar um hambúrguer?

— Não penso...

— Esse é o seu problema... seu problema desde o início. Ela não lembrou na ocasião, não lembra agora. Talvez essa viagem impulsiva tenha sido uma última tentativa de recordar o que aconteceu. Ou, mais provavelmente, apenas uma viagem sentimental. Não há qualquer necessidade de fazer nada com Emma, absolutamente nenhuma.

— E se ela se lembrar?

— É bastante improvável. Agora, quero que preste toda atenção. A primeira vez foi um acidente, um acidente trágico e imprevisto. Um erro que você cometeu.

— A idéia foi sua. Tudo foi idéia sua.

— Exatamente, já que entre nós dois eu sou o único que é capaz de um pensamento original. Mas foi um acidente. Não tenho a menor intenção de cometer um assassinato premeditado.

Ele pensou no músico de estúdio que queria pizza, mas não se lembrou de seu nome.

— A menos que seja inevitável. Entendido?

— Você é um filho-da-puta de sangue frio.

— Sou mesmo. — Ele sorriu. — E o aconselho a não se esquecer disso.

Capítulo Vinte e Dois

Estava nevando em Londres, flocos enormes e úmidos, que se infiltravam pela gola e derretiam na pele, deixando a pessoa gelada. Era uma neve de cartão-postal, a menos que a pessoa estivesse retida pelo tráfego engarrafado na King's Road.

Emma preferiu andar. Imaginou que Sweeney estava irritado com sua opção, mas não podia se preocupar com ele agora. Tinha o endereço num pedaço de papel, no bolso do casaco acolchoado. Mas não precisava do lembrete. Memorizara o endereço.

Era estranho estar em Chelsea, como adulta, livre para andar por onde quisesse. Não se lembrava de nada. Na verdade, sentia-se como uma turista em Londres, ainda mais em Chelsea, o grande palco para os punks e os Sloane Rangers, tão estranho para ela quanto um canal veneziano.

As ruas estavam repletas de butiques e lojas de antiguidades, com apressadas compradoras de última hora de botas e casacos elegantes, à procura do presente perfeito, entre as incontáveis ofertas.

Garotas rindo, com pérolas e blusões de *training* por baixo dos casacos. Rapazes tentando parecer durões, entediados e experientes.

Apesar da neve, havia uma vendedora de flores na Sloane Square. Mesmo em dezembro, um buquê podia ser comprado por um preço razoável. Ela sentiu-se tentada pela cor e o perfume, mas passou direto, sem abrir a bolsa para tirar as libras e xelins. Seria estranho se batesse na porta e oferecesse um buquê à sua mãe.

Sua mãe... Ela não podia negar nem aceitar Jane Palmer como sua mãe. Até mesmo o nome lhe parecia distante... como alguma coisa que lera num livro. Mas o rosto persistia, o rosto que aflorava em flashes estranhos e esporádicos em sonhos, o rosto que ficava vermelho de irritação, antes de um tapa ou empurrão. O rosto das reportagens na *People, Enquirer,* e *Post.*

Um rosto do passado, pensou Emma. E o que o passado tinha a ver com o dia de hoje?

Então por que ela viera? A indagação martelava em sua cabeça, enquanto seguia pela rua estreita e bem cuidada para resolver um problema que deveria ter sido resolvido anos antes.

Emma especulou se Jane achava que era uma boa piada ter se mudado para a área elegante e próspera em que Oscar Wilde, Whistler e Turner haviam residido. Escritores e artistas sempre se instalavam em Chelsea. E músicos, pensou Emma. Mick Jagger tinha uma casa ali. Ou tivera. Não tinha importância para Emma se ele e os Stones ainda moravam ali. Só havia uma pessoa que ela queria ver agora.

Talvez Jane fosse atraída pelos contrastes. Chelsea era punk e familiar. Era relaxado e frenético. E custava muito caro morar numa daquelas casas elegantes. Ou talvez o motivo de Jane estivesse relacionado com o fato de Bev ter se instalado no mesmo bairro.

O que não tinha qualquer importância.

Emma parou, abrindo e fechando a mão na alça da bolsa, enquanto a neve continuava a cair, pousava em seus cabelos e ombros. A casa era muito distante do pequeno apartamento, num prédio sem elevador, em que ela vivera com Jane. Tinha a pretensão de ser antiga, mas a cópia de uma casa geminada vitoriana ficava muito aquém do objetivo. Alguém decidira acrescentar um domo e janelas altas e estreitas. Podia ser encantadora, à sua maneira, mas as cortinas estavam fechadas e o caminho não fora varrido, nem tivera a neve removida. Ninguém se dera ao trabalho de pendurar enfeites ou luzes de Natal.

O que fez com que ela pensasse, saudosa, na casa dos Kesselring. Não havia a neve da estação na Califórnia, mas a casa oferecia o aconchego e a alegria que significavam o Natal. Por outro lado, ela não estava voltando para casa para festejar o Natal. Nem sequer voltava para casa.

Ela respirou fundo, empurrou o portão e percorreu o caminho coberto de neve até a porta da frente. Havia uma aldraba na porta de madeira entalhada. Ela ficou olhando, meio esperando que a cabeça de leão de latão se transformasse no semblante atormentado de Jacob Marley, o personagem de Charles Dickens. Talvez fosse a estação, talvez fossem os fantasmas da infância que a levavam a fantasiar.

Com as mãos geladas, dentro das luvas forradas de pêlo, ela levantou a aldraba, apenas uma velha cabeça de leão de latão, e deixou-a cair contra a madeira.

Como não houvesse resposta, bateu de novo, torcendo para que não houvesse ninguém para ouvir. Se ninguém atendesse, poderia dizer a si mesma que fizera o melhor possível para apagar Jane e a necessidade de vê-la de sua mente e coração? Queria desesperadamente fugir da casa que pretendia ser uma coisa que não era, da cabeça de leão de latão, da mulher que parecia nunca sair completamente de sua vida. E quando já se preparava para recuar, aliviada, a porta foi aberta.

Emma não foi capaz de falar. Só podia olhar para a mulher no chambre vermelho de seda, pendendo de um ombro, esticado nos quadris, que se alargavam além da opulência. Os cabelos eram um emaranhado louro, em torno de um rosto largo, pálido e flácido. O rosto de uma estranha. Foram os olhos que Emma reconheceu e lembrou. Os olhos, contraídos e furiosos, estavam agora avermelhados, do álcool, drogas ou falta de sono.

— O que você quer?

Em deferência ao ar frio, Jane levantou o chambre no ombro. Havia o brilho de diamantes nos dedos. Para horror de Emma, o bafo azedo era de gim.

— Escute aqui, queridinha, tenho coisas melhores para fazer numa manhã de sábado do que ficar parada aqui na porta.

— Ouem está aí?

A voz de homem, irritada, veio do segundo andar. Jane lançou um olhar entediado para trás, gritando:

— Agüenta as pontas, está bem?

Ela tornou a se virar para Emma.

— Afinal, o que você quer? Pode ver que estou ocupada.

Vá embora, pensou ela, frenética. Trate de se virar e se afastar.

— Eu gostaria de conversar com você. — Emma ouvia a própria voz, mas parecia de uma estranha. — Sou Emma.

Jane não se mexeu. Mas os olhos mudaram, contraíram-se ainda mais, num esforço para focalizar. Via à sua frente uma jovem alta e esguia, o rosto pálido e delicado, cabelos louros e lisos. Viu Brian... e, depois, a filha. Por um instante, teve um sentimento próximo do arrependimento. Mas logo os lábios se comprimiram.

— Ora, ora, a pequena Emma voltou para sua mamãe. O que você quer falar comigo?

Ela soltou uma risada alta e estridente, que provocou um sobressalto em Emma, fazendo-a se preparar para um tapa. Mas Jane apenas recuou.

— Entre, querida. Vamos ter uma conversinha.

Jane já estava fazendo seus cálculos, enquanto seguia na frente pelo corredor, até uma sala atravancada, escura por causa das cortinas fechadas. Havia um cheiro ali... de álcool e fumaça de uma coisa que não era tabaco. Parecia que, no final das contas, a distância do velho apartamento não era tão grande assim.

O cheque anual de Brian seria suspenso em breve, e não haveria ameaça ou persuasão que pudesse lhe arrancar mais uma libra sequer. Mas havia a garota. Sua pequena Emma. Uma mulher devia ser previdente, decidiu Jane. Ainda mais quando tinha gostos dispendiosos... e um hábito dispendioso.

— Que tal um drinque? Para celebrar nosso reencontro.

— Não, obrigada.

Jane deu de ombros e foi se servir de um drinque. Quando se virou, a seda vermelha subiu pelos quadris largos.

— Aos laços de família? — propôs ela, erguendo o copo para um brinde.

Jane soltou uma risada, quando Emma baixou os olhos para suas mãos e acrescentou:

— Imagine só encontrá-la na minha porta depois de tantos anos!

Ela tomou um longo gole. Tornou a encher o copo e foi sentar num sofá de veludo púrpura.

— Sente-se, Emma querida, e me fale de você.

— Não há nada para contar. — Tensa, Emma sentou na beira de uma poltrona. — Só estou em Londres para as festas.

— Festas? Ah, o Natal... — Jane sorriu, batendo no copo com uma unha lascada. — Trouxe um presente para sua mãe?

Emma sacudiu a cabeça em negativa. Sentia-se como uma criança de novo. Apavorada e solitária.

— O mínimo que podia fazer, depois de tantos anos, era trazer um presentinho para sua mãe. — Com um aceno de mão, Jane recostou-se. — Mas não importa. Você nunca foi uma criança atenciosa. Está crescidinha agora, hem?

Ela fez uma pausa, avaliando os diamantes nas orelhas de Emma.

— E tem se dado muito bem na vida. Escolas de luxo, roupas de luxo.

— Estou na universidade agora — disse Emma, desamparada. — E tenho um emprego.

— Um emprego? Para que você quer um emprego? Seu velho é cheio de grana.

— Gosto do que faço. — Emma detestou o fato de não conseguir controlar a gagueira. — Quero trabalhar.

— Você nunca foi uma garota muito inteligente. — Jane, o rosto franzido, tomou mais um gole de gim. — Quando penso em todos os anos em que vivi na maior dificuldade, para comprar roupas para você e encher sua barriguinha... Nunca recebi um mínimo de gratidão por isso.

Ela tornou a pegar a garrafa de gim e despejou mais no copo.

— Você vivia chorando, o nariz escorrendo, até que foi embora com seu pai, sem olhar para trás. E tem vivido numa boa, não é, menina? A princesinha do papai. Nem um pensamento por mim em todos esses anos.

— Sempre pensei em você.

Jane tornou a bater com os dedos no copo. Queria pegar a droga escondida, tomar uma dose rápida, mas tinha medo de que Emma pudesse desaparecer se saísse da sala, e perderia sua chance para sempre.

— Ele envenenou você contra mim. — Lágrimas de autocompaixão começaram a escorrer. — Queria você só para ele, quando fui eu que passei por todo o sofrimento do parto, o sofrimento de criar uma filha sozinha. Eu poderia ter me livrado de você, Emma. Mesmo naquele tempo já era uma coisa fácil, se você conhecia as pessoas certas.

Emma levantou os olhos nesse momento. Solenes e intensos, fixaram-se no rosto da mãe.

— Por que não fez isso?

Jane apertou o copo. Começavam a tremer. Não tomava uma droga há horas, e o gim era um substituto insuficiente. Mas ela era esperta, esperta demais para admitir que a perspectiva de um aborto numa viela deixara-a mais assustada do que um parto na enfermaria limpa de um hospital.

— Eu o amava. — E porque ela acreditava nisso, parecia verdade. — Sempre o amei. Crescemos juntos. E ele me amava, era devotado a mim. Se não fosse por sua música, sua carreira nojenta, ficaríamos juntos. Mas ele me descartou como se eu não fosse nada. Nunca se importou com qualquer coisa ou qualquer pessoa além de sua música. Acha mesmo que ele se importava com você?

Jane levantou-se, os passos um pouco trôpegos por causa do gim.

— Ele nunca se importou nem um pouco. Era apenas por causa de sua imagem. Não queria que a porcaria do público pensasse que Brian McAvoy era um homem que abandonava a própria filha!

As antigas dúvidas, os antigos medos, voltaram tão depressa que Emma teve de fazer um esforço para declarar:

— Ele me ama. Fez tudo por mim.

— Ele só ama Brian.

Jane pôs as mãos nos braços da poltrona da filha e inclinou-se para a frente. Havia um brilho em seus olhos agora. De puro prazer. Podia fazer muito pouco para se vingar de Brian... e Deus sabia que tentara tudo o que lhe ocorrera para fazê-lo sofrer. Mas podia magoar Emma, e isso era a segunda melhor coisa.

— Ele teria ignorado nós duas se não fosse pelo escândalo. Era o que ele pretendia fazer até que ameacei ir aos jornais.

Ela não mencionou a ameaça de matar Emma e se suicidar. Na verdade, fora algo tão insignificante que esquecera por completo.

— Ele sabia... e aquele seu agente de merda também sabia... o que aconteceria se a imprensa começasse a dizer que o astro mais quente do rock deixara sua filha num cortiço. Foi por isso que ele levou você e me pagou uma grana alta para sair de sua vida.

Emma estava enojada das palavras, do cheiro que Jane exalava quando as dizia.

— Ele pagou a você?

— Fiz por merecer. — Jane pegou o queixo de Emma entre os dedos e apertou. — Mereci cada libra e mais ainda. Ele comprou você e sua paz de espírito. Pagou barato, mas nunca conseguiu ter o que queria, não é mesmo? Nunca foi capaz de comprar a paz de espírito.

— Largue-me! — Emma segurou o pulso de Jane e o empurrou para longe. — Nunca mais me toque.

— Você é tão minha quanto dele.

— Não! — Emma levantou-se, rezando para que as pernas a sustentassem. — Você me vendeu, junto com qualquer reivindicação de maternidade que pudesse ter. Ele pode ter me comprado, Jane, mas também não me possui.

Ela fez um esforço para conter as lágrimas. Não choraria ali, na presença daquela mulher.

— Vim aqui hoje para lhe pedir que cancelasse o filme baseado em seu livro. Esperava que você pudesse ter sentimentos por mim, pelo menos o suficiente para respeitar meus desejos nesta única coisa. Mas desperdicei meu tempo.

Do alto da escada, o atual amante de Jane começou a gritar imprecações.

— Ainda sou sua mãe! — berrou Jane. — Não pode mudar isso!

— Não, não posso. E tenho de aprender a viver com isso.

Emma virou-se e encaminhou-se apressada para a porta.

— Quer que eu interrompa o filme? — gritou Jane. — Até que ponto quer que seja suspenso?

Muito calma, Emma virou-se de novo. Lançou um último olhar para a mãe.

— Pensou que eu lhe pagaria? Calculou errado desta vez, Jane. Nunca receberá qualquer dinheiro meu.

— Sua vaca!

A mão de Jane projetou-se para o rosto da filha. Emma não se deu ao trabalho de desviar-se do tapa. Apenas abriu a porta e saiu.

ELA VAGUEOU POR MUITO TEMPO, ESQUIVANDO-SE DAS pessoas e seus embrulhos nas calçadas, ignorando o ronco dos motores, os risos, a alegria frenética do Natal. As lágrimas não rolaram. Espantava-a a facilidade com que podia controlá-las agora. Talvez o frio ajudasse... ou o barulho. Tornava mais fácil não pensar em qualquer coisa. Por isso, quando se descobriu parada na frente da porta de Bev, não teve consciência de ter caminhado até ali, nem que tivera essa intenção.

Ela se apressou em bater na porta. Não era o momento de pensar. Não era o momento de sentir. Era o momento de amarrar todos os fios soltos e continuar em sua vida, como disse a si mesma.

A porta foi aberta. Ar quente e canções de Natal. A fragrância de pinheiro e boas-vindas. Com a neve turbilhonando por trás, Emma olhou para Alice. Era muito estranho, pensou ela, olhar de cima para sua antiga babá. O tempo a tornara mais alta e fizera Alice mais velha. Ela percebeu o brilho de reconhecimento nos olhos de Alice. Os lábios da antiga babá tremeram.

— Como vai, Alice? — Seus próprios lábios estavam rígidos quando ela forçou-os a se contraírem num sorriso. — É um prazer tornar a vê-la.

Alice ficou imóvel, as lágrimas aflorando a seus olhos.

— Alice, não se esqueça de entregar aquele pacote a Terry se ele aparecer. — Bev atravessou o vestíbulo em passos rápidos, um casaco de pele escuro pendurado no braço. — Estarei em casa às...

Ela parou de repente, a bolsa escura escapulindo de suas mãos inertes.

— Emma... — sussurrou ela.

As duas se encontravam separadas por um metro e meio, com Alice em lágrimas no meio. Bev sentiu o prazer primeiro, o ímpeto de se adiantar e abraçar Emma. Depois, sentiu a vergonha.

— Eu deveria ter ligado — murmurou Emma. — Estava na cidade e pensei...

— Fico muito contente que tenha vindo. — Recuperada, Bev sorriu e adiantou-se. — Alice...

A voz era gentil quando pôs a mão no ombro da mulher.

— Vamos querer um chá.

— Você estava de saída — disse Emma. — Não quero interromper seus planos.

— Não importa. Alice...

A mulher acenou com a cabeça e se afastou apressada pelo vestíbulo.

— Você está crescida... — Bev juntou as mãos para controlar o impulso de pegar Emma. — É difícil acreditar... mas você deve estar congelando.

Ela respirou fundo e pegou a mão enluvada de Emma.

— Entre, por favor.

— Você tem planos.

— A festa de uma cliente. Não é importante. Eu gostaria muito que você ficasse. — Os dedos apertaram os de Emma, enquanto os olhos examinavam seu rosto, quase ansiosos. — Por favor.

— Está bem. Por alguns minutos.

— Deixe-me ajudá-la a tirar o casaco.

Elas sentaram, duas estranhas polidas na sala de Bev, alegre e espaçosa.

— Uma linda sala. — Emma sorriu sem espontaneidade. — Ouvi dizer que você estava fazendo o maior sucesso como decoradora. Posso compreender o motivo.

— Obrigada.

Oh, Deus, o que devo dizer? O que não devo dizer?

— Minha amiga e eu compramos um loft em Nova York. Ainda estamos arrumando. — Ela limpou a garganta, olhando para o fogo na lareira de pedra. — Eu não imaginava que era tão complicado. Você sempre fez com que parecesse fácil.

— Nova York... — Bev cruzava e descruzava as mãos no colo. — Está vivendo lá agora?

— Isso mesmo. E estudando na universidade em Nova York. Fotografia.

— E você gosta?

— Muito.

— Passará bastante tempo em Londres?

— Viajarei logo depois do Ano-novo.

A pausa seguinte foi longa e embaraçosa. As duas olharam, aliviadas, quando Alice entrou com o carrinho do chá.

— Obrigada, Alice. Pode deixar que eu sirvo.

Bev pôs a mão sobre a de Alice por um instante e apertou-a. Quando tornaram a ficar a sós, Emma comentou:

— Ela ficou com você.

— Ficou... ou seria mais apropriado dizer que ficamos uma com a outra.

Ajudou ter o chá ali, o bule, as xícaras, os biscoitos arrumados numa travessa de porcelana de Sèvres. Ela não tinha sede, não tinha apetite, mas a mecânica, a mecânica simples e civilizada de servir o chá relaxou-a.

— Ainda toma seu chá com bastante creme e açúcar?

— Não. Fui americanizada.

Havia flores frescas num vaso azul. Tulipas. Emma especulou se Bev as teria comprado da vendedora na praça ou se ela própria as plantara.

— Agora é apenas com bastante açúcar.

— Brian e eu sempre tivemos medo que você se tornasse gorda e desdentada por causa de sua atração por doces.

Bev estremeceu. Fez um esforço para se controlar e procurou um tema para uma conversa fácil.

— Fale-me sobre fotografia. Que tipo de fotos gosta de tirar?

— Prefiro fotografar pessoas. Fotos de caráter, pode-se dizer assim, mais do que abstratas ou natureza-morta. Espero fazer carreira na fotografia.

— Isso é maravilhoso. Eu gostaria de ver algumas de suas fotos. — Ela fez outra pausa. — Talvez na próxima vez que eu for a Nova York.

Emma olhou para a árvore de Natal na frente da janela. Era coberta por centenas de enfeites pequenos, pintados à mão, e laços brancos. Ela não comprara um presente para Bev, nenhuma caixa que pudesse deixar na árvore. Mas talvez houvesse uma coisa que ela poderia dar.

— Por que não pergunta como ele está, Bev? — murmurou ela, gentilmente. — Seria mais fácil para nós duas.

Bev fitou-a nos olhos. Aqueles lindos olhos azuis, tão parecidos com os do pai.

— Como ele está?

— Eu bem que gostaria de saber. Sua música está melhor do que nunca. A última excursão... Mas você já deve saber de tudo isso.

— Tem razão.

— Ele está fazendo a música para um filme, e fala em preparar um álbum conceitual. E tem os vídeos. Quase que se pode acreditar que os vídeos foram criados pensando no Da. Tudo dá certo, como acontece nos shows. — Emma fez uma pausa, antes de acrescentar, abruptamente: — Ele está bebendo demais.

— Também já me falaram a respeito — murmurou Bev. — P.M. está preocupado com ele. Mas os dois... a relação entre eles tem sido muito tensa nos últimos anos.

— Quero convencê-lo a ir para uma clínica. — Emma deu de ombros, inquieta. — Mas ele não quer me ouvir. Pode perceber a necessidade em Stevie... mas neste caso é difícil deixar de perceber. A conversa é complicada porque não afetou seu trabalho, sua criatividade, nem mesmo sua saúde, pelo menos até agora. Mas...

— Você está preocupada.

— Muito preocupada.

O sorriso de Bev foi mais suave, mais fácil, uma lembrança do sorriso de que Emma se lembrava.

— Foi por isso que veio me visitar?

— Em parte, suponho eu. Parece haver muitas partes em meu motivo.

— Juro que eu não hesitaria, Emma, se pensasse que poderia ajudar se achasse que havia qualquer coisa que pudesse fazer... absolutamente qualquer coisa.

— Por quê?

Bev pegou a xícara para se dar tempo de escolher as palavras.

— Brian e eu partilhamos muita coisa. Por mais tempo que tenha passado, por mais mágoa que tenha ficado, não podem ser esquecidos todos aqueles sentimentos.

— Você o odeia?

— Não... claro que não.

— E a mim?

— Oh, Emma...

Emma levantou-se, balançando a cabeça.

— Não tinha a intenção de lhe perguntar isso. Mas de repente me senti... inacabada, de certa forma. Não sei o que pensei que faria hoje. — Ela olhou para o fogo que crepitava na lareira, tranqüilizador. — Fui falar com Jane.

A xícara de Bev tremeu no pires, antes que ela conseguisse controlar as mãos.

— Oh...

Com uma risada, Emma passou a mão pelos cabelos.

— Isso mesmo, oh... Senti que tinha de fazer isso, que vê-la ajudaria a definir meus sentimentos. E também pensei, insensata, que poderia influenciá-la a suspender o filme baseado em seu livro. — Ela se virou. — Você não pode imaginar como é olhar para ela, vê-la pelo que é e saber que é minha mãe.

— Não sei o que lhe dizer, Emma, a não ser a verdade.

Bev estudou Emma por um momento. Talvez houvesse uma coisa que podia fazer, uma coisa bem pequena, para redimir o erro que cometera tantos anos antes. Ela largou a xícara. Cruzou as mãos. Quando falou, a voz era calma e segura:

— Você não é nada parecida com ela. Nem um pouco. Não era como ela quando veio para nós, não é agora.

— Ela me vendeu ao Da.

— Oh, Deus... — Bev comprimiu as mãos contra o rosto, mas logo as abaixou. — Não foi bem assim, Emma.

— Ele ofereceu o dinheiro. Ela aceitou. Uma mercadoria que trocou de mãos... e fui impingida a você.

— Não! — Bev levantou-se de um pulo, fazendo a porcelana tremer. — É cruel dizer isso, e uma estupidez ainda por cima. Ele pagou, é verdade. Pagaria qualquer coisa que fosse necessária para mantê-la sã e salva.

— Jane disse que ele fez isso para preservar sua imagem.

— Ela é uma mentirosa. — Bev adiantou-se e pegou as mãos de Emma. — Escute o que tenho a dizer. Lembro o dia em que ele a trouxe para casa, a maneira como você parecia. E como ele parecia. Brian estava nervoso, talvez assustado, mas determinado a fazer o que fosse certo para você. Não por causa da imagem pública, mas porque você era sua filha.

— E cada vez que ele olhava para mim, cada vez que você olhava, deviam vê-la.

— Não Brian. Nunca Brian.

Bev suspirou. Passou o braço pelos ombros de Emma. As duas arriaram no sofá.

— Talvez fosse assim para mim no início. Eu era jovem... a mesma idade que você tem agora. Estávamos loucamente apaixonados, planejando casar. E eu estava grávida de Darren. Você apareceu de repente... uma parte de Brian com a qual eu nada tinha a ver. Fiquei apavorada. Talvez até tenha me ressentido. A verdade é que eu não queria sentir qualquer coisa por você... talvez apenas um pouco de compaixão.

Quando Emma fez menção de se desvencilhar, Bev segurou-a pelos ombros.

— Eu não queria amá-la, Emma. Mas, subitamente, passei a amá-la. Não planejei. Não parei um dia e disse a mim mesma que você merecia uma chance. Apenas me apaixonei por você.

Emma desmoronou nesse momento. Abaixou a cabeça para o ombro de Bev e chorou, o corpo todo tremendo, sem o menor constrangimento, enquanto o fogo crepitava e Bev afagava seus cabelos.

— Sinto muito, querida. Lamento não estar presente para ajudá-la. Agora você está crescida, e perdi minha oportunidade.

— Pensei que me odiava... por causa de Darren.

— Nunca!

— Você me culpou...

— Não! — Bev recuou, aturdida. — Por Deus, Emma! Você era uma criança. Culpei Brian, e estava errada. Culpei a mim mesma, e rezo para estar errada. Mas quaisquer que tenham sido as coisas imperdoáveis que fiz ou pensei, nunca a culpei.

— Ouvi-o chorando...

— Não fale mais nada.

Ela pegou as mãos de Emma e levantou-as para seu rosto. Não imaginara que Emma sofresse tanto. Se soubesse... Bev fechou os olhos por um momento. Se soubesse, esperava que fosse bastante forte para deixar sua dor de lado, pelo bem da criança.

— Foi a coisa mais terrível que aconteceu em minha vida, Emma, a mais destrutiva, a mais angustiante. Repelia as pessoas que devia abraçar. Nos primeiros anos depois da morte de Darren, eu... mal sabia o que era, onde estava. Entrava e saía da terapia, pensava em suicídio, desejando ter coragem para acabar com tudo. Havia alguma coisa diferente em Darren, Emma, alguma coisa especial, quase mágica. Às vezes não podia nem acreditar que ele saíra de mim. E quando ele morreu, de repente, de uma maneira tão cruel, tão desnecessária, foi como se alguém tivesse arrancado meu coração. Não houve nada que eu pudesse fazer. Perdi meu filho. E, na minha dor, afastei-me de minha filha. E perdi-a também.

— Eu o amava muito.

— Sei disso. — Bev sorriu, gentilmente. — Sei disso.

— Também amava você. Senti muita saudade.

— Nunca pensei que tornaria a vê-la, Emma. Ou que você poderia me perdoar.

Isso a deixou espantada. Perdoar? Emma pensara durante anos que ela é que nunca seria perdoada. Agora, com umas poucas palavras, o desespero que ela sentira durante o dia inteiro começou a se desvanecer, permitindo-lhe sorrir.

— Quando eu era pequena, achava que você era a mulher mais linda do mundo. — Emma inclinou-se para a frente, encostou o rosto no de Bev. — Ainda acho. Importa-se se eu tornar a chamá-la de mamãe?

Emma sentiu um trêmulo suspiro quando Bev abraçou-a e apertou-a com força.

— Espere um instante. Tenho uma coisa para você.

Sozinha, Emma abriu a bolsa para pegar um lenço de papel. Recostada nas almofadas, enxugou os olhos. Sua mãe sempre fora e sempre seria Bev. Talvez, finalmente, aquela fosse a única busca que podia pôr para trás.

— Guardei para você — anunciou Bev, voltando à sala. — Ou talvez tenha guardado para mim. Ajudou-me a suportar as noites mais solitárias.

Com um grito de prazer, Emma levantou-se de um pulo.

— Charlie!

Capítulo Vinte e Três

Havia no estúdio de gravação vinte e dois músicos de orquestra, inclusive violinos, violoncelos, flautas, fagotes e uma harpa. Dois assistentes haviam levado um tempo considerável e feito o maior esforço para ornamentá-lo. Havia bolas vermelhas brilhantes penduradas do teto, ramos de pinheiros nas paredes e uma árvore de Natal de alumínio, bastante feia para ser engraçada, girando num suporte no canto.

Johnno misturara o que ele chamava, solene, de *wassail,* o drinque quente servido no Natal, de vinho ou cerveja com condimentos. Depois que ele tomara dois copos e sobrevivera, outros foram atraídos a provar. Ninguém estava de porre, por enquanto, mas havia muitas aclamações e aplausos.

Vinham trabalhando numa única canção há mais de quatro horas, e Brian sentia-se quase satisfeito com o resultado. Através dos fones, ele ouviu a última tomada. Ainda o impressionava que uma canção, no início apenas uma melodia vaga em sua mente, podia adquirir uma vida própria, tão nítida e intensa. Havia ocasiões, quando ouvia o que ajudara a criar, em que experimentava um eco da emoção que sentira ao compor sua primeira canção.

Podia ver Pete de pé na cabine de controle, irritado e impaciente, como sempre acontecia quando Brian demonstrava seu perfeccionismo. Brian não se importou com isso e deixou que a música o envolvesse.

Johnno jogava pôquer com um dos flautistas e com a harpista linda e esguia. Johnno encontrara uma pala verde em algum lugar e animava o jogo com um roubo escancarado e apostas extravagantes.

P.M. lia o que parecia ser um livro de mistério. E sinistro, se era possível julgar um livro pela capa. Ele parecia preferir sua própria companhia e alguns assassinatos macabros no momento.

Stevie estava outra vez no banheiro. Sua última tentativa de se livrar das drogas durara menos de uma semana depois que saíra da última clínica.

Eles estavam satisfeitos, pensou Brian, e mais do que dispostos a encerrarem o dia. Ele ouviu até a última nota.

— Quero fazer a vocalização de novo.

Johnno puxou o bolo de apostas na mesa. Quem disse que não se podia ganhar com quatro cartas de uma seqüência faltando a do meio? Ele ofereceu uma piscadela insinuante para a harpista. Com uma risada, ela entregou-lhe uma nota de cinco libras.

— Como sabia que ele ia querer outra tomada?

— Conheço meu gado.

Johnno levantou-se. Ergueu o punho para a cabine de controle. Como Brian, notou a cara amarrada de Pete e ignorou-a.

— Mais uma vez.

— Não pode querer gravar de novo, filho. — Era Stevie, de volta ao estúdio, cambaleando. Voava alto, de uma dose de cocaína de primeira, arrematada com um pouco de heroína. — Não sabe que dia é hoje. É a porra da véspera de Natal.

— Ainda faltam duas horas. — Brian escondeu sua irritação. Por mais triste que fosse, ainda teriam vinte minutos de competência de Stevie, antes que ele despencasse. — Portanto, vamos acabar logo de uma vez, para que você possa ir para casa e pendurar sua meia na lareira.

— Ei, olhem só quem está aqui! — anunciou Stevie quando Emma entrou no estúdio. — É a nossa garotinha!

Ele passou o braço pelos ombros de Emma.

— Muito bem, menina, quem é o melhor?

Ela conseguiu sorrir. Deu um beijo no rosto encovado.

— O Da.

— Só vai ter carvão na sua meia, chatinha.

— Achei que ainda estariam aqui.

Como o braço de Stevie ainda a envolvesse, ela acompanhou-o até o microfone. Podia senti-lo vibrar como uma corda esticada.

— Incomodam-se se eu assistir?

— O ingresso custa cinco pence. — Johnno notou a aflição de Emma e gentilmente removeu o braço de Stevie. — Mas como é Natal, vamos fazer um bom abatimento.

— Não vamos demorar muito — declarou Brian.

— Ele disse a mesma coisa há duas horas. — Johnno deu um aperto rápido e tranqüilizador no braço de Emma. — O homem é um maníaco. Vamos denunciá-lo às autoridades logo depois da gravação.

Brian apagou o cigarro. Limpou a garganta com água pura.

— Apenas a vocalização de "Lost the Sun".

— A vigésima tomada — resmungou P.M.

Ele ficou satisfeito quando Emma roçou os lábios por seu rosto.

— Lamento desviá-lo de seu mergulho na literatura — disse Brian, ríspido.

Automaticamente, Emma foi se interpor entre os dois, enquanto tirava o casaco.

— "Lost the Sun"? Estou com sorte, porque é a minha música predileta no lote.

— Ótimo. Pode cantar no backup.

Ela riu para Johnno e se encaminhou para uma cadeira.

— Não! Espere um pouco! — Brian pegou-a pelo braço, sorrindo. — É exatamente isso que precisávamos.

Ele sinalizou para outro par de fones, enquanto acrescentava:

— Você entra na segunda estrofe.

— Não posso, Da.

— Claro que pode. Conhece a letra, a melodia.

— Tem razão, mas...

— É verdade. Não sei por que não pensei nisso antes. Esta canção precisa de um toque feminino. Mantenha leve, apenas um pouco triste.

— Não adianta argumentar — comentou Johnno, ajeitando os fones nos ouvidos. — Ele está embalado.

Emma deixou escapar um suspiro. Não haveria nenhum mal em fazer o que o pai queria.

— Qual é a minha porcentagem? Meu nome vai aparecer na ficha técnica? E o controle artístico?

Brian torceu o nariz.

Era suficiente vê-lo feliz, pensou Emma. Não havia nada como uma idéia nova para deixar o pai exultante. Ele estava gritando instruções agora, aceitando as sugestões de Johnno de vez em quando, mantendo o que parecia ser um olho de águia em Stevie, ignorando P.M. com a maior sutileza.

Ela ouviu a melodia na cabeça, as cordas e flautas tristes, desoladas. Era um som quase clássico. Como chuva, ela compreendeu... não uma tempestade, mas uma chuva miúda incessante num dia cinzento.

A voz do pai fluiu em seus ouvidos, clara e de certa forma doce, apesar da letra melancólica:

— Procurei seu rosto / Chamei seu nome/ Você era a luz / Mas as sombras me cobriram / Perdi o sol.

Como sempre, ela ficou impressionada com a harmonia quase fantástica que ele alcançava com Johnno. A voz do pai elevava-se, prolongando as notas, acariciando-as. A letra triste e desesperançada atingia direto o coração.

Porque é Bev, compreendeu Emma, subitamente. Ele cantava sobre Bev. Para Bev. Os olhos de Emma se arregalaram, fixados em Brian. Por que ela não percebera isso antes? Por que não compreendera?

Ele ainda era apaixonado. Não havia ressentimento ou raiva, mas um amor desesperado.

Emma não pensou, apenas sentiu, enquanto fazia o que o pai pedira, acrescentando sua voz.

Não percebeu que Johnno se retirara, deixando-a cantar só com o pai. Não foi um gesto planejado quando se inclinou para pegar a mão do pai. Não sabia que as lágrimas haviam aflorado a seus olhos. Sua voz se fundia com a do pai, o que também acontecia com seu coração:

— Minha vida está nas sombras sem você / Sem você / Sonhando com a luz, acordo no escuro / Perdi o sol.

Enquanto a música subia e se desvanecia, ela ergueu a mão de Brian para seu rosto.

— Eu amo você, Da.

Ele roçou os lábios pela mão da filha, lutando contra a necessidade de deixar suas lágrimas escorrerem.

— Vamos ouvir a gravação.

Quase se passou mais uma hora antes que os músicos começassem a deixar o estúdio. Mais uma hora antes que Brian ficasse satisfeito com a mixagem. Emma observou o pai encher um copo com Chivas Regal e beber como se fosse água, durante uma discussão com um dos técnicos de som. Não queria ficar transtornada com isso, não agora, quando começava a compreender em parte a angústia do pai. Mas também não podia permanecer de braços cruzados enquanto ele tentava afogar seu sofrimento no uísque.

Ela foi até o banheiro, a fim de retocar a maquilagem. Estavam falando em dar uma passada por um clube local. Cansada ou não, ela iria junto, para ficar de olho no pai.

Quando abriu a porta do banheiro, ficou paralisada pelo choque. Os ladrilhos brancos estavam manchados de sangue. O cheiro de sangue misturava-se com o fedor de vômito, apertando sua garganta com tanta força que ela teve de erguer a mão e apertar aqui e ali para desobstruí-la. Recuou apressada, quase tropeçando, antes de conseguir se virar e correr de volta para o estúdio.

— Da!

Ele terminava de tomar o uísque, o copo em uma das mãos, enquanto usava a outra para vestir o casaco. Estava inebriado pelo sucesso, mas o riso de algum comentário de Johnno cessou no instante em que viu o rosto de Emma.

— O que foi? O que aconteceu?

— No banheiro. Depressa. — Ela pegou a mão do pai para puxá-lo. — Está em todas as paredes... não consegui entrar.

Ela recuou, segurando o braço de Johnno, enquanto Brian abria a porta.

— Merda! — Depois de um rápido olhar, ele bateu a porta. Olhou para Pete. — Mande alguém limpar.

Brian pegou o braço de Emma e começou a levá-la de volta para o estúdio.

— Limpar? — Ela se desvencilhou. — Pelo amor de Deus, Da, há sangue por toda parte. Alguém está ferido. Precisamos...

— Ponha seu casaco e vamos embora.

— Ir embora? Temos de chamar a polícia, um médico ou...

— Calma, Emma — murmurou Pete. — Não há necessidade de chamar a polícia.

— Não há necessidade? — Ela tornou a se virar para o pai. — Mas temos de chamar!

— Não vamos chamar ninguém, e você deve esquecer o que viu.

— Mas...

— É Stevie. — Furioso, Brian pegou a filha pelos ombros e virou-a na direção de Stevie, arriado no canto. — Ele está usando drogas da pesada de novo. E não consegue espetar a agulha numa veia sem perder algum sangue.

— Oh, Deus! — Uma imagem horrível, das paredes cobertas de sangue, aflorou na mente de Emma. — Stevie está fazendo isso com ele mesmo? Está se matando!

— Provavelmente.

— E por que não faz alguma coisa?

— E o que eu deveria fazer? — Brian pegou o casaco da filha e pendurou-o em seus ombros. — A vida é dele.

— É um comentário desprezível — murmurou Emma.

Pete interveio como apaziguador. Tocou no ombro de Emma.

— Não pode culpar Brian, Emma. Ele tentou tudo. Juro que tentou. Todos nós tentamos. Assim que o álbum ficar pronto, vamos convencê-lo a ir de novo para uma clínica de desintoxicação.

— Assim que o álbum ficar pronto... o maldito álbum... — Revoltada, ela virou-se para o pai. — Ele é seu amigo.

— Tem razão, ele é meu amigo. — Brian não se deu ao trabalho de contar quantas vezes suplicara a Stevie que procurasse ajuda, quantas vezes encobrira o problema, dando sumiço nas seringas e limpando o sangue. — Você não compreende, Emma.

— Não, não compreendo. — Depois de um último olhar, ela virou-se. — Vou para casa.

— Emma...

Angustiado, Brian virou-se para olhar Stevie, desamparado.

— Pode ir — disse P.M., começando a levantar Stevie. — Eu o levarei para a cama.

— Certo.

Brian alcançou Emma lá fora. A neve parara de cair e a lua aparecera, com um brilho azulado. Num gesto automático, ele apertou o casaco, protegendo-se contra o vento frio.

— Emma...

Ele pôs a mão no ombro da filha. Foi o suficiente para fazê-la parar. Mas ela não se virou.

— Não a culpo por ficar transtornada. Sei que é um choque ver uma coisa assim, saber que uma pessoa de quem gosta está tão viciada.

— É verdade.

Emma respirou fundo, antes de se virar para fitá-lo. Tinha os olhos penetrantes.

— Tem toda razão.

— Não uso agulhas, Emma. Nunca usei.

Ela experimentou uma rápida onda de alívio, mas logo se desvencilhou.

— E todo o resto está certo?

Brian passou a mão pelos cabelos, frustrado.

— Não estou dizendo que é certo ou errado, apenas que é a realidade.

— Não o meu tipo de realidade.

— Sei disso e me alegro. — Ele pegou o rosto da filha. — Se eu pudesse, Emma, faria tudo para resguardá-la de qualquer coisa que a deixasse magoada ou transtornada.

— Não quero ser resguardada. Não preciso.

Os dois se viraram quando P.M. e Johnno carregaram Stevie para um carro à espera.

— É esse o tipo de vida que você quer? Foi por isso que trabalhou tanto? Era o que sonhava?

Ela fez com que Brian se sentisse envergonhado por ouvir a pergunta, e furioso porque não tinha certeza da resposta.

— Não posso explicar, Emma. Mas sei que não é possível conseguir tudo o que se quer, tudo com que se sonha.

Ela virou-se de novo, mas não se afastou. Gentilmente, Brian deu um beijo em seus cabelos. Não falaram ao se encaminharem para o carro. Como uma sombra, Sweeney seguiu-os.

VIVER PERTO DE HOLLYWOOD, DURANTE TODA A SUA VIDA, não estragara a fantasia e o encanto para Michael. Ele gostava de observar os astros e estrelas tanto quanto qualquer outra pessoa. Também não se importou de passar alguns dias em fevereiro trabalhando na segurança e controle da multidão na filmagem de *Devastada*. Fora um desapontamento descobrir que Angie Parks não participaria das primeiras cenas em locação. Ainda assim, ele gostou de ver as gêmeas que faziam o papel de Emma.

O diretor de elenco fizera um excelente trabalho, descobrindo duas meninas bem parecidas com Emma. Mas Emma era mais bonita, é claro, pensou ele. E continuava a ser. Tinha os olhos maiores e mais azuis. E a boca... De nada adiantava pensar nessas coisas agora.

Era melhor concentrar-se em seu trabalho... que não era, como diziam alguns veteranos, desdenhosos, um trabalho de bicha. Os fãs mais fervorosos da Devastation não estavam satisfeitos com o livro de Jane Palmer, muito menos com o fato de que seria convertido num filme. Alguns apareciam com faixas e cartazes, outros apenas vaiavam. Havia uns poucos, em trajes de couro, a cabeça raspada, só com uma faixa de cabelos no meio, com coleiras de cachorro, que davam a impressão de que adorariam brigar com os policiais.

Além disso, havia bandos de garotas, que gritavam e riam cada vez que Matt Holden aparecia. O jovem ator, escolhido para o papel de Brian McAvoy, era o atual sonho das adolescentes. Michael já tivera as canelas chutadas, o ombro machucado e o uniforme molhado por fãs apaixonadas.

Não havia encanto nenhum naquela vida, pensou ele, parado num cenário no estúdio. O sol estava alto, o dia nublado. O índice de qualidade do ar situava-se na faixa do repugnante, até mesmo para Los Angeles, concluiu Michael. Os produtores haviam decidido que seria uma boa publicidade convidar alguns fãs para assistir às filmagens durante alguns dias, trabalhar como extras, preencher os espaços vazios em segundo plano. A segurança já tinha bastante dificuldade para manter as multidões por trás das barreiras policiais. Agora, com as pessoas tendo liberdade para circular pelo que representava uma rua de Londres, cada guarda tinha de permanecer em alerta.

E, de repente, lá estava ela. Angie Parks. A rainha do cinema, exuberante, seios fascinantes, a mulher que redefinia o termo sexo ardente. A imprensa já aproveitara, exultante, a ironia da ex-esposa de P.M. Ferguson fazer o papel da ex-amante de Brian McAvoy.

Os homens começaram a suar quando ela passou, numa saia justa e blusa de algodão. Os cabelos estavam lisos, inflados no alto da cabeça, as pontas levantadas, como era moda nos anos 60. Ela sorriu para os fãs... um gesto afável, mas mais indiferente do que uma onda. Depois de uma conversa com o diretor e o ator com quem ia contracenar, estavam prontos para sua primeira filmagem.

Era bastante simples. Jane e Brian desciam pela rua suja, enlaçados pela cintura. Havia um clima de romance, além de intimidade. Ao longo da manhã, a cena foi repetida várias vezes para diferentes ângulos de câmera, para closes do rosto de Jane, quando se inclinava em adoração para o amante.

Foi só na pausa para o almoço que Michael notou que Angie o observava. Abruptamente, sua gola pareceu muito apertada, enquanto o rosto ficava coberto de suor, à sombra do quepe.

Viu quando ela murmurou alguma coisa para um dos assistentes, que pairavam nas proximidades, antes de se afastar, no braço do diretor.

O diálogo foi filmado à tarde. O mesmo passeio, os mesmos movimentos. Por sua vida, Michael não seria capaz de lembrar mais tarde o que foi dito. Alguma coisa sobre amor eterno, promessas de devoção, planos para o futuro. Sabia apenas que, nos intervalos de cada tomada, Angie lançava-lhe um olhar longo e intenso. Cada vez que isso acontecia, ele sentia um frio no estômago.

Angie estava dando em cima dele, pensou Michael, com um excitamento intenso e vibrante, mesclado de medo. E ela não estava sendo nem um pouco sutil. Apesar de seu fascínio, Michael não ignorara os olhares de inveja e os comentários grosseiros dos outros guardas no serviço de segurança.

Ainda assim, foi um choque quando a filmagem acabou e Angie fez sinal para ele, dobrando o dedo comprido.

— Meu trailer está ali.

— Como?

— Meu trailer. — Ela sorriu, o sorriso lento e sedutor que ela vira meia dúzia de vezes em filmes. Sua boca fora pintada com um rosa brilhante para a cena. Fitando-o, ela esticou a língua e passou-a pelo lábio superior. — Preciso trocar de roupa e tirar a maquilagem. Você pode esperar do lado de fora.

— Mas...

— Vai me levar para casa — declarou Angie, começando a se afastar.

— Eu... ahn... estou de serviço.

— Seu serviço agora é para mim. — Ela sorriu de novo, adorando essa frase em particular. — Tenho recebido cartas ameaçadoras... por causa desse papel. E me sentirei muito mais segura na companhia de um homem forte.

Angie fez outra pausa, exibindo de novo o sorriso famoso, enquanto dava alguns autógrafos.

— Os produtores combinaram tudo com seus superiores esta tarde.

Ela lançou um olhar insinuante para Michael, os olhos quase fechados, antes de seguir para o trailer, logo cercada por um bando de assistentes.

Michael ficou parado onde estava.

— Kesselring.

Michael piscou, para depois focalizar o rosto largo e vermelho do sargento Cohen.

— O que foi, sargento?

— Você deve acompanhar a Srta. Parks até em casa. Até que as ordens sejam mudadas, deve ir buscá-la de carro todas as manhãs e depois acompanhá-la de volta à sua residência.

Cohen não gostava dessa disposição. Ficou óbvio pela maneira irritada como ele falou. Michael pensou que se o sargento não usasse o uniforme teria cuspido no chão em desprezo.

— Certo, senhor.

— Espero que se comporte de maneira apropriada.

— Claro, senhor.

Michael teve o cuidado de evitar o sorriso até o sargento se afastar.

Ela saiu do trailer meia hora depois, usando um macacão vermelho largo, com um cinto de couro cheio de tachões. O perfume a envolvia, uma fragrância quente e inebriante, projetada para deixar um homem com água na boca. Os cabelos estavam desgrenhados de uma maneira atraente, os olhos ocultos por enormes óculos escuros. Ela abaixou-os para dar outra olhada em Michael, depois esperou ao lado da radiopatrulha até ele abrir a porta.

Angie deu o endereço, depois fechou os olhos. Permaneceu num silêncio frio durante toda a viagem. Muito antes de alcançarem os portões da propriedade, Michael já concluíra que se enganara sobre as intenções da atriz. Sentia-se ao mesmo tempo aliviado e tolo. Não ouvira o rumor de que ela tinha um caso ardente com seu companheiro no filme? Claro que muitas informações desse tipo não passavam de especulação e fofoca, mas com certeza fazia mais sentido Angie se sentir atraída por um ator de sucesso jovem e bonito como Matt Holden do que por um simples guarda de uniforme.

Ela sinalizou para o segurança na entrada, e os imponentes portões de ferro batido foram abertos. Michael lembrou que já estivera ali, guiando o velho Chevelle, com Emma ao seu lado, as pranchas de surfe amarradas no teto. Fez com que se sentisse pequeno. E triste. Emma não seria parte de sua vida, a não ser nas fantasias.

Consciente de seu dever, ele saltou, deu a volta pela frente do carro e abriu a porta do carona.

— Entre, policial.

— Madame, eu...

— Entre.

Angie subiu os degraus, em seu estilo patenteado, depois de repetir a ordem.

Ela deixou a porta aberta para Michael fechar. Atravessou o vestíbulo sem olhar para trás. Não tinha a menor dúvida de que o guarda a seguiria. Os homens sempre a seguiam. Depois de tirar os óculos escuros, ela entrou no que parecia ser a sala de estar. Abriu um armário Luís XV e tirou dois copos.

— Scotch ou bourbon?

Angie sabia que ele estava na porta, hesitante.

— Estou de serviço.

Os olhos de Michael foram atraídos, como já acontecera, para o retrato de corpo inteiro por cima da lareira. Já o vira uma vez, parado no mesmo lugar, com Emma ao seu lado.

— Sei disso. E é confortador saber que você leva seu serviço tão a sério.

Ela tornou a se virar para o bar, pegou um refrigerante e despejou num copo.

— Leva seu dever a sério, não é?

— É sim.

Sorridente, Angie levantou o copo.

— Pode tomar uma Coca-Cola, não é mesmo? Eu gostaria de conversar por alguns minutos. Para conhecê-lo melhor. — Ela tomou um gole de seu drinque, fitando-o por cima do copo. — Como vai tomar conta de mim por algum tempo, pode se aproximar.

Ela passou a língua pelo lábio superior. Angie considerava cada palavra, cada movimento, como mais um fio na teia que gostava de tecer. Não havia nada mais satisfatório do que capturar um homem na teia do sexo.

— Eu não mordo.

Ela esperou até que Michael pegasse o copo, antes de se esparramar num sofá. Não se podia chamar de sentar. Ela arqueou as costas no canto, por cima das almofadas. Esticou o braço pelo encosto, indolente. A seda do macacão farfalhou quando cruzou as pernas.

— Sente-se.

Angie tomou outro gole. Por trás do sorriso sedutor experiente, um excitamento intenso aflorava. Ele era jovem e esguio. Seu corpo devia ser duro como pedra. E ele estaria ansioso. Depois que o ajudasse a superar a timidez inicial — que já era uma atração a mais —, ele seria maravilhoso. Angie deduziu que ele deveria ter vinte e poucos anos, e seria capaz de transar por horas. Ela acenou com os dedos para a almofada ao seu lado.

— Fale-me de você.

Michael sentou, porque se sentia como um idiota de pé no meio da sala, com um copo de Coca-Cola na mão. Mas não era um idiota. Sua impressão inicial sobre as intenções da mulher estava confirmada. O problema era que não sabia o que fazer.

— Policial da segunda geração. Nascido e criado na Califórnia.

Ele bebeu, sentindo que relaxava. Se a deslumbrante Angie Parks queria flertar, ele a atenderia.

— E sou seu fã.

Michael sorriu. Angie quase ronronou de satisfação.

— É mesmo?

— Assisti todos os seus filmes.

Mais uma vez, o olhar de Michael foi atraído para o retrato.

— Gosta?

— Gosto muito. É espetacular.

Os movimentos lentos e sensuais, ela se inclinou para pegar um cigarro numa caixa de Lalique. Levantou-o, olhando para Michael, até que ele se lembrou de pegar o isqueiro na mesa.

— Sirva-se — murmurou ela, indicando a caixa com os cigarros.

Michael já pensava o que contaria aos colegas no vestiário. Todos babariam de inveja ao imaginá-lo sentado no sofá de Angie Parks.

— Já vi antes.

— O quê?

— O retrato. — Michael deu uma tragada, quase relaxando por completo. — É curioso quando se pensa a respeito. Estive aqui há sete ou oito anos. Com Emma.

Os olhos de Angie se contraíram.

— McAvoy?

— Isso mesmo. Encontrei-a na praia num verão. Havíamos nos conhecido alguns anos antes. Dei-lhe uma carona até a casa... até aqui. Acho que você estava filmando na Europa.

— Ahn...

Angie considerou a situação por um momento. Logo sorriu de novo. Fazia com que se tornasse ainda mais interessante. Estava prestes a seduzir um dos amigos de Emma McAvoy... e representar o papel da mãe de Emma no que seria um dos filmes mais sensacionais do ano. Seria muito interessante pensar em si mesma como Jane enquanto transassem.

— Um mundo pequeno. — Ela largou o copo. Inclinou-se para a frente, a fim de mexer nos botões da camisa de Michael. — Vê Emma com freqüência?

— Não. Mas ela esteve em Los Angeles no mês passado.

— Não é uma grande coincidência? — O primeiro botão foi aberto. — Vocês dois... estão envolvidos?

— Não. Isto é... não, Srta. Parks.

— Angie. — Ela soprou a fumaça no rosto dele para depois apagar o cigarro. — E qual é o seu nome, querido?

— Michael... Michael Kesselring. Eu não...

Os movimentos cessaram.

— Kesselring? Algum parentesco com o policial que investigou o assassinato do menino McAvoy?

— Ele é meu pai.

Ela riu nesse momento, uma risada longa e divertida.

— Cada vez melhor. Podemos dizer que é o destino, Michael. — Angie passou a mão pela coxa dele. — Relaxe.

Michael não era estúpido. E não estava morto. Quando ela o pegou, com as duas mãos, o prazer penetrou em seu corpo como uma lâmina em brasa. E o sentimento de culpa envolveu-o. Era um absurdo, ele disse a si mesmo. Ela era deslumbrante, perigosa... a fantasia mais delirante de cada homem. Já tivera outras mulheres, começando com Caroline Fitzgerald, na noite anterior aos seus dezessete anos. Perderam a virgindade juntos, suados e desajeitados. Ele aprendera muito desde Caroline.

Angie tirou o cigarro de seus dedos, deixando-o fumegar no cinzeiro, enquanto ele endurecia contra sua palma. Michael seria doce, pensou ela, Muito doce. E a ironia... a ironia era maravilhosa.

— Nunca transei com um policial — murmurou ela, enquanto mordiscava seu lábio. — Você será o primeiro.

Michael sentiu que o ar voltava a seus pulmões, quente e sufocante. Balançou a cabeça para desanuviá-la. Teve um lampejo, de uma intensidade angustiante, em que se viu sentado na praia, em pleno inverno, com Emma. Depois, Angie levantou-se. Com um rápido movimento das mãos, soltou o cinto. Só precisou dar de ombros para que o macacão vermelho de seda deslizasse para o chão. Por baixo, seu corpo era branco, sensual... e nu. Ela passou as mãos de alto a baixo, devagar, acariciando, em adoração, como um amante. Antes que Michael pudesse encontrar forças para resistir, ela montou-o. Com um gemido de prazer, Angie comprimiu um seio contra sua boca, um seio perfeito.

— Faça coisas comigo — murmurou ela. — Faça qualquer coisa que quiser.

Capítulo Vinte e Quatro

Os tablóides sensacionalistas à venda no supermercado tiveram um prato cheio.

AMANTE POLICIAL DE ANGIE PARKS
A História Confidencial
TRIÂNGULO DE PAIXÃO E ASSASSINATO EM HOLLYWOOD

Eles aproveitaram a ligação com os McAvoy e alardearam como uma banda de metais. Em Nova York, Emma tentou ignorar as fofocas, rezando para que não fosse baseada em fatos.

Não era da sua conta, ela assegurou a si mesma, enquanto passava horas no laboratório. Michael não era mais do que um amigo... um conhecido, para ser mais preciso. Não tinham vínculos concretos, muito menos um relacionamento. Exceto pelo beijo que haviam partilhado.

Ela estava romanceando. Um beijo nada significava. Não podia permitir que tivesse algum significado, mesmo que tivesse sentido...

não sabia direito o que sentira. Mas não tinha importância., Se Michael fora mesmo atraído para a teia de Angie, ela só podia sentir pena dele. A idéia de se sentir traída era ridícula.

Cada um tinha sua própria vida. Ele vivia na Costa Oeste, ela na Costa Leste. E Emma estava finalmente fazendo alguma coisa com sua vida.

Trabalhava para Runyun. Podia ser uma mera assistente, mas era uma assistente de Runyun. Nas últimas dez semanas, aprendera mais com ele do que em anos de aulas e pilhas de livros. Trabalhando sob a luz vermelha, ela gentilmente passou a cópia para o fixador da revelação. Estava se tornando cada vez melhor. E pretendia ser ainda melhor.

Um dia, pensou ela, conversaria com Runyun sobre dinheiro.

Em termos profissionais, ela seguia exatamente para onde queria ir. Em termos pessoais... sua vida estava em convulsão.

A mãe. Como podia explicar o que sentia por saber que a mulher que confrontara na sala escura em Londres a gerara? Algum dia seria capaz de definir e compreender seus sentimentos? E seus medos? Por mais garantias que Bev oferecesse, ela nunca seria capaz de se livrar do maior de todos os medos. Poderia ser igual a Jane? Lá no fundo, onde se encontravam as sementes que um dia germinariam, mudando-a do que queria ser para a mulher que nascera para ser?

Uma bêbada. Uma bêbada ordinária e amargurada.

Como podia escapar de um destino que a pressionava por todos os lados? A mãe, o avô. E o pai. Por mais que quisesse se manter cega para a realidade, não podia deixar de admitir que o homem que mais amava no mundo era tão escravo da bebida quanto a mulher que queria odiar.

E isso a apavorava.

Não queria acreditar. E tinha medo de não acreditar.

Não adiantava. Não adiantava nem um pouco pensar a respeito, ela disse a si mesma, enquanto pendurava a cópia para secar. Emma estudou-a, com um olho crítico, antes de levá-la para o ampliador.

Como estava preocupada demais com ela própria, decidiu se preocupar com Marianne. Emma sabia que a amiga começara a faltar às aulas, encontrando-se com Robert Blackpool para almoços ou drinques nos lugares mais em moda. De lá, costumavam ir para casas noturnas — Elaine's, Studio 54, danceterias — onde Blackpool podia ser visto.

Havia ocasiões em que Marianne só voltava para casa ao amanhecer, de olheiras, fervilhando com histórias para contar. Eram piores as noites em que Blackpool ficava no apartamento, no estúdio de Marianne... na cama de Marianne.

Com todo o seu coração, ela queria desejar a felicidade de amiga. E Marianne mostrava-se feliz. Estava perdidamente apaixonada pela primeira vez na vida, por um homem que parecia adorá-la. Levava a vida emocionante, exuberante e decadente com que as duas sonhavam quando se encontravam acuadas dentro dos muros imaculados de Saint Catherine.

Mas Emma sentia-se contrariada por se descobrir ciumenta e crítica. Ressentia-se por não ter Marianne para conversar, e por isso se considerava mesquinha. Irritava-se ao ver a exultação do sexo no rosto de Marianne, e se considerava despeitada.

Mesmo assim, Emma não conseguia se sentir à vontade com o romance de Marianne. Ele era um homem lindo, excitante e talentoso. Não se podia negar isso, ainda mais ao examinar as fotos secando. Ela concordara em fotografar Blackpool, por insistência de Marianne. E ele se comportara como um cavalheiro irrepreensível, lembrou Emma. Descontraído, divertido, lisonjeiro... da maneira platônica que convinha ao amante da amiga.

Amante... Com um pequeno suspiro de ansiedade, Emma franziu o rosto para as fotos. Talvez fosse esse o xis do problema. As duas haviam partilhado tudo... cada pensamento, cada feito, cada sonho, durante mais de dez anos. Aquilo era uma coisa que não podiam partilhar, e a felicidade borbulhante de Marianne talvez fosse a causa de sua reação... um lembrete constante de uma coisa que Emma nunca experimentara.

Era algo de que podia se envergonhar, pensou ela. Mas sempre era possível justificar seus sentimentos. Blackpool era insinuante demais, era muito experiente, gostava de freqüentar a noite, apreciava as mulheres. Seus olhos eram ansiosos quando a fitavam... e arrogantes quando contemplavam Marianne. Mas a verdade era a de que ela sentia uma inveja desesperada de Marianne.

Não importava que ela não gostasse dele, disse Emma a si mesma. Não importava que Johnno não gostasse dele, e sempre fizesse comentários desdenhosos sobre a predileção de Blackpool por roupas de couro e correntes de prata. O que importava mesmo era o fato de Marianne estar apaixonada.

Emma acendeu a luz, sentindo dor nas costas. Passar a maior parte do dia trabalhando no laboratório deixara-a com um apetite voraz. Esperava que Runyun e o contato que tinha na *Rolling Stone* gostassem das fotos que tirara da Devastation durante a gravação no estúdio.

Estava procurando alguma coisa interessante para comer na geladeira, além de salame mofado, quando ouviu a porta do elevador se abrir.

— Espero que tenha trazido comida! — gritou ela. — Estamos reduzidas a projetos de ciências!

— Sinto muito.

Emma virou-se bruscamente ao ouvir a voz de Blackpool.

— Pensei que fosse Marianne.

— Ela me deu uma chave. — Ele sorriu, descontraído, enquanto guardava a chave no jeans. — Teria passado por uma *deli* se soubesse que encontraria uma mulher faminta aqui.

— Marianne está na aula. — Emma olhou para o relógio. — Não deve demorar.

— Tenho tempo.

Ele foi até a cozinha para espiar por cima do ombro de Emma. Ela se afastou, numa reação automática.

— Patético... — murmurou Blackpool.

Ele pegou uma garrafa da cerveja importada que Marianne sempre mantinha na geladeira à sua disposição. Havia um abridor de latão aparafusado na parede. Blackpool abriu a garrafa para depois estudar Emma.

Ela prendera os cabelos no alto da cabeça para evitar que atrapalhassem durante o trabalho. Enquanto Blackpool a observava, ela pensou que o jeans era muito apertado e a camiseta muito grande. E soltara de um dos ombros.

— Lamento não poder lhe oferecer nada.

Blackpool alteou uma sobrancelha, sorriu e tomou um gole da cerveja.

— Não se preocupe com isso. Apenas pense em mim como alguém da família.

Emma não gostava de estar acuada com ele na cozinha tão pequena. Quando se encaminhou para a porta, Blackpool mudou de posição, apenas o suficiente para que os corpos roçassem. E riu quando ela teve um sobressalto.

— Eu a deixo nervosa, Emma?

— Não.

Era uma mentira, e não muito boa. Tentara pensar nele não como um homem, não da maneira como uma mulher pensa sobre um homem. Mas sentira que Blackpool tinha as coxas longas e firmes quando roçara em seu corpo.

— Você e Marianne vão sair?

— Esse é o plano. — Ele tinha o hábito de passar a língua por cima dos dentes antes de sorrir, como um homem prestes a saborear um filé suculento. — Não quer nos acompanhar?

— Acho que não.

Na única ocasião em que Marianne a persuadira a acompanhá-los numa incursão noturna, Emma descobria-se arrastada de um lugar para outro, esquivando-se dos *paparazzi.*

— Você quase não sai, meu bem.

Emma jogou a cabeça para trás, num movimento brusco, quando ele estendeu a mão para passar por seus cabelos.

— Tenho muito trabalho para fazer.

— Por falar nisso, já escolheu as fotos que tirou de mim?

— Já, sim. Estão secando.

— Importa-se se eu der uma olhada?

Com um movimento inquieto dos ombros, ela se encaminhou para o laboratório. Não tinha medo dele, assegurou a si mesma. Se Blackpool sondasse o terreno para saber se ela não queria formar um trio, haveria de lhe dar uma lição.

— Acho que vai ficar satisfeito.

— Tenho padrões muito elevados, Emmy querida.

Ela se empertigou ao ouvir o tratamento íntimo, mas não deixou transparecer.

— Tentei mostrar o taciturno, com um toque de arrogância.

A respiração de Blackpool era quente em seu pescoço.

— Sensual?

O tremor de Emma foi rápido e incontrolável.

— Algumas mulheres acham que o homem arrogante é sensual.

— E você?

— Não acho. — Ela gesticulou para as cópias, penduradas para secar. — Se gostar de alguma em particular, posso ampliar.

Ele se tornou bastante absorvido na própria imagem para abandonar o flerte. A sessão fotográfica, informal, fora realizada no loft. Ele só concordara porque Marianne insistira e porque queria a oportunidade de lançar um pouco de seu charme em Emma. Preferia mulheres mais jovens — recém-saídas da fazenda, como gostava de dizer —, ainda mais depois do terrível rompimento com a esposa. Ela tinha trinta anos, a língua tão afiada quanto um bisturi, propensa a brigar sempre que desconfiava, com toda razão, que ele fora infiel.

Gostava do entusiasmo vibrante de Marianne, o espírito irônico, as reações desinibidas na cama. Mas Emma, a jovem e retraída Emma, era diferente. Ele já especulara muitas vezes como seria remover aquela reserva fria. Tinha certeza de que poderia. E deixaria o pai dela furioso... um fato que aumentava a atração. Blackpool acalentava a fantasia de atrair as duas para a cama. Dois corpos esguios e macios, duas estudantes jovens e ágeis. A suspeita de que Emma era tão virgem quanto Marianne fora até conhecê-lo só servia para aumentar o desejo.

Mas ele pôs esses pensamentos de lado por um momento e estudou as fotos em preto-e-branco.

— Marianne disse que você era boa, mas pensei que era apenas porque ela é sua amiga.

— Não foi por isso. — No pequeno laboratório, Emma conseguia se manter a alguma distância. — Sou mesmo boa.

Ele riu, um rumor baixo que a deixou arrepiada. Ao sentir os músculos se contraírem, ela tentou se distanciar ainda mais. Blackpool era mesmo sensual. Por baixo da atração primitiva, no entanto, havia alguma coisa que a repugnava.

— Concordo plenamente, minha querida. — Quando ele se virou, Emma sentiu sua fragrância suave, de couro do casaco, suor e uma sugestão de cerveja. — As águas mansas correm profundas.

— Conheço meu trabalho.

— É mais do que trabalho. — Num gesto casual, Blackpool pôs a mão na parede, acuando-a ali. Havia um elemento de perigo a que ele não podia resistir. — A fotografia é uma arte, não é mesmo? Uma artista como você nasce com coisas que as outras pessoas não têm.

Ele estendeu a mão e tirou um grampo dos cabelos de Emma. Ela ficou imóvel, tão nervosa e atordoada quanto um coelho apanhado pelos faróis de um caminhão.

— Sei disso. Os artistas reconhecem uns aos outros. — Lentamente, ele tirou outro grampo. — Você me reconhece, Emma?

Ela não podia falar nem se mexer. Por um instante, não pôde nem pensar. E, quando começou a balançar a cabeça, ele estendeu a mão, segurando-a pelos cabelos, os grampos se espalhando, enquanto os lábios quentes se comprimiam contra os seus.

Ela não reagiu, não a princípio, e sempre se odiaria por esse momento atordoado de intenso prazer. Ele a invadiu, inebriado, acima de tudo por sua perfeita inocência. A língua projetou-se pelos lábios entreabertos de Emma. Enquanto ela gemia, nos primórdios de um protesto, as mãos de Blackpool subiram por baixo de sua camisa, alcançaram os seios, apertando e soltando, apertando e soltando. Emma fez um esforço para recuperar o fôlego.

— Não... não...

Ele apenas riu de novo. O tremor de Emma aumentara o que fora apenas um interesse passageiro, transformando-o num fogo incontrolável. Ele continuou a acariciá-la, até que a paixão relutante dela virou um medo crescente.

— Largue-me!

Ela lutava agora, as unhas arranhando o casaco de couro, o corpo se contorcendo. Quando ele a espremeu contra a parede, os vidros na prateleira retiniram. Havia agora terror, como um animal dentro dela, cravando as unhas, até que ela não pôde mais encontrar a coragem para gritar. Blackpool abaixou as mãos para o zíper dela, puxando o jeans. Ela não sabia que estava chorando, nem que isso o excitava.

Ele soltou-a por um instante, para abrir o próprio jeans. Livre, ela olhou ao redor, desvairada, à procura de um meio de fuga. Com o terror ainda a envolvendo, pegou uma tesoura, segurando-a com as duas mãos.

— Fique longe de mim!

A voz era baixa e rouca, tão trêmula quanto as mãos que empunhavam a tesoura.

— O que é isso?

Blackpool era bastante perceptivo para saber que a expressão desvairada nos olhos de Emma significava que ela atacaria primeiro e se arrependeria depois. Acertara sobre a parte virginal, pensou ele, enquanto ofegava. E queria ser o encarregado de livrá-la desse obstáculo.

— Defendendo sua honra? Estava pronta a deixá-la de lado há menos de um minuto.

Emma balançou a cabeça, esticando a tesoura quando ele deu um passo cauteloso à frente.

— Saia. Quero que saia daqui. Nunca mais chegue perto de mim, nem de Marianne. Quando eu contar a ela...

— Você não vai contar nada. — Através da fúria, ele sorriu. — Se fizesse isso, só perderia uma amiga. Ela está apaixonada por mim, e vai acreditar exatamente no que eu lhe disser. Imagine só, você dar em cima do namorado de sua melhor amiga.

— Você é um escroto e um mentiroso.

— Tem toda razão, Emma querida. Mas também você é uma provocadora frígida. — Mais calmo, ele pegou a garrafa de cerveja e tomou um gole. — E eu tentava lhe prestar um favor. Você tem problemas, meu bem, e dos grandes, mas não são nada que uma boa trepada não possa curar.

Ainda sorrindo, ele se esfregou.

— E pode ter certeza que sou uma boa trepada. Se tem dúvidas, pergunte à sua melhor amiga.

— Saia.

— Mas você não entende nada dessas coisas, não é mesmo? A doce menina católica, com seu medo do pecado, com seus sonhos suados quando me ouve lá em cima com Marianne. As garotas como você gostam de ser estupradas. Assim, podem simular inocência durante todo o tempo, enquanto gritam que querem mais.

Rangendo os dentes, ela olhou deliberadamente para o lugar em que Blackpool ainda se acariciava.

— Se eu usar esta tesoura — murmurou ela —, apontarei direto para seu pênis.

Emma teve a satisfação de vê-lo empalidecer ao ouvir isso, de raiva e também — ela teve certeza — de medo. Ele recuou, com o sorriso irônico que deixava as mulheres fascinadas, e agora fez o suor escorrer pelas costas de Emma.

— Sua vaca.

— É melhor ser uma vaca do que um eunuco.

Ela falou com bastante calma, embora tivesse receio de que a tesoura escapulisse de seus dedos trêmulos.

Os dois ouviram a porta do elevador abrir. E se prepararam para o que podia acontecer.

— Emma! — A voz jovial de Marianne ressoou pelo loft. — Você está em casa?

Blackpool lançou um olhar arrogante para Emma.

— Estou aqui, querida. Emma estava me mostrando as fotos.

— Quer dizer que já ficaram prontas?

Ele virou-se e saiu do laboratório, deixando Emma decidir se ficava ou o seguia. Ela ouviu-o dizer:

— Estava à sua espera.

— Não sabia que você estava aqui.

A resposta ofegante de Marianne indicou a Emma que a amiga estava sendo beijada. Ela tirou uma das mãos da tesoura e esfregou a boca com vigor.

— Quero ver as fotos — acrescentou Marianne.

— Por que olhar para fotos quando se tem a coisa real?

— Robert... — O protesto de Marianne terminou num gemido abafado. — Mas Emma está...

— Não se preocupe com Emma. Ela está ocupada. Passei o dia inteiro ansioso por você.

Emma permaneceu no laboratório, enquanto os murmúrios e gemidos subiam pela escada. Sem fazer barulho, ela fechou a porta. Não queria ouvir. Não queria imaginar. As pernas quase cederam antes que ela alcançasse o banco. Depois de sentar, largou a tesoura, ouvindo o estrépito quando bateu no chão. Levantou as pernas e abraçou-a de encontro ao peito.

Blackpool a tocara, pensou ela, repugnada. Ele a tocara e, que Deus a ajudasse, por um momento desejara que as carícias continuassem. Quisera que ele tirasse a opção de suas mãos, como Blackpool a acusara. Odiava-o por isso. E odiava a si mesma.

O telefone ao seu lado tocou três vezes, antes que ela reunisse energia suficiente para atender.

— Alô?

— Emma... é você?

— Sou eu mesma.

Houve um estalido na linha, uma hesitação.

— Aqui é Michael... Michael Kesselring.

Ela olhou atordoada para as fotos secando por cima da mesa de trabalho.

— Olá, Michael.

— Eu... você está bem? Algum problema?

Ela descobriu que queria rir nesse momento, uma risada longa e estrondosa.

— Não. Por que haveria algum problema?

— Você parece... Imagino que já sabe o que aconteceu.

— Li a notícia.

Michael deixou escapar um suspiro. O discurso preparado com tanto cuidado desapareceu de sua mente.

— Liguei para explicar...

— Por quê? Não é da minha conta o que você faz ou com quem faz. — A raiva que ela não fora capaz de sentir através do medo aflorou à superfície agora, borbulhando. — Não posso pensar em qualquer razão para que eu me importe com quem você transa. Você pode?

— Posso sim... não. Mas que droga, Emma! Eu não queria que você ficasse com a impressão errada.

Ela tremia agora, mas confundiu o pesar e o nervosismo com raiva.

— Vai me dizer que não dormiu com ela?

— Não, não vou dizer isso.

— Então não temos mais nada para conversar.

— Oh, merda! Não sei como tudo escapou ao controle, Emma. Quero conversar com você a respeito, mas não dá para falar direito por telefone. Posso tentar tirar uma folga por dois ou três dias e voar até Nova York.

— Não quero vê-lo.

— Pelo amor de Deus, Emma!

— Não quero. Não há nenhuma razão para nos encontrarmos, Michael. Como eu disse, você é livre para ficar com quem quiser... e tem minha bênção, se estiver interessado. Quero deixar toda essa parte de minha vida para trás. Tudo mesmo. Portanto, um encontro com você não pode constar dos meus planos. Está me entendendo?

— Estou. — Houve uma longa pausa. — Acho que sim. Boa sorte, Emma.

— Obrigada, Michael. Adeus.

Ela chorava de novo, mas não se deu ao trabalho de remover as lágrimas. Reação, disse a si mesma. Começava a ter a reação à cena horrível com Blackpool. Desejava o melhor para Michael, com toda sinceridade. Mas que se danassem ele e todos os homens.

Ela trancou a porta, aumentou o volume do rádio, sentou no chão e chorou.

Capítulo Vinte e Cinco

Nova York, 1986

O loft dava a impressão de que fora atingido por um furacão. Mas Marianne sempre fora um vendaval, pensou Emma. Havia papéis e revistas espalhados, três bolsas vazias, duas chinesas, vermelhas, um único pé de sapato de salto alto da mesma cor, uma pilha de discos no chão, como um baralho. Emma pegou um disco, pôs para tocar e ouviu a voz de Aretha Franklin.

Ela sorriu, recordando que Marianne tocara aquele disco na noite anterior, enquanto arrumava as malas, furiosa. Era difícil acreditar que tanto Emma quanto o loft ficariam sem a presença de Marianne durante quase um ano.

Emma pegou uma blusa púrpura de seda e um tênis Converse vermelho. Mais dois itens que haviam escapado à busca obsessiva de Marianne pelo que era essencial. A chance de estudar durante um ano em Paris, na École des Beauxs Arts, era uma oportunidade que ela não podia perder. Emma ficara encantada com isso... mas era difícil, muito difícil, permanece sozinha no loft.

Ela ficou imóvel por um momento, escutando. Em meio ao canto de Aretha, podia ouvir o rumor do tráfego na rua lá embaixo. Através das janelas abertas, podia ouvir a voz forte de soprano de uma vizinha, estudante de canto lírico, ensaiando uma ária de *As Bodas de Fígaro.* Talvez fosse um absurdo se considerar sozinha em Nova York, mas era exatamente assim que ela se sentia.

Não seria por muito tempo, ela lembrou a si mesma, pondo a blusa e o sapato no primeiro degrau. Também tinha de fazer as malas. Estaria em Londres dentro de dois dias. Acompanharia a Devastation em outra excursão, mas desta vez teria um título. Fotógrafa oficial. Era um título a que fazia jus, pensou Emma, enquanto punha a primeira mala na cama. Tivera sua oportunidade quando o pai lhe pedira para fotografar a banda para a capa do álbum *Lost the Sun.* E a foto fora tão elogiada que até mesmo Pete deixara de falar em nepotismo. Também não protestara quando ela fora convidada para fazer a capa do álbum atual.

Proporcionava-lhe muita satisfação que tivesse sido Pete, como agente do grupo, quem a convidara para participar da excursão. Com um salário e despesas pagas. Runyun protestara, mas apenas por um instante. Alguma coisa sobre a comercialização da arte.

Londres, Dublin, Paris — uma rápida visita a Marianne —, Roma, Barcelona, Berlim, para não mencionar todas as outras cidades. A excursão européia deveria demorar dez semanas. Quando terminasse, Emma faria uma coisa que vinha prometendo a si mesma há quase dois anos. Abriria seu estúdio.

Como não conseguiu encontrar o tailleur preto de cashmere, Emma saiu do quarto para subir a escada. Parou apenas para pegar a blusa e o sapato de Marianne. Havia lá em cima uma mistura fascinante de fragrâncias. Terebintina e Opium. Marianne deixara o estúdio exatamente como gostava de mantê-lo. No caos. Havia pincéis, espátulas e pedaços quebrados de carvão enfiados nos mais diversos recipientes, de potes de maionese vazios a um vaso de Dresden. Havia telas encostadas ao acaso nas paredes. Três aventais de pintar, as cores fortes salpicadas por tintas ainda mais brilhantes, estavam largados numa mesa e duas cadeiras.

Ainda havia um cavalete armado junto da janela, ao lado de uma xícara com alguma coisa que Emma não tinha certeza se queria investigar. E foi até a parte do estúdio que servia como quarto, balançando a cabeça. Era pouco mais do que uma alcova. Com a passagem dos anos, a arte de Marianne prevalecera sobre tudo. A cama enorme, com sua cabeceira de palhinha, ficava espremida entre duas mesinhas. Um abajur com a copa imitando uma touca de palha feminina ocupava uma mesinha, enquanto na outra havia uma dúzia de velas.

A cama estava desfeita. Marianne recusara-se a arrumá-la por uma questão de princípio, desde que haviam deixado Saint Catherine. Emma encontrou no closet três peças que lhe pertenciam. O tailleur preto de cashmere estava pendurado entre uma saia vermelha de couro que ela quase esquecera que possuía e uma blusão de ginástica com a frase "I Love New York", rasgado na manga.

Emma pegou suas coisas e depois sentou nas cobertas emaranhadas na cama de Marianne.

Por Deus, como sentiria saudade! Haviam partilhado tudo... piadas, crises, discussões, lágrimas. Não havia segredos entre as duas. Exceto um, recordou Emma. Mesmo agora, ainda a fazia estremecer.

Nunca revelara a Marianne o que acontecera com Blackpool no laboratório. Nunca contara a ninguém. Quase contara, em particular na noite em que Marianne chegara em casa de porre, com a certeza de que ele a pediria em casamento.

— Ele me deu isto. — Marianne mostrara o coração de diamante na extremidade de uma corrente de ouro no pescoço. — Disse que não queria que eu o esquecesse, enquanto ficava em Los Angeles, gravando seu novo disco.

Ela quase que dera um salto mortal de exultação.

— É lindo. — Emma tivera de fazer o maior esforço para falar isso. — Quando ele viaja?

— Esta noite. Levei-o ao aeroporto.

O alívio viera em ondas.

— Fiquei no carro, dentro do estacionamento, e chorei durante meia hora, depois que o avião decolou. O que foi uma estupidez, já que ele voltará. — Ela corara e enlaçara Emma pelo pescoço. — Ele vai me pedir em casamento, Emma. Tenho certeza.

— Casamento?

O alívio se transformara em pânico. Ela ainda se lembrava da sensação das mãos de Blackpool em seu corpo, apertando seus seios.

— Mas, Marianne, ele é... como...

— Foi a maneira como ele se despediu, Emma, a maneira como me deu o colar. Tive de fazer o maior esforço para não suplicar que ele me levasse também para Los Angeles. Mas quero que ele me chame. Sei que fará isso. Tenho certeza.

Claro que ele não a chamara.

Marianne sentara ao lado do telefone todas as noites, saíra correndo das aulas dia após dia para verificar se não havia alguma mensagem. Mas não recebera qualquer notícia de Blackpool.

Três semanas depois, surgira a primeira indicação do motivo pelo qual ele não a procurara. Na televisão, lá estava Blackpool, no casaco de couro preto que era quase seu uniforme, escoltando uma morena jovem e sensual, que era uma cantora de backup, em alguma festa em Hollywood. Depois das primeiras cenas exibidas na televisão, os jornais de fofoca entraram no caso.

A primeira reação de Marianne fora a de descartar a possibilidade com uma risada. A segunda fora a tentativa de falar com Blackpool. Só que ele nunca retornava suas ligações. A revista *People* publicara uma reportagem sobre ele e seu novo amor. Marianne soube que o Sr. Blackpool estava passando férias em Creta. Levara a morena para a ilha.

Emma levantou-se e foi até a janela do estúdio. Antes ou depois, nunca vira Marianne tão abalada. Fora um alívio muito grande quando Marianne finalmente saíra de sua depressão chorosa e xingara Blackpool com uma veemência que deixara Emma na maior satisfação. Depois, num gesto cerimonial, ela jogara o coração de diamantes pela janela. Emma sempre torcera para que tivesse sido encontrado por uma mendiga de olhos aguçados.

Marianne superara o trauma, pensou Emma agora. Voltara a seu trabalho com uma competência que devia a Blackpool. Nenhuma pintora valeria sua arte se não sofresse.

Emma só desejava que ela própria fosse capaz de esquecer com tanta facilidade. Haveria de se lembrar, para sempre, de tudo o que ele dissera, de todos os nomes que a chamara. Sua única vingança fora a de queimar as fotos que tirara de Blackpool, as cópias e os negativos.

Mas isso era passado, pensou ela, decidida, enquanto se levantava. Seu problema era o de se lembrar das coisas com muita nitidez. Era ao mesmo tempo uma bênção e uma maldição que pudesse ver coisas que haviam acontecido um ano antes, vinte anos antes, com a mesma facilidade com que podia contemplar seu rosto no espelho.

Exceto por uma única noite em sua vida, pensou ela. E essa única noite só aflorava em sonhos indefinidos.

Com as roupas recuperadas penduradas no braço, ela começou a descer. A campainha tocou, levando-a a franzir o rosto. Todos sabiam que Marianne viajara e que ela estava de partida. O interfone rangeu um pouco quando ela apertou o botão para atender.

— O que deseja?

— Emma? Sou eu, Luke.

— Luke? — Na maior alegria, ela apertou o botão que soltava a tranca da porta lá embaixo. — Suba logo!

Ela correu para seu quarto, a fim de largar as roupas na cama. Voltou a tempo de recebê-lo quando as portas do elevador se abriram.

— Oi! — Emma abraçou-o, um pouco surpresa quando ele hesitou em retribuir o abraço. — Não tinha a menor idéia de que você estava em Nova York.

Ela recuou para contemplá-lo. Luke tinha uma aparência horrível, pálido, com olheiras, muito magro. Vira-o pela última vez quando ele estava de partida para Miami. Um novo emprego, uma nova vida.

— Voltei há dois dias. — Os lábios se contraíram, mas não havia um sorriso correspondente nos olhos. — Você está mais linda do que nunca, Emma.

— Obrigada. — Como a mão de Luke era muito fria, ela esfregou-a, numa reação automática. — Vamos sentar. Pegarei uma bebida para você. Quer um vinho?

— Tem bourbon?

Emma franziu as sobrancelhas. Ao longo de todos os anos em que se conheciam, Luke nunca se permitira nada mais forte do que um Chardonnay.

— Não sei. Vou verificar.

Ela esperou até que Luke arriasse no canto em L do sofá, antes de ir para a cozinha.

Miami não lhe fora muito favorável, pensou ela, enquanto abria o armário, procurando em sua escassa reserva de bebidas. Ou talvez fosse tudo uma decorrência do rompimento com Johnno. Ele mais parecia um morto-vivo. Encovado. Como algum sobrevivente de uma catástrofe. O Luke de que ela se lembrava, o Luke que a beijara em despedida um ano e meio antes era um espécime da humanidade deslumbrante, musculoso, ágil.

— Tenho conhaque — avisou ela, da cozinha.

Alguém lhe dera uma garrafa de Courvoisier no Natal.

— Está ótimo. Obrigado.

Não havia um único copo de conhaque na casa. Por isso, ela pegou um copo de vinho. Para si mesma, serviu-se de água Perrier. O sorriso de Luke pareceu mais descontraído quando ela sentou no divã na sua frente.

— Sempre gostei deste apartamento. — Luke apontou para o mural que Marianne pintara na parede. — Onde ela está?

— Em Paris. — Emma olhou para o relógio. — Vai passar um ano estudando lá.

Ele deslocou os olhos para as fotos que se alinhavam numa parede próxima.

— Vi seu estudo fotográfico de Baryshnikov.

— A maior emoção da minha vida. Fiquei espantada quando Runyun me designou para o trabalho.

— E gostei também da capa do disco.

Ele bebeu, sentindo cada gota do conhaque escorrer pela garganta.

— Espere só até ver a capa do novo disco. — Emma mantinha o tom leve e descontraído, mas havia preocupação em seus olhos ao estudar Luke. — Deve estar nas lojas até o final da semana. É claro que a música também não é ruim.

Ela viu os dedos ficarem brancos, apertando a haste do copo.

— Como está Johnno?

— Muito bem. Acho que o convenceram a ter uma pequena participação em *Miami Vice*... Tenho certeza que ele haverá de procurá-lo se for à cidade.

— Também acho. — Luke tomou um gole do conhaque. — Ele não está em Nova York.

— Não. Viajou para Londres. — A estudante de canto lírico começara a altear as notas. — Estão se preparando para a excursão. Vou encontrá-los. Voarei para Londres depois de amanhã.

— E se encontrará com Johnno?

— Daqui a dois dias. Há uma enorme quantidade de trabalho para fazer antes de iniciarmos a excursão. O que está acontecendo, Luke?

Ele sacudiu a cabeça. Com todo cuidado, pôs o copo de conhaque na mesinha. Enfiou a mão no bolso do paletó. Tirou um envelope branco e o estendeu para Emma.

— Pode lhe entregar isto?

— Claro.

— Assim que o encontrar.

— Está bem.

Ela fez menção de largar o envelope na mesa, mas percebeu a expressão nos olhos de Luke.

— É melhor guardá-lo na bolsa logo de uma vez.

Emma deixou-o sentado ali, olhando apático para as janelas. Luke já havia se levantado quando ela voltou. Segurava o copo de vinho vazio com as duas mãos. Ela já ia dizer algo quando Luke cambaleou. O copo espatifou-se no chão antes que ela tivesse tempo de alcançá-lo. Emma se preparara para agüentar todo o peso de Luke. A fragilidade de seu corpo chocou-a mais do que a palidez.

— Sente-se, Luke. — Emma ajoelhou-se na almofada ao lado, acariciando seus cabelos, enquanto ele fechava os olhos, exausto. — Acho que você está com febre. É melhor eu levá-lo ao médico.

— Não. — Ele inclinou a cabeça para trás. Os olhos faiscavam em fúria quando se encontraram com os dela. — Já procurei um médico. Uma porrada de médicos.

— Você precisa comer — declarou ela, firme. — Parece que não come há uma semana. Deixe-me preparar...

— Emma...

Luke pegou sua mão. Ela sabia. Ele podia perceber em seu rosto que ela já sabia, mas recusava-se a acreditar.

— Estou morrendo. — Saiu fácil, quase pacífico. — É AIDS.

— Não! — Os dedos de Emma apertaram os dele. — Oh, Deus, não!

— Estou doente há semanas... meses, para ser mais preciso — admitiu ele, com um suspiro. — Pensei que era um resfriado, uma gripe renitente, uma deficiência de vitaminas. Não queria ir ao médico. Mas... não tive outro jeito. Não aceitei o primeiro diagnóstico, nem o segundo, nem o terceiro.

Ele riu, tornando a fechar os olhos.

— Há algumas coisas de que você não pode fugir.

— Há tratamentos. — Frenética, ela comprimiu a mão de Luke contra seu rosto. — Tenho lido sobre novos tratamentos, drogas...

— Estou tomando todas as drogas. Há dias em que me sinto muito bem.

— Há clínicas...

— Não quero passar os dias que me restam numa clínica. Vendi minha casa, e por isso tenho algum dinheiro. Alugarei uma suíte no Plaza. Irei ao teatro, ao cinema, a museus, ao balé. Todas as coisas que não tive tempo para fazer nos últimos anos. — Ele sorriu de novo. Encostou um dedo no rosto de Emma. — Desculpe pelo copo.

— Não se preocupe com isso.

— Parecia um Waterford. Você sempre teve classe, Emma. Não chore.

Ele ficou tenso, enquanto removia as lágrimas dos olhos de Emma.

— Vou limpar os cacos.

— Não faça isso agora. — Ele pegou a mão de Emma. Precisava desesperadamente que alguém segurasse sua mão. — Continue sentada mais um pouco.

— Está bem. Você não pode desistir, Luke. Todos os dias estão... Ora, sei que isso parece banal... mas todos os dias estão chegando mais perto. Há muita pesquisa sendo realizada, e a mídia torna o público mais consciente do problema. — Ela tornou a levar a mão ao rosto de Luke. — A descoberta da cura é inevitável.

Luke não disse nada. Emma queria um conforto que ele não podia oferecer. Como podia explicar o que sentira quando tomara conhecimento dos resultados dos exames? Ela poderia compreender que o medo e a raiva eram apenas dois componentes? Houvera também a humilhação, sem falar no desespero. Quando contraíra pneumonia, semanas antes, os atendentes da ambulância não queriam tocá-lo. Fora isolado do contato humano, da compaixão, da esperança.

Ela era a primeira a tocá-lo, a chorar por ele. E não podia explicar.

— Quando se encontrar com Johnno, não diga a ele qual é a minha aparência.

— Não direi.

Isso pareceu confortá-lo. As mãos relaxaram de novo.

— Lembra quando tentei ensinar vocês a cozinhar?

— Lembro que comentou que eu era um caso perdido, mas que Marianne levava a inépcia a novas alturas.

— Até que finalmente aprendeu a fazer espaguete.

— Ainda faço uma vez por semana, quer queira ou não.

Luke chorava agora, lágrimas lentas, silenciosas, que escorriam entre as pestanas fechadas.

— Por que não adia a temporada no Plaza por algum tempo e fica aqui? — Quando ele sacudiu a cabeça, Emma insistiu: — Esta noite então. Apenas esta noite. É muito solitário sem Marianne... e poderei mostrar as melhorias que introduzi no molho de espaguete.

Ela abraçou-o, quando Luke abaixou o rosto para as mãos e chorou.

CHOVIA QUANDO EMMA DESEMBARCOU EM HEATHROW. Uma chuva suave da primavera que a fez pensar em narcisos. Com a câmera pendurada no ombro, ela atravessou o portão. Johnno recebeu-a com um beijo estalado. Depois, manteve o braço em torno de seus ombros, enquanto a levava através do terminal.

— Pete está cuidando de sua bagagem.

Johnno desviou-a do caminho para a área de recolhimento da bagagem, levando-a para a saída.

— Lembre-me de beijar os pés dele.

Quando ele abriu a porta de uma limusine, Emma alteou uma sobrancelha.

— Detesto o tráfego nos arredores do aeroporto.

Depois que sentaram, Johnno encheu dois copos com Pepsi e ofereceu um saco de batata frita, enquanto acrescentava:

— Além do mais, dessa maneira podemos comer. Como foi o vôo?

— Com Dramamine e orações.

Emma atacou o saco de batata frita. Comer num avião era um luxo que seu estômago não admitia.

— Não se preocupe, Johnno. Tenho um estoque suficiente para a excursão.

— Será um prazer tê-la a bordo.

Ela tratou de ganhar tempo, fazendo perguntas, mantendo a conversa amena. Johnno não disse nada quando ela se inclinou e fechou o vidro divisório, entre o banco traseiro e o motorista.

— Agradeço por ter vindo me buscar.

— Imaginei que tinha uma razão para pedir.

— E tenho mesmo. Pode me dar um cigarro?

Johnno tirou dois do maço e acendeu-os.

— A coisa é séria?

— Muito. — Ela deu uma tragada longa no Gauloise. — Luke foi me procurar há dois dias.

— Ele está em Nova York?

— Está... Jantamos juntos.

— Isso é ótimo. Como ele vai?

Emma manteve os olhos baixos enquanto tirava o envelope da bolsa e o estendia.

— Ele me pediu para lhe entregar isto.

Ela virou-se para contemplar a chuva, enquanto Johnno abria o envelope. Ele leu em silêncio. Ouvia-se apenas o barulho do motor, o murmúrio suave da chuva, os acordes de um prelúdio de Chopin saindo pelo alto-falante. Emma esperou um minuto, depois cinco, antes de olhar de novo para Johnno.

Ele olhava direto para a frente, os olhos vazios. A carta estava em seu colo, onde a largara. Quando ele virou-se para fitá-la, Emma sentiu um aperto no coração.

— Você já sabe?

— Sei. Ele me contou. — Sem saber o que mais fazer, Emma pegou a mão de Johnno entre as suas. — Sinto muito, Johnno, mas muito mesmo.

— Ele está preocupado comigo. — A voz de Johnno era monótona, os olhos fixados na carta. — Quer que eu faça os exames. E queria... queria me garantir que se manteve calado sobre o nosso relacionamento. Oh, Deus!

Ele inclinou a cabeça para trás, soltando uma risada sem qualquer humor.

— Luke está morrendo, e quer que eu saiba que minha reputação continua segura.

— É importante para ele.

Johnno sentia a garganta dolorida. Havia lágrimas nos olhos. Ele deu outra tragada no cigarro.

— Luke também era importante para mim. Agora está morrendo. O que devo dizer? Obrigado, meu velho. É muita gentileza sua levar meu segredo para o túmulo?

— Não, Johnno. É importante para ele fazer dessa maneira. Luke tenta resolver todos os problemas... precisa resolver tudo.

— Oh, merda, merda!

A dor e a fúria afloravam dentro de Johnno. Não havia nada em que pudesse descarregar. De nada adiantava lançar imprecações contra a doença, assim como não adiantava ter raiva do destino por fazê-lo o que era. Ele pegou outro cigarro. Os dedos tremiam quando levantou o isqueiro para acendê-lo.

— Fiz alguns exames, muito discretos e muito caros, há seis meses. Estou limpo. — Ele tragou, enquanto amassava a carta. — Não há nenhum problema com meu sistema imunológico. Absolutamente nenhum.

Porque compreendia, Emma falou num tom incisivo:

— É de uma estupidez inacreditável sentir-se culpado porque você não tem nada.

— Onde está a justiça, Emma?

Ele alisou a carta com todo cuidado. Guardou-a no bolso, antes de reiterar:

— Onde está a porra da justiça?

— Não sei. — Ela pôs a mão no ombro de Johnno. — Quando Darren foi assassinado, eu era muito pequena para me fazer essa pergunta. Mas, desde então, tenho me perguntado centenas de vezes. Por que morrem as pessoas que amamos, enquanto nós continuamos vivos? As freiras dizem que é a vontade de Deus.

— Não é suficiente.

— Não, não é mesmo.

Emma vasculhou sua consciência. Refletiu que sabia desde o início que lhe contaria.

— Luke está em Nova York. Ficará hospedado no Plaza por algumas semanas. Não queria que eu lhe contasse.

Johnno apertou-a com o braço estendido por seus ombros.

— Obrigado.

Quando a limusine parou na frente da casa de Brian em Londres, Johnno beijou-a.

— Diga a Brian... diga a verdade. Voltarei em poucos dias.

— Está bem.

Emma ficou observando a limusine desaparecer na chuva fina.

Capítulo Vinte e Seis

Emma pôs uma lente grande-angular e agachou-se junto do palco, no Palladium, em Londres. Não havia como negar que a Devastation era tão dinâmica no ensaio quanto era num show. Ela estava muito satisfeita com as fotos que tirara até agora. Já começara a reajustar sua agenda para ter tempo no laboratório.

Mas agora ela fotografava o palco vazio, os instrumentos, amplificadores, os cabos deixados para trás, enquanto o grupo tirava uma hora de folga. Havia teclados elétricos, instrumentos de sopro, até mesmo um piano de cauda. O que a interessava naquele momento, o que queria imortalizar à sua maneira, eram os fundamentos da música.

A Martin velha, escalavrada e sagrada fê-la pensar no homem que a tocava. Stevie era tão gasto pela batalha e tão brilhante quanto a guitarra que tocava há quase vinte anos. A alça era uma mistura de todas as cores, um presente de Natal de Emma.

Havia também o baixo Fender de Johnno, pintado de turquesa. Ao lado da Martin, parecia frívolo e inconseqüente. Como o homem que o tocava, era um instrumento competente e fascinante sob a camada de fantasia.

A bateria de P.M. tinha o logotipo da banda na frente. De um ângulo determinado, parecia corriqueira. Numa expressão mais atenta, podiam ser vistas as complicadas disposições dos vários tambores e pratos. Havia ainda o cauteloso acréscimo de três conjuntos de baquetas, e o brilho dos cromados, que P.M. ainda insistia em limpar pessoalmente.

E havia a Gibson do pai, fabricada sob encomenda. A guitarra era de uma simplicidade absoluta, com uma correia toda preta. Não tinha frisos, não tinha enfeites. Mas a madeira brilhava, de um dourado pálido. E quando as cordas eram dedilhadas emitiam um som que criava lágrimas nos olhos.

Emma abaixou a câmera. Passou a mão de leve pela guitarra. Mas retirou quando ouviu a música. Por um instante até pensou que o contato de sua mão fizera a velha guitarra tocar sozinha. Sentindo-se uma tola, ela olhou para a esquerda do palco. A música vinha dali... e parecia mesmo mágica.

Sem fazer barulho, ela atravessou o palco e acompanhou os acordes.

Viu-o sentado no chão, de pernas cruzadas, na frente de um camarim. A música ressoava pelo corredor. Os dedos compridos acariciavam as cordas, deslizavam com a suavidade de um amante enquanto ele cantava baixinho para si mesmo:

— Fiquei acordado enquanto você dormia. / O luar iluminava seu rosto, seus cabelos de anjo, / Enquanto eu olhava você, sussurrou meu nome e meu desejo foi / De poder me insinuar em seus sonhos / E lá permanecer para sempre.

A voz era veemente e suave. Debruçado sobre a guitarra, os cabelos louros pendiam, ocultando a maior parte do rosto. Emma não disse nada, com receio de perturbá-lo. Abaixou-se e ergueu a câmera. Quando ele levantou os olhos, ao clique da câmera, Emma abaixou-a.

— Desculpe. Não tinha a intenção de interrompê-lo.

Os olhos eram dourados, como os cabelos. Fitaram-na por um longo momento. O rosto condizia com a voz. Exibia uma palidez poética, liso, as pestanas compridas e também douradas. Os lábios cheios e bem formados se contraíram num sorriso que ela achou que era tímido.

— Nenhum homem pensará em você como uma interrupção.

Ele continuou a dedilhar a guitarra enquanto a contemplava. Uma carícia distraída. Já a vira antes, é claro, mas aquela era a primeira oportunidade de examiná-la mais de perto. Ela escovara os cabelos para trás, prendendo-os num rabo-de-cavalo descuidado, deixando o rosto sem qualquer moldura, o que realçava as feições delicadas.

— Oi. Sou Drew Latimer.

— Oi... mas é claro! Eu deveria tê-lo reconhecido.

E teria reconhecido, pensou Emma, se não estivesse tão atordoada. Ela ergueu-se e foi estender a mão.

— O vocalista da Birdcage Walk. Gosto de sua música.

— Obrigado. — Ele segurou a mão de Emma, até que ela se ajoelhou ao seu lado. — Tira fotos como passatempo ou profissão?

— As duas coisas. — A pulsação de Emma começou a acelerar, enquanto o cantor continuava a fitá-la. — Espero que não se importe de eu ter tirado uma foto sua. Eu o ouvi tocando e vim ver quem era.

— Estou contente que tenha vindo. — Isso foi mais do que ele queria dizer. — Por que não janta comigo esta noite e tira mais algumas centenas de fotos?

Ela riu.

— Nem mesmo eu sou capaz de tirar tantas fotos enquanto como.

— Então deixe a câmera em casa.

Emma esperou um pouco, até ter certeza de que não ia gaguejar.

— Tenho de trabalhar.

— Então o café da manhã? Almoço? Uma barra de chocolate?

Com outra risada, ela levantou-se.

— Por acaso sei que você só tem tempo para uma barra de chocolate. Vai abrir o show da Devastation amanhã de noite.

Ele não soltou a mão de Emma. Não tinha a menor intenção de permitir que ela escapulisse.

— Que tal eu arrumar sua entrada no show e sairmos depois para um drinque?

— Já tenho o ingresso garantido.

— Está bem. Pode me dizer quem eu tenho de matar?

Ele segurava a guitarra com uma das mãos e os dedos de Emma com a outra. A camisa de brim estava quase toda desabotoada, revelando a pele lisa e branca. Em um movimento ágil, o jovem levantou-se de repente.

— Não vai se afastar de mim agora, na véspera da minha grande oportunidade, não é mesmo? Preciso de apoio moral.

— Tenho certeza que vai se sair bem.

Ele apertou a mão de Emma, quando ela tentou se afastar.

— Por mais banal que pareça, é a pura verdade. Você é a mulher mais linda que conheço.

Lisonjeada e confusa, ela tentou retirar a mão.

— Você precisa sair mais.

O sorriso de Drew foi lento e irresistível.

— Muito bem, aonde você quer ir?

Emma tornou a puxar a mão, dividida entre o pânico e o riso. Podia ouvir vozes e movimentos no palco, para onde os músicos voltavam.

— Tenho de ir agora.

— Pelo menos me diga seu nome. — Ele passou o polegar pelas articulações dos dedos de Emma, deixando-a com a sensação de que os joelhos se transformavam em água. — Um homem tem o direito de saber quem partiu seu coração.

— Sou Emma... Emma McAvoy.

— Oh, Cristo! — Ele estremeceu, enquanto largava a mão de Emma. — Desculpe. Eu não tinha a menor idéia. E me sinto como um idiota rematado.

— Por quê?

Depois de passar os dedos pelos cabelos, ele abaixou a mão.

— A filha de Brian McAvoy... e aqui estou eu, passando uma cantada desajeitada.

— Não achei que foi desajeitada. — Emma limpou a garganta quando seus olhos se encontraram. — Mas tenho de voltar agora. Foi... um prazer conhecê-lo.

— Emma... — Drew fez uma pausa, apreciando a maneira como ela hesitou e se virou. — Talvez em algum momento, ao longo dos próximos dez dias, você possa encontrar tempo para aquela barra de chocolate.

— Combinado.

Ela deixou escapar um longo suspiro ao voltar para o palco.

Drew mandou uma barra de chocolate Milky Way, amarrada com uma fita rosa, acompanhada pela primeira carta de amor que ela recebeu. Emma ficou parada na porta por muito tempo depois que o mensageiro foi embora, olhando para o bilhete.

Emma:

Farei melhor quando chegarmos a Paris. Mas, por enquanto, isto é um lembrete do nosso primeiro encontro. Quando eu tocar "In Your Dreams" esta noite, estarei pensando em você.

Drew

Ela olhou para a barra de chocolate. Não poderia ficar mais encantada se fosse um cesto cheio de diamantes. Sem ninguém para vê-la, fez três piruetas no vestíbulo largo. Depois, num súbito impulso, vestiu o casaco e saiu correndo de casa.

Alice abriu a porta de novo, mas desta vez não chorou. Os lábios se contraíram ligeiramente quando fitou Emma.

— Você voltou.

— Voltei. Oi, Alice. — Emma mal podia evitar que os pés dançassem. Surpreendeu a antiga babá ao se inclinar para a frente e beijá-la no rosto. — Voltei. Queria falar com Bev. Ela está em casa?

— Lá em cima, no escritório que mantém aqui. Vou avisá-la.

— Obrigada.

Emma não apenas queria dançar, pois também tinha vontade de cantar. Nunca se sentira assim em toda a sua vida. Inebriada, nervosa e absolutamente deslumbrada. Se aquilo era paixão, ela esperara tempo demais para experimentar. Havia um buquê de narcisos e jacintos num vaso ao lado da porta. Ao se inclinar para as flores, Emma descobriu que nunca aspirara nenhuma fragrância tão maravilhosa.

— Emma! — Com um lápis preso na orelha e os óculos enormes de armação preta equilibrados na ponta do nariz, Bev desceu apressada a escada. — Estou tão contente por você ter vindo!

Ela envolveu Emma num abraço apertado.

— Sei que avisou que viria a Londres quando nos encontramos em Nova York no inverno passado, mas não pensei que encontraria tempo para me visitar.

— Tenho todo o tempo do mundo! — Com uma risada, Emma abraçou-a de novo. — Oh, mamãe, não está fazendo um lindo dia?

— Não tive tempo sequer para farejar o ar, mas aceitarei sua palavra. — Bev manteve-a a distância dos braços, os olhos se contraindo por trás dos óculos de leitura. — Você dá a impressão de que tomou todo o creme e ainda engoliu o pires. O que aconteceu?

— Pareço mesmo assim? — Emma levou as mãos às faces. — Jura?

Rindo de novo, ela passou um braço pelo de Bev.

— Eu tinha de falar com alguém. Não podia mais agüentar. O Da está numa reunião com Pete e o novo gerente da excursão. E, de qualquer maneira, não seria nada bom contar para ele.

— Não? — Bev tirou os óculos e largou-os numa mesa, enquanto se encaminhavam para a sala de estar. — O que não podia conversar com seu pai?

— Conheci alguém ontem.

— Alguém? — Bev apontou uma poltrona e depois sentou no braço, enquanto Emma se movimentava pela sala. — Um alguém do sexo masculino, presumo.

— Um alguém do sexo masculino maravilhoso. Sei que pareço uma idiota... o tipo de idiota que sempre prometi a mim mesma que nunca seria. Mas ele é absolutamente lindo, meigo e divertido.

— Esse homem absolutamente lindo, meigo e divertido tem um nome?

— Drew... Drew Latimer.

— Da Birdcage Walk.

Com uma risada, Emma deu outro abraço em Bev, antes de retomar os passos nervosos de um lado para outro.

— Você acompanha tudo.

— Claro.

Bev franziu o rosto por um momento, depois disse a si mesma que era uma tola exagerada por se preocupar com o fato de Emma ter um romance com um músico. O roto falando do esfarrapado, pensou ela, com um sorriso.

— Ele é tão lindo em pessoa quanto aparece nas fotos?

— Melhor ainda. — Emma recordou a maneira como Drew lhe sorrira, o calor que seus olhos irradiavam. — Por acaso nos encontramos nos bastidores. Ele estava sentado no chão, tocando a guitarra e cantando, como o Da faz às vezes. Começamos a conversar, e ele flertou comigo. Acho que conversamos um pouco.

Ela deu de ombros. Queria se lembrar de cada palavra do encontro.

— A melhor parte é que ele não me conhecia. — Ela tornou a se virar e foi pegar as mãos de Bev. — Não tinha a menor idéia de quem eu era.

— Isso faz alguma diferença?

— Faz muita. Sentiu-se atraído por mim mesma, entende? Não pela filha de Brian McAvoy.

Ela sentou nesse momento, mas apenas por um instante, pois logo se levantou.

— Parece que todos os homens com quem saí só queriam saber sobre o Da ou como era ser a filha de Brian McAvoy. Mas ele me convidou para jantar antes de saber. Não fazia a menor diferença para ele. E quando informei quem era ficou embaraçado. Havia alguma coisa encantadora em sua reação.

— Saiu com ele?

— Não. Eu me sentia atordoada, e acho que tive medo de dizer sim. Mas hoje ele me mandou um bilhete. E... oh, mamãe, estou morrendo de vontade de vê-lo de novo. Ah, como eu gostaria que você pudesse ir ao show esta noite!

— Sabe que não posso, Emma.

— Eu sei, eu sei. — Ela deixou escapar um longo suspiro. — Nunca me senti assim antes. Meio...

— A cabeça leve, sem fôlego...

— Isso! — Emma riu. — Exatamente!

Bev sentira a mesma coisa uma ocasião. Apenas uma vez.

— Você tem bastante tempo para conhecê-lo. Vá devagar.

— Sempre vou devagar — murmurou Emma. — Você foi devagar com o Da?

Doía. Mais de quinze anos haviam passado, mas ainda doía.

— Não. Eu não quis escutar ninguém.

— Escutou a si mesma. Mamãe...

— Não vamos falar sobre Brian.

— Está bem. Só mais uma coisa. O Da vai à Irlanda... para Darren... duas vezes por ano. Uma vez no aniversário de Darren e outra... em dezembro. Achei que você deveria saber.

— Obrigada. — Bev apertou a mão de Emma. — Mas você não veio aqui para falar sobre coisas tristes.

— Tem razão. — Emma ajoelhou-se, pondo as mãos na coxa de Bev. — Vim perguntar uma coisa de importância vital. Preciso usar uma roupa absolutamente deslumbrante esta noite. Queria que saísse para fazer compras comigo, me ajudasse a escolher.

Com uma risada de satisfação, Bev levantou-se de um pulo.

— Vou buscar um casaco.

EMMA QUASE SE CONVENCERA DE QUE FORA UMA TOLA AO se preocupar com a roupa que usaria. Estava ali para fotografar, não para flertar com o vocalista da banda de abertura do show. Havia tanta coisa para fazer, equipamentos e iluminação para verificar, tendo de se desviar do pessoal de apoio e das máquinas de fazer fumaça, que ela logo esqueceu que levara mais de uma hora para se vestir.

O público já quase lotava o teatro, embora ainda faltasse mais de meia hora para o início do espetáculo. Havia estandes com mercadorias à venda. Blusões, camisas de malha, cartazes, chaveiros. O rock dos anos 80 não era mais apenas uma música para jovens rebeldes. Era um grande negócio, explorado por conglomerados.

Anônima em seu macacão preto, Emma circulou pelos estandes, tirando fotos dos fãs enquanto gastavam libras e mais libras em recordações do grande concerto. Ouviu as pessoas discutirem, dissecarem e enaltecerem seu pai. Fê-la sorrir e lembrar o dia em que entrara na fila do elevador para o alto do Empire State Building. Ainda não completara três anos nessa ocasião. Agora, dezenove anos depois, Brian McAvoy ainda fazia vibrar os corações de adolescentes fascinadas.

Ela trocou de câmera, querendo cor agora, a fim de mostrar as listras berrantes de vermelho, azul e verde das camisas, com as letras enormes.

DEVASTATION 1986

Os próprios fãs formavam um arco-íris. Cabelos espetados, cabeças raspadas, jubas enormes. A moda agora era não seguir qualquer moda. Os trajes variavam de jeans rasgado a terno com colete. Muitas pessoas disputando espaço eram da idade de seu pai e mais velhas. Médicos, dentistas e executivos que haviam crescido ao embalo do rock, partilhando o legado com os filhos. Havia estudantes, crianças pequenas empoleiradas nos ombros de adultos, mulheres usando pérolas, ao lado das filhas com camisas de estampas vistosas. E, como um eco dos anos 60, havia o aroma tênue, mas inconfundível, de maconha, misturando-se com a fragrância de Chanel ou Brut.

Ela deslocou-se lentamente pela multidão. O crachá preso no segundo botão do macacão fez com que os seguranças acenassem com a cabeça quando foi para os bastidores.

Era uma agitação de hospício lá na frente, mas ainda pior nos bastidores. Um amplificador com defeito, outro rolo de cabo, um frenético *roadie* correndo desesperado para reparar um problema de última hora. Emma tirou algumas fotos e depois deixou os técnicos fazendo seu trabalho. Seguiu para os camarins, a fim de tirar mais algumas fotos.

Queria mais imagens como as que se lembrava do passado. O Da e os outros em um camarim, esparramados por toda parte, fumando um cigarro depois de outro, dizendo piadas, mastigando goma de mascar e amêndoas açucaradas. Ela já começara a sorrir ao pensamento quando por pouco não esbarrou em Drew. Era quase como se ele a estivesse esperando.

— Olá de novo.

— Oi. — Emma sorriu, nervosa, ajustando a alça da câmera. — Eu queria lhe agradecer pelo presente.

— Pensei em rosas, mas já era tarde demais. — Ele deu um passo para trás. — Você está incrível.

— Obrigada.

Emma fez um esforço para firmar a respiração, enquanto o avaliava. Drew estava vestido para o palco, num traje branco muito justo, com tachões de prata. Botas do mesmo estilo e cor subiam até os joelhos. Com os cabelos desgrenhados e o meio sorriso, fez Emma pensar num caubói elegante.

— Você também — murmurou ela, quando compreendeu que o observava em silêncio há muito tempo. — Sua aparência é incrível.

— Queremos fazer o maior sucesso. — Ele esfregou as palmas na calça. — Todos nós estamos passando mal de tanto nervosismo.

Don... o baixista... até vomitou. Passou um tempo enorme com a cabeça na latrina.

— O Da sempre diz que se toca melhor quando se está nervoso.

— Neste caso, teremos um tremendo sucesso. — Hesitante, ele pegou a mão de Emma. — Já pensou em meu convite para sair comigo e tomar um drinque depois do show?

Ela não pensara em outra coisa.

— Para ser franca, eu...

— Estou pressionando demais. — Drew deixou escapar um longo suspiro. — Não posso evitar. Assim que a vi... foi como... puxa, lá está ela!

Ele passou a mão pelos cabelos despenteados com todo cuidado, antes de acrescentar:

— Não estou me saindo muito bem.

— Acha que não?

Ela se perguntou se Drew não podia ouvir o barulho de seu coração batendo forte.

— Nem um pouco. Deixe-me pôr da seguinte maneira, Emma. Salve minha vida. Passe uma hora comigo.

Ela contraiu os lábios lentamente, até que as covinhas surgiram nos cantos da boca.

— Eu adoraria.

EMMA MAL OUVIU AS ACLAMAÇÕES. O CÉREBRO MAL REGIStrou a música. Quando acabou, o pai deixando o palco pela última vez, o suor escorrendo, ela compreendeu que seria uma milagre se valesse alguma coisa uma fração das dezenas de fotos que tirara.

— Puxa, estou morrendo de fome! — Os gritos e aplausos ainda ressoando em seus ouvidos, ele se encaminhou para o camarim. — O que você me diz, Emma? Vamos arrastar o resto dessas relíquias do rock para comer uma pizza?

— Eu adoraria, mas... — Ela hesitou, sem saber por que se sentia contrafeita. — Tenho algumas coisas para fazer.

Emma se apressou em beijá-lo no rosto.

— Vocês foram maravilhosos.

— O que esperava? — indagou Johnno, enquanto abria caminho pelo corredor apinhado. Ele baixou a voz para acrescentar, num sussurro rouco: — Somos lendas vivas.

O suor escorrendo pelo rosto avermelhado, P.M. também se aproximou.

— Aquela Lady Annabelle... com aqueles cabelos assim...

Ele ergueu as mãos para os lados da cabeça em demonstração do penteado.

— A que estava de camurça vermelha e diamantes? — perguntou Emma.

— Acho que sim. Ela deu um jeito de se infiltrar nos bastidores. — P.M. passou a mão pela testa. Embora a voz fosse consternada, os olhos faiscavam em riso. — Quando eu passei, ela... ahn... ela...

Ele limpou a garganta, balançando a cabeça, como se tivesse dificuldade para continuar.

— Ela tentou me molestar!

— Oh, Deus, vamos chamar a polícia! — Johnno estendeu o braço pelos ombros de P.M., num gesto confortador. — Mulheres assim não deveriam sair da cadeia. Sei que deve estar se sentindo sujo e usado, meu querido, mas não se preocupe. Conte tudo para tio Johnno.

Ele começou a se afastar com P.M., enquanto acrescentava:

— Onde ela tocou? E como foi? Não tenha medo de ser específico.

Brian ficou observando-os, rindo.

— P.M. sempre atrai o tipo mais clamoroso. É difícil entender.

Havia afeição em seu tom de voz, percebeu Emma, especulando se o pai sabia que já perdoara o velho amigo. Mas logo ela viu o sorriso se desvanecer. Stevie se encontrava a poucos passos de distância, um ombro encostado na parede. Tinha o rosto pálido, o suor escorrendo. Emma achou que ele parecia dez anos mais velho do que seus contemporâneos.

— Vamos, filho. — Num gesto casual, Brian passou o braço pela cintura de Stevie, sustentando seu peso. — Precisamos de um banho de chuveiro e de uma boa carne vermelha.

— Posso ajudar, Da?

Com um balanço firme de cabeça em negativa, Brian seguiu para o camarim de Stevie. Não era uma coisa que ele pudesse despejar na cabeça da filha ou de qualquer outra pessoa.

— Pode deixar que eu cuido de tudo.

— Eu... conversaremos em casa.

Mas o pai já fechara a porta. Sentindo-se um pouco perdida, Emma saiu à procura de Drew.

ELA ESPERAVA QUE DREW A LEVASSE PARA UMA CASA NOTURna barulhenta e lotada, com um rock quente... Tram ou Taboo. Em vez disso, descobriu-se sentada num reservado escuro num clube de jazz enfumaçado no Soho. Havia um trio no palco, sob um refletor azulado, um pianista, um baixista e um vocalista. A música era baixa e melancólica, suave como a iluminação.

— Espero que não se importe de vir para cá.

— Claro que não.

Deliberadamente, Emma descruzou as mãos e relaxou os ombros. Sentia-se grata pela pouca iluminação, porque assim Drew não podia perceber seu nervosismo... nem Sweeney, fumando descontraído, a poucas mesas de distância.

— Nunca estive aqui antes. Mas estou gostando.

— Não deve estar acostumada a um lugar assim, mas em quase todos os outros é difícil conversar ou ficar a sós. E eu queria fazer as duas coisas com você.

Os dedos de Emma tornaram a se entrelaçar.

— Ainda não tive a oportunidade de lhe dizer que foi sensacional esta noite. Muito em breve estará à procura de outra banda para a abertura de seus shows.

— Obrigado. Isso significa muito para mim. — Ele pôs a mão sobre a de Emma, passando o polegar pelos nós dos dedos, numa carícia gentil. — Ficamos um pouco tensos no começo, mas depois relaxamos.

— Há quanto tempo você toca?

— Desde que tinha dez anos. E acho que devo agradecer a seu pai.

— É mesmo? Por quê?

— Tenho um primo que trabalhava com a Devastation nas excursões, e um dia me levou a um show. Brian McAvoy me deixou entusiasmado. Assim que juntei dinheiro suficiente, comprei uma guitarra de segunda mão. — Drew sorriu. A mão de Emma estava agora aninhada na sua. — O resto é história.

— Nunca tinha ouvido essa história.

— Acho que nunca contei a ninguém. — Ele deu de ombros, inquieto. — É um pouco embaraçoso.

— Não é não. — Encantada, Emma chegou mais perto dele. — É comovente... o tipo de história que leva as fãs a adorarem alguém como você.

Ele fitou-a, os olhos de um dourado escuro na pouca claridade.

— Não estou pensando em fãs neste momento. Emma...

— Gostariam de tomar um drinque?

Emma forçou-se a desviar os olhos de Drew. Piscou para a garçonete.

— Uma água mineral.

Drew franziu as sobrancelhas, mas não fez qualquer comentário.

— Uma Guinness.

Ele continuou a olhar para Emma, continuou a acariciar seus dedos.

— Já deve ter ouvido muitas histórias sobre músicos — murmurou ele. — Prefiro ouvi falar de você.

— Não há muito o que contar.

— Acho que está enganada. Quero saber tudo o que há para saber sobre Emma McAvoy. — Ele ergueu a mão de Emma para seus lábios. — Tudo mesmo.

Ela passou a noite como se estivesse atordoada, a música sempre suave, um pano de fundo perfeito. Drew parecia absorver cada palavra sua. E tocando nela, sempre tocando... a mão sobre a sua, deslizando pelos cabelos, acariciando o braço. Nunca saíram de seu canto escuro, nunca olharam para os casais nas outras mesas.

Deixaram o clube e foram andando pela margem do Tâmisa, ao luar, uma brisa soprando. Era tarde, muito tarde, mas a hora não parecia ter qualquer importância. Emma podia sentir a fragrância do rio, das flores frescas da primavera. Pensou em galantes cavaleiros quando Drew tirou o casaco e ajeitou-o em seus ombros.

— Está com frio?

— Não. — Ela respirou fundo e balançou a cabeça. — Acho tudo maravilhoso. Nunca lembro, até voltar, o quanto amo Londres.

— Vivi aqui durante toda a minha vida.

Drew andava devagar, observando a luz das estrelas se refletir na superfície escura do rio. Queria conhecer outros rios, outras cidades, e sabia que este momento se aproximava.

Seus dedos ficaram tensos quando ele a puxou. O movimento firme, súbito e inesperado, com a repentina intensidade em seus olhos, deixaram-na com a boca ressequida.

— Não quero que você desapareça.

— Não vou a lugar nenhum — murmurou Emma.

Ela sentiu o coração disparar quando Drew abaixou a cabeça ao encontro da sua. Sentiu o calor de sua boca, num beijo de leve, com uma imensa ternura. Ele se afastou em seguida, apenas uns poucos centímetros. E depois, lentamente, sempre a fitando nos olhos, tornou a beijá-la.

Com ternura, muita ternura, pensou Emma. Um beijo gentil. E ela aceitou, passando as mãos pelas costas de Drew, deixando que ele a envolvesse. Com um toque de mestre, Drew roçou os lábios pelo rosto de Emma, antes de tornar a beijá-la, numa longa carícia final.

— É melhor eu levá-la para casa agora. — A voz saiu engrolada e trêmula. — Emma...

Como se não fosse capaz do esforço para não tocá-la, ele subiu e desceu as mãos pelos braços de Emma.

— Quero vê-la de novo... só nós dois. Aceita?

Ela encostou a cabeça no ombro de Drew por um momento.

— Claro que aceito.

Capítulo Vinte e Sete

Ao longo das semanas subseqüentes, ela passava todo o seu tempo livre com Drew. Jantar à meia-noite para dois, longos passeios à luz das estrelas, uma hora roubada durante a tarde. Havia alguma coisa mais excitante, mais íntima, mais desesperada nas horas que passavam juntos, por serem tão poucas.

Em Paris, ela apresentou-o a Marianne. Encontraram-se num pequeno café no Boulevard St.-Germain, onde turistas e locais tomavam vinho tinto ou *café au lait*, observando o mundo desfilar pela rua.

Marianne mais parecia uma nativa em sua malha branca rendada, por baixo da saia curta. Não usava mais os cabelos espetados. Os cabelos ruivos estavam lisos e curtos, ao melhor estilo francês. Mas a voz era americana quando gritou o nome de Emma, estridente, pulando para abraçar a amiga.

— Não posso acreditar que você está mesmo aqui! Parece-me que já se passaram anos. Deixe-me vê-la... Oh, Deus, você está linda! Como a detesto por isso!

Com uma risada, Emma jogou os cabelos para trás dos ombros.

— E você parece exatamente com a imagem que sempre tive de uma estudante francesa de artes plásticas. *Très chic et très sensuel.*

— Em Paris, isso é tão importante quanto comer. Você deve ser Drew.

Marianne tinha um braço em torno da cintura de Emma. Estendeu a outra mão para ele.

— É um prazer conhecê-la. Emma me falou muito a seu respeito.

— Posso imaginar o que ela disse... Mas vamos sentar. Picasso costumava beber neste café. Sempre venho aqui e experimento uma mesa diferente. Se algum dia descobrir a cadeira em que ele sentava, entrarei em transe.

Depois que todos sentaram, ela pegou seu copo e olhou para Drew.

— Gostaria de tomar um vinho?

Quando ele acenou com a cabeça em concordância, Marianne sinalizou para o garçom.

— *Un vin rouge et un café, s'il vous plaît.* — Ela piscou para Emma. — Quem poderia imaginar que as chatíssimas aulas de francês de irmã Magdelina um dia serviriam para alguma coisa?

— Seu sotaque ainda não passa de nota cinco.

— Sei disso, e tenho me esforçado para melhorar. Como vai a excursão?

— A Devastation nunca esteve melhor. — Emma sorriu para Drew. — E a abertura do show é sensacional.

Ele pôs a mão sobre a de Emma.

— A reação tem sido a melhor possível. — Drew deslocou o olhar de Marianne para Emma. — Tudo tem sido maravilhoso.

Marianne tomou um gole do vinho, avaliando-o. Se fosse dedicada à arte religiosa, haveria de pintá-lo como João, o apóstolo. Ou, pulando alguns séculos, como Hamlet. O jovem príncipe atormentado pela tragédia. Ela sorriu quando o garçom trouxe outra rodada. Também poderia, recuando alguns anos, usá-lo como um modelo para o jovem Brian McAvoy. Ela especulou se Emma percebia a semelhança.

— Para onde vocês vão quando saírem daqui? — perguntou ela.

— Nice. — Drew esticou as pernas. — Mas não tenho a menor pressa para deixar Paris.

Ele olhou para a rua, onde carros e bicicletas circulavam sem a menor preocupação com a vida alheia.

— Como é viver aqui?

— Barulhento. Emocionante. — Ela riu. — Maravilhoso. Tenho um pequeno apartamento em cima de uma padaria. E podem ter certeza de que não há nada que tenha um cheiro tão fascinante quanto uma padaria francesa ao amanhecer.

Os três passaram uma hora conversando, até que Drew inclinou-se para dar um beijo em Emma.

— Tenho de ir para o ensaio, e sei que vocês duas ainda querem conversar. Voltaremos a nos ver de noite. Você também, Marianne.

— Aguardarei ansiosa.

Ela observou-o partir, junto com a metade das mulheres no café, para depois acrescentar:

— Acho que ele é o homem mais bonito que já conheci.

— Não é mesmo? — Emma inclinou-se para pegar as mãos da amiga. — Gosta dele, não é?

— O que há para não gostar? Ele é lindo, talentoso, inteligente, divertido. — Marianne sorriu. — Talvez ele queira trocar você por mim.

— Eu detestaria ter de assassinar minha melhor amiga, mas...

— Acho que estou sã e salva. Ele só olha para você. O motivo, não sei... talvez seja só porque você tem esses incríveis malares salientes, enormes olhos azuis, um metro de cabelos louros, e ausência de quadris. Alguns homens não têm um mínimo de bom gosto. — Marianne recostou-se. — Você parece ridiculamente feliz.

— E me sinto mesmo feliz. — Ela respirou fundo, absorvendo as fragrâncias de vinho e flores. De Paris. — Acho que estou apaixonada.

— Fala sério? Eu nunca poderia adivinhar. — Com uma risada, ela afagou as faces de Emma. — Amiga, está estampado em seu rosto. Se eu tivesse de pintar seu retrato agora, daria o nome de *Apaixonada*. O que seu pai acha dele?

Emma pegou o café frio e tomou um gole.

— Ele tem o maior respeito pelo talento de Drew, como músico e como compositor.

— O que estou querendo saber é o que ele pensa de Drew como o homem por quem sua filha está apaixonada.

— Não sei. Não conversamos a respeito.

As sobrancelhas de Marianne se altearam, desaparecendo por baixo da franja.

— Quer dizer que ainda não contou a ele que está apaixonada?

— Não.

— Por quê?

— Não sei direito. — Emma empurrou a xícara de café para o lado. — Acho que prefiro guardar só para mim, por mais algum tempo. Papai ainda pensa em mim como uma criança.

— Todos os homens pensam assim de suas filhas. Meu pai me telefona duas vezes por semana para ter certeza de que ainda não sucumbi aos encantos de algum devasso conde francês. Eu bem que gostaria...

Como Emma não sorrisse, Marianne inclinou a cabeça para o lado e acrescentou:

— Acha que ele não aprovaria?

— Não sei.

Apreensiva, ela deu de ombros.

— Se é sério o que há entre você e Drew, Emma, ele acabará descobrindo, mais cedo ou mais tarde.

— Sei disso. Só estou torcendo para que seja mais tarde.

NÃO FOI MUITO MAIS TARDE.

Emma aproveitava o sol da manhã na varanda de seu quarto em Roma. Embora fosse tarde para o café da manhã, ela ainda estava de roupão, deixando o café esfriar, enquanto verificava as últimas fotos que tirara. No fundo de sua mente, avaliava-as não apenas para Pete, mas também para a idéia que tivera de lançar um livro.

Sorridente, ela pegou sua foto predileta de Drew. Tirara-a à sombra de uma árvore frondosa no Bois de Boulogne. Ele a beijara momentos depois que tirara a foto. E dissera que a amava.

Ele a amava. Emma fechou os olhos e ergueu os braços para o céu. Torcia e desejava, mas não tinha idéia do quanto se sentira feliz até que ele dissera as palavras. Agora que isso acontecera, podia começar a imaginar como seria estar sempre com ele, fazer amor, casar, formar um lar, criar uma família.

Não compreendera como queria tudo isso. Um homem que a amasse, seu lar, filhos. Poderiam ser felizes, muito felizes. Quem podia compreender melhor a vida e os problemas de um músico do que uma mulher que fora criada por um músico? Podia confortá-lo e apoiá-lo em seu trabalho. E Drew faria o mesmo por ela.

Depois da excursão, pensou ela. Depois da excursão poderiam começar a fazer planos.

A batida na porta interrompeu seus pensamentos. Imaginou que era Drew, que vinha partilhar seu café da manhã, como já fizera algumas vezes. O sorriso de boas-vindas só vacilou um pouco quando descobriu que era o pai.

— Da! Estou surpresa em vê-lo sair de seu quarto antes de meio-dia.

— Talvez eu seja previsível demais.

Com um jornal dobrado na mão, ele entrou no quarto. Olhou primeiro para a cama, depois para a filha.

— Está sozinha?

— Estou. — Ela fitou-o, com o rosto franzido em perplexidade. — Por quê? Aconteceu alguma coisa?

— Diga você.

Ele estendeu o jornal. Emma abriu-o e virou para o lado certo. A foto era bastante clara. Drew e ela. Não era preciso saber italiano para compreender o sentido. Os dois estavam enlaçados. Ela inclinava o rosto para Drew, com a expressão sonhadora de uma mulher que acabara de ser beijada por seu amor.

Emma não sabia onde a foto fora tirada. Mas isso também não era importante. O que de fato importava era que alguém se intrometera num momento muito particular e depois estampara a intimidade num jornal.

Ela jogou o jornal para o outro lado do quarto, depois saiu para a varanda. Precisava de ar fresco.

— Mas que desgraçados! — Ela bateu com o punho de leve na grade. — Por que não podem nos deixar em paz?

— Há quanto tempo você sai com ele, Emma?

Ela olhou para trás. O vento soprava os cabelos sobre os seus olhos.

— Desde o início da excursão.

Brian enfiou as mãos nos bolsos.

— Portanto, há semanas... e você não se deu ao trabalho de me dizer.

Ela inclinou a cabeça para trás, enquanto se virava.

— Tenho mais de vinte e um anos, Da. Não preciso pedir a permissão paterna para me encontrar com um homem.

— Escondeu de mim. Vamos entrar. — Ele explicou a ordem. — A imprensa tem teleobjetivas apontadas para o hotel.

— Que diferença isso faz? — indagou Emma, permanecendo onde estava. — Tudo o que fazemos sempre acaba como ração para o público ávido de fofocas. É parte do preço.

Ela gesticulou para as fotos na mesa.

— Eu mesma contribuo para isso.

— Não é a mesma coisa, e você sabe disso. — Brian fez um esforço para se controlar, passando a mão pelos cabelos, num gesto furioso. — Mas não tem importância nesta altura. Quero saber o que está acontecendo entre você e Drew.

— Quer saber se vou para a cama com ele? Ainda não. — Emma pôs as mãos na grade. — Mas não é da sua conta, Da. Assim como me disse, há anos, que sua vida sexual não era da minha conta.

— Sou seu pai!

Ele ouviu suas palavras. Era o pai de Emma. De alguma forma, tornara-se o pai de uma mulher adulta. E não tinha a menor idéia do que fazer. Ele esperou um pouco, para ter certeza de que a voz sairia calma.

— Eu amo você, Emma, e por isso me preocupo.

— Não há necessidade de se preocupar. Sei o que faço. Estou apaixonada por Drew, e ele também é apaixonado por mim.

Brian não podia falar naquele instante. Num gesto defensivo, pegou a xícara com o café frio e tomou-o. Um pombo voou sobre o terraço.

— Só o conhece há poucas semanas. O que significa que não sabe muita coisa a seu respeito.

— Ele toca guitarra para viver, Da. Seria ridículo se você criticasse isso.

— A última coisa que eu poderia querer para você seria seu envolvimento com um músico. Sabe muito bem o que isso pode fazer com as pessoas, Emma. As demandas, as pressões, os egos. Nada mais sei sobre esse garoto além do fato de que ele é ambicioso e talentoso.

— Sei tudo o que preciso saber.

— Preste atenção ao que está dizendo. Fala como uma desmiolada. Quer goste ou não, não se encontra em condições de confiar num homem só porque ele tem um rosto bonito e diz que a ama. Você tem muito dinheiro e muito poder.

— Poder?

— Ninguém que me conhece duvidaria que sou capaz de fazer qualquer coisa por você. Qualquer coisa que me pedir.

Demorou um pouco, mas as palavras foram pouco a pouco absorvidas. Lágrimas furiosas turvavam sua visão quando ela se adiantou:

— Então é isso? Acha que Drew se interessa por mim porque tenho dinheiro, porque pensa que posso fazer com que você o ajude na carreira? É impossível, não é mesmo, que ele ou qualquer outro homem possa se sentir atraído por mim, possa se apaixonar por mim? Apenas por mim, sem considerar mais nada?

— Claro que não. Mas...

— É exatamente isso o que você pensa. Afinal, como alguém pode olhar para mim e não ver você?

Emma virou-se. Comprimiu as mãos contra a grade. O sol refletiu-se numa lente no jardim lá embaixo. Ela não se importava. Podiam tirar todas as fotos que quisessem.

— Já aconteceu antes. Isso mesmo, já aconteceu. Emma, vamos jantar na sexta-feira... e por falar nisso, pode arrumar ingressos para meu primo e um passe para os bastidores no show de seu pai em Chicago?

— Sinto muito, Emma — disse Brian.

Ele estendeu a mão para confortá-la, mas ela se desvencilhou, num movimento brusco.

— Por quê? Você não pode evitar, não é mesmo? E aprendi a conviver com isso, até mesmo a me divertir. Mas desta vez encontrei alguém que se importa comigo, que está interessado em meus sentimentos e pensamentos. Que não me pediu qualquer coisa, a não ser ficar em sua companhia... e você quer estragar tudo.

— Não quero estragar. Quero apenas que você não saia magoada.

— Você já me magoou. — Os olhos estavam secos quando ela fitou o pai. — Deixe-me em paz, Da. E deixe Drew em paz. Se interferir em nosso relacionamento, juro que nunca o perdoarei.

— Não vou interferir. Só quero ajudá-la. Não quero que cometa um erro.

— O erro será meu. Deus sabe que você já cometeu os seus. Há anos que o observo fazer qualquer coisa que quiser, com quem quiser, sempre que quiser. Fugiu de sua felicidade, Da. Mas eu não fugirei da minha.

— Você sabe como torcer a faca numa ferida — murmurou Brian. — Não sabia que tinha essa capacidade.

Ele saiu do sol, deixando-a sozinha.

* * *

DREW ESTENDEU O BRAÇO PELOS OMBROS DE EMMA. Estavam de pé em outra varanda, em outra cidade. Só que Emma não dava a menor atenção ao encanto antigo do Ritz de Madri. Podia ouvir o murmúrio dos chafarizes, sentir a fragrância exuberante do jardim lá embaixo, mas era como se estivesse em qualquer lugar impessoal. Ainda assim, achou confortador o braço de Drew a enlaçá-la, e roçou o rosto nele.

— Detesto vê-la triste, Emma.

— Não estou triste. Talvez um pouco cansada, mas não triste.

— Está transtornada há semanas, desde que discutiu com Brian. Por minha causa. — Ele retirou o braço e deu um passo para o lado. — A última coisa que eu queria fazer era lhe causar qualquer problema.

— Não tem nada a ver com você.

Ele virou-se. Seus olhos tinham um brilho sombrio ao luar. Emma acrescentou:

— Não tem mesmo. O Da teria a mesma reação com qualquer homem que eu saísse. Sempre foi superprotetor. Muita coisa deriva... do que aconteceu com meu irmão

Ele beijou-a, gentilmente, na têmpora.

— Sei que deve ter sido terrível para você e para ele, mas aconteceu há muito tempo.

— Algumas coisas nunca são esquecidas. — Ela estremeceu, com um frio súbito, na noite quente de verão. — E é muito difícil para mim, porque compreendo como ele se sente. O Da fez tudo por mim, não apenas em termos materiais, mas sob todos os outros aspectos.

— Ele adora você. Pode-se perceber cada vez que olha para você. — Com um sorriso, Drew passou a mão pelo rosto de Emma. — Sei como ele se sente.

— Também o amo. Mesmo assim, sei que não posso viver para agradá-lo. Sei disso há muito tempo.

— Ele não confia em mim. — O isqueiro foi aceso, acompanhado pelo cheiro forte do cigarro. — Não o culpo. De sua posição, ainda me encontro no primeiro degrau da escada, lutando para subir.

— E você não precisa de mim para chegar ao topo.

Drew soprou a fumaça.

— Ainda assim, compreendo de onde vem a preocupação dele. É fácil, já que ambos somos loucos por você.

Ela se aproximou para dar um beijo em seu ombro.

— O Da vai superar isso, Drew. Apenas não está preparado para admitir que sou uma mulher adulta. E apaixonada.

— Se alguém pode dobrá-lo, é você. — Ele jogou o cigarro longe, depois a abraçou. — Estou contente por você não ter querido sair esta noite.

— Não estou muito a fim de clubes e festas.

— Não passa de uma garota antiquada, não é mesmo?

Os lábios de Drew roçaram nos dela.

— Você se importa?

— De passar a noite a sós com você? — As mãos subiam e desciam pelas costelas de Emma enquanto ele a beijava na boca. — Por acaso tenho cara de louco?

— Você é maravilhoso!

Ela prendeu a respiração quando os dedos de Drew deslizaram sobre seus seios. Emma era pequena e firme. Drew sentiu-se excitado, enquanto ela tremia em seus braços.

— Doce... — murmurou ele. — Sempre doce.

A boca de Drew se tornou mais ardente, menos paciente, mais exigente, enquanto a levava da varanda para a cama.

— A excursão está quase acabando.

— É verdade.

Ela deixou a cabeça pender para trás, enquanto os lábios de Drew desciam por sua garganta.

— Voltará para Londres quando acabar, Emma?

Ela estremeceu de novo. Era a primeira indicação de Drew de que queria uma permanência no relacionamento.

— Voltarei.

— Teremos noites como esta.

Ele abaixou-a para a cama, mantendo a voz suave, as mãos gentis, sem querer desfazer o clima.

— Noite após noite juntos.

As mãos hábeis de Drew puxaram a blusa da calça de Emma.

— Poderei demonstrar, muitas e muitas vezes, o que sinto por você. Quanto a desejo. Deixe-me mostrar, Emma...

— Drew...

O nome saiu num gemido, enquanto ele baixava os lábios, a língua acariciando a inclinação dos seios. O prazer e a paixão envolveram-na. Agora, ela disse a si mesma, enquanto os dedos calejados de Drew deslizavam por sua pele. Será agora...

Pôde sentir a tensão nos ombros de Drew quando o agarrou. Ele tinha ombros e braços fortes para um homem tão esguio e de aparência delicada. Ela adorava sentir os músculos firmes e flexíveis.

A mão de Drew desceu para sua cintura. Os dedos ágeis travaram uma luta impaciente com os ganchos.

— Não...

Emma se odiou quando a palavra aflorou, mas não pôde evitar. Quando Drew continuou a puxá-la, tentando cobrir sua boca com um beijo, ela começou a se debater.

— Não, Drew, por favor... — Ela estava à beira das lágrimas quando conseguiu se desvencilhar. — Sinto muito, mas ainda não estou pronta.

Ele não disse nada. Emma não podia ver seu rosto. No escuro, encolheu-se toda na cama, até recuperar o controle.

— Sei que não estou sendo justa. — Irritada consigo mesmo, ela removeu uma lágrima do rosto. — Não sei se as freiras fizeram um trabalho melhor do que puderam imaginar ou se é por causa do Da. Mas preciso de mais tempo. Você tem todo o direito de estar furioso, mas não posso fazer isso agora. Ainda não.

— Você não me deseja?

A voz era suave e estranhamente sem inflexão.

— Sabe que o desejo... e muito. — Ela procurou a mão de Drew e tentou entrelaçar os dedos rígidos com os seus. — Acho que estou um pouco assustada, e um pouco insegura.

Envergonhada, ela levou a mão de Drew aos lábios.

— Não quero perdê-lo, Drew. Por favor, dê-me um pouco mais de tempo.

Emma soltou um suspiro trêmulo quando sentiu a mão de Drew relaxar.

— Não poderia me perder, Emma. Leve todo o tempo que precisar. Posso esperar.

Ele se aproximou, acariciando-a com uma das mãos. A outra estava cerrada no escuro.

Capítulo Vinte e Oito

Foi estranho passar o verão de novo em Londres. Durante a infância, Emma passava pelo menos umas poucas semanas das férias ali, todos os anos. Mas era diferente agora. Ela não era mais uma criança. Não ficaria mais na casa do pai. E estava apaixonada.

Sabia que Drew estava magoado porque se recusara a ficar com ele. Não era uma questão de moral... ou talvez uma pequena parte estivesse relacionada com a moral. Ela queria que o romance continuasse um pouco mais... os buquês exuberantes que Drew mandava, os bilhetes engraçados que chegavam pelo correio ou eram enfiados por baixo da porta. Queria tempo para desfrutar... a emoção de se apaixonar. O terror de estar apaixonada. A exultação de olhos vidrados, cabeça vazia, que toda mulher tem o direito de experimentar pelo menos uma vez.

E, mais do que tudo, ela queria tempo para ter certeza de que escapara da sombra do pai.

Não amava Brian menos por isso. Emma duvidava que fosse possível. Mas descobrira que queria ter uma vida própria não apenas pela fotografia. E ainda havia Bev.

Durante a maior parte de sua vida, Emma não tivera uma mãe. À medida que as semanas do verão se transformaram em outono, ela compensou o anseio de uma vida inteira ao se instalar num dos quartos de hóspedes de Bev.

Mesmo que Drew se sentisse impaciente, ela tinha de protelá-lo. Precisava daquele tempo com Bev, não para se sentir como uma criança de novo, mas para reformular um vínculo. Como seu novo relacionamento poderia dar certo se deixava os antigos sem solução?

E tinha seu trabalho. A cidade em que o pai passara a infância atiçava sua imaginação. Emma podia passar horas circulando pelas ruas e parques, sempre encontrando temas para fotos. Uma velha que aparecia dia após dia para alimentar os pombos no Green Park. Os ultra-elegantes que passeavam com Labradores ou empurravam carrinhos de bebê pela King's Road. Os punks de cara amarrada que freqüentavam as casas noturnas.

Por isso ela ficou um mês a mais, dois meses. Comemorou com Drew quando o disco da Birdcage Walk alcançou o 12º lugar na lista de mais vendidos da *Billboard.* Observou, divertida, quando Lady Annabelle partiu atrás de P.M., numa perseguição implacável. Cortou ásteres e crisântemos do jardim de Bev. E, finalmente, deu um passo em frente, apresentando fotos e uma proposta de um livro a uma editora.

— Vou me encontrar com Drew às sete horas — avisou Emma, enquanto vestia um casaco de camurça curto. — Vamos jantar e depois iremos ao cinema.

— Divirta-se. — Bev recolheu um punhado de amostras. — Para onde vai agora?

— À casa de Stevie.

— Pensei que ele estivesse internado.

— Parece que melhorou.

Emma demorou um pouco a se avaliar no espelho no vestíbulo. O azul do casaco combinava com a cor de seus olhos.

— Estou levando o último lote de fotos da excursão. O Da se encontrará comigo. Todos juntos, escolheremos as melhores.

— E eu tenho um encontro com Lady Annabelle.

Bev revirou os olhos. Parou atrás de Emma para também se contemplar no espelho. Ajeitou o brinco na orelha esquerda.

— Não tenho certeza se ela me chamou para mudar a decoração de sua sala ou porque quer me arrancar informações sobre o desempenho de P.M. na cama.

Emma ajeitou o portfólio debaixo do braço.

— Acha que ela ainda não sabe?

Bev pensou por um momento, e depois sorriu.

— Descobrirei em breve.

Ela deu um beijo de leve no rosto de Emma e saiu apressada. Momentos depois, Emma sentou ao volante de seu Aston Martin. Tentou imaginar o doce e tímido P.M. com a arrojada e espalhafatosa Lady Annabelle. Não conseguiu. Mas também ela nunca fora capaz de imaginá-lo com Angie Parks.

Emma enfrentou o tráfego intenso, ao estilo britânico. Sentia-se contente porque Drew e sua banda haviam assinado um contrato com Pete Page. Se alguém podia ajudar a levar a Birdcage Walk ao máximo de sucesso, era Pete. Era só lembrar o que ele fizera por Blackpool, pensou Emma, desdenhosa. O homem estava ganhando uma fortuna com comerciais de televisão. Ela sabia que Pete ficara furioso quando Brian se recusara a endossar produtos ou alugar sua música para comerciais de TV... desprezando uma exposição internacional e milhões de libras. Mas ela sentia-se orgulhosa do pai por isso. Que Blackpool cuidasse dessas coisas, pensou ela, irritada, ao entrar na propriedade de Stevie.

Emma ficara satisfeita quando ele comprara a antiga mansão vitoriana, com um vasto terreno ao redor. Stevie até passara a se dedicar à jardinagem, tomando emprestado de Bev livros sobre roseiras, solo, jardins de pedras. Não era mais segredo que sua saúde era precária, mas Pete conseguira, sendo Pete, manter a causa oculta da imprensa.

Emma receara que a excursão deixaria Stevie debilitado demais, mas ele agüentara até o fim. Agora, estava compondo de novo e se preparava para acompanhar Brian em alguns shows beneficentes que o pai não era capaz de recusar.

Ela achava que Brian se encontrava em seu meio ambiente agora. O rock adotara causas em seu seio corajoso. Na Europa e Estados Unidos, os músicos se organizavam para fazer alguma coisa com seu talento. Os shows beneficentes para causas humanitárias, da Etiópia assolada pela seca aos camponeses em dificuldades na América, eram parte dos anos 80 tanto quanto as manifestações políticas e as marchas pela paz dos anos 60. A glória e os dias indiscutivelmente indulgentes de Woodstock haviam passado. Os roqueiros assumiam causas da humanidade e as acalentavam em seus peitos suados. Emma orgulhava-se de ser parte disso, de registrar as mudanças, da maneira como as via.

Ao final do caminho, havia uma tina cheia de violetas, ao sol. Emma empurrou-a para a sombra do beiral, balançando a cabeça. Ao que parecia, Stevie não lera os livros sobre jardinagem com o devido cuidado.

Ela tocou a campainha. Como o carro do pai não se encontrava à vista, ela esperava que Stevie pudesse levá-la numa excursão pelo jardim.

A empregada abriu a porta, fitando Emma com impaciência e desconfiança.

— Boa-tarde, Sra. Freemont.

Os cabelos castanhos foscos da Sra. Freemont estavam presos num coque solene. Ela podia ter qualquer idade entre quarenta e sessenta anos. Mantinha o corpo vigoroso, em formato de bala, sempre vestido de preto. Trabalhava para Stevie durante o dia há mais de cinco anos, limpava seu sangue e vômito, esvaziava as garrafas vazias e olhava para o outro lado quando encontrava frascos de aparência suspeita.

Alguns poderiam ser bastante ingênuos para acreditar que ela era devotada ao patrão. Mas a discreta Sra. Freemont era devotada apenas ao salário generoso que Stevie lhe pagava, como compensação por não se intrometer no que não era da sua conta. Ela torceu o nariz ao deparar com Emma.

— Ele está em algum lugar da casa. Provavelmente na cama. Ainda não subi.

A velha megera, pensou Emma. Mas seu sorriso foi polido.

— Não se preocupe. Ele está me esperando.

— Não é da minha conta.

A Sra. Freemont afastou-se para atacar alguma mesa indefesa com seu pano de pó.

— Pode deixar que conheço o caminho — murmurou Emma para o vestíbulo vazio.

Ela começou a subir a velha escada de carvalho, desabotoando o casaco.

— Stevie! Trate de se arrumar! Não tenho o dia inteiro!

Era uma casa enorme e antiga, motivos suficientes para fascinar Emma. Os painéis nas paredes, ao longo do largo corredor do segundo andar, eram de mogno; havia arandelas de latão com globos de vidro, os pontos da iluminação a gás no passado. Fazia-a lembrar-se de um filme de Ingrid Bergman, em que Boyer, representando seu tipo habitual, conspirava para levar à loucura a esposa inocente. A comparação poderia ser apropriada se não fosse pelo fato de Stevie ter pendurado litografias de Warhol e Dalí entre os pontos de luz.

Ela podia ouvir a música. Com um suspiro, Emma bateu na porta do quarto. Movimentou as articulações dos dedos e bateu de novo.

— Vamos, Stevie. Levante e brilhe.

Como não houvesse resposta, ela fez uma oração rápida e fervorosa para que ele estivesse sozinho, antes de abrir a porta.

— Stevie?

O quarto estava vazio, as cortinas fechadas, o ar abafado. Emma franziu o rosto para a cama desarrumada, com uma garrafa pela metade de Jack Daniel's na mesinha do século XVIII ao lado. Irritada, ela adiantou-se e levantou a garrafa. Mas era tarde demais para salvar a cerejeira antiga do círculo branco deixado pela garrafa. Mesmo assim, ela largou a garrafa em cima de um exemplar amassado de *Billboard,* antes de pôr as mãos nos quadris.

Todo o progresso que ele fizera, pensou Emma... e agora se enchia de uísque. Por que Stevie não podia compreender que já abalara tanto sua saúde que o álcool era tão mortal para ele quanto as drogas?

Portanto, ele tomara um porre na noite passada, pensou Emma, enquanto levantava as cortinas e abria as janelas. Depois, provavelmente, levantara para vomitar. E dormira no chão do banheiro. Se tivesse morrido de frio, seria bem merecido. Ela não sentia a menor pena.

Foi abrir a porta do banheiro. Sangue. E vômito. E urina. O mau cheiro a fez recuar, engasgada. Sentiu a bílis subir pela garganta, viu pontos vermelhos dançarem diante dos olhos. Esbarrou no estéreo, fazendo a agulha correr pelo vinil. O súbito silêncio atingiu-a como um tapa. Com um grito de alarme, ela correu para a frente e inclinou-se sobre o corpo esparramado no chão.

Ele estava nu. E gelado. Apavorada, ela ergueu o corpo, virando-o de costas. Viu a seringa e o revólver.

— Não! Oh, Deus, não!

Em pânico, ela procurou por um ferimento, depois por uma pulsação. Encontrou o primeiro, mas era apenas a marca trágica da agulha. O soluço irrompeu de seu peito quando encontrou a pulsação na garganta de Stevie, fraca e delicada.

— Por Deus, Stevie, o que você fez?

Ela correu pela porta. Foi até o alto da escada.

— Chame uma ambulância! — gritou Emma lá de cima. — Chame uma ambulância o mais depressa possível!

Enquanto corria de volta ao banheiro, ela arrancou a colcha da cama para cobri-lo. O rosto de Stevie tinha uma cor da pasta feita com água e cinzas. Vê-lo assim, a pele manchada do sangue da agulha, deixou Emma mais apavorada do que ficaria com a imobilidade da morte. Na testa, logo acima das sobrancelhas, havia um talho horrível. Ela pegou uma toalha pequena e comprimiu-a contra o ferimento.

Depois de cobri-lo, Emma começou a bater com a palma aberta em seu rosto.

— Acorde, Stevie! Acorde logo! Não vou deixá-lo morrer desse jeito!

Ela sacudiu-o, deu tapas em seu rosto, depois perdeu o controle e chorou em seu peito. Sentia o estômago embrulhado, e fez um esforço furioso para reprimir a náusea.

— Por favor, por favor, por favor... — repetia Emma, como se fosse um canto.

Lembrou como Darren fora encontrado, estendido no chão, sozinho, com uma seringa no tapete.

— Não! Não! Você não vai morrer em meus braços!

Ela afagou os cabelos de Stevie. Tornou a comprimir os dedos em sua garganta. E não encontrou nada desta vez.

— Desgraçado! — Ela jogou a colcha para o lado e começou a apertar o peito frágil. — Você não vai morrer assim!

Emma abriu os lábios de Stevie para a respiração boca a boca, depois mudou de posição, para comprimir o peito com a base da mão.

— Está me ouvindo, Stevie? — balbuciou ela. — Você tem de voltar!

Ela expelia o ar de seus pulmões para os de Stevie, enquanto bombeava a área frágil no meio do peito. Ameaçando, suplicando, praguejando, ela empenhou-se em trazê-lo de volta à vida. Os ladrilhos esfolaram seus joelhos, mas nem notou. Estava tão concentrada em seu rosto, em rezar para que surgisse ali qualquer manifestação de vida, por menor que fosse, que esqueceu onde se encontrava.

Memórias desfilaram por sua mente... de Stevie, todo de branco, cantando no jardim. De Stevie no palco, luzes coloridas e fumaça, arrancando uma música impetuosa de uma guitarra de seis cordas. Jogos de tabuleiro na frente da lareira. Um braço estendido por seus ombros, e a pergunta zombeteira:

Quem é o melhor, Emma?

Apenas um pensamento era claro e definido em sua mente. Não perderia alguém que amava tanto daquela maneira inútil.

O suor escorria por seu corpo quando ouviu os passos subindo pela escada.

— Aqui dentro! Depressa! Oh, Deus, Da!

— Santo Deus!

Ele se ajoelhou ao lado da filha no mesmo instante.

— Eu o encontrei aqui. Estava vivo... mas depois parou de respirar. — Os músculos de seus braços doíam muito, mas ela continuou a bombear. — A ambulância! Ela chamou a ambulância?

— Ligou para Pete. E ele nos avisou pelo telefone de seu carro.

— Mas que droga! Eu disse a ela para chamar a ambulância! Stevie precisa de uma ambulância! — Ela ergueu a cabeça. Seus olhos se encontraram com os de Pete. — Não percebe que ele vai morrer se não receber ajuda médica logo? Chame a ambulância!

Ele acenou com a cabeça. Não tinha a menor intenção de chamar uma ambulância. Pelo menos não uma ambulância pública. Pete foi até o telefone e ligou para uma clínica particular, sempre discreta.

— Pode parar, Emma. Ele está respirando.

— Não posso...

Brian pegou os braços da filha, sentindo os músculos tremerem.

— Você conseguiu, querida. Ele está respirando.

Atordoada, Emma ficou olhando para o peito frágil de Stevie, subindo e descendo.

* * *

Às vezes ele gritava. Às vezes chorava. Enquanto o corpo de Stevie se desintoxicava, novas dores surgiam. Como pequenos duendes, infligido os piores tormentos, pulsando nos abscessos ao longo dos braços, na carne delicada de que ele tanto abusara... entre os dedos dos pés, na virilha. Excursionavam sobre a pele, primeiro quentes, depois frios. Às vezes ele podia vê-los, com seus olhos vermelhos, as bocas famintas, sapateando sobre seu corpo, antes de cravarem os dentes na carne.

A histeria seguia-se, com uma força maníaca, que obrigava os atendentes a amarrá-lo na cama. Depois, ele ficava quieto, entrava quase que em estado de transe, em que olhava por horas a fio para um único ponto na parede.

Quando caía nos longos silêncios, ele se lembrava de que estava morrendo em paz, sem qualquer dor. Até ouvir a voz de Emma, furiosa, magoada, assustada, exigindo que ele voltasse. E ele voltara. Para tornar a sentir dor, sem qualquer paz.

Suplicava para quem estivesse no quarto que o deixasse morrer, que consumasse a morte por ele. Prometia quantias absurdas e xingava de todos os nomes quando suas exigências não eram atendidas. Não queria voltar ao mundo dos vivos. Quando se recusava a comer, alimentavam-no através de um tubo.

Usaram um medicamento anti-hipertensivo para enganar o cérebro, fazendo-o acreditar que não estava em crise de abstinência. Deram também naltexone, um opiato não-viciante antagônico, para levar o corpo a acreditar que não estava sem nada. Stevie ansiava pela fuga sedutora da heroína, pela efervescência rápida da cocaína.

Quase nunca ficava sozinho, mas detestava e temia até mesmo um período de dez minutos de solidão. Nesses momentos, só havia ele e as máquinas que zumbiam e resmungavam em resposta a seus sinais vitais.

Ele se acalmou depois de duas semanas. Mas também se tornou furtivo. Esperaria o momento de escapar dos desgraçados taciturnos que o mantinham ali. Comeria as frutas e os legumes, sorriria e responderia a todas as perguntas. Mentiria para a linda psiquiatra de olhos frios. Até sair dali.

Sonhava em tomar as drogas de novo, em encher as veias com a gloriosa combinação da heroína chinesa e da cocaína de primeira classe. As maravilhas do mundo. Fantasiava a respeito... pilhas imensas de pós brancos, em bandejas de prata. Colheria com as duas mãos para se empanturrar.

Sonhava em matar todo mundo, os médicos, enfermeiras, atendentes. Sonhava em se matar. E depois voltava a chorar.

Disseram-lhe que estava com o coração e o fígado afetados. Disseram-lhe que estava anêmico, e tratavam desses problemas de uma forma implacável, ao mesmo tempo em que tentavam dominar o vício simultâneo em heroína e cocaína. Ninguém o chamava de *junkie,* a gíria depreciativa para viciado. Disseram-lhe que tinha uma personalidade viciante.

Fora difícil não rir dessa declaração. Portanto, ele tinha uma personalidade viciante. Fala sério, Sherlock. Queria apenas que o deixassem em paz, com sua personalidade. Era o melhor guitarrista do mundo, há vinte anos. Tinha quarenta e cinco anos, mas garotas de vinte anos ainda disputavam a honra de passar umas poucas horas em sua cama. Era rico... podre de rico. Tinha um Lamborghini, um Rolls. Comprava motocicletas como se fossem batatas fritas. Possuía uma mansão em Londres, uma *villa* em Paris e um refúgio no alto de uma colina em San Francisco. Gostaria de ver qualquer das enfermeiras ou dos médicos tão respeitados ter mais do que isso.

Alguma vez haviam entrado num palco com dez mil pessoas gritando seu nome? Não. Mas ele já o fizera. Tinham inveja, todos eles. Era por isso que o mantinham ali, longe de suas fãs, longe de sua música, longe de suas drogas.

Chafurdando na autocompaixão, ele correu os olhos pelo quarto. As paredes tinham um papel florido, em cinza e azul suaves. Um carpete cinza cobria o chão. As janelas eram viradas para o sul. As cortinas tentavam ocultar o fato de que as janelas eram gradeadas.

Havia uma área para sentar no outro lado do quarto, com dois sofás e uma poltrona. Flores de outono se destacavam num cesto de vime na mesinha de café. Uma reprodução de bom gosto de um armário do século XIX continha uma televisão, um videocassete e um aparelho de som. Um centro de diversões, pensou Stevie, amargurado. Só que ele não se sentia nem um pouco divertido.

Por que o deixavam sozinho durante tanto tempo? Por que ficava sozinho?

Visita após visita, Brian fazia um esforço para não se chocar com a aparência do amigo. Não queria pensar muito nos cabelos grisalhos, os sulcos profundos em torno dos olhos e da boca de Stevie. Não queria olhar para o corpo magro e frágil... um corpo que encolhera por causa dos abusos, como um homem que murcha com a idade.

Acima de tudo, não queria olhar para Stevie e ver seu próprio futuro. Um velho rico, mimado e desamparado.

— Como vai?

Porque se sentia grato pela companhia, o sorriso de Stevie foi genuíno.

— Tudo aqui é muito engraçado. Você devia ficar comigo.

A idéia provocou um calafrio de medo em Brian.

— Neste caso, você teria um concorrente para todas essas enfermeiras de pernas compridas.

Ele trazia uma caixa de dois quilos de chocolate Godiva, por causa do notório bico-doce dos viciados.

— Está parecendo quase humano, filho.

— Tem toda razão. Acho que o verdadeiro nome do Dr. Matthews é Frankenstein. Como vai o mundo real?

A conversa foi contrafeita, polida demais, enquanto Stevie devorava os chocolates com creme e nozes.

— Pete não aparece há bastante tempo — comentou Stevie.

— Ele anda muito ocupado.

Não havia sentido em informar que Pete tinha de lidar com a imprensa e os promotores. A etapa americana da nova excursão da Devastation fora cancelada.

— Está querendo dizer que ele ficou chateado.

— Um pouco. — Brian sorriu. Desejou desesperadamente um cigarro. E uma bebida. — Mas quando foi que isso já o incomodou?

— Não incomoda. — Mas incomodava. Cada desfeita doía como uma ferida infeccionada. — Não sei por que ele se preocupa tanto. Já distribuiu o comunicado à imprensa. Pneumonia virótica complicada por exaustão, não é mesmo?

— Parecia a melhor saída.

— Não tem problema. Nenhum problema. Ninguém quer que o público saiba que o velho Stevie misturou uma porção de drogas, e quase estourou os miolos no processo.

— Pare com isso, Stevie.

— Fique calmo. — Ele piscou para conter as lágrimas de autocompaixão. — Mas dói, Bri, dói muito. Ele não quer ver o viciado. Providenciava a droga quando tinha medo de que eu não pudesse tocar sem isso, mas agora não quer me ver.

— Nunca me contou que Pete arrumava drogas para você.

Stevie baixou os olhos. Era um pequeno segredo. Havia sempre um pequeno segredo.

— Só algumas vezes, quando a situação se tornava crítica e minhas fontes secavam. O show deve continuar, não é mesmo? A porra do show sempre deve continuar. Por isso, ele me fornecia a heroína. Dizendo que desaprovava. E depois, quando a excursão terminava, providenciava minha internação numa clínica.

— Nenhum de nós sabia que a situação era tão terrível.

— Ninguém mais sabia. — Stevie começou a tamborilar com os dedos na caixa de chocolates. — Lembra de Woodstock, Bri? Que coisa incrível! Nós dois sentados no bosque, cheios de ácido na cabeça, ouvindo a música... e que música! Como viemos parar aqui?

Eu bem que gostaria de saber. — Brian tirou as mãos dos bolsos, mas logo tornou a enfiá-las. — Você vai sair dessa, Stevie. É a nova moda. Todo mundo está se tornando limpo.

Brian fez um esforço para exibir outro sorriso, enquanto acrescentava:

— É a nova atitude dos anos 80.

— Sempre estive na vanguarda. — Stevie pegou a mão do amigo. — É uma coisa terrível. Muito difícil.

— Sei disso.

— Não pode saber, porque nunca esteve no meu lugar. — Ele reprimiu a raiva e o ressentimento. Não podia se dar ao luxo de demonstrar qualquer das duas coisas. — Talvez eu consiga escapar desta vez, Bri, mas preciso de ajuda.

— É por isso que está aqui.

— Muito bem, estou aqui. — Ele estava cheio de chavões e boas intenções. — Mas não é suficiente. Preciso de alguma coisa, Bri, apenas uma prova de alguma coisa. Você podia me trazer uns poucos gramas de cocaína... apenas para me ajudar a agüentar.

Não era a primeira vez que ele pedia. Com um aperto no coração, Brian sabia que não seria a última.

— Não posso fazer isso, Stevie.

— Só dois ou três gramas, Stevie. Nada demais. Eles se limitam aqui a me dar drogas de brincadeira. É como sobreviver à retirada com aspirina.

Brian retirou a mão e virou-se. Não suportava fitar aqueles olhos angustiados. Suplicantes.

— Não trarei cocaína para você, Stevie. Os médicos dizem que seria como encostar um revólver na sua cabeça.

— Já tentei isso. — Com um esforço para reprimir as lágrimas, Stevie comprimiu as mãos contra o rosto. — Muito bem, nada de cocaína. Mas você pode me arrumar outra coisa. Um pouco de Dolophine. É uma boa droga, Bri. Se foi bastante boa para os nazistas, também será para mim.

Ele começou a gemer, olhando para Brian.

— É apenas um substituto, cara. Já fez isso por mim antes. Qual é o problema se fizer de novo? E me dará forças para resistir.

Brian suspirou. Quando se virou, abrindo a boca para recusar mais uma vez, avistou Emma na porta. Ela estava imóvel, como uma estátua, os cabelos presos atrás numa trança, uma calça azul folgada, presa por suspensórios, passando por cima de uma camisa vermelha. Havia enormes argolas de ouro nas orelhas; e ela tinha nas mãos um jogo de Mexe-Mexe. Brian achou que ela parecia ter dezesseis anos. Até que reparou em seus olhos.

Eram frios. Os olhos frios e acusadores de uma mulher.

— Estou interrompendo?

— Não. — Brian enfiou as mãos nos bolsos. — Eu já estava de saída.

— Eu gostaria de falar com você. — Ela não o fitou enquanto falava, deslocando-se para o outro lado da cama de Stevie. — Talvez você possa me esperar lá fora. Não vou demorar. O médico disse que Stevie precisava descansar.

— Está bem. — Era um absurdo, pensou Brian, mas ele se sentia como uma criança repreendida. — Voltarei amanhã ou depois, Stevie.

— Certo.

Ele não disse mais nada, mas seus olhos suplicavam enquanto Brian se retirava.

— Comprei isto para você. — Emma pôs o jogo sobre os joelhos ossudos de Pete. — Achei que poderia praticar para tentar me vencer.

— Sempre a venci.

— Quando eu era pequena e porque você trapaceava. — Ela abaixou a grade da cama para sentar na beira. — Não sou mais uma criança.

Stevie não conseguia manter as mãos quietas. Os dedos tamborilaram na caixa, num nervosismo evidente.

— Acho que não.

— Então você quer um pouco de droga.

Emma falou com tanta calma que ele demorou um momento para registrar as palavras. Os dedos aceleraram o ritmo na caixa, enquanto Stevie fitava-a.

— Qual era mesmo o nome? Vou anotar. Imagino que poderei providenciar em poucas horas.

— Não.

— Você disse que queria. Qual é o problema?

Ela tirara um bloco da bolsa e mantinha um lápis por cima. Houve esperança, uma ganância desesperada, antes que a vergonha o deixasse todo arrepiado. Por um momento, ele parecia quase saudável.

— Não quero que você se envolva.

Ela riu, um som baixo e divertido, que fez o suor aflorar na nuca de Stevie.

— Não diga bobagem, Stevie. Estou envolvida desde os três anos de idade. Acredita mesmo que eu não sabia o que acontecia nas festas, nas excursões? Dê-me algum crédito.

Ele tinha de acreditar, porque precisava acreditar. Ela era — e sempre fora — a luz suave da inocência em meio a toda a confusão e loucura.

— Eu... estou cansado, Emma.

— Cansado? Precisa de uma injeção de ânimo? Uma fungada para amenizar a realidade? Dê-me o nome, Stevie. Afinal, salvei a sua vida. Nada mais justo que eu o ajude agora a destruí-la.

— Não lhe pedi para salvar minha vida. — Stevie ergueu a mão, como se fosse empurrá-la, mas logo a deixou cair para o lençol, inerte. — Por que não me deixou em paz naquele momento, Emma? Por que não me deixa em paz agora?

— Cometi um erro — declarou ela, incisiva. — Mas podemos repará-lo agora.

Ela inclinou-se para Stevie, permitindo que ele aspirasse seu perfume suave, enquanto a voz e os olhos endureciam.

— Providenciarei a porra da droga para você, Stevie. Trarei para cá. E até espetarei a agulha na veia que ainda sobrar em seu corpo. Talvez até eu experimente.

— Não!

— Por que não? — Ela alteou uma sobrancelha, como se achasse engraçado. — Você disse que era uma boa droga. Não foi o que falou para o Da? É uma boa droga. Se é bastante boa para você, também será para mim.

— Não! Veja o que eu fiz comigo!

Ele mostrou os braços cobertos de cicatrizes e feridas.

— Sei o que fez com você. — Emma jogou o bloco e o lápis no outro lado do quarto. — Sei exatamente o que fez com você. É um homem fraco, lamentável, patético.

— Ei, moça! — Uma enfermeira passou pela porta. — Terá de...

— Saia daqui. — Emma virou-se para ela, os punhos cerrados, os olhos ardendo em fúria. — Saia daqui agora. Ainda não acabei.

A enfermeira se retirou. Os passos apressados ressoaram pelo corredor.

— Deixe-me em paz — balbuciou Stevie.

As lágrimas escorriam dos olhos, passavam pelos dedos comprimidos contra o rosto.

— Vou mesmo deixá-lo em paz. Depois de acabar. Encontrei-o estendido no chão, no meio de seu sangue e vômito, ao lado da arma e da seringa. Não conseguiu chegar a uma conclusão sobre a maneira como queria se matar, Stevie? Foi uma pena, não é mesmo, que eu não quisesse que você morresse. Bombeei a vida de volta a seu corpo, ali mesmo, no chão. Chorei porque tinha medo de não ser bastante rápida, ou bastante hábil, ou bastante inteligente para salvá-lo. Mas você respirava quando o levaram, e achei que isso importava.

— O que você quer? — gritou ele. — O que você quer de mim?

— Quero que pense... pense a respeito de outra pessoa, para variar. Como acha que eu teria me sentido se o encontrasse morto? Ou o Da... como seria para ele? Você tem tudo, mas está tão empenhado na autodestruição que poderia ter o dobro sem que isso tivesse qualquer importância.

— Não posso evitar.

— É uma péssima desculpa... deplorável, triste e absolutamente apropriada à pessoa que você se tornou. — Emma estava quase em lágrimas agora, mas tratou de reprimi-las, deixando que a raiva fervilhante se despejasse. — Amei-o desde que posso me lembrar. Observava-o tocar, e ano após ano ficava espantada pelo que era capaz de criar. Agora, você senta aqui e me diz que não pode fazer nada para evitar o suicídio. Como quiser, mas não espere que as pessoas que o amam tanto fiquem de braços cruzados assistindo.

Ela fez menção de sair, mas foi detida na porta por uma morena pequena.

— Srta. McAvoy? Eu sou a Dra. Haynes, a psiquiatra do Sr. Nimmons.

Emma contraiu todo o corpo, como um pugilista se preparando para um novo combate.

— Já estou de saída, doutora.

— Posso ver. — A mulher sorriu e estendeu a mão. — Um bom espetáculo, minha cara. Recomendo uma boa caminhada e depois um banho quente.

Ela passou por Emma e foi até a cama de Stevie.

— Ah, Mexe-Mexe, um dos meus jogos prediletos! Quer jogar, Sr. Nimmons?

Emma ouviu a caixa ser arremessada contra a parede, mas continuou a andar.

Encontrou Brian lá fora, encostado no capô de seu mais novo Jaguar. Quando a viu, ele deu uma última tragada no cigarro e depois jogou a guimba longe.

— Pensei que ia demorar mais um pouco.

— Não foi preciso. Falei tudo o que tinha de dizer. — Enquanto falava, ela abotoou o botão do blusão azul-escuro de aviador e puxou o zíper. — Queria lhe perguntar se ouvi direito. Você comprava drogas para Stevie?

— Não no sentido que está pensando. Não sou um traficante, Emma.

— Vamos sair do jogo de palavras. Você já lhe forneceu drogas?

— Forneci um opiato substituto... para ajudá-lo a chegar ao fim de uma excursão e evitar que fosse tomar um pico de heroína em algum beco imundo.

— Para ajudá-lo a chegar ao fim de uma excursão... — repetiu Emma. — Pensei que Pete era horrível, mentindo para a imprensa, ajudando Stevie a mentir para si mesmo.

— Pete não é culpado neste caso.

— É sim. E você também é culpado.

— Deveríamos publicar um anúncio na *Billboard* dizendo que Stevie é um viciado?

— Seria melhor do que isto. Como Stevie pode ser capaz de enfrentar se não consegue sequer admitir o que é? E como ele pode deixar de ser o que é se os amigos, seus queridos amigos, continuam a lhe fornecer drogas, para que ele possa agüentar mais um show, mais uma cidade?

— Não é assim...

— Não é mesmo? Ou você apenas está se iludindo para pensar que faz isso por amizade?

Cansado demais para sentir raiva, Brian tornou a se encostar no carro. A brisa que desmanchava seus cabelos tinha o vigor do outono e trazia o cheiro de chuva. Paz, pensou ele, enquanto fitava o rosto furioso da filha. Só queria paz.

— Você não sabe de nada a respeito, Emma. E não me agrada ouvir um sermão de minha própria filha.

— Não farei mais nenhum sermão.

Emma foi até seu carro. Com a mão na porta, virou-se para o pai.

— Nunca lhe contei, mas decidi procurar Jane, há dois anos. Ela é patética, absorvida em suas próprias necessidades, em seu ego. Até agora eu não havia percebido o quanto você é parecido com ela.

Emma entrou no carro, bateu a porta e partiu. Se havia angústia no rosto do pai, ela não olhou para trás para descobrir.

Capítulo Vinte e Nove

Emma casou com Drew numa discreta cerimônia civil. Não houve convidados, não houve assédio da imprensa. Ela não avisara a ninguém, nem mesmo a Marianne. Afinal, tinha mais de vinte e um anos, e não precisava de permissão ou aprovação de ninguém.

Não foi o casamento com que ela sonhara. Não houve o tule e a seda cintilante. Não houve flores, exceto a rosa única que Drew lhe dera. Não houve música e não houve lágrimas.

Ela disse a si mesma que não importava. Estava fazendo exatamente o que queria. Talvez fosse egoísmo, mas sentia-se justificada por cometer esse ato egoísta. Como poderia avisar a Bev ou a Marianne sem contar ao pai? Não queria a sua presença, ao seu lado, entregando-a ao noivo.

Ela mesma se entregaria.

Fizera o melhor que podia para animar a cerimônia insípida e mecânica, usando um vestido de seda elaborado, numa tonalidade mais intensa do que a rosa que levava. Com renda no corpete e a bainha além dos joelhos.

Pensou no casamento do pai. O primeiro casamento a que assistira. Bev exibia uma felicidade gloriosa. Brian sorria. Stevie, todo de branco, cantava como um anjo. A lembrança trouxe lágrimas a seus olhos, mas ela tratou de reprimi-las, enquanto Drew pegava a sua mão.

Sorrindo para ela. Sorrindo enquanto enfiava em seu dedo a aliança com um único diamante. Sua mão era quente e firme. A voz era clara e adorável, enquanto prometia amá-la, honrá-la e respeitá-la. E Emma queria desesperadamente ser amada. Quando Drew a beijou, ela acreditou.

E se tornaram marido e mulher. Ela não era mais a Emma McAvoy, mas sim a Emma McAvoy Latimer. Uma nova pessoa. E, ao prometer seu amor e sua vida a Drew, estava iniciando uma nova existência.

Não importava que ele tivesse de seguir direto da cerimônia para o estúdio de gravação. Ela compreendia, melhor do que ninguém, as demandas e a necessidade de tempo de qualidade. Fora idéia dela um casamento rápido, discreto e no meio da gravação de seu novo disco. Teria tempo para preparar a suíte de hotel em que passariam a noite de núpcias. Emma queria que tudo fosse perfeito.

Havia flores agora, muitas rosas de estufa, orquídeas, narcisos. Para seu próprio prazer, ela arrumou-as pessoalmente, em vasos espalhados pela suíte, havia até um cesto com hibiscos no banheiro.

Uma dúzia de velas esperava para ser acesa, todas brancas, com fragrância de jasmim. Uma garrafa de champanhe gelando num balde de cristal. O rádio tocando baixo para aumentar o clima.

Ela se permitiu um longo banho de banheira, com óleos perfumados. Passou creme e talco no corpo, apreciando o ritual feminino. Acrescentou perfume a cada ponto de pulsação. Como o quarto, como a noite, queria que seu corpo estivesse perfeito para o marido. Escovou os cabelos, até ficar com os braços dormentes.

Depois, experimentando todo o prazer, vestiu o penhoar de seda e renda branca.

Ao contemplar o reflexo no espelho de corpo inteiro, sabia que parecia uma noiva. Fechou os olhos, e sentiu-se como uma noiva. Sua noite de núpcias. A mais linda noite de sua vida. Saberia agora como era. Drew logo chegaria. E a contemplaria, com os olhos fulvos faiscando. Ele seria gentil, terno, paciente. Quase que podia sentir os dedos compridos e hábeis de Drew deslizando por sua pele. Ele diria o quanto a amava, o quanto a desejava. E, depois, haveria de levá-la para a cama, onde demonstraria todo o seu amor.

Com paciência. Ternura. E ardor.

Por volta de dez horas, ela estava ansiosa. Às onze, apreensiva. À meia-noite, frenética. Os telefonemas para o estúdio revelaram que ele saíra horas antes.

Emma imaginou um terrível acidente. Drew estaria com pressa de voltar para ela, ansioso em iniciar a vida nova no leito nupcial. Podia ter sido descuidado, e seu carro... Não saberiam onde encontrá-la, os médicos, a polícia. Era bem possível que Drew estivesse naquele momento estendido num leito de hospital, sangrando, chamando por ela.

Ela ligava para os hospitais na lista telefônica quando ouviu o barulho da chave na fechadura. Antes que ele pudesse abrir a porta, Emma já estava lá, puxando-a e caindo em seus braços.

— Oh, Drew, fiquei apavorada!

— Calma, calma... — Ele deu um aperto rápido na bunda de Emma. — Ficamos na maior ansiedade, hem?

De porre. Parte da mente de Emma tentou negar, mas era evidente, na voz engrolada, no corpo cambaleando, no bafo. Ela recuou para fitá-lo.

— Você estava bebendo.

— Apenas uma pequena comemoração com a turma. Não é todo dia que um homem se casa, não é mesmo?

— Mas... você disse que estaria aqui às dez horas!

— Por Deus, Emma, não vai começar a me azucrinar, não é?

— Não, mas... Fiquei preocupada, Drew.

— Mas agora estou aqui, não é?

Ele teve dificuldade para tirar o casaco, que largou no chão. Não era com freqüência que se embriagava, mas naquela noite fora fácil deixar que uma dose seguisse outra. Naquela noite, subira um degrau além do que deveria.

— E olhe só para você. A imagem perfeita da noiva ruborizada. A bela Emma, toda de branco.

Emma corou. Havia desejo agora nos olhos de Drew. O tipo que já vira antes, o tipo que imaginara ver naquela noite.

— Eu queria parecer bonita para você.

Ela foi para os braços do marido, e levantou a boca para um beijo, em sua confiança inocente.

Drew a machucou. Sua boca era ardente e arrebatada. Ele mordiscou com força o lábio inferior de Emma, enquanto a apertava.

— Drew...

Emma tentou recuar, alarmada com a lembrança de Blackpool no laboratório em Nova York.

— Drew, por favor...

— Não quero saber de jogos esta noite. — Ele agarrou-a pelos cabelos, puxando sua cabeça para trás. — Você me fez esperar por tempo demais, Emma. Não haverá desculpas esta noite.

— Nem eu quero. Mas... Drew, não podemos...

— Você é minha esposa agora. E faremos à minha maneira.

Ele arrastou-a para o chão, ignorando suas súplicas, a tentativa de resistência. As mãos eram rudes, enquanto rasgava a renda delicada, expondo os seios, para chupar e apertar. A rapidez e urgência assustaram-na. Não era certo, pensou Emma, frenética. Não era certo deitar no chão, as luzes acesas, as roupas rasgadas.

Os dedos de Drew apertaram seus quadris quando as bocas se encontraram. Quase sufocando com o cheiro de uísque, ela tentou dizer o nome dele. Quando começou a se debater com mais determinação, Drew imobilizou suas mãos com uma dele, e acabou com sua virgindade em uma arremetida rápida e firme.

Ela gritou, em choque e dor. Depois, ele continuou, em movimentos impetuosos, ofegando e gemendo. Emma chorava quando ele alcançou o orgasmo, rolou para o lado e pegou no sono no mesmo instante.

DREW TRANSBORDAVA DE ARREPENDIMENTO, VERGONHA E ternura pela manhã. Com olheiras, a voz trêmula, condenou-se pelo que fizera e suplicou perdão. Ficara de porre, uma desculpa esfarrapada, mas a única razão para se comportar como um monstro. Quando a abraçou, gentilmente, acariciando seus cabelos e murmurando promessas, ela acreditou. Era como se outro homem a tivesse procurado na noite de núpcias para mostrar como o sexo podia ser cruel e impiedoso. Quando o primeiro dia do casamento terminou, Emma deitou em seus braços, contente, acalentando apenas sonhos róseos.

MICHAEL CAMBALEOU PARA A COZINHA. PRETENDIA LAVAR toda a louça. Suas intenções eram tão firmes que ficou chocado quando descobriu que a pia estava cheia e o balcão atravancado. Lançou um olhar cansado e acusador para a louça. Vinha dobrando o turno durante toda a semana, e se perguntou por que coisas como pratos não podiam cuidar de si mesmos.

No espírito de auto-sacrifício, decidiu arrumar tudo, antes de sentar com o café da manhã e o jornal. Começou por empilhar pratos, tigelas, copos e talheres. Pegou uma lata de lixo com um saco e jogou tudo lá dentro. Era tudo de papel e plástico, um sistema que deixava sua mãe consternada, mas era o mais conveniente para Michael. Embora sua modesta cozinha ostentasse uma lavadora Whirlpool, ele nunca tivera um prato sequer que exigisse seus serviços.

Satisfeito, ele vasculhou os armários, pegou um vidro de tempero El Paso e um pote de manteiga de amendoim Skippy. Deixou-os de lado, pegou a caixa de farelo de trigo. Despejou um pouco numa tigela chinesa, depois pegou o bule e jogou o café fumegante sobre o cereal.

Descobrira essa iguaria por acaso, em outra manhã, em que também acordara atordoado. Quase terminava de comer quando percebera que despejara o café no cereal e o leite no copo de plástico. Desde então, Michael dispensara por completo o leite. Antes que pudesse sentar para saborear, foi interrompido por uma batida na porta de tela nos fundos.

À primeira vista, parecia ser um capacho de um metro e meio de altura. Mas capachos não abanavam o rabo ou deixavam pendente uma língua rosada. Michael abriu a porta de tela e ganhou uma saudação efusiva do cachorro enorme e abrutalhado.

— Não tente compensar.

Michael empurrou as patas enormes dele de seu peito nu. As patas bateram no chão, mas a maior parte da lama permaneceu em Michael.

Conroy, de pedigree desconhecido, sentou no linóleo e sorriu. Cheirava tão mal quanto um cachorro podia cheirar, mas aparentemente não se sentia ofendido pelo próprio aroma. O pêlo estava todo emaranhado e cheio de carrapichos. Michael achava difícil acreditar que escolhera Conroy numa ninhada de filhotes graciosos e brincalhões, menos de dois anos antes. Como adulto, Conroy tornara-se feio... não apenas feio, mas extremamente feio. Essa pequena traição da natureza também não perturbava o cachorro.

Conroy continuou a sorrir, enquanto levantava a pata, num gesto que tanto ele quanto Michael sabiam que nada tinha de subserviente.

— Não vou apertar essa pata. Não sei onde esteve. Voltou a procurar aquela vagabunda, não é?

Conroy desviou os olhos para a esquerda. Se fosse capaz de assobiar, não hesitaria.

— Não tente negar. Passou todo o fim de semana se espojando na lama e babando por aquela mestiça beagle ordinária. Sem pensar nas conseqüências ou nos meus sentimentos.

Michael virou-se e abriu a geladeira.

— Se você emprenhá-la de novo, terá de enfrentar tudo sozinho. Já disse isso para você mais de mil vezes. Sexo seguro. É a onda dos anos 80, companheiro.

Ele jogou um pedaço de salsichão para Conroy, que pegou no ar e engoliu de uma só vez. Amolecendo, Michael jogou-lhe mais dois pedaços, antes de se acomodar para comer o trigo com café.

Gostava de sua vida. A mudança para o subúrbio fora a decisão certa. Tinha exatamente o que queria: um bom gramado que lhe permitia resmungar na hora de apará-lo, umas poucas árvores frondosas e o que restava do canteiro de flores do proprietário anterior.

Dera uma chance à jardinagem, mas desistira quando ficara comprovada a sua inépcia. O que também convinha a Conroy. Ninguém se enfurecia quando ele destruía as bocas-de-leão.

Comprara a pequena casa de rancho de alvenaria num súbito impulso, logo depois do final de seu breve e desavisado caso com Angie Parks. Aprendera alguma coisa com ela, além do sexo extravagante. De que Michael Kesselring era e sempre seria da classe média.

Fora estranho assisti-la na tela depois que fora trocado por um jogador de hóquei de vinte anos. Experimentara um sentimento estranho e quase arrepiante ao vê-la como Jane Palmer, e compreendera que Angie representara esse papel durante os três meses frenéticos em que haviam sido amantes.

Fora sozinho ao cinema. Uma espécie de teste, para ter certeza de que se livrara de toda e qualquer atração residual e insalubre que ainda pudesse sentir. Quando ela mostrara os seios lindos, sentira apenas um certo desconforto. Embora indiretamente, sabia que fora para a cama com a mãe de Emma.

E especulara, sob a proteção do manto escuro do cinema, se Emma teria assistido ao filme.

Mas não gostava de pensar em Emma.

Tivera outras mulheres. Nenhuma mais séria, mas outras mulheres. Tinha seu trabalho. Não mais o espantava que demonstrasse talento e afeição pelo trabalho policial. Talvez não tivesse a habilidade e paciência do pai com a parte burocrática, mas era eficiente na ação, aceitava as horas longas e às vezes monótonas de investigação de porta em porta e vigilância, e tinha um saudável respeito por sua vida para não ter um dedo nervoso no gatilho.

— Tentaram me acertar um tiro ontem — disse ele para Conroy, em tom de conversa. O cachorro, desinteressado, começou a se coçar das pulgas. — Se aquele pervertido tivesse sorte, você estaria perdido, companheiro. Não se iluda pensando que aquela vagabunda o acolheria.

Conroy olhou para ele, arrotou e voltou a se concentrar na caça às pulgas.

— Uma visita ao veterinário — murmurou Michael, enquanto se servia de mais cereal. — Apenas uma visita e dois ou três cortes e seus dias de devassidão acabariam.

Satisfeito porque dera a última palavra, Michael abriu o jornal. Havia as notícias habituais sobre o Oriente Médio, os últimos atos de terrorismo. Algumas entrevistas rotineiras de crítica à economia. Por baixo da dobra, na seção B, uma reportagem sobre a captura de um certo Nick Axelrod, um ladrão de segunda classe que matara sua amante com um machado.

— Aqui está o cara — disse Michael, estendendo o jornal para Conroy dar uma olhada. — Encontrei-o num apartamento no centro, subindo pelas paredes e chamando por Jesus. E aqui está meu nome. Detetive Michael Kettlerung. Eu sei, eu sei, eles trocaram meu nome. Se não está interessado em eventos atuais, por que não faz alguma coisa útil, como buscar meu cigarro? Ande logo.

Gemendo, Conroy começou a se afastar. Tentou encenar que mancava, mas Michael voltara a se concentrar no jornal, e não estava prestando atenção. Coçando o peito nu, Michael abriu na seção de entretenimento.

Os dedos se contraíram, o coração disparou, enquanto ele olhava para a foto.

Era Emma. Ela parecia... oh, pensou Michael, ela estava deslumbrante! Aquele pequeno sorriso tímido, os olhos enormes e suaves. Usava um vestido curto, sem alças. Os cabelos caíram em ondas sobre os ombros.

Havia um braço estendido por seus ombros, e esse braço estava ligado a um homem. Michael desviou os olhos do rosto de Emma pelo tempo suficiente para avaliar o homem.

Drew Latimer. Seu cérebro ligou rosto e nome. Ele também sorria. Positivamente radiante, pensou Michael. Ele tornou a se concentrar em Emma, estudando seu rosto por um longo tempo. Conroy voltou e largou um maço de Winstons todo babado em seu colo. Mas Michael não se mexeu.

Bem devagar, como se fosse outra língua, ele leu o título da matéria:

PRINCESA DO ROCK EMMA MCAVOY
CASA COM SEU PRÍNCIPE

> Numa cerimônia secreta, há dois dias, Emma McAvoy, filha de Brian McAvoy, da banda Devastation, e de Jane Palmer, escritora, casou com Drew Latimer, de vinte e seis anos, vocalista e guitarrista de Birdcage Walk, um grupo de rock em ascensão. Os recém-casados conheceram-se na recente excursão européia da Devastation.

Michael não leu mais nada. Não podia.

— Oh, Deus, Emma... — Ele fechou os olhos e deixou o jornal cair na mesa. — Oh, Deus...

EMMA FICOU EMOCIONADA POR VOLTAR A NOVA YORK. Mal podia esperar para mostrar a cidade a Drew e passarem o primeiro Natal juntos no loft.

Não tinha importância para ela o atraso do avião ou que houvesse uma geada. Teriam quatro semanas para a lua-de-mel, que fora adiada por causa da gravação do novo disco de Drew. Ela queria passar esse tempo em Nova York, em sua casa, enquanto fazia a transição de noiva para esposa.

Emma mandou que o motorista os levasse pelo centro da cidade, a fim de mostrar a Drew as luzes, as pessoas, a imponente árvore de Natal no Rockefeller Center, a festa na Times Square.

Sentiu a maior satisfação ao chegar ao loft, sabendo que estava sozinha. Finalmente sozinha, sem Sweeney instalado no apartamento de baixo.

— Parece que anos se passaram desde que estive aqui pela última vez.

Ela sabia que o pai de Marianne protestara com veemência contra a decisão das duas de não alugar o apartamento, mas sentiu-se contente agora por saber que ninguém ocupara o apartamento durante sua ausência.

— E então? — Emma passou os dedos pelos cabelos úmidos. — O que acha?

— É um espaço e tanto. — Ele correu os olhos pelas paredes, o chão vazio, a coruja de porcelana que Emma descobrira num armarinho no subúrbio. — Um pouco... espartano.

— Espere só até eu começar a decoração de Natal. Marianne e eu colecionamos alguns enfeites incríveis. — Ela procurou uma gorjeta na bolsa quando o motorista largou a bagagem no chão, com uma tosse discreta. — Obrigada.

Ele embolsou a nota de vinte dólares.

— Eu é que agradeço, madame. Feliz Natal.

— Feliz Natal.

Emma tirou o casaco e correu para a janela.

— Drew, venha dar uma olhada na vista! É melhor do estúdio de Marianne, mas tenho vertigem sempre que olho lá de cima.

— Muito bonita. — Ele viu uma rua suja e uma confusão desesperada de tráfego. — Por que nunca se mudou para um apartamento de mais classe, Emma?

— Nunca tive vontade de sair daqui.

— O apartamento é sem dúvida encantador, e tenho certeza que é apropriado para duas estudantes. Mas acho que temos de repensar a situação. — Quando ela se virou, Drew passou a mão por seus cabelos. — Afinal, não vamos querer partilhar um apartamento com Marianne, por mais simpática que ela seja.

— Eu não havia pensado nisso... Mas Marianne só voltará daqui a dois meses.

— Pois é melhor começar a pensar.

Drew atenuou a mordacidade das palavras com um beijo na testa. Uma cara bonita, mas um tanto obtusa, pensou ele, acariciando o rosto de Emma.

— Pelo que ouvi dizer, Emma, é preciso muito tempo, dinheiro e energia para encontrar um bom apartamento em Nova York. Como você quer agora dividir o tempo entre Nova York e Londres, precisaremos de um lugar apropriado. Puxa, como é frio aqui!

— Mandei o zelador manter o aquecimento baixo durante nossa ausência.

Ela foi aumentar o termostato.

— Sempre prática, não é mesmo, querida? — Havia um certo desdém em sua voz, mas ele sorria quando Emma voltou. — Tenho certeza de que vamos nos divertir aqui por duas ou três semanas. Afinal, uma lua-de-mel, mesmo atrasada, não exige muito mais do que uma cama.

Drew riu quando ela corou, para depois abraçá-la, dando um beijo longo e ardente.

— Temos uma cama, não é, Emma?

— Claro. — Ela o apertou. — Bem ali. Preciso trocar os lençóis.

— Vamos nos preocupar com os lençóis depois.

Ele a puxou na direção da cama, tirando sua suéter. Emma sabia que seria rápido, intenso e doloroso, como acontecera na noite de núpcias. Mas logo acabaria. Não tinha a menor idéia de como podia pedir mais. Embora soubesse, no fundo de seu coração, que devia haver mais do que aquelas carícias bruscas no escuro. O colchão era frio em suas costas. Mas o corpo de Drew, quando a penetrou, muito antes que estivesse preparada, estava quente. Ela enlaçou-o, absorvendo seu calor, à espera da erupção sobre a qual apenas lera.

Estremeceu quando ele acabou. Do frio, disse a si mesma. Momentos depois, Drew ecoou seus pensamentos:

— Deus Todo-Poderoso, isto aqui parece uma geladeira!

— Não demora muito para esquentar. Tenho alguns cobertores na arca.

Ela pegou a suéter, mas Drew segurou sua mão.

— Gosto de olhar para seu corpo, Emma. Um corpo pequeno e gracioso, que acaba de amadurecer. Não precisa mais ser tímida na minha presença.

— Não.

Contrafeita, ela levantou-se para abrir a arca ao pé da cama. Drew tateou nos bolsos de seu casaco, que largara no chão, à procura do maço de cigarros.

— Imagino que não há qualquer comida aqui, nem uma garrafa de bebida, como proteção contra a pneumonia.

— Havia um conhaque na cozinha.

Emma se lembrou da garrafa que abrira para Luke. De volta a Miami, Luke ainda lutava por sua vida. Ela pôs a pilha de lençóis e cobertores no pé da cama. Já partilhara quase todos os segredos com Drew... exceto o relacionamento de Luke e Johnno.

— Nem pensei em comida. — Ela viu-o franzir o rosto, enquanto levava o cigarro aos lábios. — Por que não dou um pulo até o supermercado na esquina? Comprarei algumas coisas. E enquanto você bebe o conhaque e toma um banho quente posso preparar um jantar.

— Está bem. — Não lhe ocorreu se oferecer para acompanhá-la. — Pode trazer cigarro também?

— Claro. — Ele não a deteve quando Emma tornou a pegar a suéter. — Não vou demorar.

Drew levantou-se quando ela saiu. Vestiu o jeans, mais pelo conforto do que por recato. Serviu o conhaque primeiro. Irritou-se por não haver um copo apropriado, mas aprovou a marca.

Espantava-o que Emma esperasse que ele aplaudisse aquele estábulo que passava por apartamento. Um loft num bairro distante do centro, pensou ele, enquanto tomava outro gole do conhaque. Não tinha a menor intenção de viver ali. Sempre quisera subir na vida. Era ridículo pensar que poderia se contentar, agora que estava a caminho, com qualquer coisa que não fosse a melhor.

Crescera em condições piores, sem dúvida. Sempre bebendo o conhaque, ele estudou o mural na parede. Pensou no lugar de onde viera e para onde queria ir. Não podia alegar uma vida em cortiços, mergulhado na miséria. Mas vivera apenas um pouco acima.

Uma casa alugada, um quintal lamacento, jeans remendado. Detestava ter nascido na classe operária. Detestava o pai que os mantivera ali, porque nunca tivera a menor ambição. Um velho de ombros encurvados, pensou ele, sem espinha, sem colhões. Por que outro motivo a esposa o teria abandonado e a três crianças pequenas?

Ela queria alguma coisa melhor do que apenas sobreviver, refletiu Drew. Como podia culpá-la? Mas também a detestava.

Ele estava em seu caminho, e esse caminho o levaria direto ao topo. Erguendo o copo, ele fez um brinde ao retrato de Emma na parede. Se sua esposa ansiosa e ingênua pudesse ajudá-lo, todos seriam felizes.

Mas ele comandaria o espetáculo.

Aceitaria passar uma ou duas semanas ali. E depois se mudariam para um lugar melhor. Um daqueles apartamentos grandes e espetaculares junto do Central Park. Para começar. Não se importaria de passar uma parte do ano em Nova York. Na verdade, achava que viver em Nova York seria muito conveniente. Ainda mais com os contatos que Emma tinha ali.

Ele foi até o estéreo, deu uma olhada nos discos, até encontrar o que queria. *Complete Devastation.* Nada mais apropriado, pensou Drew, que oferecesse um cumprimento ao velho. Afinal, se não fosse pela excursão, ele não seria capaz de atrair Emma para os bastidores e envolvê-la com seu charme. Era incrível que Emma fosse tão estúpida a ponto de acreditar que ele não sabia quem ela era, ou o que podia fazer por sua carreira.

Balançando a cabeça, ele pôs o disco para tocar e deixou que a música se espalhasse pelo apartamento.

Não seria difícil satisfazê-la. Embora ela fosse péssima na cama — um grande desapontamento —, era ansiosa em agradar. Fora tão hábil para manipulá-la quanto era na guitarra de seis cordas, desde o momento em que a vira. E tencionava fazer com que sua engenhosidade fosse recompensada. Com juros.

Não demoraria muito para que ela fizesse as pazes com o pai. O velho acabara aceitando o casamento, e fora generoso no presente, um cheque de cinqüenta mil libras. Nominal para Emma, mas já depositado numa conta conjunta.

Ainda havia alguma distância entre pai e filha. O que seria superado em breve. Drew tinha certeza. E era inevitável que ser o genro de Brian McAvoy trouxesse suas recompensas. Enquanto isso, tinha uma esposa muito rica. Uma esposa rica e ingênua.

Com uma risada, ele foi até a janela. Que melhor companheira para um homem ambicioso? Só precisava controlar seu temperamento e impaciência, mantê-la feliz... e, depois, cairia em seu colo tudo o que sempre desejara.

Capítulo Trinta

Eles mudaram para um elegante apartamento dúplex no Upper West Side. Porque parecia tão importante para Drew, ela tentou ignorar o fato de que era no 11º andar. Sentia mesmo vertigem quando chegava à janela e olhava para baixo. A fobia era uma chateação. Estivera no topo do Empire State Building e sentira-se exultante. Mas se parava junto de uma janela no quarto andar sentia a cabeça girar, o estômago embrulhar.

Drew tinha razão, pensou ela, quando lhe dissera que teria de aprender a conviver com isso.

De qualquer forma, Emma gostava do teto alto, com painéis mais fundos no quarto principal, a balaustrada art déco na escada curva, os nichos nas paredes, o tabuleiro marrom e branco no chão do vestíbulo.

Pediu a Bev para cuidar da decoração, na esperança de que seu toque e umas poucas semanas de sua companhia pudessem tornar menos dolorosa a mudança do loft. Emma tinha de admitir que o apartamento era adorável, com sua vista aérea do Central Park, a escada larga e curva. Satisfez seu anseio por antiguidades e excentricidade ao decorá-lo com móveis Queen Anne formais e com exóticas peças de *pop art*.

Gostava das janelas enormes, da varanda envidraçada, onde podia cultivar ervas em vasos, e do fato de que ficava perto do apartamento de Johnno.

Via-o quase todos os dias. Ele a acompanhava em suas excursões pelas lojas de antiguidades, uma atividade que deixava Drew chateado. Johnno aparecia uma ou duas vezes para jantar, ou acompanhava-os numa saída noturna. Se não podia contar com a aprovação do pai, compensava um pouco ter a companhia de Johnno, ouvi-lo conversar com Drew sobre música. Ela ficou satisfeita quando os dois começaram a compor uma canção juntos.

E sentiu-se surpresa e exultante quando Drew manifestou seu desejo de iniciar uma família imediatamente. Independentemente de tudo que discordavam, das diferenças que ela descobrira em seus gostos e pontos de vista, pelo menos nessa questão partilhavam o mesmo sonho.

Ela imaginou como seria engravidar, sentir o filho de Drew crescendo em seu útero. Sonhava a respeito com freqüência, via os dois empurrando um carrinho de bebê pelo parque. Exibiriam os mesmos sorrisos presunçosos que ela observava em pais recentes?

À medida que os meses foram passando, ela disse a si mesma para ser paciente, que o momento certo chegaria. Era o estresse, tentar com muito empenho. Aconteceria depois que aprendesse a relaxar no ato de amor.

A brisa da primavera soprando, ela tirava dezenas de fotos de mulheres grávidas no parque, de bebês em carrinhos e crianças começando a andar. Observava as pessoas desfrutarem o sol ameno do final da tarde. E invejava-as.

Os planos para abrir o próprio estúdio e trabalhar no livro foram adiados, mas ela continuou a vender fotos. Contentava-se em se dedicar a uma nova vida doméstica, a passar as horas livres expandindo seu portfólio. Começou a colecionar livros de culinária, a assistir aos programas especializados na TV aberta. Sentia-se lisonjeada quando Drew elogiava uma tentativa de reconstituir uma refeição apresentada num programa. Como ele não demonstrava o menor interesse por fotografia, Emma deixou de lhe mostrar as fotos novas, de conversar sobre seus trabalhos em andamento.

Drew parecia mais contente em vê-la como uma dona-de-casa. No primeiro ano do casamento, ela sentiu-se mais do que feliz em atendê-lo.

Deliberadamente, mantinha-se ocupada, tentando disfarçar o desapontamento quando o corpo informava, com regularidade, que não estava grávida. E tentava não se sentir culpada quando Drew demonstrava seu mau humor cada vez que ela fracassava.

Foi Runyun quem a arrancou dessa rotina complacente.

COM UMA GARRAFA DE CHAMPANHE NUMA DAS MÃOS E UM ramo de tulipas na outra, Emma entrou afobada no apartamento.

— Drew! Você está em casa, Drew?

Ela largou a garrafa e ligou o rádio.

— Santo Deus! Quer desligar essa coisa?

Drew apareceu no alto da escada. Usava apenas uma calça de training. Nunca tinha uma boa aparência pela manhã, os cabelos despenteados, os olhos turvos, o rosto coberto pela barba de um dia.

— Sabe que trabalhei até tarde ontem à noite — acrescentou ele. — Acho que não é demais pedir um pouco de sossego pela manhã.

— Desculpe. — Emma apressou-se em desligar o rádio. Uns poucos meses de casamento haviam lhe ensinado que Drew tinha pavio curto antes do café. — Não sabia que você ainda estava na cama. Pensei que havia saído.

— Algumas pessoas não precisam levantar ao amanhecer para serem produtivas.

Ela apertou as flores em sua mão. Não queria estragar o momento com uma discussão.

— Quer que eu faça um café?

— É melhor. Não há mais possibilidade de dormir por aqui.

Emma levou as flores e a champanhe para a cozinha. Era estreita, parecendo mais espaçosa por causa da copa envidraçada em que tomavam o café da manhã. Ela escolhera tons de azul e branco, o tampo do balcão em azul-marinho, os eletrodomésticos brancos, ladrilhos branco e de um azul bem claro no chão. Havia no canto um velho armário de cozinha que ela mesma pintara de branco, ocupado por uma coleção de peças de vidro de um azul-cobalto.

Ela acrescentou água fresca ao trio de cactos que plantara em vasos azuis, antes de começar a preparar o café. Tinham uma empregada três vezes por semana, mas ela gostava de cozinhar algumas refeições, tanto quanto gostava de revelar uma boa foto. Ela pôs as salsichas prediletas de Drew para grelhar, antes de moer os grãos para o café.

Quando ele entrou na cozinha, momentos depois, ainda de peito nu e com a barba por fazer, os aromas eram suficientes para dissolver seu mau humor. Além do mais, gostava de vê-la no fogão, cozinhando para ele. Lembrava-o que Emma lhe pertencia, independentemente de quem era, bem como de sua conta bancária. Ele adiantou-se para beijá-la no pescoço.

— Bom-dia.

O sorriso de Emma se desvaneceu no instante em que ele estendeu as mãos para acariciar seus seios.

— Ficará pronto num instante.

— Estou morrendo de fome.

Drew deu um aperto rápido nos mamilos, sem qualquer gentileza. Emma detestava quando ele fazia isso, mas não disse nada, enquanto servia o café. Quando lhe dissera que não gostava de ser beliscada, ele passara a fazê-lo com mais freqüência. Apenas para provocá-la, segundo alegara.

Você é sensível demais, Emma. Não tem senso de humor.

— Tenho uma novidade. — Ela estendeu a xícara. — E é uma notícia maravilhosa!

Ele contraiu os olhos. Emma estaria grávida? Queria muito presentear Brian com um neto.

— Esteve no médico?

— Não... Não estou grávida, Drew. Sinto muito.

Emma experimentou o sentimento familiar de culpa e inadequação. O desapontamento alterou o rosto de Drew antes que sentasse à mesa.

— Só é preciso esperar mais um pouco — murmurou ela, quebrando os ovos na frigideira. — Estou mantendo minha tabela de temperatura com o maior cuidado.

— Sei disso. — Ele pegou um cigarro, acendeu e observou-a através da fumaça. — Tem feito o melhor que pode.

Emma abriu a boca. Tornou a fechá-la. Não era o momento de lembrar que eram necessárias duas pessoas para fazer um bebê. Na última vez em que haviam conversado a respeito, Drew quebrara um abajur e saíra de casa, furioso, deixando-a desesperada e culpada até de manhã.

— Fui conversar com Runyun. Lembra que falei sobre isso?

— Quem? Ah, sim... o velho rabugento das *shutterbugs*.

— Ele não é rabugento. — Não adiantava protestar contra o termo *shutterbugs*, depreciativo, indicando as fotos de amadores que adoram mostrar o que fazem. — Pode ser excêntrico, e até irritante, mas não é rabugento.

Ela levou o prato do marido para a mesa. Esquecera seu café, mas sentou assim mesmo, quase prestes a explodir.

— Ele está articulando para que eu faça uma exposição... minha própria exposição.

— Exposição? — repetiu Drew, enquanto mordia uma salsicha. — Do que você está falando?

— Uma exposição dos meus trabalhos, Drew. Eu disse que achava que ele ia me oferecer um emprego, mas isso não era tudo.

— De qualquer forma, não precisa de um emprego. Já disse o que penso sobre você trabalhar com um velho sujo e peidorrento.

— Não me lembro, mas... ora, isso não importa agora. Ele acha que sou muito boa. Foi difícil para Runyun admitir, mas ele acha realmente que sou muito boa. E vai patrocinar minha exposição.

— Está falando de uma dessas reuniões em que as pessoas vagueiam de um lado para outro, olhando para as fotos e dizendo coisas como "que profundidade, que perspectiva"?

Emma empertigou-se. Lentamente, levantou-se para arrumar as tulipas, até a raiva passar. Drew não tivera a intenção de magoá-la, assegurou a si mesma.

— É um passo importante em minha carreira. Uma coisa que sempre desejei desde que era criança. Pensei que você compreenderia.

Nas suas costas, ele revirou os olhos. Calculou que agora teria de mimá-la e acalmá-la.

— Claro que compreendo. Acho ótimo para você, amor. Quando será o grande dia?

— Em setembro. Runyun quer me dar tempo suficiente para selecionar meus melhores trabalhos.

— Espero que inclua algumas fotos minhas.

Ela se obrigou a sorrir, enquanto punha as tulipas ao sol, num canto da mesa.

— Claro. Você é um dos meus temas prediletos.

EMMA TINHA CERTEZA DE QUE ELE NÃO ESTAVA TENTANDO dificultar as coisas. Mas as exigências de Drew sobre seu tempo tornavam quase impossível realizar qualquer trabalho. Era tempo de aproveitarem Nova York, alegava ele, insistindo em freqüentar as casas noturnas mais em moda. Ele precisava de um descanso, e por isso voaram para uma semana nas Ilhas Virgens. Era natural que fizesse amigos entre os jovens e ricos de Nova York. O apartamento quase nunca ficava vazio agora. Se não recebiam, havia uma festa em algum lugar. Como um dos novos casais em evidência, eram assediados pelos *paparazzi*. A estréia de uma peça na Broadway, a inauguração de uma nova casa noturna, um show no Central Park.

Seus nomes e rostos ornamentavam os jornais. Saíram na capa de *Rolling Stones, People* e *Newsweek.* Barbara Walters queria uma entrevista.

Cada vez que se tornava frenética sob a pressão, Emma lembrava que era exatamente o tipo de vida com que sonhara quando estudava em Saint Catherine. Mas a realidade dessa vida era muito mais cansativa e chata do que poderia acreditar.

Todos diziam que o primeiro ano de casamento era o mais difícil, Emma sempre se lembrava. Exigia esforço e paciência. Se o casamento e a vida em geral eram mais difíceis e menos emocionantes do que imaginara, só podia significar que não estava se empenhando tanto quanto devia.

— Vamos, amor, é uma festa.

Drew virou-a. A água mineral derramou do copo quando ele a puxou para dançar.

— Relaxe, Emma.

— Estou cansada, Drew.

— Você está sempre cansada.

Os dedos de Drew apertaram suas costas quando ela tentou se afastar. Emma passara três noites consecutivas trabalhando no laboratório. Faltavam seis semanas para a exposição e ela sentia-se nervosa demais. E irritada, ela admitiu para si mesma. Irritada porque o marido não demonstrava o menor interesse por seu trabalho. Irritada porque ele anunciara duas horas antes que convidara alguns amigos para ir ao apartamento.

Havia cento e cinqüenta pessoas lotando as salas. A música era estrondosa. Durante o último mês, houvera mais e mais dessas pequenas reuniões. A conta de bebidas subira para quinhentos dólares por semana. Ela não se ressentia por causa do dinheiro. Não, o problema não era o dinheiro. Não era nem mesmo o tempo, não quando envolvia os amigos. Mas o número de amigos aumentara para incluir os parasitas e fãs histéricas. Na semana passada, o apartamento parecia o cenário de uma devastação depois de uma festa. O sofá fora manchado com conhaque. Alguém deixara cair um cigarro aceso em seu tapete oriental. Mas ainda pior do que isso, pior do que o vaso Baccarat quebrado ou o prato Limoges desaparecido, era o consumo de drogas.

Ela encontrara um grupo, pessoas que não conhecia, aspirando cocaína, exuberantes, no quarto de hóspedes que deveria se tornar o quarto do bebê.

Drew prometera que nunca mais aconteceria.

— Você só está irritada porque Marianne não veio.

Não fora convidada, corrigiu Emma, silenciosamente.

— Não é isso.

— Desde que Marianne voltou a Nova York que você passa mais tempo com ela naquele loft do que comigo.

— Não a vejo há quase duas semanas, Drew. Entre meu trabalho e nossa vida social, não sobra tempo nenhum.

— Mas você sempre tem tempo para reclamar.

Ela recuou, num movimento brusco. Furiosa, empurrou a mão de Drew para o lado, antes que ele pudesse pegá-la de novo.

— Vou me deitar.

Ela abriu caminho pela multidão, ignorando os chamados e risos. Ele alcançou-a na escada. A pressão de seus dedos indicava a Emma que ele também estava furioso.

— Largue-me — murmurou ela. — Creio que não vai querer uma briga na frente de seus amigos.

— Então vamos subir.

Drew apertou-a até que ela gritou, e depois a arrastou pelo resto do caminho.

Emma estava preparada para uma discussão. Até aguardava ansiosa pela oportunidade de uma disputa a gritos. Mas explodiu quando entrou no quarto.

Estavam usando seu espelho antigo para fazer as carreiras de cocaína. Quatro pessoas, inclinadas sobre a penteadeira, rindo e fungando o pó branco. Os vidros de perfume antigos de sua coleção haviam sido empurrados para o lado. Um deles se espatifara no chão.

— Saiam.

Quatro cabeças se viraram para fitá-la, com sorrisos insinuantes.

— Eu disse para saírem. Saiam do meu quarto, saiam da minha casa.

Antes que Drew pudesse impedi-la, ela agarrou a pessoa mais próxima, um homem com o dobro de seu peso, e levantou-o.

— Ei, podemos partilhar!

— Saia! — exclamou Emma, empurrando-o para a porta.

Todos se apressaram em deixar o quarto. Uma das mulheres parou pelo tempo suficiente para afagar o rosto de Drew. Emma bateu a porta depois que todos saíram e virou-se para o marido.

— Foi demais. Já agüentei tudo o que podia, Drew. Quero que essas pessoas saiam daqui e não voltem nunca mais.

— Você quer? — murmurou ele, a voz suave.

— Não tem importância para você? Não tem a menor importância? Este é o nosso quarto. Olhe para as minhas coisas, Drew. Estiveram até no closet. — Enfurecida, ela pegou uma pilha de roupas de seda e linho. — Só Deus sabe o que roubaram ou quebraram desta vez, mas isso ainda não é o pior. Nem sequer conheço essas pessoas, e elas estavam em meu quarto, tomando drogas. Não vou admitir drogas na minha casa.

Ela viu-o se inclinar para trás, mas não entendeu o motivo do movimento. O dorso da mão de Drew atingiu seu rosto com tanta força que a derrubou. Ela sentiu o gosto de sangue. Atordoada, levou a mão ao lábio partido.

— Sua casa?

Drew levantou-a. A saia rasgou quando ele a empurrou com toda força. Emma bateu na mesinha-de-cabeceira. Seu amado abajur da Tiffany se espatifou no chão.

— Sua vaca mimada. Esta casa é sua?

Atordoada demais para reagir, Emma encolheu-se quando ele avançou. O barulho da música abafou seu grito quando Drew arrastou-a para a cama.

— Nossa casa. Não se esqueça disso. É tanto minha quanto sua. E jamais pense que pode me dizer o que fazer. Acha que pode me humilhar dessa maneira e escapar impune?

— Eu não...

Ela parou de falar, encolhendo os ombros, quando Drew levantou a mão.

— Assim é melhor. Eu a avisarei quando quiser ouvir seus lamentos. Sempre fez o que queria, não é mesmo, Emma? Pois esta noite não será exceção. Quer ficar sentada aqui em cima sozinha. Tudo bem.

Ele pegou o telefone e arrancou-o da parede.

— Pode ficar sozinha aqui.

Ele jogou o telefone contra a parede, antes de sair, bater a porta e trancá-la.

Emma sentou na cama, toda encolhida, respirando com dificuldade, atordoada demais para sentir dor das equimoses e cortes. Era um pesadelo, ela pensou. Já tivera outros pesadelos. Angustiada, lembrou-se dos tapas e gritos com que vivera durante os três primeiros anos de sua vida.

Sua vaca mimada.

Era a voz de Jane ou de Drew?

Tremendo toda, ela estendeu a mão. O cachorrinho preto de sua infância estava no travesseiro. Envolvendo-o com o braço, ela chorou até dormir.

QUANDO ELE DESTRANCOU A PORTA, NA MANHÃ SEGUINTE, Emma estava dormindo. Parado na porta, Drew examinou-a, friamente. O lado do rosto inchara. Teria de providenciar para que ela não fosse vista em público por dois ou três dias.

Fora uma estupidez perder o controle, pensou ele, esfregando as palmas nas coxas. Satisfatório, mas estúpido. O problema é que Emma não parava de pressioná-lo. E ele fazia o melhor, não é mesmo? Não era fácil. Dormir com aquela mulher era como levar um peixe morto para a cama. E ela não parava de falar na porra de sua exposição, passando horas no laboratório, em vez de cuidar dele.

Era o seu trabalho, suas necessidades, que tinham de estar em primeiro lugar. Era tempo de Emma compreender isso.

Uma esposa deve cuidar do marido. Fora por isso que casara com ela. Emma deveria cuidar dele, ajudá-lo a seguir para onde queria ir.

Talvez a surra tivesse sido uma boa coisa. Ela pensaria duas vezes antes de desafiá-lo de novo.

Mas agora que ele mostrara quem mandava podia se dar ao luxo de ser generoso. A doce Emma, pensou ele. Era preciso apenas um pouco de esforço para controlá-la.

— Emma...

Com todo cuidado, evitando os cacos do abajur quebrado, Drew foi até a cama. Observou os olhos de Emma se abrirem. E viu o medo.

— Oh, meu amor, perdão... — Ela estremeceu quando Drew passou a mão por seus cabelos. — Não sei o que aconteceu. Acho que me perdi por completo. Mereço ser preso.

Ela não disse nada. Como um eco, as desculpas de sua mãe, a voz engrolada, afloraram em sua mente.

— Você tem de me perdoar, Emma. Eu a amo demais. Foi apenas porque você gritou comigo, me culpando. Não foi culpa minha. — Ele pegou os dedos rígidos de Emma e comprimiu-os contra os lábios. — Sei que aqueles desgraçados não tinham o direito de estar aqui, em nosso quarto. Mas não foi culpa minha. Eu mesmo os expulsei do apartamento.

Era um improviso, e ele seguiu por esse rumo:

— Quando os vi aqui, também fiquei furioso. E depois você se virou contra mim.

Ela recomeçou a chorar, lágrimas lentas, silenciosas, que se espremiam entre as pálpebras comprimidas com toda força.

— Juro que nunca mais tornarei a machucá-la, Emma. Irei embora se você quiser. Pode se divorciar de mim. Só Deus sabe o que eu faria sem você, mas não vou pedir que me deixe ficar. Acontece apenas... Oh, Deus, tudo está se acumulando! O disco não está vendendo tão bem quanto esperávamos. O Grammy passou direto por nós. E não consigo deixar de pensar, durante todo o tempo... que ainda vamos ter o nosso filho.

Drew começou a chorar nesse momento. Hesitante, ela estendeu a mão para tocar em seu braço. Ele quase riu. Depois, apertou os dedos de Emma e caiu de joelhos ao lado da cama.

— Por favor, Emma. Sei que o fato de que você estava me atormentando, que se virou contra mim, não é desculpa para o que eu fiz. Perdoe-me. Dê-me outra chance. Farei qualquer coisa para compensá-la.

— Daremos um jeito de resolver o problema.

O rosto comprimido contra a colcha, ele sorriu.

Capítulo Trinta e Um

As festas cessaram, isto é, havia umas poucas reuniões de vez em quando, com pessoas com as quais Emma se sentia à vontade. Mas não houve mais multidões de estranhos em sua casa. Drew era atencioso e terno, da maneira como ela o lembrava do namoro. Emma convenceu-se de que a raiva e a violência daquela noite haviam sido um incidente isolado.

E fora ela quem o pressionara. Drew lembrava-a com bastante freqüência para fazê-la acreditar. Ela culpara-o por alguma coisa pela qual ele não era responsável. Emma virara-se contra ele, em fúria, em vez de apoiá-lo e acreditar em suas palavras.

E se ele perdia o controle às vezes, se Emma via uma explosão de violência, se o observava cerrar os punhos ou comprimir os lábios, Drew podia apresentar motivos objetivos e até mesmo sólidos para desencadear essa reação.

As equimoses sararam. A dor desapareceu. Ele fez um esforço para se interessar por fotografia. Mas fazia questão de ressaltar, em dezenas de maneiras sutis, que seu passatempo, como ele o chamava, afastava-a do casamento e do apoio que devia dar ao marido e sua carreira.

Era uma boa foto, ele podia dizer, se alguém gostava de olhar para velhas alimentando pombos. Então por que ela levara tantas horas longe do marido, só para tirar algumas fotos em preto-e-branco, de pessoas flanando no parque?

Mas ele sempre podia comer um sanduíche frio, apesar de ter passado seis horas compondo. E aparentemente lhe cabia levar a roupa suja para a lavanderia, ao final do dia, mesmo depois de ter passado a tarde inteira ocupado numa reunião.

Ela não precisava se preocupar com nada. Se seu trabalho era tão importante, ele podia se divertir sozinho por uma noite.

Quaisquer que fossem as críticas, eram sempre temperadas com elogios. Ela parecia sedutora na frente do fogão, preparando uma refeição. Fazia-o se sentir bem ao voltar para casa e encontrá-la à sua espera.

Talvez ele exagerasse um pouco ao insistir como ela devia se vestir, que roupas devia comprar, como arrumar os cabelos. Mas a imagem de Emma, como sua esposa, era quase tão importante quanto a dele.

Drew se preocupou em particular com a roupa que ela deveria vestir na exposição. Mas, como ele disse, só queria que Emma parecesse o melhor possível. E sabia que ela não tinha bom gosto para se vestir.

Era verdade que ela preferia o vestido de seda preta e o casaco de friso dourado em vez da mistura justa de plumas e lantejoulas que ele escolheu. Mas, como disse Drew, ela era uma artista agora e devia se vestir de acordo com o papel. Porque se sentiu comovida ao ser chamada de artista, ela usou a roupa para agradá-lo. Para completar, ele lhe deu um par de brincos de ouro enormes, com pedras de várias cores. Se eram um pouco espalhafatosos, não tinha muita importância, pois ele próprio ajeitou os brincos em suas orelhas.

Quando pararam na frente da pequena e elegante galeria, ela sentiu um aperto no estômago. Drew afagou sua mão.

— Ora, Emma, não é tão difícil quanto entrar num palco, na frente de dez mil pessoas berrando. É apenas um pequeno show de fotos.

Com uma risada, ele ajudou-a a sair da limusine.

— Relaxe. As pessoas vão comprar as fotos da filha de Brian McAvoy, quer gostem ou não.

Ela parou na calçada, profundamente magoada.

— Drew, não é isso o que preciso ouvir neste momento. Quero ter sucesso por mim mesma.

— Nunca está satisfeita. — Ele puxou o braço de Emma com força suficiente para fazê-la estremecer. — Aqui estou eu, tentando ser razoável sobre tudo isso, tentando apoiá-la no que você está determinada a fazer, sem me importar com as inconveniências para mim, e mesmo assim você me critica.

— Não tive a intenção...

— Você nunca tem. Como deseja fazer tudo por si mesma, talvez seja melhor entrar sozinha.

— Claro que não é.

O nervosismo e a frustração aumentavam o latejamento por trás dos olhos. Ela nunca podia encontrar a coisa certa para dizer, pensou. E naquela noite, entre todas as noites, não queria aliená-lo.

— Desculpe, Drew. Não tinha a intenção de falar assim com você. Apenas estou nervosa.

— Está bem.

Satisfeito com o pedido de desculpas, ele afagou a mão de Emma. Entraram. Haviam chegado tarde... como Runyun ordenara. Ele queria que todos estivessem ali, já intrigados, quando sua estrela chegasse. Manteve-se de olho na porta, e adiantou-se no instante em que Emma apareceu.

Era um homem pequeno e corpulento, que invariavelmente usava uma camisa de gola rulê preta, com um jeans também preto. Emma outrora pensara que ele queria exibir uma imagem de artista, mas o fato puro e simples era que Runyun achava que o preto fazia com que parecesse mais magro. Tinha uma cabeça grande e calva, ainda mais proeminente por causa da gola rulê. As sobrancelhas eram pretas e espessas, com alguns fios brancos, por cima de olhos que exibiam um verde-claro surpreendente.

O nariz era adunco, a boca fina. Ele compensava com um bigode ao estilo de Clark Gable. Em nada contribuía para melhorar sua aparência, que sempre fora deficiente, para dizer o mínimo. Apesar disso, as três esposas não o deixaram porque era feio, mas sim porque ele dispensava mais atenção à sua arte do que aos compromissos conjugais. Não recebeu Emma com um sorriso ou um beijo, mas sim de cara amarrada.

— Por Deus, você parece uma *starlet* a fim de trepar com o diretor! Mas não importa. Circule um pouco. Converse com as pessoas.

Emma correu os olhos pela multidão, o cintilar de jóias e seda, o brilho de couro, com um horror atordoado.

— Não vai me desgraçar ao desmaiar — disse Runyun.

— Não. — Ela respirou fundo. — Não vou.

— Ainda bem. — Runyun ainda não cumprimentara Drew, a quem detestara à primeira vista. — A imprensa está ali. Já comeram metade dos canapés. E seu pai está acuado por alguém.

— O Da está aqui?

— Ali. — Runyun apontou, numa direção vaga. — Agora fale com as pessoas, parecendo confiante.

— Não pensei que ele viesse — murmurou Emma para Drew.

— Claro que ele viria. — Drew contava com isso. Passou o braço pelos ombros de Emma, num gesto afetuoso. — Ele a ama, Emma. Nunca perderia uma noite importante como esta. Vamos procurá-lo.

— Eu não...

O braço afetuoso apertou-a, arrancando um grito sufocado.

— Ele é seu pai, Emma. Não seja desagradável.

Ela atravessou a multidão ao lado de Drew, com um sorriso automático, parando de vez em quando para falar com alguém. Ajudava muito ouvir Drew elogiá-la. A aprovação do marido, que demorara tanto, causava um calor interior. Fora uma estúpida, decidiu agora, ao pensar que Drew se ressentia de seu trabalho. Ao aceitar seu beijo de congratulações, prometeu a si mesma que passaria mais tempo com ele, cuidaria melhor de suas necessidades.

Sempre quisera ser necessária. Sorrindo para Drew, enquanto ele conversava no maior entusiasmo sobre suas fotos com convidados, ela sentiu-se contente por saber que era necessária.

Por insistência de Drew, pegou um copo de champanhe, mas mal bebeu enquanto atravessavam a galeria.

Viu Brian cercado por muitas pessoas, na frente de uma foto dele e de Johnno. Seu rosto doía de manter o sorriso quando se encaminhou para o pai.

— Da...

— Emma...

Ele hesitou, antes de pegar a mão da filha. Ela parecia tão... tão remota, pensou Brian.

— Foi tão bom você ter vindo.

— Eu me orgulho de você. — Os dedos de Brian apertaram os de Emma, como se ele procurasse a ligação que sentia que perdera. — Muito orgulho.

Ela fez menção de falar, mas houve uma rajada de clarões das câmeras ao redor. Houve outro clarão no rosto do pai, um brilho de irritação, antes que o sorriso artificial tornasse a prevalecer?

— Brian, como se sente por ver sua filha ocupar a posição de destaque?

Ele não olhou para o repórter. Em vez disso, continuou a fitar Emma.

— Eu não poderia estar mais satisfeito. — Com um esforço, ele estendeu a mão para Drew. — Olá, Drew.

— Ela não está maravilhosa, Brian? — Ele deu um beijo gentil na têmpora de Emma. — Não sei quem está mais nervoso esta noite, se Emma ou eu. Espero que passe alguns dias em Nova York. Precisa conhecer o apartamento. Jantar conosco.

Brian irritou-se porque o convite partira de Drew, não de sua própria filha.

— Infelizmente tenho de viajar para Los Angeles pela manhã.

— Emma...

Ela virou-se. O sorriso tenso desapareceu em surpresa.

— Stevie! — Com uma risada, ela abraçou-o. — Não imagina como estou contente por vê-lo!

Emma deu um passo atrás para examiná-lo.

— Você parece muito bem.

E era verdade. Stevie nunca mais voltaria a ser o homem lindo que ela conhecera na infância, mas engordara, e o rosto não era mais desfigurado pelas olheiras.

— Não sabia que você... ninguém me contou...

Que ele havia saído da clínica, pensou Emma. Stevie sorriu, compreendendo o embaraço dela.

— Recebi a autorização para sair por bom comportamento. — Ele abraçou-a de novo. — Trouxe até a minha doutora particular.

Ele soltou Emma para pôr a mão no ombro da mulher ao seu lado. Depois de um momento de confusão, Emma reconheceu a morena como a psiquiatra de Stevie.

— Prazer de novo.

— O prazer é meu. — Katherine Haynes sorriu. — E meus parabéns.

— Obrigada.

— Fui sua primeira venda. — Katherine sorriu. — A foto de Stevie com a guitarra. Dá a impressão de que ele está fazendo amor com a guitarra. Não pude resistir.

— Ela vai analisar a foto por horas. — Stevie sentiu o cheiro de scotch e teve de reprimir um anseio antigo e profundo. — P.M. também veio.

Stevie inclinou-se para ela, baixando a voz para um sussurro malicioso:

— Ele trouxe Lady Annabelle.

— Jura?

— Acho que estão noivos. Mas ele se mantém tímido, e não quer contar a ninguém.

Com uma piscadela, Stevie pegou o braço de Katherine e afastou-se.

Emma lançou um olhar inquisitivo para o pai. O que ele podia dizer? Ela cumprimentara Stevie com mais afeição e entusiasmo do que demonstrara com o pai. Queria conversar com a filha, mas aquele não era o momento nem o lugar apropriados.

— Pode ir. Voltaremos a nos encontrar antes da minha partida.

— Isso mesmo, Emma, pode ir. — Drew beijou-a no rosto. — Vou conversar um pouco com seu pai. Assim, ambos poderemos nos gabar de você. Ela não é incrível?

Drew começou a falar no momento mesmo em que Emma se virava. Ela quase acreditava que era mesmo incrível. Nunca esperara tantas pessoas, nem tanto interesse por seu trabalho. Havia uma vozinha que indagava se achava mesmo que as pessoas se encontravam ali por seu trabalho, ou porque queriam ver seu pai e os companheiros. Mas ela fez o melhor que podia para ignorá-la.

Avistou P.M. Era óbvio que ele não estava mais fugindo de Lady Annabelle. Na verdade, parecia estar se divertindo ao máximo. Ela vestia um traje de couro verde-esmeralda e botas de pele de cobra pintadas de amarelo-canário. Os cabelos ruivos frisados projetavam-se como ondas de choque. E depois de dez minutos de conversa Emma compreendeu que a mulher estava louca e perdidamente apaixonada.

O que era maravilhoso, pensou Emma. P.M. merecia esse tipo de devoção. Esse tipo de... ahn... diversão.

Pessoas entravam e saíam, mas muitas vinham para ficar. Runyun tocava uma retrospectiva da Devastation através dos alto-falantes. Ela viu, com algum espanto, uma fita azul discreta por baixo de mais de uma dúzia de fotos. Vendido, pensou ela.

Acuada num canto por um homenzinho pretensioso, que queria discutir forma e textura, ela avistou Marianne.

— Com licença...

Mas antes mesmo que ela conseguisse escapar, sua antiga companheira de quarto já avançava em sua direção.

— Aqui está a estrela da noite! — Ela deu um beijo longo e estalado em Emma, envolvendo-a numa nuvem de Chanel. — Você conseguiu. Um longo caminho desde Saint Catherine, amiga.

— Tem razão.

Emma contraiu os olhos. Fora preciso apenas isso para fazer com que tudo finalmente parecesse real.

— Olhe só quem eu encontrei!

— Bev! — Emma passou dos braços de Marianne para os de Bev. — Não pensei que você poderia vir.

— Eu não perderia sua exposição por nada neste mundo.

— Entramos ao mesmo tempo e eu a reconheci — explicou Marianne. — E nos divertimos muito elogiando você, enquanto abríamos caminho pela multidão. A festa está incrível.

Ela pegou um dos poucos canapés restantes na mesa, antes de continuar:

— Sabe aquela foto minha que você tirou no loft, com um avental sujo de tinta e meias de rúgbi? Um homem deslumbrante acaba de comprá-la. Vou verificar se ele quer ter a oportunidade de conhecer a modelo.

— Não é difícil compreender por que você a ama tanto — comentou Bev, enquanto Marianne se afastava. — Então, qual é a sensação?

— Incrível. Assustadora. — Emma comprimiu a mão contra o estômago em turbilhão, só que agora não era de nervosismo, mas de excitamento. — Venho tentando me esgueirar para o banheiro há uma hora, só para poder chorar um pouco. Estou contente que você tenha vindo.

Foi nesse instante que ela viu Brian parado a poucos passos de distância.

— O Da está aqui. Quer falar com ele?

Bev só precisou virar a cabeça por uns poucos centímetros para vê-lo. Ficou virando a pequena bolsa nas mãos. Depois de tantos anos, pensou ela, ainda existia. Tudo o que sentira no passado ainda existia.

— Claro.

Ela falou em tom jovial. Era seguro ali, no meio de uma multidão. Na noite de Emma. Podiam pelo menos partilhar o prazer por Emma.

Brian se aproximou. Seria tão difícil para ele, especulou Bev, quanto era para ela? Suas palmas também estariam suadas de nervosismo? E o coração palpitando?

Ele não a tocou. Não ousou. Mas fez um esforço para encontrar uma voz tão casual quanto o sorriso.

— É um prazer tornar a vê-la.

— Também sinto a mesma coisa.

Bev teve de fazer um grande esforço para relaxar os dedos que apertavam a bolsa com toda força.

— Você parece... — Linda, maravilhosa. — ... bem.

— Obrigada. E me sinto muito bem. É maravilhoso para Emma, não acha? — Ela olhou para o lado, mas Emma já se afastara, e um paredão de pessoas os cercava. — Você deve estar muito orgulhoso dela.

— Estou, sim. — Brian tomou um gole longo do seu uísque. — Quer que eu pegue uma bebida para você?

Tão polido, pensou Bev. Tão cortês.

— Não, obrigada. Vou circular um pouco, ver as fotos. Talvez compre alguma.

Mas primeiro ela encontraria o banheiro para ter seu próprio acesso de choro.

— Foi ótimo tornar a vê-lo, Bri.

— Bev... — Era um absurdo pensar que ela ainda podia gostar dele. — Adeus.

Emma observava-os do outro lado da sala, sentindo vontade de gritar com os dois. Por que eles não podiam perceber? Não era apenas sua imaginação ou uma questão de desejo. Ela era muito boa no estudo das pessoas, em determinar o que sentiam. Nos olhos, num gesto, na postura do corpo. Ainda eram apaixonados um pelo outro. E ainda tinham medo. Ela respirou fundo e se encaminhou para o pai. Talvez, se falasse com ele...

— Emma, querida... — Johnno agarrou-a pela cintura. — Acho que já vou me mandar.

— Não pode ir agora. — Ela endireitou as lapelas. Johnno aderira à moda *rétro*, e as lapelas eram quase tão largas quanto as palmas de suas mãos. — Bev está aqui.

— É mesmo? Terei de perguntar se ela já está disposta a fugir comigo. Mas queria informar que encontrei alguém do seu passado.

— Do meu passado? — Ela riu. — Não tenho passado.

— Tem sim. Um dia quente de verão na praia. Um jovem bonito de calção azul.

Como um mágico tirando um coelho de uma cartola, ele estendeu o braço para o lado.

— Michael?

Era muito estranho vê-lo ali, pensou Emma, bonito como sempre, parecendo constrangido pelo terno e gravata. O rosto afinara, os ossos eram mais salientes, o nariz torto sobressaía como um defeito atraente. Mantinha as mãos nos bolsos e dava a impressão de que preferia estar em qualquer outro lugar do mundo.

— Eu... ahn... estava na cidade... e por isso...

Emma ria quando o abraçou. Ele pensou que o coração havia parado, sabia que o cérebro deixou de funcionar. Lentamente, com todo cuidado, tirou as mãos dos bolsos e comprimiu-as de leve contra as costas de Emma. Ela parecia como a lembrava, como sempre imaginara que a sentiria. Esguia e firme... e frágil.

— Mas isso é maravilhoso! Não posso acreditar que esteja mesmo aqui!

Tudo voltou muito depressa. Uma tarde na praia. Duas tardes. O que ela sentira como criança, depois como mulher, atingiu-a tão depressa, de uma forma tão inesperada, que o apertou com força, por muito tempo. Seus olhos estavam marejados de lágrimas quando recuou.

— Já faz muito tempo.

— É verdade. Quatro anos, mais ou menos. — Ele poderia dar com precisão os anos, meses e dias. — Você está ótima.

— E você também. Nunca o vi vestido dessa maneira antes.

— Bem...

— Veio a Nova York a trabalho?

— Isso mesmo. — Era uma mentira deslavada, mas ele estava mais preocupado em não parecer um tolo, e por isso não se preocupava com a veracidade. — Li sobre sua exposição.

Essa parte era verdade. Só que ele lera na Califórnia, enquanto tomava o café da manhã. E tirara três dias de licença.

— O que você acha?

— De quê?

— Da exposição.

Ela pegou-o pela mão e começaram a andar.

— É maravilhosa. Com toda sinceridade. Não sei nada sobre fotografia, mas gosto das fotos que você tira. Na verdade...

— Na verdade o quê?

— Não sabia que você era capaz de fazer coisas assim. Como esta.

Michael parou na frente de uma foto. Era de dois homens, com gorros de lã descendo até as orelhas, envoltos por casacos esfarrapados. Um deles estava deitado numa folha de papelão, e parecia dormir. O outro olhava direto para a câmera, com uma expressão mal-humorada e cansada.

— É uma foto poderosa e inquietante.

— Nem toda Nova York está na Madison Avenue.

— São necessários muito talento e sensibilidade para mostrar todos os lados igualmente.

Emma fitou-o com alguma surpresa. Era exatamente o que tentara fazer, com seus estudos da cidade, da Devastation, das pessoas.

— Você diz a coisa certa para alguém que não sabe muito sobre fotografia. Quando voltará?

— Pela manhã, bem cedo.

— Ahn... — Ela continuou a andar ao lado de Michael, surpresa com a profundidade de seu desapontamento. — Esperava que pudesse passar alguns dias em Nova York.

— Nem mesmo sabia se você falaria comigo.

— Aconteceu há muito tempo, Michael. E eu não reagi apenas ao que houve com você, mas também a um problema meu. Não é importante agora. — Ela sorriu e beijou-o no rosto. — Pode me perdoar?

— Era a pergunta que eu ia fazer.

Ainda sorrindo, ela ergueu a mão para o rosto de Michael.

— Emma...

Ela teve um sobressalto quando Drew chamou-a, por trás. Sentimento de culpa. Espalhou-se com a maior intensidade, como se ele a tivesse encontrado na cama com Michael, não numa sala lotada.

— Oh, Drew, você me deu um susto... Este é Michael Kesselring, um velho amigo. Michael, Drew, meu marido.

Drew passou o braço pela cintura de Emma. Não estendeu a mão para Michael, oferecendo apenas um brusco aceno de cabeça.

— Há pessoas que querem conhecê-la, Emma. Você tem ignorado seus deveres.

— A culpa é minha — declarou Michael no mesmo instante, preocupado com a rapidez com que o brilho desapareceu dos olhos de Emma. — Não nos víamos há algum tempo. Meus parabéns, Emma.

— Obrigada. Dê lembranças a seus pais.

— Claro.

Era ciúme, disse ele a si mesmo, puro e simples ciúme, que o fez ter vontade de afastá-la do marido.

— Michael, mantenha contato — acrescentou ela, enquanto Drew puxava-a para o lado.

— Está certo.

Ele pegou um copo da bandeja de um garçon que passava, enquanto observava os dois se afastarem. Se era apenas ciúme, ele especulou por que todo seu instinto ansiava em esmurrar o rosto bonito de Drew Latimer.

Porque ele está com Emma, disse Michael a si mesmo, implacável. E você não está.

DREW NÃO ESTAVA DE PORRE. TOMARA APENAS DOIS COPOS de champanhe durante a noite longa e terrivelmente chata. Queria estar lúcido e sob controle. Orgulhava-se por saber que obteria recompensas de puxar o saco de Brian McAvoy. Qualquer idiota poderia perceber que Drew Latimer era devotado e apaixonado pela esposa. Deveria ganhar a porra de um Oscar pelo desempenho.

E, durante todo o tempo em que bancava o marido apaixonado, Emma ostentava seu sucesso, sua educação privilegiada em colégio interno, seus amigos da sociedade.

Drew sentira vontade de esbofeteá-la ali mesmo, na frente de todas as câmeras. O mundo saberia então quem realmente mandava.

Mas o pai de Emma não teria gostado. Nem ele nem qualquer dos produtores, promotores e executivos que adulavam o grande Brian McAvoy. Muito em breve estariam adulando Drew Latimer, ele prometeu a si mesmo. E, quando isso acontecesse, Emma pagaria.

Ele quase decidira que a deixaria ter a glória. E depois ela tivera a desfaçatez de passar muito tempo com aquele "amigo". Precisava receber uma lição por isso. E ele seria o homem que a aplicaria.

Drew permaneceu calado na volta para casa. O que não parecia incomodar Emma. Ela estava meio adormecida ao seu lado. Ou melhor, fingia dormir, pensou ele. Provavelmente já fazia planos para se encontrar com o canalha do Kesselring.

Ele imaginou-os juntos... numa suíte de algum hotel de luxo, enlaçados na cama. Quase o fez rir. Kesselring teria o maior desapontamento quando descobrisse que a linda Emma era um fracasso entre os lençóis. Só que Kesselring não teria a menor chance de descobrir. Ninguém enganava Drew Latimer. Ele deixaria isso bem claro muito em breve.

Emma estava meio sonhando quando a limusine parou. Com um suspiro, ela encostou a cabeça no ombro de Drew, enquanto ele a levava pelo saguão do prédio.

— Tenho a sensação de que passei a noite inteira acordada. — Com uma risada sonolenta, ela aconchegou-se ainda mais contra o marido. — E toda a noite parece um sonho. Mal posso esperar para ler os comentários nos jornais.

Era como se ela estivesse flutuando, pensou Emma. E a sensação era maravilhosa. Ela tirou o casaco no momento em que passaram pela porta do apartamento.

— Acho que vou...

Ele agrediu-a nesse instante. Foi um golpe violento que a fez cambalear pelos dois degraus para a sala de estar. Gemendo, ela levou a mão ao rosto.

— Drew?

— Sua vaca! Sua vaca asquerosa e traiçoeira!

Atordoada, ela observou-o avançar. O instinto dizia-lhe para tentar escapar.

— Não, Drew. Por favor. O que eu fiz?

Ele puxou-a pelos cabelos, dando outro tapa antes que ela pudesse gritar.

— Sabe muito bem o que fez, sua puta.

Quando ele acertou um soco em seu peito, ela arriou no chão, inerte.

— Durante toda a noite, durante toda a noite de merda, tive de ficar circulando, sorrindo, fingindo que me importava com suas fotos de merda. Acha mesmo que alguém foi até lá por causa de suas fotos?

Ele levantou-a pelos ombros, deixando trilhas vermelhas nos pontos apertados pelos dedos.

— Acha que alguém se importa com você? As pessoas só foram porque é a filha de Brian McAvoy. Porque é a mulher de Drew Latimer. Você não é nada.

Ele jogou-a no chão.

— Oh, Deus, por favor, não me bata de novo! Por favor!

— Não me diga o que fazer.

Para enfatizar esse ponto, ele chutou-a. Errou as costelas, mas acertou no quadril, com toda força.

— Você pensa que é muito inteligente, uma mulher especial. Mas sou eu que as pessoas querem ver. E sou quem manda aqui. Nunca mais se esqueça disso.

— Está bem. — Emma enroscou-se toda, rezando para que ele a deixasse ali, até que a dor passasse. — Não esquecerei.

— Michael foi vê-la?

Drew tornou a agarrá-la, virando-a para que ficasse de frente.

— Michael? — Atordoada, ela sacudiu a cabeça. A dor fez todo seu corpo vibrar. — Não. Não.

— Não minta para mim.

Ele acertou-a, várias vezes, com a palma, o dorso da mão, até que ela não sentia mais nada.

— Tinha tudo planejado, não é? "Estou tão cansada, Drew. Acho que vou dormir." E depois sairia furtivamente para se encontrar com ele num hotel, não é mesmo?

Emma sacudiu a cabeça em negativa, mas ele esbofeteou-a de novo.

— Admita que queria trepar com ele. Confesse.

— Está bem.

— Foi por isso que usou esse vestido. Queria mostrar suas pernas e esses peitinhos inúteis.

Vagamente, ela lembrou que fora Drew quem escolhera o vestido. Não fora? Ela não podia mais ter certeza.

— E não parou de segurá-lo. Deixou que ele a apalpasse ali mesmo, na frente de todo mundo. Queria trepar com ele, não é?

Ela acenou com a cabeça em concordância. Abraçara Michael. E por um momento, encostada em seu corpo quente e firme, sentira alguma coisa. Não podia lembrar o quê. Não podia lembrar qualquer coisa.

— Não vai mais se encontrar com ele, não é?

— Não.

— Nunca mais.

— Nunca mais vou vê-lo.

— E nunca mais vai usar esse vestido de puta. — Drew enfiou um dedo no meio do corpete e rasgou-o. — Você merece ser punida, não é mesmo, Emma?

— Mereço.

Sua mente flutuava. Perdia e recuperava a consciência. Derramara o perfume da mamãe. Não deveria tocar nas coisas da mamãe. Era uma menina má e insuportável, e merecia ser punida.

— É para o seu próprio bem.

Ela não gritou de novo, até que Drew a virou de barriga para baixo e começou a golpeá-la com o cinto. Parou de gritar muito antes que ele acabasse de espancá-la.

Capítulo Trinta e Dois

Ele não pediu desculpa desta vez. Não havia necessidade. Emma precisou passar dez dias na cama para se recuperar. Durante todo o tempo, Drew lhe disse que fora ela quem provocara. Havia uma parte de sua mente que sabia que ele estava errado, sabia que ele era louco. Mas Drew era persistente, afetuoso de uma estranha maneira, enquanto explicava, muitas e muitas vezes, que só estava agindo em defesa dos interesses da própria Emma.

Afinal, ela só pensara em si mesma, não é, quando passara todas aquelas semanas preparando-se para a exposição? Mandara o marido sozinho para a cama, noite após noite, depois escarnecera do casamento em público, ao flertar com outro homem.

Emma o pressionara. E merecera a punição que recebera. Fora a causadora de tudo.

Embora o telefone tocasse constantemente, por vários dias depois da exposição, ela não atendeu ninguém. A princípio, tinha a boca muito inchada e dolorida para conseguir falar. Drew levava sacos de gelo e alimentava-a com sopa. Dava pílulas que atenuavam a maior parte da dor e ajudavam-na a dormir.

E dizia que as pessoas só ligavam para ela porque queriam sacaneá-lo. Precisavam ficar a sós, trabalhar o casamento, fazer um bebê.

Ela não queria uma família? Não queria ser feliz e cuidada pelo marido? Se não empenhasse tanto tempo e esforço em seu trabalho, já estaria grávida agora. Não era isso o que ela queria?

E quando ele perguntava, assediando-a com perguntas incessantes, enquanto ela se recuperava, Emma concordava. Mas a concordância nunca era suficiente.

Ela acordou sozinha, no escuro, ouvindo música. Um sonho, disse a si mesma, apertando os lençóis, fazendo um esforço para despertar completamente. Mas mesmo depois que abriu os olhos ainda podia ouvir aquelas palavras estranhas, cantadas por um homem que havia morrido. Os dedos tremiam quando tateou à procura do interruptor do abajur, na mesinha-de-cabeceira. Apertou-o várias vezes, mas a luz não acendeu, não iluminou o quarto, não expulsou as sombras.

Enquanto a música se tornava mais alta, ela ergueu as mãos para tapar os ouvidos. Mas ainda podia ouvi-la, vibrando em sua cabeça, até que seus gritos abafaram-na.

— Calma, Emma, calma... — Drew estava ao seu lado, afagando seus cabelos. — Outro pesadelo? Não acha que já está bastante crescida para deixar de ter esses pesadelos?

— A música...

Emma só podia ofegar e agarrar-se nele. Drew era seu salva-vidas, o único ponto sólido a que podia se segurar, a fim de escapar daquele mar de medo e loucura.

— Não era um sonho. Eu ouvi. A canção... já lhe contei... a canção que estava tocando quando Darren foi assassinado.

— Não há nenhuma canção.

Drew largou o controle remoto do estéreo. Era uma boa lição, pensou ele, enquanto Emma tremia toda. Uma boa maneira de mantê-la dependente, sob seu controle.

— Eu ouvi! — insistiu Emma, soluçando agora, os dentes batendo. — E a luz... não consegui acender a luz!

— Você está bem grandinha para ter medo do escuro — disse ele, gentilmente, enquanto tornava a ligar o abajur na tomada e o acendia. — Está melhor assim?

Emma acenou com a cabeça em confirmação, o rosto comprimido contra o ombro de Drew.

— Obrigada.

A gratidão envolveu-a. Com a luz acesa, ficou inerte nos braços do marido.

— Não me deixe sozinha, Drew. Por favor, não me deixe sozinha.

— Eu disse que cuidaria de você. — Ele sorriu e continuou a afagar os cabelos de Emma. — Não a deixarei sozinha, Emma. Não precisa se preocupar com isso.

No Natal, ela pensou que era feliz de novo. Drew tirou de suas mãos todos os detalhes da vida cotidiana. Escolhia suas roupas, monitorava seus telefonemas e assumiu toda a manipulação com dinheiro.

Tudo o que Emma precisava fazer era cuidar da casa e dele. Não havia mais decisões para perturbá-la, para deixá-la ansiosa. O laboratório foi trancado com todos os equipamentos dentro. Não despertavam mais o interesse de Emma. Pensar em seu trabalho só servia para causar depressão.

Drew deu-lhe de presente de Natal um colar com um diamante em forma de lágrima. Ela não sabia por que isso a deixou com vontade de chorar.

Fez uma bateria de testes de fertilidade. Quando seus problemas mais íntimos vazaram para a imprensa, ela sofreu as humilhações em silêncio, até que desistiu por completo de ler os jornais. Não tinha importância para Emma o que acontecia no mundo exterior. Seu mundo consistia dos sete cômodos de frente para o Central Park.

Quando os médicos confirmaram que não havia razão física para que não concebesse, ela sugeriu, hesitante, que Drew devia também fazer alguns exames.

Ele espancou-a de novo, até deixá-la inconsciente, e trancou-a no quarto por dois dias.

Os pesadelos continuavam, pelo menos uma vez por semana, às vezes duas. Havia ocasiões em que ele estava presente para tranqüilizá-la e afagá-la, até que ela se acalmava. Em outras ocasiões, Drew dizia que ela não passava de uma idiota, que perturbava seu sono e a deixava tremer no escuro.

Quando Drew era bastante descuidado para deixar o controle remoto na mesinha-de-cabeceira e o disco *Abbey Road* no som, ela estava cansada demais para se importar.

Vagamente, quase indiferente, Emma começou a compreender o que o marido fazia com ela. Aquilo em que a transformara. O turbilhão das dez semanas da excursão e o homem por quem se apaixonara eram como uma fantasia que ela criara. Não restava qualquer parte dele no homem que a mantinha como prisioneira virtual no apartamento.

Pensava em fugir. Quase nunca Drew a deixava sozinha por mais do que umas poucas horas; e sempre a acompanhava quando ela tinha de sair. Mas às vezes, durante a noite, estendida na cama, pensava na fuga. Ligaria para Marianne, para Bev ou para seu pai. Eles a ajudariam.

E, depois, a vergonha a dominava, agravada pelas dúvidas que Drew incutira no fundo de sua mente.

Drew não tornou a usar o cinto para surrá-la até a noite dos Prêmios da Música Americana, quando ele e seu grupo não foram escolhidos como melhor disco do ano.

Ela não resistiu. Não protestou. Enquanto o marido a agredia com os punhos, ela rastejou para dentro de si mesma, como outrora rastejava para baixo da pia da cozinha. E desapareceu.

Em sua raiva, Drew cometeu um erro de julgamento drástico. Disse por que casara com ela.

— Para que você serve? — Enquanto Emma continuava no chão, empenhada em se esconder da dor, ele circulava pelo quarto, quebrando tudo o que encontrava. — Acha que eu queria ficar amarrada a uma vaca mimada, estúpida e assexuada?

Ele descarregou sua frustração por ter ficado sentado, sorrindo, enquanto outro subia no palco e recebia o prêmio, o seu prêmio, ao jogar na parede um vaso Waterford. O cristal delicado espatifou-se, chovendo como gelo.

— Você fez alguma coisa, qualquer coisa, para me ajudar? Fiz tudo por você. Fiz com que se sentisse importante, fiz com que acreditasse que a desejava. Pus romance em sua vidinha insípida e recatada.

Cansado de quebrar cristais, ele se abaixou para puxá-la pelo que restava do vestido.

— Acreditou mesmo que eu não sabia quem você era naquele primeiro dia?

Drew sacudiu-a, mas ela permaneceu inerte, mal focalizando seu rosto. Estava além do medo agora. Além da esperança. Observou os olhos do marido, amarelo-castanhos, se contraírem em fendas estreitas. E havia ódio naqueles olhos.

— Você bancou a idiota, Emma, gaguejando e corando. Quase caí na gargalhada. Casei com você. E tudo o que esperava do casamento era que me ajudasse a subir. Mas você pediu uma única vez a seu pai para usar sua influência por mim? Não.

Emma não respondeu. O silêncio era a única arma que lhe restava.

Repugnado, ele largou-a de novo no chão. Embora sua visão estivesse turva, ela observou-o andar pelo caos do apartamento que tentara transformar num lar.

— É melhor você começar a pensar. É melhor descobrir uma maneira de compensar todo esse tempo que investi em você ou vai pagar caro.

Emma tornou a fechar os olhos. Não chorou. Era tarde demais para chorar. Mas começou a planejar.

Sua primeira esperança real de fuga veio quando soube que Luke morrera.

— Ele era meu amigo, Drew.

— Não passava de um veado nojento.

Ele experimentava acordes no piano de cauda que comprara com o dinheiro da mulher.

— Ele era um amigo — reiterou Emma, fazendo um esforço para evitar que a voz tremesse. — Tenho de ir ao funeral.

— Você não tem de ir a lugar nenhum. — Drew levantou os olhos e sorriu. — Seu lugar é aqui, comigo, não na marcha fúnebre de um bicha.

Emma odiou-o nesse momento. Espantou-a que ainda pudesse sentir ódio. Há muito tempo que não sentia qualquer coisa. Era estranho que uma tragédia a fizesse finalmente aceitar que seu casamento fora uma perda de tempo. Pediria o divórcio. Ela abriu a boca para falar. Viu os dedos delgados e compridos do marido deslizando sobre as teclas. Podiam ser delgados, mas eram fortes como o aço. Suplicara pelo divórcio numa ocasião, e ele quase a estrangulara.

Não haveria qualquer proveito se o deixasse furioso. Mas tinha uma arma.

— Drew, é do conhecimento público que ele era meu amigo. Era amigo de Johnno, do Da e dos outros. Se eu não comparecer, a imprensa vai comentar que o ignorei porque ele morreu de AIDS. Não será nada bom para você, ainda mais agora que se prepara para fazer aquele show beneficente com o Da.

Ele batia nas teclas com toda força. Se a vaca não parasse de encher seu saco, teria de fazê-la calar a boca na porrada.

— Estou cagando e andando para o que a imprensa possa dizer. Não vou ao funeral de um veado.

Emma fez um esforço para manter o controle. Era vital. Manteve a voz suave, tranqüilizadora.

— Compreendo como se sente, Drew. Um homem como você, tão viril... — Ela quase sufocou ao dizer a palavra. — Mas o show será transmitido pelo televisão, aqui e na Europa. É o espetáculo mais extraordinário desde Live Aid. E o dinheiro será usado na pesquisa da cura para a doença de que Luke morreu.

Ela fez uma pausa, deixando-o absorver esse dado, para logo acrescentar:

— Posso ir com Johnno. Representando você.

Ele tornou a levantar os olhos do teclado. O coração de Emma bateu mais forte. O marido exibia uma expressão que ela conhecia e temia.

— Ansiosa em escapar, não é mesmo, querida?

— Não. — Emma fez um esforço para se adiantar, estender a mão para os cabelos do marido. — Claro que prefiro ir com você.

Ela teve de se controlar para não ranger os dentes, enquanto sugeria:

— E depois podemos passar alguns dias nas Keys.

— Ora, Emma, sabe que estou trabalhando. É típico de sua parte só pensar em você mesma.

— Tem toda razão. Desculpe. — Ela recuou, numa submissão que era encenação apenas em parte. — Mas eu adoraria se pudéssemos passar alguns dias fora. Só nós dois. Ligarei para Johnno e avisarei que não posso ir ao funeral.

Drew pensou por um momento. O show beneficente era a chance de que precisava. Planejava largar a Birdcage Walk e se lançar numa carreira solo. Afinal, ele era o astro, e o resto da banda estava impedindo seu sucesso.

Precisava de uma grande exposição, e de muito interesse da imprensa. Se um funeral podia ajudá-lo em seu projeto, tudo bem. De qualquer forma, seria ótimo livrar-se de Emma por um dia ou dois.

— Acho que você deve ir.

O coração de Emma quase parou. Tome cuidado, ela advertiu a si mesma. Não cometa nenhum erro.

— E você vai comigo?

— Não. Mas acho que você pode se virar sozinha por um ou dois dias. Ainda mais se Johnno cuidar de você. Não se esqueça de chorar bastante, e de dizer todas as coisas certas sobre a tragédia da AIDS.

* * *

ELA VESTIU UM TAILLEUR PRETO SIMPLES. COMO DREW vigiava cada movimento seu, não podia levar qualquer outra roupa. E não precisaria de roupas elegantes para ir a um funeral, não é mesmo?, argumentou ele. Emma teve permissão para levar um par de sapatos pretos de saltos altos e uma bolsa grande, que serviria também como bagagem de mão. Ele revistou a *nécessaire* de cosméticos enquanto ela sentava na cama.

Como ele guardava no cofre seu passaporte e confiscara os cartões de crédito — você é muito descuidada com essas coisas, Emma —, ela era totalmente dependente. Drew providenciou tudo. Passagem de ida e volta para Miami. Ela teria catorze horas de liberdade. O vôo deixaria o aeroporto de LaGuardia às 9h15min da manhã, e ela deveria estar de volta às 10h25min da noite. Generoso, ele permitiu que Emma levasse quarenta dólares em dinheiro. Ela roubara mais quinze dólares do dinheiro para as despesas de casa, sentindo-se como uma ladra por isso. Escondeu o dinheiro no sapato. De vez em quando mexia com os dedos do pé, sentia o dinheiro e era dominada pelo excitamento e vergonha.

Estava mentindo para o marido.

Nunca minta para mim, Emma. Sempre descobrirei a verdade e a punirei.

Nunca mais voltaria.

Nunca tente me deixar, Emma. Eu a encontrarei. Sempre descobrirei para onde foi, e vai se arrepender.

Estava fugindo.

Nunca será capaz de correr bastante para escapar de mim, Emma. Você me pertence. Precisa de mim para cuidar de você, porque comete os erros mais estúpidos.

— Mas que droga, Emma! Preste atenção!

Ela teve um sobressalto quando Drew puxou-a pelos cabelos.

— Desculpe.

Emma retorceu as mãos, angustiada.

— Você é mesmo uma idiota. Só Deus sabe o que poderia lhe acontecer se não contasse comigo.

— Eu... estava pensando em Luke.

— Poupe a cara triste até chegar lá. Aqui, só serve para me deixar enojado. Johnno vai aparecer a qualquer minuto para buscá-la. — Drew inclinou-se para tão perto que seu rosto era tudo o que Emma podia ver. — O que vai dizer se ele perguntar como estão as coisas?

— Que estão bem. Maravilhosas. Que você lamenta não poder ir, mas se sentiria um intruso, já que não conheceu Luke. — Ela repetia as instruções de Drew como um papagaio. — Que tenho de voltar logo depois do funeral, porque você está gripado, e precisa dos meus cuidados.

— Como uma esposa devotada.

— Isso mesmo. Uma esposa devotada.

— Ótimo.

Era repulsivo, realmente repulsivo, como ela se deixava intimidar. Emma não dera um pio quando ele a espancara na noite anterior. Queria que ela partisse com a noção de seu domínio bem gravada na mente. Claro que ele tomara o cuidado de não bater no rosto ou em qualquer outro lugar em que pudesse ficar evidente. Tencionava lhe dar uma surra de verdade quando ela voltasse. Só para lembrá-la de que o lugar de uma mulher era em casa.

O lugar de sua mãe deveria ser em casa, pensou Drew, mórbido. Mas ela fora embora, como a puta que era, deixando-o com o molambo que era o pai. Se o velho idiota desse umas porradas de vez em quando, a mulher não teria ido embora.

Ele sorriu para Emma. A mãe teria ficado em casa, como Emma, as mãos cruzadas no colo, fazendo tudo o que o marido mandasse. Tudo o que qualquer mulher precisava, no fundo, era de um homem para ditar as regras e impô-las pela força.

— Talvez essa viagem não seja uma idéia tão boa assim.

Drew gostou quando a viu arregalar os olhos. Era muito divertido manter o funeral pairando na frente do nariz de Emma como a cenoura pendurada de uma vara.

O suor aflorou no mesmo instante nas palmas de Emma, mas ela fez um esforço para mantê-las quietas no colo.

— Não irei se você não quiser que eu vá, Drew.

Ele afagou o rosto de Emma, gentilmente, de tal forma que ela quase pôde lembrar como fora no início. E a recordação tornava tudo pior, de certa forma.

— Não, Emma, pode ir. Você fica muito bem de preto. Tem certeza que aquela escrota da Marianne não vai?

— Tenho. Johnno disse que ela não poderia ir.

Outra mentira, e ela rezou para que Johnno não fizesse qualquer comentário a respeito. Drew fizera tudo o que podia para separá-la de Marianne. E fora tão eficiente, pensou Emma, cansada, que sua velha amiga não mais telefonava, nem se dava ao trabalho de aparecer para uma visita.

— Melhor assim. Se eu descobrisse que ela ia, você teria de esquecer seu pequeno passeio. Marianne é uma péssima influência. Não passa de uma vagabunda. Só fingia ser uma amiga para poder se aproximar de seu pai. E depois de mim. Contei que ela deu em cima de mim, lembra?

— Lembro.

— Ah, é Johnno tocando a campainha. Ponha aquele sorriso triste que todos nós conhecemos e amamos.

Os lábios de Emma se contraíram numa reação automática, enquanto ele acrescentava:

— Assim é que eu gosto, o comportamento de uma boa menina. Não se esqueça de mencionar o show beneficente para os repórteres. — Ele deu a instrução enquanto desciam. — Não deixe de comentar que estou empenhado em levantar dinheiro para pesquisar a cura dessa horrível doença.

— Está bem, Drew. Não esquecerei. — Ela tinha medo de que os joelhos vergassem. Talvez fosse melhor não ir. Drew lhe dissera muitas e muitas vezes que ficaria desamparada sem a sua presença. — Drew, eu...

Mas a porta foi aberta e Johnno apareceu.

— Olá, querida. — Ele abraçou-a, para conforto mútuo. — Fico contente porque você vai comigo.

— Eu também. — Emma olhou, apática, para o rosto de Drew, por cima do ombro de Johnno. — Quero ir.

Ela lutou contra os demônios durante o vôo. Drew iria em seu encalço. Descobriria que ela roubara os quinze dólares e iria puni-la. Lera seus pensamentos. Sabia que ela não voltaria.

Seu medo era tão grande que, ao desembarcarem, apertou com toda força o braço de Johnno, procurando o rosto de Drew na multidão. Suava quando alcançaram a limusine, tremia toda, tinha dificuldade para respirar.

— Está passando mal, Emma?

— Não. — Ela umedeceu os lábios ressequidos. Lá estava um homem na calçada, magro, louro. A pouca cor restante esvaiu-se do rosto de Emma. Mas o homem virou-se, e não era Drew. — Apenas estou transtornada. Pode... pode me dar um cigarro?

Drew não a deixava fumar. Deslocara seu dedo na última vez em que a surpreendera com um cigarro. Mas ele não estava ali agora, Emma disse a si mesma, enquanto dava uma tragada no cigarro, Estava a sós com Johnno na limusine.

— Talvez você não devesse ter vindo. Eu não podia imaginar que se sentia tão transtornada.

Johnno lidava com a própria dor, que o invadia em ondas enormes e violentas. Só podia passar o braço pelos ombros de Emma.

— Ficarei bem — assegurou ela.

Depois, ela repetiu as palavras em sua mente, várias vezes, como uma oração.

Mal prestou atenção ao serviço religioso... que palavras foram ditas, que lágrimas foram derramadas, no calor intenso e úmido do meio-dia. Em seu coração, esperava que Luke a perdoasse por se importar tão pouco que ele estivesse sendo lamentado. Sentia-se morta, emocionalmente morta.

Enquanto as pessoas se afastavam da sepultura, com o mármore branco e rosa, as flores exuberantes, Emma especulou se teria forças para seguir seu plano.

— Johnno... — Marianne deteve-o, pondo a mão, gentil, em seu braço. Depois, em vez de condolências, ela beijou-o. — Eu bem que gostaria que ele tivesse me ensinado a cozinhar.

O comentário arrancou um sorriso de Johnno.

— Você foi o único fracasso total de Luke. — Ele olhou para Emma. — O motorista a levará de volta ao aeroporto. Preciso ir ao apartamento de Luke. Para cuidar de algumas coisas.

Johnno fez uma pausa, passando um dedo pelo rosto de Emma.

— Vai ficar bem?

— Claro.

— Eu não esperava que você viesse, Emma.

Embora se detestasse por isso, Marianne não pôde fazer com que seu tom fosse cordial.

— Eu... queria vir.

— É mesmo? — Marianne abriu a bolsa e jogou dentro um lenço de papel embolado. Sua raiva de Emma era assim, pensou ela, embolada e desgastada. — Pensei que não tinha mais tempo para os velhos amigos.

— Marianne...

Ela não podia fraquejar agora. Ainda havia repórteres nas proximidades, observando-a, tirando fotos. Drew veria sua foto ao lado de Marianne. Saberia então que ela mentira. Emma lançou um olhar desesperado para trás.

— Posso... preciso...

— Você está bem? — Marianne abaixou os óculos escuros e estudou o rosto de Emma. — Puxa, você está com uma aparência horrível.

— Eu gostaria de conversar com você, se tiver alguns minutos.

— Sempre tenho alguns minutos. — Ela tornou a abrir a bolsa para pegar um cigarro. — Pensei que voltaria assim que o funeral acabasse.

— Não. — Emma respirou fundo e cruzou a linha. — Não vou voltar.

Através da fumaça, os olhos de Marianne se contraíram.

— Como?

— Não vou voltar. — Emma ficou apavorada quando percebeu que sua voz começava a ficar engrolada. — Podemos ir para algum lugar? Por favor. Tenho de ir para algum lugar.

— Claro. — Marianne pegou Emma pelo cotovelo. — Pegaremos sua limusine. Iremos para qualquer lugar que quiser.

Levaram apenas alguns minutos para alcançar o hotel de Marianne, que ela achou que era o melhor lugar, quando Emma começou a tremer depois que entraram no carro. Subiram direto para a suíte, agradável, em tons suaves, dando para a areia branca e o mar azul. Marianne já dera seu toque na suíte ao largar roupas em todas as cadeiras disponíveis. Ela recolheu o blusão e a calça comprida com que viajara e gesticulou para que Emma sentasse. Pegou o telefone.

— Quero uma garrafa de Grand Marnier, dois cheeseburgers, médios, uma porção de batata frita e um litro de Pepsi num balde com gelo. Tenho vinte dólares para o cara que me trouxer em menos de quinze minutos.

Satisfeita, ela tirou os tênis de outra cadeira e sentou.

— Muito bem, Emma, o que está acontecendo?

— Deixei Drew.

Como ainda não estava disposta a perdoar, Marianne estendeu as pernas.

— Acho que percebi isso. Mas por quê? Pensei que vocês eram muito felizes.

— E sou muito feliz. Ele é maravilhoso. Cuida de mim... — Ela ouviu a própria voz e deixou que definhasse, em repulsa e pânico. — Oh, Deus, às vezes até acredito!

— Acredita em quê?

— O que ele me condicionou a dizer. Não sei com quem mais posso conversar, Marianne. E acho que se eu não falar aqui e agora nunca mais falarei. Queria contar a Johnno. Até comecei, mas não fui capaz de continuar.

— Então fale comigo.

Como Emma estava pálida demais, Marianne levantou-se para abrir as portas da varanda. A brisa marinha entrou na sala.

— Não precisa se apressar. É outra mulher?

Marianne não fez qualquer comentário quando Emma começou a balançar para a frente e para trás, rindo.

— Oh, Deus, Deus...

Antes que ela pudesse se controlar, o riso transformou-se em soluços, que sacudiam seu corpo. Marianne foi se ajoelhar ao seu lado e pegou suas mãos.

— Calma, Emma, calma... Vai acabar passando mal se continuar assim. E todas sabemos que os homens não prestam. Se Drew é infiel, basta se separar.

— Não é outra mulher.

— Outro homem?

Emma fez um esforço para se controlar, sugar as lágrimas. Tinha medo de que nunca mais seria capaz de parar se deixasse as lágrimas correrem livremente.

— Não. Não tenho a menor idéia se Drew é infiel, e não me importo nem um pouco.

— Se não é outra mulher, por que vocês brigaram?

— Não brigamos — murmurou Emma, cansada. — Eu não briguei.

Ela não pensara que seria tão difícil contar tudo, admitir o que acontecera. As palavras eram como um punho alojado em sua garganta, esquentado pela vergonha. Ela respirou fundo, várias vezes. Removeu as lágrimas com o dorso da mão.

— Sentada aqui, quase posso acreditar que imaginei tudo, que não foi tão terrível como eu pensava enquanto acontecia. Ele podia ser muito terno, Marianne, muito atencioso. Lembro como às vezes me levava uma rosa pela manhã. Como cantava... quando estávamos a sós... como cantava como se eu fosse a única mulher no mundo. Dizia que me amava, que tudo o que queria era me fazer feliz, cuidar de mim. E depois eu fazia alguma coisa... quase nunca sabia o que era... mas alguma coisa... e ele... ele me batia...

— O quê? — Se Emma dissesse que Drew criava asas e saía voando do terraço todas as tardes, seria mais fácil acreditar. — Ele bate em você?

Emma não percebeu a incredulidade da amiga, pois estava mergulhada em si mesma.

— Às vezes não consigo andar por vários dias. Tem sido cada vez pior ultimamente. — Ela olhava para uma linda gravura na parede. — Acho que ele pode querer me matar.

— Levante a cabeça, Emma. Olhe para mim. — Quando pegou o rosto da amiga entre as mãos, Marianne falou em voz pausada: — Está me dizendo que Drew a maltrata fisicamente?

— Isso mesmo.

Lentamente, com todo cuidado, Marianne deixou escapar um suspiro. Ficou de cócoras, observando o rosto de Emma, tentando encontrar algum sentido no que ouvia.

— Ele fica de porre? Toma drogas?

— Não. Só o vi de porre uma vez... na noite de núpcias. E ele não usa drogas. Gosta de manter o controle. Drew precisa sempre manter o controle. E sempre pareço fazer alguma coisa errada, alguma coisa estúpida, para provocá-lo.

— Pare com isso! — Enfurecida, Marianne levantou-se de um pulo. Tinha os olhos cheios de lágrimas quando começou a andar de um lado para outro da sala. — Você nunca fez nada estúpido em toda a sua vida. Há quanto tempo isso vem acontecendo, Emma?

— A primeira vez aconteceu dois meses depois que nos mudamos para o apartamento. Não foi tão ruim assim, pois ele só me deu um tapa. E se arrependeu depois. Até chorou.

— Meu coração se compadece por ele...

Marianne foi até a porta para atender o garçom.

— Não se preocupe em servir.

Ela assinou a nota, entregou a gorjeta de vinte dólares e despachou-o. Uma coisa de cada vez, pensou. Ignorando a comida, serviu o Grand Marnier.

— Beba — ordenou Marianne. — Sei que você detesta, mas ambas precisamos.

Emma tomou dois goles e sentiu o calor espalhar-se por seu corpo.

— Não sei o que fazer. Parece que não sou mais capaz de pensar por mim mesma.

— Pensarei por você durante alguns minutos. E voto pela castração do filho-da-puta.

— Não posso voltar, Marianne. Acho que eu faria alguma coisa horrível se voltasse.

— Acho que está pensando da maneira certa. Pode comer?

— Não... ainda não.

Ela tinha de permanecer sentada, quieta, por um momento, para absorver a enormidade do que fizera. Deixara Drew. Conseguira fugir. Agora, contava com sua melhor e mais antiga amiga. Fechou os olhos, sentindo uma onda de vergonha.

— Sinto muito, Marianne. Sei que não retornei suas ligações. Não fui uma boa amiga nos últimos meses. Ele não deixava.

Marianne acendeu dois cigarros, e entregou um a Emma.

— Não se preocupe com isso agora.

— Ele até me disse que você... que você havia tentado tirá-lo de mim.

— Nos sonhos dele. — Marianne quase riu ao ouvir isso, mas foi impedida pela expressão de Emma. — Você não acreditou...

— Não, não realmente. Mas... Houve ocasiões em que eu acreditava em qualquer coisa que ele me dissesse. Era mais fácil. — Ela tornou a fechar os olhos. — O pior é que isso não teria a menor importância para mim.

— Se tivesse me chamado...

— Não podia falar sobre isso com você, e não suportaria sua presença, com medo de que descobrisse.

— Eu teria ajudado.

Emma pôde apenas balançar a cabeça, enquanto cruzava e descruzava as mãos no colo.

— Eu me sinto tão envergonhada...

— Por quê?

— Deixei que ele fizesse isso comigo, não é mesmo? Ele não apontou uma arma para minha cabeça. Eis uma coisa que ele nunca fez. Não precisava.

— Não tenho as respostas, Emma. Ou tenho uma. Você deve procurar a polícia.

— Não! Oh, Deus, não! Não suportaria... ver a notícia nos jornais. E não acreditariam em mim. Ele negaria tudo. — O medo voltou correndo à sua voz, ao rosto. — Posso garantir, Marianne, que ele é capaz de fazer uma pessoa acreditar em qualquer coisa.

— Está bem. Vamos suspender a polícia e procurar um advogado.

— Eu... preciso de alguns dias. Não posso falar com qualquer outra pessoa sobre isso. Tudo o que realmente quero é ficar tão longe de Drew quanto puder.

— Está certo. Faremos isso. Mas agora vamos comer. Penso melhor com o estômago cheio.

Ela pressionou Emma a dar algumas mordidas no sanduíche. Depois, encheu-a de Pepsi, na esperança de que o açúcar e a cafeína devolvessem um pouco de cor às faces da amiga.

— Passaremos alguns dias em Miami.

— Não.

Emma pensava com mais clareza agora, embora os nervos ainda vibrassem em sua cabeça. Entre todos os planos delirantes que haviam passado por sua mente nos últimos dois dias, apenas um parecia certo.

— Não posso ficar aqui nem esta noite — acrescentou ela. — É o primeiro lugar em que ele virá me procurar.

— Então vamos para Londres. Para a casa de Bev. Ela a ajudará.

— Não tenho passaporte. Drew trancou-o no cofre. Não tenho sequer a carteira de motorista. Drew rasgou-a. — Ela recostou-se, porque até mesmo o pouco que comera do sanduíche deixara-a nauseada. — Marianne, tenho cinqüenta e cinco dólares na bolsa...

roubei quinze dólares do dinheiro para as despesas de casa. Tenho as roupas do corpo... e mais nada.

Porque tinha vontade de quebrar alguma coisa, Marianne levantou-se e foi se servir de mais Grand Marnier. Durante todo aquele tempo, pensou ela. Durante todo o tempo ficara de mau humor no loft, acalentando os sentimentos magoados, enquanto Emma passava pelo inferno.

— Não precisa se preocupar com dinheiro. Seu crédito é bom comigo. Pedirei um adiantamento em dinheiro ao meu cartão de crédito e depois ligarei para determinar que aceitem sua assinatura. E pode escolher. Visa, MasterCard ou American Express.

— Deve pensar que sou patética.

— Nada disso. Penso que é a melhor amiga que já tive. — As lágrimas ardiam no fundo dos olhos. Marianne deixou que aflorassem. — Se eu pudesse, mataria o desgraçado por você.

— Não quero que diga nada, para ninguém. Ainda não.

— Não direi, se é isso o que você quer. Mas acho que seu pai deve saber.

— Não. A situação entre o Da e eu já é bastante ruim sem ter de acrescentar isso. Acho que, neste momento, acima de tudo, preciso de algum tempo. Pensei em ir para algum lugar nas montanhas, uma cabana no mato. Mas creio que não suportaria o silêncio. Quero sumir numa cidade grande e barulhenta. E não paro de pensar em Los Angeles. Cada vez que pensava em fugir, imaginava que iria para lá. E tenho sonhado muito com o que aconteceu lá.

— Com Darren?

— Isso mesmo. Os pesadelos começaram há poucos meses, e não pararam mais. Sinto que preciso ir para Los Angeles, e torço para que seja o último lugar em que Drew pensaria me procurar.

— Irei com você.

Emma inclinou-se para pegar a mão da amiga.

— Eu esperava mesmo que você me acompanhasse... pelo menos por alguns dias.

Capítulo Trinta e Três

Estava escuro no quarto. E a sujeira era grande. A última diarista de Jane fora embora na semana anterior, roubando dois castiçais de prata na saída. Jane nem tomara conhecimento do roubo. Quase não saía do quarto agora. Fazia excursões ocasionais à cozinha, atrás de comida, resfolegando na escada. Como uma eremita, guardava as drogas, garrafas de bebida e comida no quarto.

Fora outrora decorado com algum luxo. Jane gostava de veludo vermelho, e era o que tinha como cortina, as dobras cobertas por uma grossa camada de poeira. Mas, num acesso de raiva, ela arrancara as cortinas que envolviam a enorme cama redonda. Agora, porque sentia frio com freqüência, cobria-se com essas cortinas.

O papel de parede vermelho e prateado estava todo manchado. Jane tinha o hábito de arremessar coisas contra seus amantes... abajures, bibelôs e garrafas. Era por isso que tinha tanta dificuldade para manter um homem em sua cama por mais do que duas noites consecutivas.

O último fora um traficante alto e musculoso, chamado Hitch, que aturara seus acessos de raiva por mais tempo do que a maioria, e depois, com a maior tranqüilidade, dera-lhe uma surra, deixando-a inconsciente. Depois de tirar de seu dedo o anel de diamante, ele partira à procura de um clima mais ensolarado e uma companhia mais aprazível.

Mas deixara as drogas. Hitch, à sua maneira, era um homem sensível.

Jane não fazia sexo há mais de dois meses. O que não a incomodava muito. Se queria um orgasmo, bastava espetar a agulha por baixo da pele e se lançar numa viagem. Não se importava se ninguém fosse visitá-la, ninguém telefonasse. Exceto durante o breve período em que passava o efeito da droga e antes que ansiasse por outro pico. Desatava então a chorar, era dominada pela autocompaixão. E pela raiva. Acima de tudo, sentia raiva.

O filme não a tornara tão rica quanto fora previsto. Com uma rapidez absurda, passara do cinema para o vídeo. Tinha tanta pressa em ver o filme pronto que renunciara aos direitos de vídeo. Seu agente protestara, mas ela o despedira e fizera o que queria.

O filme não a deixara rica. As míseras cem mil libras não haviam durado muito para alguém com seus gostos... e apetites. Seu novo livro estava sendo reescrito, mais uma vez. Não receberia a maior parte do adiantamento até que o idiota do *ghost writer* terminasse o trabalho.

Sua fonte de renda mais antiga secara. Não receberia mais cheques de Brian. Contara com eles. Não apenas pelo dinheiro, mas também porque sabia que Brian pensaria nela quando tivesse de assinar os cheques.

Sentia-se contente porque ele nunca encontrara uma felicidade genuína. Orgulhava-se de ter participado do conjunto de coisas que lhe negaram a felicidade. Se não podia tê-lo, pelo menos experimentava a satisfação de saber que nenhuma outra mulher o mantivera por muito tempo.

Ainda havia ocasiões em que ela imaginava que Brian recuperaria o bom senso e voltaria para ela, suplicando perdão. Nessas fantasias, via os dois fazendo amor na cama de veludo vermelho, o sexo quente e frenético que haviam partilhado tantos anos antes. Seu corpo era cheio de curvas e macio, o corpo de uma jovem. Jane sempre se imaginara dessa maneira.

Mas engordara muito, em um nível grotesco. Os seios, como balões murchos, pendiam até o que fora outrora a cintura. Muito branca, a barriga também pendia, com sucessivas dobras de carne flácida. Os braços e coxas eram maciços e tremiam como gelatina a cada movimento. Tornara-se tão difícil encontrar uma veia sob aquelas camadas de gordura, que ela passara a aspirar a cocaína. Ainda podia levantar uma dobra de gordura e espetar a agulha, mas era raro encontrar uma veia.

Sentia falta, e lamentava como uma mãe que lamenta uma criança perdida.

Jane levantou-se e acendeu o abajur na mesinha-de-cabeceira. Não gostava da luz, mas precisava de claridade para preparar o cachimbo. Os cabelos pendiam escorridos, louros apenas nas pontas. Ela pensara em pintá-los de novo, com Clairol's Bombshell Beige, mas perdera a caixa em algum lugar do quarto atravancado. Usava uma camisola de renda preta do tamanho de uma barraca para dois homens. Quando acendeu o cachimbo, parecia a tocha de um soldador louco e pornográfico.

A fumaça acalmou-a. Planejara muito enquanto estava deitada. Era bastante astuta para saber que precisava de dinheiro... e muito dinheiro... para pagar seu fornecedor. E queria ter roupas bonitas de novo... roupas bonitas e meninos bonitos em sua cama. Queria ir a festas. E queria que as pessoas lhe dessem atenção.

Ela fumou e sorriu.

Sabia como conseguir o dinheiro, mas teria de ser hábil, muito hábil. Era tempo de jogar o ás que guardava na manga.

Ela vasculhou a cômoda e encontrou uma caixa de papel timbrado. Era um lindo papel, com as cores do arco-íris, seu nome impresso no alto. Admirou-o por um momento, antes de tornar a puxar a fumaça do cachimbo e pegar uma caneta, murmurando para si mesma, enquanto começava a escrever. Era seu seguro. Teria de ser precavida. Rasgaria seu nome no alto do papel, é claro. Não era uma idiota.

Ela escreveu como uma criança, devagar, a língua presa entre os dentes, enquanto formava as palavras. Quando acabou, ficou tão satisfeita com o resultado que esqueceu seu nome no alto do papel. Havia selos dentro da caixa. Ela colou três no envelope, cantarolando. Como eram muito bonitos, acrescentou outro, e admirou sua obra. Por algum tempo, ficou pensando no endereço, mas logo voltou a escrever:

Kesselring, Detetive da Polícia
Los Angeles, Califórnia
Estados Unidos

Depois de pensar mais um pouco, ela acrescentou a palavra "Urgente!" no canto, sublinhando-a.

Desceu com o envelope, pensando em encontrar um bom esconderijo. Num desvio pela cozinha, tomou todo o sorvete de uma caixa usando uma colher de sopa. Avistou o envelope que largara no balcão e ficou irritada.

— Mas que mulher estúpida! — resmungou ela, pensando em sua última empregada. — Não é capaz nem de enviar uma carta. Vou despedi-la.

Indignada, ela cambaleou até a porta da frente. Com um esforço considerável, abaixou-se e empurrou a carta por baixo da porta. Tornou a subir e continuou a puxar fumo, até que esqueceu tudo.

Uma semana passou antes que ela se lembrasse de seu plano. Recordou que escrevera a carta. O seguro. Escondera-a. Não sabia direito onde, mas isso não a preocupou. O que a preocupava naquele momento é que estava quase sem comida e sem drogas. A última garrafa de gim estava vazia. Jane pegou o telefone. Depois de umas poucas horas, pensou ela, nunca mais teria de se preocupar com dinheiro.

O telefone foi atendido ao terceiro toque.

— Olá, querido. Sou eu, Jane.

— O que você quer?

— Isso é maneira de falar com uma velha amiga?

Houve um suspiro, logo reprimido.

— Perguntei o que você quer!

— Apenas uma conversinha, amor, apenas uma conversinha... — Ela riu. A chantagem era muito divertida. — Estou com uma certa carência de recursos.

— Isso não é problema meu.

— Acho que é. Porque a consciência começa a me atormentar quando fico sem dinheiro. E tenho me sentido consternada pelo que aconteceu com o pobre filho do Brian. Ele estaria crescido hoje se tivesse vivido.

— Você nunca se importou com aquele menino.

— Está sendo muito duro comigo, querido. Afinal, também sou mãe. E quando penso na minha doce Emma, agora crescida e casada, não posso deixar de me lembrar daquele menino. Ele estaria crescido se vivesse.

— Não tenho tempo para essa conversa.

— Pois é melhor encontrar tempo. — A voz mudou, tornou-se áspera. — Tenho pensado que deveria mandar um bilhete para aquele detetive dos Estados Unidos. Lembra dele, não é, queridinho? Kesselring era seu nome. Imagine só eu me lembrar desse nome, depois de tantos anos.

Jane sorriu para si mesma. Todos pensavam que ela era burra. Não continuariam a pensar assim por muito mais tempo. O homem hesitou por tempo demais, e logo se criticou por isso.

— Não há nada que você possa dizer a ele.

— Não? É o que teremos de descobrir, não é mesmo? Pensei em lhe escrever uma carta. Eles podem reabrir o caso se tiverem novos nomes para investigar. O seu nome, por exemplo, e...

— Se remexer nessa história, vai acabar caindo em cima de você. — A voz ainda era calma, mas ele suava. — Está tão envolvida quanto eu.

— Não estou não. Nem fui até lá, não é mesmo? Nunca encostei um dedo naquele menino.

Qual era mesmo o nome do menino: Donald... ou Dennis... ora, isso não tinha a menor importância.

— Isso mesmo, não encostei a mão no menino. Mas você encostou. É homicídio. Mesmo depois de tantos anos, ainda é homicídio.

— Nunca descobriram coisa alguma. E nunca vão descobrir.

— Com um pouco de ajuda, talvez possam descobrir. Quer correr o risco, querido?

Não, ele não queria correr o risco. A mulher sabia que ele não podia correr o risco. Estava exatamente onde queria estar, e tencionava permanecer nessa posição. O que quer que precisasse fazer.

— Quanto?

Ela sorriu.

— Acho que um milhão de libras resolveria tudo.

— Perdeu o juízo.

— O plano foi meu! — gritou ela, a voz esganiçada. — Tive a idéia, e jamais ganhei nada com isso. É tempo de acertar as contas, querido. E você é um homem rico.

— Nenhum resgate foi pago.

— Porque você estragou tudo. Não recebo nenhum dinheiro de Brian há dois anos. Agora que Emma está crescida, a fonte secou. Podemos pensar nesse dinheiro que você vai me dar como uma aposentadoria. Dará para me sustentar por muito tempo, e não vou mais incomodá-lo. Traga o dinheiro aqui amanhã, à noite, e não precisarei remeter minha carta.

Horas depois, ela não podia lembrar se dera mesmo o telefonemas ou apenas sonhara. E a carta... Onde escondera a carta? Ela voltou ao cachimbo, na esperança de que a ajudasse a pensar. Parecia que a melhor coisa a fazer era escrever a carta de novo. E se ele não viesse em breve, se não viesse muito em breve, ela daria outro telefonema.

Jane sentou para escrever, mas acabou dormindo.

Foi a campainha da porta que a despertou. Tocando, tocando e tocando. Ela se perguntou por que aquela garota estúpida não atendia. Jane pensou que nada era feito se ela não cuidasse pessoalmente. Ofegando, desceu a escada.

Ela se lembrou quando o viu. Ele estava parado na porta, com uma expressão sombria, uma pasta na mão. E ela se lembrou. Era verdade, tinha de fazer as coisas pessoalmente.

— Vamos entrar, querido. Já faz algum tempo.

— Não vim fazer uma visita.

Ele pensou que Jane parecia um porco, com a papada tremendo quando ria.

— Mas entre um pouco. Afinal, somos velhos amigos. Vamos tomar um drinque. A bebida está lá em cima, no quarto. Trato de todos os negócios no meu *boudoir*.

Numa sugestão tímida, ela segurou-o pela lapela. Ele tolerou, sabendo que queimaria o terno depois.

— Podemos tratar de negócios em qualquer lugar que você quiser. Mas vamos acabar logo com isso.

— Você sempre teve pressa.

Jane começou a subir, os quadris de mamute balançando. Ele observou-a, vendo a maneira como apertava o corrimão, ouvindo a respiração ofegante. Um simples empurrão, ele pensou, e Jane rolaria pela escada. Ninguém pensaria que poderia ter sido outra coisa que não um acidente. Ele quase estendeu a mão, quase a tocou. Mas controlou-se a tempo. Tinha um meio melhor, um meio mais seguro.

— Aqui estamos, querido. — O rosto vermelho e resfolegando, Jane arriou na cama. — Diga qual é o veneno que prefere.

O fedor provocou-lhe ânsias de vômito. O quarto era iluminado por uma única lâmpada. Nas sombras, ele podia ver roupas e pratos sujos, caixas, latas e garrafas vazias. Um odor fétido impregnava o quarto, pairando como as teias de aranha nos cantos. Quase que podia ver o mau cheiro, enquanto respirava devagar, através dos dentes.

— Dispenso o drinque.

Ele tomou o cuidado de não tocar em nada. Não apenas por causa das impressões digitais agora, mas também pelo medo de se contaminar.

— Como quiser. O que você trouxe?

Ele pôs a pasta ao lado de Jane. Queimaria a pasta também. Girou a combinação da tranca e levantou a tampa.

— É parte do dinheiro.

— Eu disse...

— É impossível levantar um milhão em dinheiro de um momento para outro. Terá de ser paciente. — Ele virou a pasta para Jane. — Mas trouxe outra coisa para ajudá-la a esperar.

Ela viu o saco com o pó branco sobre as pilhas de notas. Seu coração disparou, a boca ficou cheia de saliva.

— É uma linda vista.

Antes que ela pudesse pegar, o homem afastou a pasta de seu alcance.

— Quem está com pressa agora?

Ele gostava de provocá-la. Podia ver o suor aflorar no rosto de Jane, começar a escorrer. Já lidara com viciados antes, e sabia muito bem como manipulá-los.

— É heroína de primeira classe, a melhor que o dinheiro pode comprar. Uma dose e você vai direto para o paraíso. — Ou para o inferno, pensou ele, se alguém acredita nessas coisas. — Pode ficar, Jane. Com tudo. Mas se me der uma coisa em troca.

O coração de Jane era como uma britadeira vibrando em seu peito, deixando-a sem fôlego, atordoada.

— O que você quer?

— A carta. Você me entrega a carta e me dá mais alguns dias para levantar o resto do dinheiro, e toda a heroína é sua.

— A carta?

Jane esquecera por completo. E só conseguia pensar na heroína, no que sentiria quando estivesse circulando em suas veias. — Não há nenhuma carta. Não escrevi nada.

O seguro, ela lembrou, lançando um olhar furtivo.

— Até agora. Ainda não escrevi nada. Mas escreverei. Deixe-me tomar um pico e depois conversaremos.

— Vamos conversar primeiro.

Seria um prazer matá-la, pensou ele, enquanto observava a saliva se formar nos cantos da boca de Jane. O menino fora um acidente, um trágico acidente, de que ele se arrependera sinceramente. Não era um homem violento. Nunca fora. Mas teria o maior prazer em extinguir a vida de Jane Palmer com suas próprias mãos.

— Comecei a escrever. — Confusa e ansiosa, Jane olhou para a escrivaninha. — Mas resolvi esperar por você. Não vou terminar se chegarmos a um acordo.

Ela não mentiria, pensou o homem, enquanto estudava seu rosto. Não era bastante esperta para isso.

— Negócio fechado. — Ele tornou a virar a pasta. — Pode pegar.

Jane pegou o saco de heroína com as duas mãos. Por um momento, pensou em rasgá-lo com os dentes, e engolir tudo, como se fosse um doce. Em vez disso, moveu-se tão depressa quanto a corpulência permitia, e foi procurar a parafernália nas gavetas.

Ele esperou, ao mesmo tempo aterrado e fascinado pelo procedimento. Jane não lhe prestava mais qualquer atenção. Murmurava para si mesma. As mãos tremiam tanto que até derramou um pouco. A respiração saía ruidosa, estridente, quando esquentou a primeira colher. Não queria injetar na pele; e não queria fumar. Aquilo tinha de ir direto para a veia.

Agachada no chão, lambendo os lábios, como se estivesse prestes a jantar, ela encheu a seringa. Havia lágrimas em seus olhos enquanto procurava por uma veia. Logo tornou a fechá-los, e encostou-se na cômoda, enquanto esperava pelo efeito.

E logo veio, inchando, disparando, explodindo por todo o corpo. Os olhos esbugalharam, o corpo teve uma convulsão. Ela gritou uma vez, na crista da enorme onda.

Ele observou-a morrer, mas descobriu que isso não lhe agradava no final das contas. Foi um processo sórdido. Jane Palmer não teve mais dignidade na morte do que tivera em vida. Virando as costas para Jane, ele tirou as luvas cirúrgicas do bolso e meteu-as nas mãos. Pegou primeiro a carta inacabada e guardou-a na pasta. E lutando contra a náusea, começou a procurar, revirando as coisas de Jane para ter certeza de que ela nada deixara na casa que pudesse incriminá-lo.

Brian soltou um grunhido quando o telefone acordou-o. Tentou sentar, mas a ressaca fazia vibrar sua cabeça como uma motosserra. Protegendo os olhos com uma das mãos, ele tateou à procura do aparelho.

— O que é?

— Bri, sou eu, P.M.

— Ligue-me quando eu não estiver morrendo.

— Bri... acho que você não leu os jornais esta manhã.

— Tem toda razão. Lerei o jornal de amanhã de manhã. É quando planejo acordar.

— Jane morreu, Brian.

— Jane? — A mente de Brian permaneceu em branco por dez segundos. — Ela morreu? Como?

— Overdose. Alguém a encontrou ontem à noite, um ex-amante, um traficante ou qualquer coisa parecida. Ela estava morta há dois ou três dias.

Com as bases das mãos, Brian tentou clarear os olhos.

— Jesus!

— Achei que deveria avisar antes de a imprensa começar a procurá-lo. E calculei que gostaria de ser o primeiro a dar a notícia a Emma.

— Emma... — Brian sentou na cama, encostado na cabeceira. — Claro. Ligarei para ela. Obrigado por me avisar.

— Não foi nada. Bri... — P.M. não continuou. Ia dizer que sentia muito, mas duvidava que alguém realmente sentisse. — Voltaremos a nos falar depois.

— Certo.

Brian continuou na cama por mais um momento, tentando imaginar a situação. Conhecia Jane há mais tempo do que qualquer outra pessoa, com exceção de Johnno. Amara-a uma ocasião, e depois passara a odiá-la. Mas não podia imaginá-la morta.

Ele se levantou e foi até a janela. A luz do sol doeu em seus olhos e atiçou a ressaca, até deixá-lo tonto. Sem pensar, ele despejou dois dedos de uísque num copo e tomou. Quase lamentava não ser capaz de sentir qualquer coisa, a não ser a dor em sua cabeça, agora abrandando um pouco, sob a ação do uísque.

Jane fora a primeira mulher com quem ele transara.

Virando a cabeça, Brian olhou para a morena que dormia sob o lençol de cetim amarrotado em sua cama. Também não tinha qualquer sentimento por aquela mulher. Sempre tomava o cuidado de escolher mulheres que não queriam uma ligação mais profunda, que podiam se sentir tão satisfeitas quanto ele com algumas noites de sexo. O sexo delirante, perigoso e temerário que nada tinha a ver com afeição.

Cometera o erro no passado de escolher uma mulher que queria mais do que isso. Jane nunca o deixara levar sua vida em paz, nunca o deixara desfrutar o que tinha.

Depois, ele encontrara Bev, que também queria mais. No caso de Bev, porém, ele também queria mais. E tivera. Bev também nunca o deixara seguir em sua vida sossegado. Não se passara um único dia, em dezessete anos, em que não tivesse pensado nela. E a desejado.

Jane atormentara-o ao se recusar a sair de sua vida. Bev arruinara sua vida ao se recusar a partilhá-la.

Agora, ele tinha sua música e mais dinheiro do que jamais sonhara que poderia ganhar. E tinha uma sucessão de mulheres que não significavam absolutamente nada para ele.

Agora Jane estava morta.

Brian gostaria de despertar seu coração, sentir algum pesar pela garota que conhecera num passado distante. A garota desesperada que alegara que o amava mais do que qualquer outra coisa. Mas não havia nada para sentir. A garota e o menino que eles foram haviam morrido há muito tempo.

De qualquer forma, era melhor que ele próprio comunicasse a Emma, embora duvidasse que a filha pudesse sentir qualquer tristeza mais profunda. Depois que falasse com Emma e se certificasse de que ela não precisava dele, Brian iria para a Irlanda. Para Darren. E passaria alguns dias sentado na relva alta e verde.

Capítulo Trinta e Quatro

— Tem certeza que vai ficar bem?

— Tenho. — Emma apertou a mão de Marianne, enquanto se encaminhavam para o portão, no aeroporto de Los Angeles. — Não se preocupe. Só vou passar mais alguns dias... até assentar a cabeça.

— Sabe que eu ficaria com você.

— Claro que sei. — Desta vez o aperto não foi suficiente. Emma virou-se e abraçou-a. — Eu não seria capaz de agüentar sozinha.

— Seria sim. Você é mais forte do que pensa. Não cancelou os cartões de crédito, fechou as contas bancárias e mandou o contador esconder o dinheiro?

— As idéias foram suas.

— Só porque você não estava pensando em questões práticas. Não pude admitir que aquele desgraçado ficasse com qualquer dinheiro. E ainda acho que você deveria procurar a polícia.

Emma limitou-se a balançar a cabeça em negativa. Só agora começava a acreditar que poderia recuperar o orgulho. Envolver a polícia, a imprensa, o público só acarretaria uma humilhação depois de outra.

— Está bem, ainda não — disse Marianne, embora não tivesse a menor intenção de deixar que Drew escapasse impune. — Tem certeza que o contador não vai revelar seu paradeiro?

— Tenho. Afinal, ele é meu contador. Quando eu disse que queria me divorciar, ele providenciou tudo depressa. — Era quase engraçado, se é que tais coisas podiam ser engraçadas. — Acho que depois de lidar com fundos e outras coisas chatas durante tantos anos, ele se animou com a perspectiva de um bom divórcio litigioso.

Divórcio, pensou ela. Era uma palavra tremenda. E irremediável. Marianne manteve silêncio por um momento, enquanto andavam.

— Ele vai descobrir onde você está, mais cedo ou mais tarde.

— Sei disso. — O nervosismo substituiu o pesar no mesmo instante. — Só quero que seja mais tarde, quando nada do que ele pude dizer ou fazer me fará voltar.

— Procure o advogado — exortou Marianne. — Comece logo a tomar as providências.

— Assim que seu avião decolar.

Marianne arrastou os pés, apreensiva, depois enfiou um dropes Lifesaver na boca.

— Escute, Emma, passaram apenas duas semanas desde... desde que viemos para cá. Tem certeza que não quer que eu fique mais alguns dias?

— Quero que volte para seu quadro. — Antes que a amiga pudesse protestar, Emma acrescentou: — Falo sério. Quando um Kennedy encomenda um quadro para você, sua reputação está feita. Termine logo o quadro antes que Caroline mude de idéia.

— Quero que me telefone. — Marianne ouviu a chamada de seu vôo. — Todos os dias.

— Está bem. — Emma apegou-se à amiga, por um último instante. — Quando tudo isso acabar, quero a minha metade do loft de volta.

— É sua. A menos que eu decida casar com aquele dentista e me mude para Long Island.

— Que dentista?

— O que quer arrancar meus cisos.

Os lábios de Emma se contraíram. Estava se tornando quase fácil sorrir.

— É uma cantada nova... e repulsiva.

Era bom ver Emma sorrir de novo, pensou Marianne.

— Também acho... mas ele tem enormes olhos castanhos. Embora tenha os nós dos dedos cabeludos. Não sei se eu seria capaz de me apaixonar por dedos cabeludos.

— Ainda mais porque ele sempre enfiaria os dedos em sua boca. Essa é a última chamada para o embarque.

— Não deixe de me telefonar.

— Não esquecerei.

Emma prometera a si mesma que não ia chorar. Mas as duas choraram. Com um abraço final, Marianne correu para o portão de embarque.

Ao lado do portão, Emma ficou observando pela janela quando o avião taxiou para a cabeceira da pista. Estava sozinha agora. Por sua conta e risco. Decisões, erros, opiniões, teria de assumir tudo de novo. E isso a apavorava. Não fazia tanto tempo assim, pensou ela, que ficara sozinha em Londres. Fora emocionante, uma sensação de liberdade. E ela estava apaixonada na ocasião.

Não estava apaixonada agora. O que era uma pequena bênção.

Ao voltar para o terminal, ela esquadrinhou a multidão, atenta, nervosa. Momentos antes, sentia-se anônima no barulho e pressa do aeroporto. Agora, que estava sozinha, sentia-se apenas vulnerável.

Não podia se desvencilhar do medo de que Drew estivesse escondido em algum lugar na multidão... por trás da família a caminho de Phoenix, ou entre os executivos esperando o embarque para Chicago. Manteve a cabeça abaixada, os nervos à flor da pele, ao passar por uma loja de *souvenirs*. Drew podia estar ali perto, por trás de uma estante com jornais expostos, ganhando tempo. Sairia de repente, sorrindo, diria seu nome, antes de pôr a mão em seu ombro, os dedos apertando, como costumava fazer, quase até o osso. Ela teve de se forçar a andar, a não voltar correndo para o portão e suplicar que parassem o avião para que Marianne pudesse desembarcar.

— Emma...

O ar escapou todo de seus pulmões, os joelhos vergaram, enquanto a mão pousava em seu ombro.

— É mesmo você, Emma?

Pálida, atordoada pelo pânico, ela olhou para Michael. Ele dizia alguma coisa, pois Emma podia ver seus lábios mexendo, mas não ouvia nada, com o zumbido em sua cabeça.

O prazer desapareceu do rosto de Michael. Os olhos se contraíram. Levou-a para uma cadeira. A impressão foi a de que a deixou cair ali, de tão inerte que era seu corpo. Michael esperou até que a respiração acelerada de Emma diminuísse um pouco.

— Melhor?

— Estou bem agora.

— Sempre desmaia quando encontra velhos amigos em aeroportos?

Ela conseguiu exibir o que podia passar por um sorriso.

— Um péssimo hábito. Mas você me deu um susto.

— Eu percebi.

"Susto" não era a palavra certa, pensou Michael. Seria mais apropriado dizer "pavor". Ela tinha a mesma expressão quando a trouxera para a superfície, depois que uma onda a derrubara da prancha de surfe, dez anos antes.

— Quer esperar um minuto aqui? É melhor eu ir avisar a meus pais por que os deixei. — Como Emma se limitasse a acenar com a cabeça, ele reiterou: — Espere aqui.

— Está bem.

Era bastante fácil prometer, já que ela tinha certeza de que as pernas ainda não seriam capazes de sustentá-la. Sozinha, ela respirou fundo, com todo cuidado, várias vezes. Já se sentia bastante embaraçada e não queria bancar a idiota de fala incoerente quando

Michael voltasse. Ele se afastou apenas por um momento, mas Emma estava confiante de que já tinha o controle de novo ao vê-lo se aproximar.

— Para onde vai? — perguntou ela.

— Eu? A lugar nenhum. Minha mãe viajou para uma convenção, e papai decidiu acompanhá-la. Vim trazê-los, porque ele não queria deixar o carro no aeroporto. Acaba de chegar a Los Angeles?

— Não. Estou aqui há cerca de duas semanas. Vim visitar uma amiga.

— Veio a trabalho?

— Não... isto é, sim e não.

Um avião acabara de chegar. As pessoas começaram a passar. Emma teve de fazer um enorme esforço para conter o pânico, enquanto procurava por Drew.

— Tenho de ir agora.

— Irei com você. — Ele não ofereceu a mão, porque sentiu que Emma se esquivaria ao contato. — Seu marido também está aqui?

— Não. — Os olhos de Emma deslocavam-se de um lado para outro, sempre vigilantes. — Ele ficou em Nova York. Nós...

Ela fez uma pausa. Tinha de se acostumar a dizer aquilo, com convicção.

— ... Estamos separados.

— Ahn... — Michael não sorriu, pelo menos não por fora. — Sinto muito.

Mas ele se lembrou da reação de Emma quando se aproximara por trás e dissera seu nome.

— Uma separação amigável?

— Espero que sim. — Ela estremeceu. — Puxa, como é frio aqui dentro!

Ele abriu a boca para outra pergunta, mas lembrou a si mesmo que não tinha o direito de bisbilhotar. Nem no casamento de Emma, nem em seu término.

— Quanto tempo planeja passar em Los Angeles?

— Ainda não sei.

— Não quer almoçar comigo ou tomar um drinque?

— Não posso. Tenho um encontro marcado dentro de uma hora.

— Pois então jante comigo.

Os lábios se contraíram ligeiramente. Bem que gostaria de jantar com um velho amigo.

— Estou tentando manter toda a discrição possível aqui. Por isso, não vou a restaurantes.

— Que tal um churrasco no quintal dos fundos de minha casa?

— Eu...

— Aqui está meu endereço. — Porque não queria lhe dar tempo de dizer não, ele pegou um cartão e escreveu no verso. — Pode aparecer por volta de sete horas. Vamos preparar uma boa carne. Tudo muito discreto.

Emma não imaginara o quanto temera ficar sozinha em seu quarto no hotel, pedindo que levassem uma refeição, trocando os canais da televisão a cabo.

— Combinado.

Ele já ia oferecer uma carona, mas avistou a enorme limusine branca à espera e limitou-se a repetir:

— Sete horas.

Emma presenteou-o com um último sorriso, antes de seguirem por caminhos separados. Michael se perguntou se conseguiria arrumar uma faxineira às duas horas de uma tarde de sexta-feira. Emma passou pela limusine branca, e entrou na fila do táxi. Distraída, virou o cartão em sua mão.

DETETIVE M. KESSELRING
HOMICÍDIOS

Com um calafrio, ela guardou o cartão na bolsa. Por mais estranho que pudesse parecer, esquecera que Michael era policial. Como o pai.

MICHAEL METEU DUAS SEMANAS DE JORNAIS NO CLOSET DO quarto. As latas de lixo de cinco litros já estavam transbordando. Era difícil para ele acreditar que um homem e um cachorro pudessem acumular tanto lixo. E ficou consternado ao descobrir que em toda a cidade de Los Angeles não havia um único serviço de faxina disponível para uma tarde de sexta-feira.

Ele cuidou da cozinha primeiro, com o vidro de Top Job que tomara emprestado de uma vizinha. A casa cheirava como uma floresta de pinheiros, mas não dava para evitar. Depois, Michael atraiu Conroy para o banheiro com um pedaço de salsichão. Quando ele entrou na banheiro e sacudiu a isca, o cachorro hesitou. Ambos sabiam que o salsichão era uma fraqueza. No momento em que o cachorro pulou para a banheira, Michael fechou as portas de vidro.

— Sorria e agüente firme, companheiro — sugeriu Michael, enquanto Conroy se eriçava em indignação.

Foi preciso meio tubo de xampu, mas Conroy suportou como um soldado. Uivava de vez em quando, mas isso podia ser em reação ao canto de Michael. Depois, ambos envolvidos por toalhas, Michael procurou no armário de roupa de cama e banho pelo secador de cabelos. Encontrou-o junto com uma frigideira que já dera como perdida. Enxugou Conroy primeiro, embora o cachorro ainda tivesse de perdoá-lo.

— Devia me agradecer por isso — disse-lhe Michael. — Uma cheirada em você e aquela cadela ordinária vai se derreter como biscoito de aveia. Nunca mais vai olhar para aquele pastor alemão metido a besta.

Michael levou meia hora para limpar a inundação e os pêlos de cachorro no banheiro. Já ia tentar fazer uma salada quando ouviu um carro parar na frente. Não esperava que Emma viesse de táxi. Imaginara que ela apareceria numa limusine ou num elegante carro alugado. Enquanto observava, ela pagou o motorista.

Soprava uma brisa suficiente para desmanchar os cabelos de Emma e balançar a enorme camisa de algodão que ela usava. O tamanho e o estilo masculino faziam com que ela parecesse menor... e ainda mais feminina. Passou a mão pelos cabelos, afastando-os do rosto, enquanto olhava para a casa. Emagrecera. Michael já havia notado isso no aeroporto. Emagrecera demais, pensou ele agora. Fora da aparência esguia para uma fragilidade quase insuportável.

E exibia uma certa hesitação que ele nunca percebera antes na maneira como andava, nos olhares nervosos que lançava para trás. Ele era policial há bastante tempo para conhecer aqueles sinais de pânico controlado, testemunhado muitas vezes. Em suspeitos. E em vítimas. E porque Emma dava a impressão de que poderia fugir em disparada, ele abriu a porta.

— Então conseguiu encontrar.

Ela estacou no mesmo instante. Depois, ergueu a mão para proteger os olhos do sol e viu-o na porta.

— Consegui. — Os músculos do estômago relaxaram lentamente. Ela acrescentou, sentindo-se uma tola no momento mesmo em que falou: — Você comprou uma casa. E num lindo bairro.

Antes que ela pudesse entrar, Conroy correu para a porta. Tencionava fugir, rolar pela terra e grama, até se livrar daquele cheiro de xampu, humano demais e pouco distinto.

— Pare! — gritou Michael.

Isso não seria o suficiente para deter Conroy, mas a voz suave de Emma fez o milagre.

— Você tem um cachorro! — Ela abaixou-se para coçar atrás da orelha de Conroy. — Você é um cachorro simpático, não é?

Como estava disposto a concordar, Conroy sentou e deixou que ela o coçasse atrás da orelha.

— Isso mesmo, um cachorro simpático. E muito bonito.

Ninguém jamais o acusara de ser bonito. Conroy gemeu para ela, enquanto virava a cabeça para Michael com um sorriso de desdém.

— Você o conquistou. — Michael pegou a mão de Emma para ajudá-la a se levantar. — Agora ele vai esperar ser elogiado regularmente.

— Eu sempre quis ter um cachorro.

Conroy roçou nas pernas de Emma, a imagem da devoção.

— Eu lhe darei cinqüenta dólares para levar este.

Quando ela riu, Michael puxou-a para dentro.

— Muito agradável.

Emma correu os olhos pela sala, confortada pelo barulho das unhas de Conroy no chão, por trás dela.

Havia uma enorme poltrona cinzenta, que dava a impressão de ser bastante aconchegante para se dormir ali. Um sofá comprido e baixo, convidando para cochilos à tarde. Ele estendera no chão uma manta índia, em listras vermelhas e cinzentas, como um tapete, mas também como uma isca para Conroy. Persianas verticais deixavam entrar faixas de sol.

— Imaginei que morava num desses condomínios modernos perto da praia. Ei, *As Pernas de Marianne*!

Na maior satisfação, ela se aproximou da foto, pendurada por cima do sofá.

— Comprei na noite de sua exposição.

Emma olhou para trás, alteando uma sobrancelha.

— Por quê?

— Por que eu comprei? — Pensativo, Michael enganchou os polegares nos bolsos. — Gostei. Se quer que eu comece a falar sobre sombras e texturas, pode esquecer. O fato puro e simples é que as pernas são bonitas, e foram fotografadas de uma maneira fascinante.

— Gosto muito mais de sua opinião do que de uma discussão sobre textura.

Emma virou-se para ele, sorrindo. Levara horas para tirar aquela foto. Não porque fosse tão difícil assim. Apenas não conseguiam concordar sobre os sapatos.

A foto mostrava as pernas de Marianne, os joelhos cruzados com extrema elegância, como uma dama, a bainha da saia deslizando por cima. Haviam finalmente concordado em sapatos pretos simples.

— Não precisava comprar. Sei que Runyun fixou preços exorbitantes. Eu lhe devia pelo menos uma foto.

— Já me deu uma foto.

Ela se lembrou da foto que tirara de Michael com seu pai.

— Mas eu não era uma profissional naquele tempo.

— Imagino que uma foto antiga de McAvoy deve valer uma fortuna, se algum dia eu quisesse vendê-la.

Michael sentiu o recuo brusco e instintivo de Emma quando tocou em seu braço. Arisca e desconfiada, pensou Michael, automaticamente. Mas era natural que uma mulher se sentisse assim logo depois do rompimento de um casamento.

— Vamos para a cozinha. Eu estava começando a preparar o jantar.

O cachorro seguiu-os. Pousou a cabeça, em adoração, aos pés de Emma, quando ela sentou à mesa. Michael serviu vinho nos copos que também pedira emprestados à vizinha. Ligou o rádio, baixo. Emma reconheceu a voz suave de Nat King Cole, enquanto coçava atrás da orelha de Conroy com o pé.

— Há quanto tempo mora aqui?

— Quase quatro anos.

Michael sentia-se contente por ter companhia na cozinha, uma raridade, a menos que contasse Conroy. Tinha os ingredientes para a salada alinhados no balcão. Enquanto os observava, um tanto confuso, ele desejou ter pedido à vizinha uma receita de salada. Lembrou-se de lavar a alface. Depois, pegou o facão da vizinha, preparando-se para cortar tudo.

— O que está fazendo? — perguntou Emma.

— Uma salada. — Como Emma o fitasse de uma maneira estranha, ele hesitou, o facão erguido sobre a alface romana. — Talvez você não goste de salada.

— Prefiro comer um sundae de chocolate com calda quente, mas também gosto de salada.

Ela levantou-se para inspecionar os ingredientes. Contou quatro tomates grandes, faltando pouco para ficarem maduros, meia dúzia de pimentões de cores e formas diversas, alho-poró, champignons, uma tigela com alguma coisa que não identificou, uma couve-flor inteira e muitas cenouras.

— Há muito de tudo aqui — comentou ela.

— Sempre faço em grande quantidade — improvisou Michael. — Conroy adora salada.

— Dá para ver. — Emma sorriu, pegou o facão e largou-o no balcão. — Por que não me deixa fazer a salada, enquanto cuida da carne?

— Sabe cozinhar?

— Sei. — Rindo, ela começou a rasgar as folhas de alface. — E você?

— Não.

Ela tinha a fragrância de flores silvestres, frescas e delicadas. Michael teve de resistir ao impulso de comprimir os lábios contra seu pescoço. Quando ele alisou os cabelos em suas costas, Emma levantou a cabeça, cautelosa.

— Nunca imaginei que você cozinhasse — acrescentou ele.

— Eu gosto.

Michael estava perto, mas não tão perto que ela sentisse medo. Enquanto lavava um pimentão verde, Emma compreendeu que não sentia medo em sua presença. Talvez um pouco de apreensão, mas não medo.

— Você é boa nisso.

— Tirei a nota máxima em cortar legumes e verduras durante cinco anos consecutivos na escola. — Ela afastou-o. — Vá acender a grelha.

Mais tarde, Emma levou a salada para uma mesa de madeira redonda, ao lado de um patético canteiro de petúnias. Um olhar crítico revelou que Michael estava cuidando direito da carne, e por isso ela tornou a entrar. Não sabia o que fazer com o enorme pacote de pratos de papel no armário. Numa busca mais meticulosa, descobriu três garrafas de cerveja vazias, uma gaveta cheia de sachês de ketchup e mostarda, e uma lata cheia de refeições de massa semiprontas. Ela verificou a lavadora de louça e descobriu que era ali que Michael guardava a roupa suja. Não pôde deixar de especular se havia em algum lugar um cesto de roupa suja cheio de pratos e talheres.

Encontrou-os no microondas, dois lindos pratos de porcelana com rosas pintadas nas bordas, tigelas combinando e um par de garfos e facas serrilhadas.

Quando Michael terminou de aprontar os bifes, ela já havia arrumado a mesa da melhor forma possível.

— Não encontrei nenhum molho para a salada — informou Emma.

— Molho de salada. Certo.

Ele pôs os bifes na mesa. Agora que Emma estava ali, parecendo tão segura, sorrindo para ele, uma das mãos na cabeça do cachorro, Michael pensou que era um absurdo fingir que sabia o que estava fazendo com a refeição.

Se queriam se conhecer bem, se conhecer para valer desta vez, era melhor que Emma soubesse como ele era desde o início.

— Não deixe Conroy chegar perto da carne.

Michael foi até a cerca de arame e pulou por cima. Voltou pouco depois com um vidro de Wishbone e uma vela azul.

— Com os cumprimentos da Sra. Petrowski.

Com uma risada, Emma avistou uma mulher na porta dos fundos da casa ao lado. Porque parecia natural, ela acenou, antes de se virar para Michael.

— Os pratos são dela?

— São.

— Muito bonitos.

— Eu queria fazer melhor do que um hambúrguer na praia desta vez.

Cautelosa, ela estendeu-lhe a salada.

— Fiquei contente por você ter me convidado para jantar. Não tivemos muita chance de conversar quando nos encontramos em Nova York. E lamento não poder lhe mostrar a cidade.

— Fica para a próxima vez — murmurou Michael, cortando um pedaço de sua carne.

Eles prolongaram a refeição até o crepúsculo. Emma esquecera como era conversar sobre coisas sem importância, rir durante o jantar, com música ao fundo, uma vela tremeluzindo. O cachorro, saciado com metade do bife de Emma, roncava a seus pés. Os nervos, que se mantinham tensos há meses, relaxaram.

Michael percebeu a mudança. Foi gradativa, quase um relaxamento músculo a músculo. Ela não falou em momento algum de seu casamento, nem da separação. Ele estranhou. Tinha amigos, homens e mulheres, que haviam passado pelo divórcio. Durante o processo, e por muito tempo depois, era o tópico predileto de suas conversas.

Quando a voz sedutora de Rosemary Clooney saiu pelo rádio, Michael levantou-se e puxou Emma.

— As músicas mais antigas são as melhores para se dançar — murmurou ele, quando Emma deu um passo para trás.

— Eu não...

— E deixaria a Sra. Petrowski encantada.

Gentilmente, Michael puxou-a para seus braços, num gesto cordial, sem nada de exigente.

Emma acompanhou seus movimentos, automaticamente, enquanto Clooney cantava *Tenderly*. Fechou os olhos e se concentrou em permanecer relaxada, ignorando as emoções que a envolviam. Não queria sentir qualquer outra coisa que não fosse paz.

Havia agora apenas uma insinuação de brisa, enquanto dançavam pelo gramado. As sombras eram longas. Quando ela abriu os olhos, numa respiração longa e cuidadosa, pôde contemplar o sol se pondo a oeste, brilhando.

— Enquanto esperava sua chegada, pensei que já nos conhecemos há dezoito anos.

Ele passou um dedo pelo dorso da mão de Emma. Ela não teve um sobressalto desta vez, mas houve um momento de imobilidade.

— Dezoito anos... embora eu possa contar nos dedos de uma só mão os dias em que estive com você.

— Não prestou muita atenção em mim no nosso primeiro encontro. — Emma esqueceu o nervosismo quando o fitou. — Estava ocupado demais a se deslumbrar com a Devastation.

— Garotos de onze anos não podem notar as meninas. Os nervos óticos específicos não se desenvolvem antes dos treze anos... em alguns casos preciosos, aos doze anos.

Rindo, Emma não protestou quando ele a puxou por mais alguns centímetros.

— Li em algum lugar. Estão plenamente desenvolvidos quando o jovem macho espera pelo número de novos maiôs da revista *Sports Illustrated* com a mesma ansiedade com que aguarda o resultado do futebol americano.

Quando Michael sorriu, ela acrescentou:

— O azar foi seu. Eu era fascinada por você.

— É mesmo?

Ele subiu os dedos pelas costas de Emma para mexer nas pontas dos cabelos.

— Um fascínio total. Seu pai me contou como pulou de skate do telhado. Eu queria perguntar qual foi a sensação.

— Antes ou depois que recuperei os sentidos?

— Durante o vôo.

— Acho que estive no paraíso por três segundos. Foram os três melhores segundos da minha vida.

Era exatamente o que Emma esperava que ele dissesse.

— Seus pais ainda moram na mesma casa?

— Claro. Ninguém conseguiria tirá-los de lá nem com uma bomba.

— É maravilhoso ter um lugar assim, um lugar que sempre será o lar. Eu me sinto dessa maneira em relação ao loft.

— É lá que vai morar quando voltar?

— Não sei. — A expressão atormentada voltou aos olhos de Emma e persistiu. — Talvez eu não volte.

Michael pensou que ela devia amar muito o marido para se sentir tão magoada pelo rompimento do casamento.

— Há ótimas casas na praia. Lembro que você sempre gostou do mar.

— É verdade.

Ele queria que Emma sorrisse de novo.

— Ainda quer aprender a surfar?

Ela sorriu, mas foi um sorriso ansioso.

— Há anos que não penso nisso.

— Tenho o domingo de folga. Posso lhe dar uma aula.

Ela levantou os olhos. Havia um desafio nos olhos de Michael, o suficiente para fisgá-la.

— Combinado.

Michael roçou um beijo por sua têmpora, num gesto tão descontraído que ela mal notou.

— Quando eu disse que lamentava você ter se separado de seu marido... — Ele levou a mão de Emma a seus lábios. — Eu menti.

Ela recuou no mesmo instante. Virou-se e começou a recolher a louça.

— Vou ajudá-lo a lavar.

Ele se aproximou da mesa e pôs a mão sobre a de Emma.

— Não é uma surpresa, não é mesmo?

Emma se obrigou a fitá-lo. A claridade era suave ao crepúsculo. Por trás dele, o céu a leste era de um azul muito profundo. Os olhos de Michael fitavam-na, um pouco impacientes.

— Não, não é.

Ela virou-se e levou a louça para a cozinha. Michael não a pressionou, embora lhe custasse. Ela estava vulnerável, ele lembrou a si mesmo. Qualquer pessoa ficava assim depois do rompimento de um casamento. Por isso, ele lhe daria tempo, tanto quanto pudesse agüentar.

Emma não relaxou. Não podia. Que tipo de mulher ela era para se sentir atraída por um homem logo depois que deixava outro? Não queria pensar a respeito. Já tomara uma decisão. Nunca mais se envolveria com outro homem. Nunca mais se permitiria outro envolvimento. Nunca mais seria acuada pelo amor, pelo casamento. Agora, queria apenas voltar para o hotel, trancar as portas e sentir-se segura por algumas horas.

— Já está ficando tarde. É melhor eu voltar. Pode chamar um táxi?

— Eu a levarei.

— Não precisa. Posso...

— Já disse que a levarei, Emma.

Pare com isso, ela ordenou a si mesma, separando os dedos nervosos.

— Obrigada.

— Relaxe. Se não está pronta para o incrível relacionamento romântico que vamos ter, posso esperar. Só se passaram dezoito anos até agora.

Emma não sabia se devia achar graça ou ficar irritada.

— Um relacionamento exige duas pessoas... e estou fora.

— Como eu disse, posso esperar.

Ele pegou as chaves do carro. Ao ouvir o barulho, Conroy deu um salto, latindo.

— Ele gosta de passear de carro — explicou Michael. — Cale a boca, Conroy.

Como podia reconhecer uma autêntica aliada, o cachorro aproximou-se de Emma, de cabeça baixa.

— Ele pode ir? — perguntou ela, enquanto Conroy encostava a cabeça em sua coxa.

— Tenho um MG.

— Não me importo de ficar apertada.

— Ele vai soltar pêlo em cima de você.

— Não tem problema.

Conroy acompanhou a conversa com as orelhas levantadas. Michael seria capaz de jurar que o cachorro estava rindo.

— Você venceu, Conroy.

Michael apontou para a porta da frente. Sentindo a vitória, o cachorro saiu correndo. O rabo balançando bateu na bolsa de Emma, jogando-a de cima da mesa.

Quando Michael se abaixou para pegá-la, o fecho se abriu e o conteúdo espalhou-se pelo chão. Antes que pudesse pedir desculpa, ele viu a automática. 38. Emma não disse nada quando ele levantou a arma. Era a melhor e mais moderna daquele calibre que a Smith & Wesson tinha a oferecer, lustrosa como seda, pesada em sua mão. Não era uma elegante arma feminina, mas do tipo usado pela eficiência. Michael tirou o carregador. Estava cheio. Ele tornou a colocá-lo no lugar.

— O que está fazendo com esta arma?

— Tenho licença.

— Não foi isso que perguntei.

Ela abaixou-se para recolher a carteira, o estojo de maquilagem e a escova.

— Já esqueceu que moro em Nova York? — Ela falou em tom jovial, enquanto sentia o estômago embrulhado, como sempre acontecia quando mentia. — Muitas mulheres andam armadas em Manhattan. Para proteção.

Michael estudou-a em silêncio por um momento.

— Então já tem a arma há algum tempo.

— Há anos.

— É interessante, já que este modelo só foi lançado no mercado há seis meses. E, a julgar pela aparência, a arma não está em sua bolsa há mais de dois dias.

Quando ela se ergueu, todo o seu corpo tremia.

— Se vai me interrogar, não deveria ler meus direitos primeiro?

— Pare de conversa, Emma. Não comprou esta arma para assustar um assaltante.

Emma podia sentir o pânico. Deixava-a com a boca ressequida, o estômago em turbilhão. Michael estava irritado, realmente furioso. Emma podia perceber, pela expressão em seus olhos, pela maneira como ele se adiantou.

— É problema meu. Se vai me levar para o hotel...

— Primeiro quero saber por que está armada, por que mentiu para mim e por que parecia tão assustada no aeroporto esta tarde.

Ela não disse, apenas o observou, com os olhos sem brilho, resignados. Michael lembrou-se do cachorro que o fitara dessa maneira. O animal arrastara-se pelo gramado uma tarde, quando ele tinha oito anos. A mãe receara que estivesse com raiva. Mas quando o levaram ao veterinário descobriram que o cachorro apenas fora espancado. E bastante espancado, com bastante freqüência, a tal ponto que o veterinário o pôs para dormir.

Uma raiva intensa dominou-o quando tornou a se adiantar, enquanto ela cambaleava para trás.

— O que ele fez com você?

Michael tinha vontade de gritar, mas manteve a voz baixa, sibilando entre os dentes.

Emma limitou-se a balançar a cabeça. Conroy parou de se coçar na porta e ficou imóvel, tremendo.

— O que ele fez com você, Emma?

— Eu... tenho de ir agora.

— Mas que droga, Emma!

Quando Michael estendeu a mão para seu braço, ela recuou, batendo na parede. Os olhos estavam agora vidrados no terror.

— Não! Por favor!

— Não vou tocá-la. Está bem assim?

Foi o treinamento que lhe permitiu manter a voz calma e contida. Não desviou os olhos de Emma. Sua expressão era controlada agora, impassível.

— Não vou machucá-la. — Ainda a fitando, ele pôs a arma de volta na bolsa. — Não precisa ter medo de mim.

— Não tenho.

Mas ela não conseguia parar de tremer.

— Tem medo dele... de Latimer?

— Não quero falar sobre isso.

— Posso ajudá-la, Emma.

Ela sacudiu a cabeça em negativa.

— Não, não pode.

— Posso sim. Ele a ameaçou? — Como ela não respondesse, Michael deu outro passo à frente. — Bateu em você?

— Estou me divorciando dele. Que diferença isso faz?

— Faz muita diferença. Podemos obter um mandado judicial.

— Não quero fazer isso. Quero acabar com tudo. E não posso falar a respeito com você, Michael.

Ele não disse nada por um momento. Podia sentir que o terror de Emma se dissipava, e não queria assustá-la de novo.

— Está bem. Conheço lugares aonde você pode ir para conversar com pessoas que sabem como é o problema.

Será que Michael acreditava mesmo que havia alguém que sabia como era?

— Não preciso falar com ninguém. Não quero que estranhos leiam a história... enquanto tomam o café da manhã. O que aconteceu não é da sua conta.

— É isso o que pensa? — indagou Michael, a voz suave. — É realmente isso o que pensa?

Emma sentia agora uma vergonha profunda. Havia nos olhos de Michael alguma coisa de que precisava, e precisava desesperadamente, se ao menos tivesse coragem de pedir. Ele queria apenas a sua confiança. Mas ela já confiara em alguém antes.

— Sei que não é. Mas o problema é meu, cuidarei de tudo.

Michael compreendeu que pressão demais faria com que ela desmoronasse. Por isso, ele recuou.

— Está bem. Só quero que você pense a respeito. Não precisa fazer isso sozinha.

— Ele tirou todo o meu auto-respeito — murmurou Emma. — Se eu não fizer isso sozinha, nunca o terei de volta. Por favor, leve-me para o hotel agora. Estou muito cansada.

Capítulo Trinta e Cinco

Então a vaca achava que podia simplesmente abandoná-lo, pensou Drew. Pensava que podia passar pela porta e continuar andando, sem voltar. Mas lhe daria uma boa lição quando a encontrasse. E tinha certeza de que a descobriria. Arrependia-se amargamente por não tê-la espancado com mais força antes de sua partida para a Flórida.

Não deveria ter permitido que ela ficasse longe de sua vista. Deveria saber que não podia confiar em Emma. As únicas mulheres em que os homens podiam confiar eram as vigaristas. Elas faziam seu trabalho, recebiam seu dinheiro e ponto final. Havia um mundo de diferença entre uma vigarista honesta e uma puta. E sua doce esposa, de rosto tão delicado, era uma puta. Como sua mãe também fora.

Pois ele lhe daria uma surra de que ela nunca mais esqueceria.

Imagine a desfaçatez da puta em deixá-lo. E o descaramento de retirar seu dinheiro da conta e cancelar os cartões de crédito. Ele fora humilhado na Bijan, quando o vendedor recolhera a suéter de cashmere que ele comprara, com o comentário frio de que seu cartão de crédito fora cancelado.

Ela pagaria por isso.

E ainda mandara aquele advogado idiota lhe encaminhar os papéis. A vaca queria o divórcio. Ele a veria morta primeiro.

O advogado de Nova York não ajudara em nada. Viera com uma história de cortesia profissional com um colega. E a Sra. Latimer não queria que seu paradeiro fosse conhecido. Mas ele descobriria onde a vaca se escondia, e ela teria a lição que merecia.

A princípio, ele teve medo de que Emma tivesse procurado o pai. Com o show beneficente se aproximando e todos os seus planos de se lançar numa carreira solo prestes a serem consumados, Drew não queria que alguém tão influente quanto Brian McAvoy ficasse contra ele. Mas depois Brian telefonara para comunicar a morte da mãe de Emma. Drew ficara satisfeito por improvisar tão depressa. Dissera a Brian que Emma saíra para se encontrar com duas amigas. Tinha certeza de que imprimira à voz o tom certo de simpatia e preocupação quando prometera que daria a notícia a Emma.

Se McAvoy não sabia onde se encontrava a vaca de sua filha, então nenhum dos outros membros da banda sabia, calculou Drew. Eram todos muito unidos. Pensara em Bev, mas tinha quase certeza de que Brian tomaria conhecimento se a filha tivesse ido para Londres.

Ou talvez estivessem todos jogando com ele, rindo pelas suas costas. Se fosse esse o caso, então ele descontaria em Emma... e com juros.

A ausência já tinha duas semanas. Ele esperava que Emma estivesse se divertindo bastante, pois pagaria caro cada hora longe de casa.

Encolheu os ombros contra o vento firme enquanto andava. O casaco de couro protegia-o contra o pior do frio do início da primavera, mas os ouvidos zumbiam com o vento. Ou talvez por causa da fúria. Ele gostava cada vez mais da idéia. Sorriu ao atravessar a rua para chegar ao loft.

Pegara o metrô, uma coisa que considerava degradante, mas era mais seguro do que um táxi nas circunstâncias. Era mais do que provável que tivesse de fazer alguma coisa... desagradável com Marianne. Pelo menos desagradável para ela, pensou Drew, com uma risada. O que lhe proporcionaria um imenso prazer.

Emma mentira. Marianne estivera no funeral. Ele vira uma foto das duas no jornal. Tão certo como Deus fizera o inferno, Marianne participara da conspiração. Sabia onde Emma se escondia. E quando ele acabasse de lhe dar a lição merecida, Marianne teria o maior prazer em contar tudo.

Ele usou a chave que Emma lhe dera meses antes. Usou o código de segurança para destrancar o elevador. Quando as portas se abriram, esfregou um punho contra outro. Esperava que ela ainda estivesse na cama.

O loft estava silencioso. Ele atravessou-o sem fazer barulho e subiu a escada, o coração batendo forte e feliz. Ficou desapontado ao encontrar a cama vazia. Os lençóis estavam emaranhados, mas frios. O desapontamento foi tão grande que ele o compensou ao destruir tudo no loft. Levou uma hora para descarregar sua frustração rasgando roupas, quebrando vidro, cortando almofadas com a faca que pegara na cozinha.

Pensou nos quadros, empilhados no estúdio. A faca na mão, já ia subir quando o telefone tocou. Ele parou, sobressaltado com o som. Sua respiração era ofegante, o suor escorria para os olhos. Um filete de sangue escorria do lábio, onde o mordera, enquanto retalhava o sofá.

Ao quarto toque, a secretária eletrônica atendeu.

— Marianne.

Drew desceu os degraus ao ouvir a voz de Emma. Quase pegou o fone antes de se controlar.

— Provavelmente você ainda está na cama, ou absorvida na pintura. Ligue para mim mais tarde. Se possível, ainda pela manhã. Vou à praia depois, para surfar. Consigo me manter por mais de dez segundos de pé na prancha. Não fique com inveja, mas a temperatura em Los Angeles vai chegar a 33º C hoje.

Los Angeles... Drew virou-se e olhou para o mural de Emma na parede.

QUANDO MARIANNE TELEFONOU, UMA HORA MAIS TARDE, Emma já estava saindo. Fechou a porta, trancou-a, antes de atender.

— Oi.

A voz de Marianne era sonolenta e contente.

— Oi para você também. Está levantando tarde? Deve ser quase meio-dia em Nova York.

— Ainda não levantei. — Ela aconchegou-se contra os travesseiros. — Estou na cama... na cama do dentista.

— Fazendo uma capa para o dente?

— Digamos que ele possui talentos que se estendem além da higiene bucal. Liguei para minha secretária eletrônica, para saber quais eram os recados, e ouvi o seu. Como você está?

— Muito bem.

— Fico contente em saber. Michael vai à praia com você?

— Não. Ele está trabalhando.

Marianne torceu o nariz. Se não podia estar presente para cuidar de Emma, contava com Michael para fazer isso. Podia ouvir o chuveiro aberto no banheiro, e desejou que seu novo amante voltasse para a cama, em vez de se preparar para combater as placas.

— Cáries ou bandidos, acho que um homem tem de cumprir seu dever. Estou pensando em passar duas semanas aí.

— Para me vigiar?

— Isso mesmo. E para finalmente conhecer esse Michael que vem guardando para você há tantos anos. Pegue as melhores ondas, Emma. Tornarei a ligar amanhã.

* * *

MICHAEL GOSTAVA DO TRABALHO DE CAMPO. NÃO SE IRRItava com o trabalho burocrático ou com as horas que às vezes levava falando ao telefone ou batendo de porta em porta. Mas gostava da ação nas ruas.

Tivera de ignorar muitas zombarias nos primeiros anos. O filho do capitão. Alguns eram joviais, outros não, mas ele agüentara firme. Esforçara-se muito para ganhar aquele distintivo dourado.

Agora, na delegacia, ele roubou um *doughnut* de uma mesa próxima. Comeu de pé, dando uma olhada no jornal que algum colega deixara ao lado da cafeteira.

Abriu na página das histórias em quadrinhos. Depois da noite que passara, precisava de toda risada que pudesse dar. De lá, passou para a seção de esportes, virando a página com uma das mãos, e servindo café com outra.

JANE PALMER MORRE DE OVERDOSE

Jane Palmer, de 46 anos, ex-amante de Brian McAvoy, da banda Devastation, e mãe de sua filha, Emma, foi encontrada morta em sua casa em Londres, aparentemente de uma overdose de droga. O corpo foi descoberto por Stanley Hitchman, ao final da tarde de domingo.

Michael leu o resto da notícia. Continha apenas os fatos básicos, mas havia a insinuação de suicídio. Soltando um grunhido, ele largou o jornal. Pegou o casaco e fez um sinal para McCarthy.

— Preciso de uma hora. Tenho um problema a resolver.

McCarthy pôs a mão sobre o bocal do telefone

— E nós temos três marginais para prender.

— Eles podem esperar. Uma hora.

E Michael saiu.

* * *

ELE ENCONTROU-A NA PRAIA. EMMA VOLTARA À SUA VIDA HÁ poucos dias, mas já conhecia seus hábitos. Ela ia à praia todos os dias, sempre no mesmo lugar. Não para surfar. Isso era apenas uma desculpa. Vinha para sentar ao sol e contemplar o mar, ou para ler à sombra de um guarda-sol azul e branco. Acima de tudo, vinha para se curar.

Sempre se mantinha apartada dos outros banhistas. Não procurava companhia, mas sentia-se confortada pelo fato de não estar sozinha. Usava um maiô simples e tradicional, azul-marinho, em vez de um biquíni, ou os novos de corpo inteiro, com decotes provocantes nas coxas. O próprio recato atraía os olhares. Mais de um homem pensara em abordá-la, mas desistira ao olhar para sua expressão.

Para Michael, era como se ela tivesse uma parede de vidro ao seu redor, fina, gelada e impenetrável. Ele especulou se lá dentro Emma podia sentir o cheiro de óleo de coco ou a zoeira dos rádios portáteis.

Ele foi ao seu encontro. Como Emma confiava nele, permitia que se aproximasse mais do que a maioria. Mas erguera uma segunda linha de defesa que mantinha até mesmo os amigos a distância.

— Emma...

Michael detestou quando ela teve um sobressalto, o movimento rápido e involuntário de pânico. Abaixou o livro que estava lendo. Por trás dos óculos escuros, o medo aflorou em seus olhos, mas logo passou. Os lábios se contraíram, o corpo relaxou. Ele percebeu tudo, a mudança da serenidade para o pânico, a calma de volta, numa questão de poucos segundos. Fê-lo pensar que ela começava a se acostumar a viver com o medo.

— Não esperava me encontrar com você hoje, Michael. Resolveu faltar ao trabalho?

— Não. Só disponho de uns poucos minutos.

Ele sentou ao lado de Emma, na sombra parcial. A brisa que soprava do mar sacudiu seu casaco, permitindo que Emma vislumbrasse o coldre no ombro. Era sempre um choque lembrar o que Michael fazia para ganhar a vida. Ele não parecia com a imagem que ela sempre tivera de um detetive. Mesmo agora, quando podia ver a arma, por cima da camiseta, Emma ainda não podia acreditar que ele sempre a usara.

— Parece cansado, Michael.

— Uma noite movimentada.

Emma sorriu. Michael percebeu que ela pensava que fora um encontro romântico. Não havia sentido em lhe dizer que passara a noite ocupado com quatro corpos jovens.

— Já leu o jornal hoje, Emma?

— Não.

Deliberadamente, ela evitava os jornais e o noticiário da televisão. Os problemas do mundo e de seus habitantes situavam-se no outro lado da parede de vidro. Mas sabia que Michael ia lhe dizer uma coisa que não queria ouvir.

— O que aconteceu? — Quando ele pegou a sua mão, a ansiedade de Emma aumentou. — Foi com o Da?

— Não. — Ele se criticou por não ter ido direto ao assunto. A mão de Emma parecia uma pedra de gelo. — Jane Palmer morreu.

Ela fitou-o aturdida, como se Michael falasse uma língua que precisasse traduzir.

— Morreu? Como?

— Parece que foi overdose.

— Ahn...

Emma retirou a mão, olhou para o mar. A água era de um verde claro perto da praia, a cor se aprofundando e mudando na direção do horizonte. Exibia ali um azul profundo, a cor de uma pedra preciosa. Ela especulou como seria ficar tão longe de tudo. Flutuar, completamente sozinha.

— Devo sentir alguma coisa?

Michael sentiu que a pergunta era feita também para ela própria. Ainda assim, ele respondeu:

— Não se pode sentir o que não existe.

— É verdade. Nunca a amei, nem mesmo quando era criança. E me envergonhava por isso. Lamento que ela tenha morrido, mas é um tipo de pesar vago e impessoal, como ocorre quando se lê no jornal que alguém morreu num desastre de carro ou num incêndio.

— Isso é suficiente. — Ele pegou a trança de Emma, um hábito que adquirira, a mão subindo e descendo. — Preciso voltar agora, mas já devo ter tudo resolvido por volta de sete horas. Por que não damos um passeio pela costa? Você, eu e Conroy.

— Eu gostaria muito.

Quando Michael se levantou, ela estendeu a mão. O contato foi fugaz. Depois, ela se virou para contemplar o mar.

DREW CHEGOU AO BEVERLY WILSHIRE POUCO DEPOIS DE três horas da tarde. Era o primeiro hotel que verificava. Sentiu-se ao mesmo tempo satisfeito e repugnado por Emma ser tão previsível. Era o Connaught em Londres, o Ritz em Paris, o Little Dix Bay nas Ilhas Virgens e sempre o Wilshire em Los Angeles.

Ele entrou com um sorriso tranqüilo e cordial. Compreendeu que sua sorte se mantinha ao constatar que uma jovem atraente era a recepcionista.

— Oi.

Ele presenteou-a com seu sorriso insinuante e observou a expressão polida se transformar em reconhecimento, e depois satisfação.

— Boa-tarde, Sr. Latimer.

Drew pôs a mão sobre a dela, e levantou a outra para encostar um dedo nos lábios.

— Vamos guardar segredo, está bem? Vim me encontrar com minha esposa, mas esqueci qual é o número de seu quarto.

— A Sra. Latimer está hospedada aqui?

— Isso mesmo. Tive de resolver alguns problemas antes de vir encontrá-la. Pode me dar o número de seu quarto, por favor?

— Claro. — Os dedos da recepcionista deslizaram sobre o teclado. — Não temos nenhuma pessoa com o nome Latimer no hotel.

— Não? Talvez ela tenha se registrado como McAvoy.

Drew conteve sua impaciência, enquanto a mulher tornava a acionar o teclado.

— Lamento, Sr. Latimer, mas também não temos McAvoy.

Ele sentiu vontade de agarrar a recepcionista pelo pescoço fino e apertar com toda força. Com algum esforço, assumiu uma expressão de perplexidade.

— É estranho. Tenho quase certeza que não confundi os hotéis. Emma não se hospedaria em qualquer outro que não o Wilshire.

Sua mente saltava de uma possibilidade para outra. Até que ele sorriu.

— Mas é claro! Não sei como pude esquecer. Ela veio para cá com uma amiga, e deve ter mantido o quarto no nome dela. Só para ter certeza de que ninguém a encontraria por alguns dias. Verifique Marianne Carter. É mais do que provável que seja no terceiro andar. Emma detesta os andares altos.

— Aqui está. Suíte 305.

— É um alívio. — Por trás do sorriso, Drew rangeu os dentes. — Eu detestaria pensar que perdi minha esposa.

Ele esperou pela chave, tendo de se controlar para manter a respiração calma e firme.

— Foi de grande ajuda, querida.

— O prazer foi meu, Sr. Latimer.

Nada disso, pensou Drew, enquanto se encaminhava para os elevadores. O prazer seria todo seu. E seria um imenso prazer.

Ele não ficou desapontado quando descobriu que a suíte estava vazia. Concluiu que era melhor assim. Tirou da bolsa um gravador e um cinto de couro flexível. Fechou todas as cortinas e depois acendeu um cigarro para esperá-la.

* * *

— KESSELRING... — UM JOVEM DETETIVE ABRIU A PORTA da sala de interrogatório, onde Michael e McCarthy empenhavam-se em dobrar um suspeito. — Tem uma ligação para você.

— Estou um pouco ocupado aqui, Drummond. Anote o recado.

— Bem que tentei, mas ela disse que era uma emergência.

Ele começou a praguejar, mas depois lhe ocorreu que podia ser Emma.

— Tente não dar por minha falta — disse ele a Swan, enquanto saía.

Foi sentar na beira de sua mesa e pegou o telefone.

— Kesselring.

— Michael? Aqui é Marianne Carter. Sou amiga de Emma.

— Sei disso. — Irritado com a interrupção, ele enfiou a mão no bolso, à procura de um cigarro. — Está em Los Angeles?

— Não. Estou em Nova York. Acabo de voltar ao loft e... alguém entrou aqui e destruiu tudo.

Ele pressionou os dedos contra os olhos cansados.

— Acho que seria mais sensato se você chamasse a polícia local. Eu não conseguiria chegar aí por várias horas.

Marianne não estava com a menor disposição para o sarcasmo.

— Estou pouco ligando para o loft. É com Emma que me preocupo.

— O que ela tem a ver com isso?

— Tudo aqui foi cortado e quebrado. Foi Drew. Tenho certeza que foi Drew. É bem provável que ele estivesse com a chave de Emma. Não sei o quanto ela lhe disse, mas Drew é um homem violento. Muito violento. E eu...

— Calma, Marianne. A primeira coisa que você tem de fazer é sair daí, procurar um telefone público e chamar a polícia.

— Ele não está aqui. — Ela se detestou por ser tão dispersa que não conseguia falar com a clareza necessária. — Acho que ele sabe onde Emma está, Michael. Ela deixou um recado para mim na secretária eletrônica esta manhã. Se Drew estava aqui quando ela telefonou ou se ouviu as mensagens gravadas, então sabe onde Emma se encontra. Tentei ligar, mas ela não atendeu.

— Cuidarei disso. E agora saia do loft e chame a polícia.

Ele desligou antes que Marianne pudesse dizer mais alguma coisa.

— Kesselring, se já acabou de conversar com sua namorada...

— Vamos embora!

Michael interrompeu o protesto de seu parceiro, enquanto corria para a porta.

— Mas o quê...

— Vamos logo!

Ele já estava dando a partida quando McCarthy entrou no carro.

Capítulo Trinta e Seis

Eram quase quatro horas da tarde quando Emma entrou no saguão do Beverly Wilshire. Durante a longa tarde na praia, ela tomara uma decisão. Ligaria para o pai. Brian teria sido informado da morte de Jane, e Emma não tinha a menor dúvida de que ele a procurara.

Não seria uma conversa fácil, mas era necessária. Era tempo de lhe comunicar que deixara Drew. Talvez fosse tempo de aproveitar a imprensa, sempre ávida por fofocas. Depois que a separação se tornasse pública, ela poderia sair do atordoamento perpétuo em que vivia agora. Talvez parasse de ter medo.

Enquanto seguia pelo corredor, a caminho de seu quarto, abriu a bolsa para pegar a chave. Os dedos roçaram no metal quente da arma. Deixaria de carregar aquela arma, disse a si mesma. E deixaria de olhar para trás a todo instante.

Abriu a porta da suíte e franziu o rosto. As cortinas estavam fechadas, deixando passar apenas uma tênue claridade. Ela detestava o escuro. Em silêncio, amaldiçoou a arrumadeira. Adiantou-se, deixou a porta se fechar às suas costas e encaminhou-se para o abajur.

Foi nesse instante que a música começou. Os dedos dela ficaram paralisados no interruptor. Era a canção angustiada e inconfundível que atormentava seus sonhos. Lennon assassinado cantando em sua voz incisiva.

No outro lado da sala, um abajur acendeu. Ela pôde apenas soltar um gemido, cambaleando para trás. Por um momento, um rosto flutuou em sua mente, um tanto indistinto, quase reconhecível. E, depois, ela viu Drew.

— Olá, Emma querida. Sentiu saudade de mim?

Ela saiu de seu transe e correu para a porta. Drew foi rápido. Sempre fora rápido. Com um movimento da mão, derrubou-a para o lado, fazendo a bolsa voar. Ainda sorrindo, Drew foi empurrar a tranca de segurança e passar a corrente.

— Queremos privacidade, não é mesmo?

A voz, agradável, suave, afetuosa, provocou calafrios em Emma.

— Como me descobriu?

— Temos nossos meios, Emma. Digamos que há um vínculo permanente entre nós dois. Não disse sempre a você que a descobriria?

Por trás dela, a música continuava a tocar. Era um pesadelo. Ela queria acreditar nisso. Tinha pesadelos com freqüência, a música, o escuro. E despertava suando frio, como acontecia agora. E o pesadelo acabava.

— Adivinhe o que recebi, Emma. Uma petição de divórcio. Não foi uma atitude muito gentil de sua parte, não é mesmo? Lá estava eu, preocupado demais com você, há duas semanas. Afinal, podia ter sido seqüestrada. — Ele sorriu. — Poderia ter sido assassinada, como seu pequeno irmão.

— Não...

— Falar sobre ele deixa-a transtornada, não é mesmo? E a música também a perturba. Devo desligá-la?

— Deve.

Ela seria capaz de pensar se Drew desligasse a música. Saberia o que fazer.

— Está bem. — Ele deu um passo na direção do gravador, mas parou. — Não. Acho que vou deixar a música tocando. Você precisa aprender a enfrentar as coisas, Emma. Já lhe disse isso antes, não é mesmo?

Os dentes de Emma começaram a bater.

— Estou enfrentando.

— Ainda bem. Agora, a primeira coisa que você vai fazer é telefonar para aquele seu advogado de luxo e dizer que mudou de idéia.

— Não. — O medo vibrava com tanta intensidade em seu organismo que ela só conseguia sussurrar. — Não voltarei com você.

— Claro que voltará. Você me pertence. Teve um momento de rebeldia. Agora, Emma, não torne as coisas mais difíceis para você.

Quando ela sacudiu a cabeça em negativa, Drew soltou um suspiro longo e ruidoso. Depois, desfechou um golpe com a mão, rápido como um raio, um tapa que acertou em cheio em seu rosto. O sangue encheu sua boca quando ela bateu numa mesa, derrubando um abajur, que se espatifou no chão.

Através de um nevoeiro de dor, Emma viu-o se aproximar. E começou a gritar. Ele chutou-a na barriga, interrompendo os gritos, impedindo a respiração. Quando ela tentou se encolher toda, Drew passou a golpeá-lo de tudo que é jeito, devagar, metódico.

Desta vez ela reagiu. Seu primeiro golpe acertou-o de raspão no queixo, mas surpreendeu-o tanto que ela teve tempo de se arrastar para o lado. Ouviu batidas na porta, a exigência de que fosse aberta. Conseguiu se levantar e deu um passo trôpego na direção do som quando ele a acertou de novo.

— Quer bancar a durona, Emma?

Ele começou a rasgar as roupas de Emma, a arranhar a pele com as unhas. A resistência levou Drew à loucura. Ela seria punida desta vez de uma maneira que nunca mais esqueceria.

Emma ouviu alguém suplicando, prometendo. Não sabia que era sua própria voz. Mal sentia os golpes, enquanto ele continuava a agredi-la. Desta vez ele usou os punhos, esquecendo tudo, a não ser a necessidade de fazê-la pagar caro.

— Pensou que podia me abandonar desse jeito, sua vaca? Pensou que eu a deixaria arruinar tudo por que sempre me empenhei? Prefiro matá-la primeiro!

O corpo todo de Emma parecia se desmanchar em dor. Até mesmo o esforço de respirar dava a impressão de uma centena de facas cegas cortando sua carne. Nunca fora tão ruim antes. Mesmo nas piores ocasiões, não chegara àquele ponto. Atordoada, ela segurou a perna de uma cadeira e tentou se levantar. Os dedos escorregaram, molhados por seu sangue.

Ela parou de lutar. Não lhe restava mais qualquer força para resistir. Sentiu que Drew levantava seu corpo, e depois o jogava longe. Alguma coisa partiu em seu peito, e ela gritou de novo, contra a dor insuportável. Apenas meio consciente, ficou esparramada no chão.

— Sua vaca! Sua puta nojenta!

Drew ofegava quando avançou de novo. Vagamente, Emma viu que o sangue escorria do nariz dele. Os olhos estavam vidrados e desvairados. Ela sabia, por fitar seu rosto, que ele ultrapassara o limite. Desta vez uma surra não seria suficiente. Continuaria a agredi-la até a morte. Chorando, ela tentou rastejar.

O estalo do cinto fê-la estremecer. Os soluços se elevaram para gemidos, enquanto ela se arrastava pelo tapete. Drew continuou a estalar o cinto, ao compasso da música, enquanto avançava. Os movimentos provocavam tanta dor nas costelas que a visão ficou turva.

Ela ouviu alguém a chamando, gritando seu nome. O barulho de madeira estilhaçada. Seria mesmo o som de madeira estilhaçada, ou de seu corpo se partindo ao meio? O primeiro golpe com o cinto em suas costas fez com que ela esticasse o braço. Os dedos roçaram em metal. Às cegas, ela pegou a arma. Quase sufocando com os soluços, conseguiu se virar. Viu o rosto de Drew, enquanto ele erguia o cinto outra vez.

Emma sentiu a arma tremer em sua mão.

Michael arrombou a porta a tempo de ver Drew cambalear para trás, com uma expressão de perplexidade. As pernas trançando, Drew levantou o cinto de novo. Michael empunhava sua arma. Mas, antes que pudesse usá-la, Emma atirou outra vez, e mais outra. E continuou a apertar o gatilho por muito tempo depois de descarregar a arma, muito tempo depois de Drew ter desabado a seus pés, apontando para o ar vazio.

— Bom Jesus! — exclamou McCarthy.

— Não deixe ninguém entrar.

Michael adiantou-se. Tirou o casaco para cobrir Emma, que tinha as roupas rasgadas, encharcadas de sangue. Ela não se mexia, apenas continuava a apertar o gatilho da arma vazia. Quando ele tentou tirá-la, a mão se convulsionou.

— Está tudo bem agora, Emma. Acabou.

Gentilmente, ele passou a mão pelos cabelos de Emma. Tinha de fazer um enorme esforço para conter sua raiva. O rosto de Emma era uma massa disforme e ensangüentada. Um olho já fechara de tão inchado. O outro estava vidrado pelo choque.

— Dê-me a arma agora, meu bem. Não vai mais precisar. Você está bem.

Ele mudou-a de posição para que Emma pudesse ver seu rosto. Pegou um farrapo do que fora outrora uma blusa e enxugou um pouco do sangue.

— Sou eu, Michael. Pode me ouvir, Emma? Sou eu, Michael. Tudo vai acabar bem.

A respiração de Emma começou a se tornar convulsiva. O corpo era sacudido por tremores. Michael abraçou-a, balançando gentilmente o corpo atormentado. A mão de Emma ficou inerte quando ele lhe tirou a arma. Ela não chorou. Michael sabia que o som emitido não podia ser chamado de soluços. Ela apenas gemia, gemidos baixos, animais, como uma lamúria interminável.

— A ambulância está a caminho. — Depois de um rápido exame do corpo de Drew, McCarthy agachou-se ao lado de Michael.

— Ele a deixou em péssimo estado, não é?

Michael continuou a embalá-la, mas virou a cabeça para fitar Drew Latimer por um longo momento.

— É uma pena que um homem só possa morrer uma vez.

— Tem razão. — McCarthy sacudiu a cabeça enquanto se levantava. — O filho-da-puta ainda está segurando o cinto.

BRIAN OBSERVAVA AS NUVENS DESFILAREM PELO CÉU, SENtado ao lado da sepultura de Darren. Cada vez que vinha sentar ali, na relva alta, esperava encontrar paz. Jamais encontrara. Mas sempre voltava.

Deixara que as flores silvestres crescessem no lugar em que o filho estava enterrado. Preferia as flores à pequena lápide de mármore, que tinha apenas um nome e duas datas. As datas eram terrivelmente próximas.

Seus pais estavam enterrados ali perto. Embora os tivesse conhecido por décadas, lembrava o filho com muito mais nitidez.

Do cemitério podia avistar os campos arados, os espaços de um marrom fértil, ao lado do verde exuberante. E contemplava as vacas pastando. Era o início da manhã. As manhãs na Irlanda eram os melhores momentos para sentar e sonhar. A claridade era suave e perolada, como ele jamais conhecera em qualquer outro lugar que não fosse a Irlanda. O orvalho faiscava na relva. Os únicos sons que ele podia ouvir naquele momento eram o latido de um cachorro e o zumbido distante de um trator.

Bev parou quando o viu. Não sabia que o encontraria ali. Ao longo dos anos, tomara o cuidado de só visitar a sepultura do filho quando sabia que Brian estava em outro lugar. Não queria vê-lo ali, ao lado da sepultura em que haviam se postado juntos tantos anos antes.

Ela quase voltou. Mas havia alguma coisa na maneira como Brian sentava, as mãos pousadas de leve nos joelhos, os olhos perdidos nas colinas verdes. Ele parecia muito sozinho.

Ambos estavam muito sozinhos.

Ela se aproximou em silêncio. Brian não a ouviu, mas virou-se quando viu a sombra. Bev não disse nada. Pôs o ramo de lilases junto da lápide de mármore. E ajoelhou-se, com um suspiro.

No silêncio, ficaram escutando o murmúrio da brisa na relva, o zumbido distante do trator.

— Quer que eu vá embora? — perguntou Brian.

— Não. — Gentilmente, Bev passou a mão pela relva que cobria a sepultura do filho. — Ele era lindo, não é?

— Era, sim. — Brian sentiu as lágrimas aflorarem, e fez um esforço para contê-las. Há muito tempo que não chorava ali. — Parecia muito com você.

— Ele tinha o melhor de cada um de nós. — Bev ficou de cócoras. Como Brian, olhou para as colinas. Haviam mudado muito pouco em todos aqueles anos. A vida continuava. Era a lição mais difícil que ela aprendera. — Era muito inteligente, cheio de vida. Tinha o seu sorriso, Bri. Seu e de Emma.

— E estava sempre feliz. Lembro disso cada vez que penso em Darren.

— Meu maior medo era o de esquecer seu rosto... que sua lembrança se desvanecesse com o tempo. Mas isso não aconteceu. Lembro agora como ele ria, como o riso era espontâneo. E não se podia ouvir um som mais lindo. Eu o amava demais, Bri.

— Não se pode amar demais.

— Pode sim.

Bev ficou calada por um longo momento. Uma vaca mugiu. Por mais estranho que pudesse ser, o som fê-la sorrir.

— Acha que é apenas uma perda? Que tudo o que ele era e poderia ter sido simplesmente desapareceu, acabou com sua morte?

— Não. — Brian fitou-a. — Não, não acho.

A resposta fez toda a diferença.

— Foi o que pensei a princípio. Talvez tenha sido por isso que me perdi durante tanto tempo. Doía demais pensar que toda aquela beleza e alegria havia permanecido entre nós por tão pouco tempo.

Mas depois compreendi que isso não era verdade. Ele ainda está vivo no meu coração. E no seu.

Brian desviou os olhos, contemplando as colinas distantes.

— Há ocasiões em que quero esquecer. Em que faço qualquer coisa para esquecer. O pior tipo de inferno é sobreviver ao próprio filho.

— Quando isso ocorre, você sabe que nada que jamais lhe aconteça poderá ser tão doloroso. Nós o tivemos por dois anos, Bri. É o que gosto de lembrar. E você era um pai maravilhoso.

Ela se inclinou e pegou as mãos de Brian. Quando os dedos dele apertaram os seus, ela não retirou as mãos.

— Lamento não ter partilhado essa dor com você como partilhei a alegria. Fui egoísta, como se o fato de manter só para mim pudesse fazer com que o sofrimento fosse só meu. Mas é nosso, da mesma forma que Darren era nosso.

Ele não disse nada. As lágrimas obstruíam sua garganta. Bev, compreendendo, virou-se para fitá-lo. Ficaram abraçados, em silêncio, enquanto o sol subia pelo céu e secava o orvalho na relva alta.

— Eu nunca deveria ter deixado você — murmurou Brian.

— Deixamos um ao outro.

— Por quê? — Ele apertou as mãos de Bev. — Por quê?

— Pensei a respeito muitas vezes. Acho que não suportaríamos ser felizes. Que sentíamos... ou sentia... que se fôssemos felizes depois da morte de Darren, seria como desonrá-lo. Estava errado.

— Bev... — Ele encostou o rosto nos cabelos da mulher. — Não vá embora. Por favor, não vá embora.

— Não irei.

Voltaram para a casa da fazenda de mãos dadas. O sol passava pelas janelas quando subiram. Despiram um ao outro, com pausas apenas para beijos longos e suaves, carícias gentis.

Ele não era mais o jovem que outrora a amara. E ela não era mais a mesma mulher. Eram mais pacientes agora. Não se jogaram na cama, ansiosos. Em vez disso, deitaram devagar, sabendo que cada momento era precioso, quando tantos haviam sido perdidos.

E, no entanto, apesar de todas as mudanças, os corpos se movimentavam em harmonia. Quando ela o procurou, os anos pareceram desaparecer. Quando Brian beijou-a no pescoço, aspirou a mesma fragrância, sentiu o mesmo gosto.

Mesmo enquanto a paixão aumentava, eles flutuavam à margem, relutantes em se deixarem dominar, como acontecia no passado. Enquanto seu corpo esquentava, Bev suspirou, tanto em contentamento quanto em desejo. Com os olhos meio fechados, ela passou as mãos pelo corpo de Brian, recordando cada ângulo, cada plano de seu corpo. Até que a paixão, liberada, envolveu-os por completo, como um vinho inebriante.

Bev acolheu-o, abrindo-se toda, arqueando o corpo. Quando alcançaram o orgasmo, ela chorou. E Brian beijou-a para sorver as lágrimas que ela derramava, junto com as suas.

Mais tarde, ficaram deitados em silêncio, a cabeça de Bev aninhada no ombro de Brian. Ela se espantava por ter sido tão fácil, por ter parecido tão certo. Já se haviam passado quase vinte anos. Levara metade de sua vida longe de Brian. E agora estavam ali, os corpos úmidos do ato de amor. E Bev podia sentir o coração dele bater forte sob sua palma.

— Foi muito como era no passado — murmurou Brian, ecoando os pensamentos de Bev. — E, no entanto, foi muito diferente.

— Eu não queria que isso acontecesse. Durante todo o tempo, fiz o maior esforço para me manter longe de você. — Bev levantou a cabeça para fitá-lo nos olhos. — Eu jamais desejei amar tanto assim outra vez.

— Sempre foi certo com você. Nunca me peça para deixá-la partir de novo. Eu não conseguiria desta vez.

Ela afastou da testa de Brian os cabelos desmanchados, onde já surgiam os primeiros fios brancos.

— Sempre tive medo de que você não precisasse realmente de mim, não da maneira como eu precisava de você.

— Estava enganada.

— Sei disso. — Ela abaixou a cabeça para beijá-lo. — Perdemos muito tempo, Bri. Eu gostaria que você voltasse para casa.

Passaram a noite ali, na cama antiga, conversando, fazendo amor. Já era tarde quando o telefone tocou. Brian só atendeu porque não havia outra maneira de acabar com a interrupção.

— Alô?

— Brian McAvoy?

— Isso mesmo.

— Aqui é Michael Kesselring. Venho tentando localizá-lo há bastante tempo.

— Kesselring... — Ele se arrependeu de ter dito o nome no instante em que Bev ficou rígida ao seu lado. — O que aconteceu?

— É Emma.

— Emma? — Brian sentou na cama, a boca ressequida. Bev pôs a mão em seu ombro, apertando-o. — Aconteceu alguma coisa com ela?

Michael sabia, pela experiência, que era melhor dizer tudo depressa. Mas tinha dificuldade para formar as palavras.

— Emma está no hospital, aqui em Los Angeles. Ela...

— Um acidente? Ela sofreu um acidente?

— Não. Foi severamente espancada. Explicarei tudo quando chegar aqui.

— Espancada? Emma foi espancada? Não estou entendendo.

— Os médicos estão fazendo tudo o que é necessário. Emma ficará boa, mas vai precisar do pai.

— Estaremos aí o mais depressa possível.

Bev já estava se vestindo.

— O que aconteceu?

— Não sei. Ela está no hospital, em Los Angeles.

Ele soltou um grunhido, atrapalhado com os botões da camisa.

— Calma. — Bev abotoou-os num instante. — Ela vai ficar boa. Emma é mais resistente do que parece, Bri.

Ele acenou com a cabeça e tirou um momento para abraçá-la.

Capítulo Trinta e Sete

Estava escuro. Havia dor, uma dor distante, quase como um sonho, vagando por seu corpo. Como um mar vermelho e quente, parecia cobri-la, sufocá-la, empurrá-la para baixo, deixando-a longe do ar e da luz. Emma tentou se elevar acima da dor ou se manter abaixo, mas parecia que nada podia evitá-la. Descobriu que podia até aceitar isso. Mas não o escuro, não o silêncio.

Ela fez um esforço para se mexer. Foi dominada pelo pânico quando compreendeu que não sabia se estava de pé, sentada ou deitada. Não podia sentir os braços nem as pernas, apenas aquela dor constante, difusa, desagradável. Tentou falar, chamar alguém, qualquer pessoa. Em sua mente, gritava alto, mas ninguém respondia.

Sabia que fora machucada. Podia se lembrar muito bem da maneira como Drew a fitara. Esperando por ela. Poderia ainda estar ali, observando-a, no escuro. E desta vez ele...

Mas talvez ela já estivesse morta.

Emma sentiu mais do que dor agora. Sentiu raiva. Não queria morrer. Com um gemido de frustração, usando toda a sua força e vontade, empenhou-se em apenas abrir os olhos. Era como se as pálpebras estivessem costuradas, por todo o controle que tinha.

Alguém passou a mão por seus cabelos. Ela sentiu apenas o sussurro de um contato, investindo contra o pânico, contra a dor.

— Descanse, Emma. Está tudo bem agora. Você precisa descansar.

Não era Drew. Nem a voz nem o contato eram de Drew.

— Juro que você está sã e salva agora.

Michael. Ela queria dizer seu nome, grata por não estar sozinha no escuro. Mas depois uma onda vermelha rolou e cobriu-a.

Emma aflorou à superfície e afundou durante a maior parte da noite. Os médicos haviam dito que ela dormiria durante o tempo todo. Mas o medo prevalecia sobre os sedativos. Michael podia sentir que a impulsionava cada vez que ela subia à superfície.

E falava com ela, repetindo as mesmas garantias, hora após hora. Sua voz, ou as palavras, pareciam acalmá-la. Por isso, ele sentou ao lado da cama e a observou, segurando sua mão.

Queria fazer mais alguma coisa. Nada em seu treinamento ou os anos na polícia haviam lhe ensinado aquele tipo de paciência. De sentar ali, desamparado, enquanto a mulher que amava tanto travava a sua batalha silenciosa. Seu rosto adorável e elegante estava todo fraturado e enfaixado. Seu corpo esguio e firme coberto de equimoses e outros ferimentos.

Haviam dito que ela não morreria. Que haveria dor, física e emocional, mas ela sobreviveria. A extensão do trauma só poderia ser avaliada mais tarde. E Michael só podia esperar. E lamentar.

Deveria tê-la pressionado mais. Michael criticou-se muitas e muitas vezes, enquanto ouvia a respiração profunda e drogada de Emma. Se ele tivesse aplicado a pressão certa, no momento certo, poderia convencê-la a revelar como a situação era terrível. Afinal, era um policial. Sabia como arrancar informações.

Mas recuara. Queria dar tempo a Emma. E privacidade. Ele passou as mãos pelo rosto. Dera privacidade quando Emma deveria ser mantida sob custódia protetora. Dera-lhe tempo quando deveria ter pedido à polícia de Nova York que obtivesse um mandado de prisão.

Porque ele não fizera seu trabalho, porque deixara os sentimentos interferirem, Emma se encontrava agora num leito de hospital.

Ele só a deixou uma vez, quando Marianne e Johnno chegaram de Nova York.

— Michael... — Johnno ofereceu-lhe um aceno de reconhecimento e manteve a mão no ombro de Marianne. — O que aconteceu?

Michael esfregou os lados das mãos nos olhos. As luzes no corredor ofuscavam-no.

— Latimer. Tudo indica que ele conseguiu entrar no quarto de Emma no hotel.

— Oh, Deus! — Marianne apertou o pequeno cachorro de pelúcia. — Ela está mal?

— Muito mal. — A imagem de Emma caída na suíte do hotel aflorou em sua mente. — Ele quebrou três costelas de Emma e deslocou seu ombro. Há também lesões em alguns órgãos. Não sei quantas contusões e lacerações. E o rosto... Acham que ela não vai precisar de muita cirurgia reparadora.

Os dentes cerrados, Johnno olhou para a porta fechada.

— Onde está o filho-da-puta?

— Ele morreu.

— Melhor assim. Queremos vê-la.

Michael sabia que os médicos haviam se irritado com sua presença no quarto, mas usara o distintivo para persuadi-los.

— Podem entrar. Falarei com a enfermeira e ficarei na sala de espera. — Como Johnno, ele olhou para a porta fechada. — Ela foi sedada.

Ele deu tempo suficiente aos dois. Tomou um café, na sala de espera, repassando todos os seus movimentos durante aquele dia, para determinar se poderia ter feito alguma coisa de uma maneira diferente. Era sempre uma questão de tempo, pensou ele, cansado.

Se tivesse arrombado a porta cinco minutos antes, poderia ter mudado tudo.

Ele se levantou no momento em que os viu entrar na sala de espera. Marianne tinha os olhos vermelhos, mas ele achou que ela não perdera o controle. Sentou na cadeira que Michael desocupara.

— Eu não deveria ter deixado que ela ficasse aqui sozinha.

— Não é culpa sua — declarou Johnno.

— Sei que não é minha culpa, mas eu não deveria deixá-la sozinha.

Ignorando os avisos nas paredes, Johnno pegou um cigarro. Estendeu-o para Marianne depois que o acendeu.

— Marianne me informou tudo durante o vôo, Michael. Presumo que já sabe que Latimer vinha abusando de Emma há mais de um ano.

Michael esmagou o copo de plástico com os dedos.

— Não estou a par dos detalhes. Tomarei o depoimento de Emma assim que ela tiver condições de falar.

— Depoimento? — Marianne levantou os olhos. — Por que ela precisa prestar um depoimento?

— É o procedimento normal. — Ele olhou para a porta de Emma. — Apenas rotina.

— Mas espero que você tome esse depoimento — disse Johnno. — Eu não gostaria que ela falasse com um estranho.

— Eu mesmo farei isso.

Com as cinzas crescendo em seu cigarro, Marianne observou-o. Ele mais do que correspondia à promessa na foto que saíra no jornal, tirada há mais de dez anos. No momento, ele parecia tenso e exausto, com enormes olheiras, sulcos profundos nos cantos dos olhos. Apesar disso, ela concluiu que era um homem em quem se podia confiar. Independentemente do que Emma dissera em contrário, Michael Kesselring atendia à imagem que Marianne fazia de um policial.

— Você matou Drew?

Michael fitou Marianne. Mais do que qualquer outra coisa de que podia se lembrar, ele gostaria de dizer sim.

— Não. Cheguei tarde demais.

— Então quem foi?

— Emma.

— Oh, Deus! — murmurou Johnno.

— Não me agrada deixá-la sozinha — declarou Michael. — Voltarei para o quarto. Talvez vocês queiram ir para um hotel, descansar um pouco.

— Ficaremos aqui. — Marianne pegou a mão de Johnno. — Podemos nos revezar no quarto.

Com um aceno de cabeça, Michael voltou ao quarto de Emma.

ELA RECUPEROU A CONSCIÊNCIA AO AMANHECER. A CLARIDAde, embora ainda difusa, deixou-a aliviada. Tivera muitos sonhos durante a noite... sonhos muito estranhos. A maioria se desvanecera, como miragens da meia-noite que se dissipavam com a luz do sol. Mas sabia que tivera o pesadelo de novo. Quase que podia ouvir o som da música e o murmúrio das sombras.

Fez um esforço para sair do sono, irritada a princípio ao sentir as pernas e os braços muito pesados. E era frustrante só poder abrir um olho. Levantou a mão, encontrou as bandagens e se lembrou.

Pânico. Preencheu seus pulmões como fumaça, quase a sufocando. Virou a cabeça e viu Michael. Ele estava arriado na cadeira ao lado da cama, o queixo encostado no peito. Uma das mãos cobria a sua. Ela só precisou mexer os dedos para acordá-lo, sobressaltado.

— Ei... — Ele sorriu, apertando os dedos de Emma para depois levá-los aos lábios. Sua voz saiu áspera de fadiga. — Bom-dia.

— Como... — Ela tornou a fechar os olhos, impaciente com o sussurro quase inaudível. — Há quanto tempo?

— Você dormiu durante a noite. Só isso. Sente alguma dor?

Emma sentia, e muita dor. Mas sacudiu a cabeça. Fazia-a pensar que estava viva.

— Aconteceu, não é? Tudo?

— Acabou. — Querendo conforto quase tanto quanto precisava dá-lo, Michael manteve a mão de Emma encostada em seu rosto. — Vou chamar a enfermeira. Eles queriam ser informados assim que você acordasse.

— Michael... eu o matei?

Ele demorou um momento para responder. Emma tinha o rosto todo machucado e enfaixado. Michael já vira casos piores, mas não com freqüência. Apesar de tudo, porém, ela mantinha a mão firme. Ela fora espancada, mas não derrotada.

— Matou. E pelo resto da minha vida vou lamentar não ter chegado na sua frente.

Emma fechou o olho, mas continuou a segurar sua mão. Tinha de haver alguma coisa dentro dela, além das fisgadas de dor e da fadiga drogada.

— Não sei o que sinto. Parece não haver qualquer coisa, nem angústia, nem alívio, nem arrependimento. Só me sinto vazia.

Michael sabia como era ter uma arma na mão, apontá-la para outro ser humano e atirar. No cumprimento do dever. Em legítima defesa. Por mais urgente que fosse, por mais vital a causa, sempre atormentava a pessoa.

— Você fez a única coisa que podia fazer. Isso é tudo o que deve lembrar. Não se preocupe com o resto agora.

— Ele tinha uma voz adorável. Apaixonei-me por sua voz. Gostaria de saber por que tinha de terminar assim.

Michael não tinha conforto para oferecer a isso, nem respostas para dar.

Deixou-a com a enfermeira e foi para a sala de espera, onde Marianne cochilava, a cabeça no ombro de Johnno. A sala era decorada em tons suaves, e ele supôs que isso servia para animar e relaxar parentes e amigos, que só podiam sentar e esperar. Havia uma televisão presa num suporte na parede. Estava ligada, o volume abaixado. Havia uma mesa num lado, com chaleiras com água sobre a chapa quente, e cesto com pacotinhos de café solúvel e chá. Havia também dois telefones, um em cada lado da sala, e um generoso suprimento de revistas.

— Ela acordou.

— Acordou? — Marianne ergueu-se no mesmo instante. — E como ela está?

— Está bem. — Michael serviu-se de outro café, mexendo o pó solúvel sem muito interesse. — Lembra o que aconteceu e aceita a realidade. Deixei-a com a enfermeira. Estão chamando o médico. Creio que poderão vê-la muito em breve.

Todos ficaram em silêncio quando a imagem de Emma apareceu na tela da televisão. A notícia foi incisiva e concisa, entremeada de imagens de Emma e Drew. Houve entrevistas rápidas com a recepcionista do hotel e duas testemunhas, que ouviram a comoção e chamaram a segurança.

Um homem de meia-idade, calvo e corado de excitamento, falou ao microfone. Michael lembrou que o empurrara para o lado antes de arrombar a porta.

— Só sei que havia muito barulho, de coisas se quebrando. E ela gritava muito, suplicando que ele parasse. Parecia tão terrível que resolvi bater na porta. Meu quarto era o do lado. Foi então que a polícia apareceu. Um dos homens arrombou a porta. Foi apenas por um segundo, mas pude ver uma mulher caída no tapete, sangrando. Tinha uma arma na mão e atirava. E continuou a atirar até descarregar a arma.

Michael praguejava quando foi pegar o telefone.

Na tela, o noticiário passou para uma transmissão ao vivo, na frente do hospital. O repórter, com uma expressão solene, anunciou que Emma McAvoy Latimer estava sob a vigilância de um guarda em seu quarto.

— Estou pouco ligando! — gritou Michael pelo telefone. — Mantenha-os a distância. Quero um guarda na porta vinte e quatro horas por dia para barrar os repórteres que tentarem vê-la. Farei uma declaração esta tarde.

— Não será capaz de impedir — comentou Johnno, quando Michael bateu o telefone.

— Posso contê-los por algum tempo.

Johnno levantou-se. Não adiantava dizer a Michael que Emma sabia qual era o preço da celebridade. Pagara-o durante toda a sua vida.

— Marianne, vá ver Emma. Vou pagar o café da manhã para este policial.

— Não quero...

— Claro que quer. Não é todo dia que pode partilhar ovos mexidos com uma lenda viva. Pode ir, Marianne. Avise a Emma que estarei lá daqui a pouco.

Johnno esperou até que Marianne se afastasse pelo corredor.

— Vi Emma pela primeira vez quando ela tinha três anos. Ela se escondia debaixo da pia da cozinha, no apartamento imundo de Jane. Já havia sido muito maltratada. E sobreviveu. Vai escapar dessa também.

— Eu deveria ter obtido um mandado judicial — murmurou Michael. — Não podia permitir que ela me fizesse esperar.

— Há quanto tempo é apaixonado por ela?

Ele não disse nada por um momento. Depois, deixou escapar um longo suspiro.

— Durante a maior parte de minha vida.

Michael foi até a janela. Levantou-a para deixar o ar fresco atingir seu rosto. Com as palmas apoiadas no peitoril, inclinou-se para fora.

— Cinco minutos. Se ele demorasse cinco minutos, ou eu fosse cinco minutos mais rápido, eu o teria matado. Tinha a arma na mão quando passei pela porta. Deveria ter matado o canalha por ela. É assim que deveria ter acontecido.

— Ah, o ego masculino... — Johnno manteve o mesmo sorriso sarcástico quando Michael virou-se. — Posso imaginar como se sente, mas discordo. Fico contente que Emma tenha liquidado o filho-da-puta. Só gostaria que ela tivesse a oportunidade antes de levar a surra. Vamos embora, filho.

Johnno apertou o ombro de Michael, acrescentando:

— Você precisa comer.

Como se sentia cansado demais para argumentar, Michael acompanhou-o. Quase alcançavam o elevador quando as portas se abriram. Brian e Bev saíram.

— Onde ela está? — perguntou Brian.

— No quarto. Mas espere um pouco. — Johnno segurou-o pelo braço. — Marianne está com ela. Você precisa se acalmar antes de entrar no quarto. Emma já teve emoção demais.

— Johnno tem razão, Bri. — Bev conteve seu próprio nervosismo para acalmá-lo. — Não queremos perturbá-la. E precisamos saber o que... como ela se machucou.

Ela olhou para Michael.

— Pode nos contar o que aconteceu? Estamos viajando desde a sua ligação.

— Ontem, Drew Latimer descobriu Emma aqui, em seu hotel.

— Descobriu? — interrompeu Brian. — Como assim? Os dois não estavam juntos?

— Ela se escondia de Latimer desde que entrou com o pedido de divórcio.

— Divórcio? — Porque sabia que estava atordoado de sono e preocupação, Brian respirou fundo, tentando desanuviar a cabeça. — Falei com Emma há poucas semanas e ela não me disse nada sobre um divórcio.

— Ela não podia dizer nada — explicou Michael. — Porque tinha medo. Latimer espancava-a durante a maior parte do casamento.

— Mas isso é uma loucura! — Brian passou a mão pelos cabelos. — Ele é apaixonado por Emma. Eu mesmo vi.

— Muito apaixonado... — A fúria contida de Michael aflorou à superfície. — Ele é mesmo um marido afetuoso. A porra de um príncipe. Era por isso que ela vivia apavorada. E porque neste momento está num quarto de hospital com o rosto todo arrebentado e três costelas fraturadas. O homem quase a matou de amor.

Os lábios de Brian tremeram. A mão apertou a de Bev até doer.

— Ele bateu em Emma? Está me dizendo que Drew é o responsável por isso?

— Estou.

A raiva dominava Brian quando agarrou Michael pela camisa.

— Onde ele está?

— Latimer morreu.

— Calma, Bri. — Johnno esfregou o ombro do amigo, avaliando a sensatez de se interpor entre dois homens furiosos. — Não vai ajudar Emma se você explodir.

— Quero vê-la. — Brian puxou Bev. — Queremos vê-la agora.

Ele se encaminhou para a porta do quarto no momento em que Marianne saía. Não disse nada por um momento, apenas olhou para a filha, estendida na cama.

— Minha querida...

Ele apertou a mão de Bev enquanto atravessava o quarto. Emma fitou-os. Levantou a mão para roçar pelo rosto machucado e depois tentou cobri-lo com as duas. Não queria que o pai a visse assim. Gentilmente, ele afastou as mãos da filha.

— Emma... — Brian abaixou a cabeça para beijá-la na testa. — Sinto muito.

Ela deixou as lágrimas escorrerem, enquanto gaguejava desculpas e explicações. Quando se sentiu exausta, apenas ficou segurando a mão do pai.

— Nem mesmo sei direito como tudo aconteceu. Ou por quê. Queria ter alguém que me amasse, por mim mesma. Queria uma família, e pensei... — Ela deixou escapar um longo suspiro. — Pensei que ele era como você.

Brian quis chorar nesse momento. Foi quase impossível não abaixar a cabeça para o peito da filha e deixar as lágrimas escorrerem. Mas ele apenas levou a mão de Emma aos lábios outra vez.

— Não se preocupe com isso. Não deve sequer pensar a respeito. Ninguém jamais vai machucá-la de novo, eu juro.

— Tudo o que importa é que você está segura agora. — Gentilmente, Bev afastou os cabelos da testa enfaixada de Emma. — É só isso que importa para todos nós.

— Eu o matei — murmurou Emma. — Contaram a vocês que fui eu quem o matou?

Por cima da cabeça da filha, os olhos chocados de Brian se encontraram com os da filha.

— Mas... agora tudo acabou.

Ele tornou a pegar a mão de Emma.

— Não escutei o que você me disse, Da. Não queria ouvir. — Ela curvou um dedo na mão do pai. — Fiquei furiosa e magoada porque você achava que Drew só me queria para alcançá-lo.

— Não era isso...

Brian comprimiu os lábios contra os dedos da filha.

— Você tinha razão. — As palavras saíram com um suspiro longo e cansado. — Ele jamais me desejou, nunca me amou. E quando descobriu que o casamento não foi suficiente para conseguir o que queria, passou a me odiar.

— Não quero que pense sobre isso agora — insistiu Brian. — Deve apenas descansar, concentrar-se em ficar boa.

Ele tinha razão, pensou Emma. Sentia-se muito cansada para pensar.

— Fico contente que esteja aqui, Da. E lamento muito ter me afastado de você durante todo esse tempo, por tê-lo excluído de minha vida.

— Ambos nos enganamos, mas agora já passou. — Ele sorriu. — Temos todo o tempo do mundo agora.

— Gostaríamos que voltasse para casa quando estiver melhor. — Bev estendeu a mão, do outro lado da cama, para tocar no rosto de Brian. — Conosco.

— Os dois?

— Isso mesmo. — Brian pegou a mão de Bev. — Temos muito tempo para recuperar. Todos nós.

— Esta manhã, quando acordei, pensei que nunca mais teria um motivo para me sentir feliz de novo. Mas estou feliz por vocês. E preciso pensar sobre o resto.

— Não há pressa. — Bev inclinou-se para beijá-la no rosto. — E agora vamos deixá-la dormir um pouco.

— KESSELRING... — ERA MEIO-DIA QUANDO MCCARTHY encontrou Michael na sala de espera do hospital. — Não saiu daqui?

— Quer um café?

— Não se vai fazer com que eu pareça como você. — Ele jogou uma bolsa para Michael. — Roupas limpas e as coisas para fazer a barba. Dei comida ao seu cachorro.

— Obrigado.

McCarthy mudou de idéia sobre o café, protestando contra o creme num pacotinho. Ele sempre gostava de atormentar seu parceiro. Agora, achou que Michael já tinha tudo o que podia agüentar.

— Como ela está?

— Sente muita dor.

— Dwier quer um depoimento.

McCarthy referiu-se ao capitão em exercício com um tom desdenhoso.

— Pode deixar que providenciarei.

— Ele sabe que você... é amigo da vítima. Quer que eu tome o depoimento.

— Pode deixar que cuidarei de tudo.

Michael despejou mais açúcar no café, mais pela energia do que pelo gosto. Deixara de sentir qualquer gosto já há horas.

— Trouxe um estenógrafo?

— Trouxe. Ele está esperando.

— Vou verificar se Emma já pode falar. — Ele tomou o café como se fosse um remédio. Depois, jogou fora o copinho. — E a imprensa?

— Querem alguma coisa até às duas horas da tarde.

Michael olhou para o relógio, antes de ir ao banheiro para fazer a barba e trocar de roupa. Entrou no quarto de Emma quinze minutos depois. P.M. estava com ela agora. Como os outros, parecia pior pelo cansaço. Chocado, amarfanhado da viagem, os olhos injetados. Mas fizera Emma sorrir.

— P.M. vai ser papai — anunciou Emma.

— Meus parabéns.

— Obrigada.

Era angustiante ficar ao lado da cama, tentando pensar nas coisas certas para dizer. E nas coisas que não devia dizer. Stevie voara de Londres com ele e haviam visto o jornal no aeroporto. Mal sabiam o que dizer um para o outro, muito menos para Emma.

— Já estou de saída. — Ele beijou-a, hesitou, deu outro beijo. — Voltaremos esta noite.

— Obrigada pelas flores. — Emma estendeu a mão para as violetas na bandeja. — São lindas.

— Bom...

Aflito, ele ficou parado por mais um momento, depois os deixou a sós.

— É angustiante para ele — murmurou Emma. — Para todos.

Seus dedos ficaram mexendo no lençol, em evidente ansiedade, antes de roçarem em Charlie.

— Foi duro ver seus olhos quando entrou no quarto pela primeira vez. Devo estar em péssimas condições.

— É a primeira vez que ouço você pedir um elogio. — Michael sentou ao seu lado. — As pessoas têm entrado e saído do quarto durante a manhã inteira. Quase não descansou.

— Não quero ficar sozinha. E você passou a noite inteira comigo. — Emma estendeu-lhe a mão. — Ouvia você falando, e sabia que ainda estava viva. Queria lhe agradecer por isso.

— Eu amo você, Emma.

Ele abaixou a testa para as mãos unidas. Não houve reação de Emma, enquanto ele fazia um esforço para controlar as emoções.

— Momento errado, lugar errado. — Com um suspiro, Michael levantou-se e começou a andar pelo quarto. — Acho que você vai pensar a respeito, já que eu falei. Outra coisa... se está se sentindo bem, gostaríamos de tomar seu depoimento.

Emma observou-o vaguear irrequieto pelo quarto. Não havia nada que ela pudesse dizer, não agora, quando mal podia sentir qualquer coisa. Se as coisas fossem diferentes... se ela pudesse ter confiança bastante... Mas as coisas não eram diferentes.

— Com quem eu tenho de falar?

— Pode falar comigo. — Michael já recuperara o controle quando se virou. — Ou posso chamar uma mulher da delegacia, se isso fizer com que se sinta mais à vontade.

— Não. — Os dedos irrequietos de Emma começaram a puxar as pétalas das violetas. — Posso falar com você.

— Há um estenógrafo esperando.

— Está bem. Vamos começar agora. Quero acabar logo com isso.

Não foi fácil. Por algum motivo, Emma pensara que seria, com as emoções tão amortecidas. Mas ainda restava alguma coisa, apenas o suficiente para deixá-la envergonhada. Não olhou para Michael enquanto falava. O tempo foi se arrastando e ela contou tudo. Esperava expurgar os medos, vergonhas e humilhações ao falar a respeito. Mas quando acabou sentia apenas cansaço.

Michael dispensou o estenógrafo com um aceno de cabeça. Não podia falar... não ousava.

— Isso é tudo de que precisa? — perguntou Emma.

Ele tornou a acenar com a cabeça. Precisava sair dali.

— Tudo será impresso. Poderá ler e assinar quando estiver se sentindo melhor. Voltarei mais tarde.

Ele saiu do quarto e se encaminhou para os elevadores. McCarthy deteve-o.

— Dwier quer você na delegacia o mais depressa possível. A imprensa está espumando.

— Que se foda a imprensa. Preciso dar uma volta.

EM LONDRES, ROBERT BLACKPOOL LEU AS NOTÍCIAS. E achou muito engraçado. As reportagens dos jornais tradicionais da Fleet Street eram as melhores. Toda aquela besteira de assassinato de paixão e morte de um sonho. Haviam obtido também algumas fotos. Eram granulosas, um pouco desfocadas, mas extremamente satisfatórias. Emma sendo levada de maca para uma ambulância. Tinha o rosto todo arrebentado, o que deixou Blackpool na maior satisfação.

Nunca esquecera a maneira como ela o repelira.

E ele pensou que era uma pena que Latimer não a tivesse espancado até a morte. Mas havia outras maneiras de se vingar.

Ele pegou o telefone e ligou para o *Times* de Londres.

Pete ficou lívido quando leu a notícia no dia seguinte. Robert Blackpool, expressando um profundo pesar pela morte de um artista jovem e talentoso como Latimer, relatava um incidente que envolvera Emma e ele. Pelo seu ponto de vista, Emma demonstrara um ciúme doentio por causa do relacionamento dele com sua colega de apartamento. E como as tentativas de sedução de Emma fracassaram, ela o atacara com uma tesoura.

O título foi agressivo:

SEDE DE AMOR LEVA EMMA À VIOLÊNCIA

Não era preciso muito para as pessoas engolirem o que liam. As opiniões logo se dividiriam, se ela agira em legítima defesa ou se matara o marido impulsionada por uma raiva ciumenta.

Pete pegou o telefone e discou.

— Seu maluco escroto!

— Bom-dia para você também.

Blackpool riu. Já esperava pela ligação.

— O que você pensa que está fazendo, espalhando uma história como essa? Já tenho confusão suficiente para limpar.

— Não é problema meu, companheiro. E se quer saber minha opinião, a pequena Emma teve o que merecia.

— Não estou pedindo sua opinião, e estou lhe dizendo para cair fora dessa história.

— Por que eu deveria fazer isso? Posso aproveitar a publicidade. Você não é sempre o primeiro a dizer que a imprensa faz vender discos?

— Estou dizendo para não se meter.

— Ou...?

— Não estou interessado em fazer ameaças, Robert. Apenas aceite minha palavra de que desencavar segredos desagradáveis não é saudável para ninguém.

Houve uma pausa longa e tensa.

— Eu devia esta a ela.

— É possível. Isso não é da minha conta. Suas vendas começaram a despencar nos últimos dois anos, Robert. E todo mundo sabe como as gravadoras são volúveis. Não vai querer procurar outro agente a essa altura dos acontecimentos, não é mesmo?

— Somos parceiros há muito tempo, Pete. Duvido muito que qualquer dos dois queria romper uma amizade tão antiga.

— Não se esqueça. Continue a remexer o passado e eu o largarei como uma meia suja.

— Precisa de mim tanto quanto eu preciso de você.

— Duvido. — Pete sorriu. — E duvido muito.

Capítulo Trinta e Oito

Michael andava de um lado para outro do corredor. Parou para apagar o cigarro e recomeçou a andar.

— Não gosto disso.

— Lamento por você se sentir assim. — Emma respirou com cuidado. Mesmo depois de três semanas, ainda sentia pontadas de dor nas costelas se fazia algum movimento mais brusco. — Mas é o que quero fazer, o que acho melhor.

— Dar uma entrevista coletiva no mesmo dia em que recebe alta do hospital é pura estupidez. E teimosia.

— Será melhor fazer uma declaração formal do que tentar me esquivar. — Ela falou em leve, mas sentia os braços gelados sob o casaco de linho. — E pode ter certeza de que sei mais do que você sobre essas coisas.

— Se está falando sobre aquela merda que Blackpool começou, o caso já explodiu. Ele causou mais danos a si mesmo do que a você.

— Não me importo com Blackpool, mas apenas com minha família, e tudo o que teve de suportar nas últimas semanas. Por isso, quero fazer a declaração.

Ela começou a andar para a sala de reunião, mas parou de repente e virou-se.

— A investigação policial decidiu que foi legítima defesa. Passei as três últimas semanas me convencendo da mesma coisa. Quero ficar com a ficha limpa, Michael.

Era inútil argumentar. Ele passara a conhecê-la bastante bem para compreender isso. Mas assim mesmo tentou.

— Teve o apoio de noventa e nove por cento da imprensa.

— E esse um por cento deixa uma mancha horrível.

Ele abrandou o suficiente para se aproximar e roçar um polegar por seu rosto.

— Já se perguntou alguma vez por que a vida é às vezes tão complicada?

— Já sim. — Ela sorriu. — E comecei a acreditar que Deus é homem. Vai comigo?

— Claro.

A imprensa esperava. Câmeras, luzes, microfones em alerta. Clarões no momento em que ela entrou. Acompanhada por murmúrios. Estava tão pálida que as equimoses ainda existentes faziam um contraste intenso com a pele. Embora não estivesse mais inchado, o olho esquerdo era uma massa de cores horríveis, uma mancha evanescente que se estendia até o malar e a linha dos cabelos.

Todos se calaram quando ela começou a falar.

Emma apresentou apenas os fatos, não seus sentimentos. O que sentia só a ela interessava. Foi uma declaração breve, pouco mais de oito minutos. Enquanto lia, ela sentiu-se grata por Pete ter ajudado na redação final. Ignorou as câmeras e os rostos que a observavam. Quando acabou, afastou-se do microfone. Ficara acertado que ela não aceitaria perguntas, mas apesar disso as perguntas foram feitas.

Ela já se virara, com a mão no braço de Michael, quando uma das perguntas penetrou em sua mente:

— Se ele abusou de você durante tantos meses, por que ficou?

Emma não tencionava responder, mas olhou para trás. Os repórteres ainda gritavam perguntas. Mas só essa se alojou em sua mente.

— Por que fiquei?

Houve silêncio na sala outra vez. Fora fácil ler a declaração. Ela quase sabia de cor. Eram apenas palavras no papel, e não a tocavam. Mas aquela pergunta, tão simples, foi direta para seu coração.

— Por que fiquei? — repetiu ela. — Não sei.

Emma hesitou, esquecendo que não devia olhar para os rostos, não devia vê-los. Subitamente, parecia vital que respondesse à pergunta.

— Não sei... Se alguém me dissesse, há dois anos, que eu permitiria que me agredissem dessa maneira, teria ficado furiosa. Não quero acreditar que optei por ser uma vítima.

Ela lançou um olhar rápido e desesperado para Michael, antes de continuar:

— E, no entanto, eu fiquei. Ele me espancou e me humilhou, mas não fui embora. Houve ocasiões em que me vi indo embora. Entrava no elevador, saía para a rua, e não parava de andar. Mas não fiz isso. Fiquei porque tinha medo, e fui embora pelo mesmo motivo. Não faz sentido... não faz o menor sentido.

Emma virou-se. E, desta vez, ignorou as perguntas.

— Saiu-se muito bem — disse Michael. — Vamos tirá-la daqui por uma porta lateral. McCarthy está esperando com o carro.

Foram para Malibu, para a casa na praia que o pai alugara. Emma seguiu em silêncio, com uma pergunta ecoando em sua cabeça:

Por que fiquei?

ELA GOSTAVA DE SENTAR NO DEQUE DE SEQUÓIA DE MANHÃ, contemplando o mar e ouvindo as gaivotas. Se se cansava de ficar sentada, podia dar longos passeios pela praia. As costelas ainda a incomodavam de vez em quando, e havia uma cicatriz fina no maxilar. Poderia ser reparada com a maior facilidade. Mas ela descartou a possibilidade de uma cirurgia plástica. Era quase imperceptível. E servia para lembrá-la.

Os pesadelos eram outro legado. Ocorriam com uma regularidade assustadora, uma montagem de novos e antigos. Às vezes ela percorria o corredor escuro como uma criança. Em outras, como adulta. A música sempre soava, mas era vaga e abafada, como se tocada debaixo d'água. Havia ocasiões em que ouvia a voz de Darren com a mesma nitidez de uma campainha, mas depois a voz de Drew se sobrepunha. Ela congelava, paralisada, como criança ou mulher, na frente da porta. Com pavor de abri-la.

Depois, quando segurava a maçaneta, virava-a e empurrava, ela acordava, suando.

Mas os dias eram serenos. Havia a brisa que soprava do mar, a fragrância das flores que Bev plantara em tinas e jardineiras. E, sempre, a música.

Ela tivera a oportunidade de ver o pai e Bev recomeçarem. Isso atenuou boa parte da ardência das feridas. Havia riso. Bev fazia experiências na cozinha. Brian tocava guitarra à sombra. Era como se nunca tivessem se separado. Fora muito fácil, depois de dado o primeiro passo, que os dois transpusessem o hiato de vinte anos.

E Emma tinha vontade de chorar, pois nunca mais poderia ser uma criança de novo para reparar os erros cometidos.

Esperaram seis meses, embora Emma soubesse que ambos estavam ansiosos em voltar para Londres. Era o lar dos dois. Ela ainda tinha de encontrar o seu.

Não sentia saudade de Nova York, embora sentisse saudade de Marianne. Os meses em que vivera ali com Drew haviam estragado a cidade para ela. Voltaria, ela prometeu a si mesma. Mas nunca mais viveria em Nova York.

Preferia olhar para o mar, sentir o sol em seu rosto. Vivera sozinha em Nova York. Quase nunca estava sozinha ali.

Johnno visitara-a duas vezes, passando duas semanas em cada ocasião. Em seu aniversário, dera-lhe um broche, uma fênix de ouro se elevando acima das chamas de rubis. Emma usava-o com freqüência, desejando ter coragem de abrir as asas de novo.

P.M. casou com Lady Annabelle, fazendo um desvio por Los Angeles, a caminho da lua-de-mel no Caribe mexicano. Observar a maneira como a nova Sra. Ferguson adorava o marido quase restaurou a fé de Emma nas possibilidades do casamento. Embora rechonchuda pela gravidez adiantada, Annabelle usara uma minissaia de couro branco no casamento. P.M. era obviamente fascinado por ela.

Mesmo agora, eles tinham companhia. Stevie e Katherine Haynes haviam chegado na noite anterior. Muito tempo depois de ter ido para a cama, Emma ainda ouvira o pai e Stevie tocando. Como nos velhos tempos, pensara ela. A música deixava-a encantada no início da infância, quando o pai aparecera e a levara para um baile interminável, como se fosse Cinderela.

— Bom-dia.

Ela virou-se para deparar com Katherine, segurando duas canecas com café.

— Oi.

— Vi você aqui fora e pensei que gostaria de tomar um café.

— Obrigada. É uma linda manhã.

— É verdade. Eu não conseguia dormir. — Ela sentou ao lado de Emma. — Somos as únicas pessoas acordadas?

— Isso mesmo.

Emma tomou um gole do café.

— Viajar me deixa irrequieta. Imagino que você encontra aqui muita coisa para fotografar.

Emma não pegava numa câmera há mais de um ano e tinha certeza que Katherine sabia disso.

— É um lindo lugar.

— Uma variação de Nova York.

— É sim.

— Prefere que eu me retire?

— Não. Desculpe. — Os dedos de Emma tamborilaram na caneca. — Não tive a intenção de ser grosseira.

— Mas eu a deixo desconfortável.

— Por causa de sua profissão.

Katherine estendeu as pernas, apoiando os tornozelos na grade de baixo.

— Estou aqui como amiga, não como médica. — Ela esperou, observando uma gaivota voar sobre o mar. — Mas não seria uma boa amiga nem uma boa médica se não tentasse ajudá-la.

— Estou bem.

— Parece bem. Mas nem todos os ferimentos aparecem, não é mesmo?

Emma fitou-a nesse momento, calma e controlada.

— Talvez não, mas dizem que o tempo cuida dessas coisas.

— Se isso fosse verdade, eu estaria desempregada. Seus pais estão preocupados, Emma.

— Não precisam ficar. E não quero que fiquem.

— Eles amam você.

— Drew morreu. Não pode mais machucar ninguém.

— Ele não pode mais bater em você — ressaltou Katherine. — Mas ainda pode magoá-la.

Ela ficou em silêncio por um momento, tomando o café e contemplando as ondas.

— Você é polida demais para me mandar para o inferno.

— Estou pensando nisso.

Com uma risada breve, Katherine virou a cabeça.

— Um dia lhe contarei todas as coisas grosseiras e revoltantes que Stevie me disse. Você pode chegar perto, mas duvido muito que consiga igualá-lo.

— Você o ama?

— Amo.

— Vai casar com ele?

Um pouco aturdida, Katherine levantou um ombro.

— Pergunte de novo daqui a seis meses. Bev me disse que você anda se encontrando com alguém chamado Michael.

— Ele é um amigo.

Eu amo você, Emma.

— Um amigo — repetiu ela, largando a caneca.

— Um detetive, não é mesmo? O filho do homem que investigou o assassinato de seu irmão. — Sem se perturbar com o silêncio de Emma, Katherine continuou: — É estranho como a vida dá voltas, não é mesmo? Faz com que uma pessoa se sinta como um cachorrinho perseguindo o próprio rabo. Eu estava saindo de um divórcio miserável quando conheci Stevie. Meu ego estava lá no fundo e minha opinião sobre os homens... Ora, digamos que eu achava que certas variedades de vermes eram mais atraentes. Detestei Stevie à primeira vista. Isso foi pessoal. Em termos profissionais, eu estava determinada a ajudá-lo, e afastá-lo de mim o mais depressa que pudesse. Agora, estamos aqui.

Embora não quisesse mais, Emma tornou a pegar a caneca e tomou outro gole do café.

— Sentiu que fracassara?

— Em meu casamento? — Katherine manteve um tom leve. Era uma pergunta que imaginara que Emma poderia fazer. — Claro. E fracassei mesmo. Mas também as pessoas estão sempre fracassando. A parte difícil não é admitir, mas aceitar.

— Fracassei com Drew. Aceito isso. É o que você quer que eu diga?

— Não. Não quero que diga coisa alguma, a menos que precise dizer.

— Fracassei comigo. — Emma levantou-se de um pulo, batendo com a caneca na mesa de sequóia. — Durante todos aqueles meses, fracassei para mim mesma. É essa a resposta certa?

— É?

Com uma imprecação, Emma virou-se para a grade.

— Não quero fazer isso. Se eu quisesse uma psiquiatra, teria uma dúzia a esta altura.

— Você me causou uma impressão e tanto na primeira vez em que a vi. Estava prestes a sair furiosa do quarto de Stevie no hospital, depois de passar a descompostura que eu morria de vontade de dar. Ele também não queria ajuda.

— Não sou Stevie.

— Não, não é.

Katherine levantou-se. Não era tão alta quanto Emma, mas projetava uma autoridade total quando sua voz se tornou incisiva:

— Gostaria que citasse as estatísticas de quantas mulheres são agredidas todos os anos? Se não me engano, é uma a cada dezoito segundos, nos Estados Unidos. Surpresa?

Emma fitou-a, e ela acrescentou:

— Queria se sentir como a única sócia de um clube exclusivo? Já pensou na quantidade de mulheres que continuam com os homens que as maltratam? Nem sempre é porque não têm amigos ou parentes dispostos a ajudá-las. Nem sempre é porque são pobres e ignorantes. Elas têm medo, o auto-respeito foi destruído. Estão envergonhadas, confusas. Para cada uma que encontra ajuda há uma dúzia que não encontra. Você está viva, Emma, mas não sobreviveu. Ainda não.

— Não, não sobrevivi. — Emma virou-se. Os olhos estavam úmidos, mas irradiavam uma fúria intensa. — Tenho de conviver com isso todos os dias. Acha que ajuda falar a respeito, encontrar desculpas, escolher razões? Que diferença faz o motivo pelo qual aconteceu? Aconteceu. E agora vou dar volta.

Ela desceu correndo os degraus e se encaminhou para a beira d'água.

KATHERINE ERA UMA MULHER PACIENTE. NÃO DISSE NADA durante dois dias. Não fez qualquer referência à conversa que tivera com Emma. Esperou, enquanto Emma mantinha uma distância polida.

Os dias eram movimentados. Como era sua primeira viagem aos Estados Unidos, Stevie queria lhe mostrar tudo. Visitaram todos os pontos turísticos, do circuito pelas mansões de artistas famosos à Disneylândia e a Knott's Berry Farm. Freqüentavam casas noturnas. Às vezes iam sozinhos, às vezes como um grupo. Ela gostava mais das noites que passavam em casa, com Stevie sentado por horas a fio a fazer amor com sua guitarra.

Mas pensava incessantemente em Emma. Stevie compreendia — talvez fosse por isso que Katherine se apaixonara por ele — que ela tinha de ajudar, mesmo quando a ajuda era rejeitada.

Aproveitou a oportunidade num dia em que ouviu Emma descer antes do amanhecer. Katherine seguiu-a, e descobriu que todas as luzes estavam acesas. Emma sentava na cozinha, olhando pela janela escura.

— Senti vontade de tomar um chá — disse ela, a voz descontraída, encaminhando-se para o fogão. — Sempre acho confortador quando acordo tão cedo.

Ela não comentou as lágrimas que secavam nas faces de Emma. Ocupou-se em pegar as xícaras e pires.

— Admiro sua mãe, a maneira como ela acrescenta alguns toques e faz com que a cozinha seja o lugar mais aconchegante da casa. Na minha cozinha sempre tenho a sensação de que estou no closet de outra pessoa.

Katherine pôs o chá num bule pintado, com o formato de uma vaca.

— Stevie me levou numa excursão pela Universal Studios ontem de tarde. Já esteve lá? — Ela esperou apenas uma fração de segundo pela resposta de Emma, e logo continuou: — Dei uma olhada de perto no tubarão do filme, e não entendi por que me deixou tão apavorada. Mas é tudo uma questão de imagem e ilusão.

Ela despejou a água fervente no bule e deixou o chá em infusão.

— O trenzinho passou pela casa de Norman Bates... lembra, do filme *Psicose*? Parece exatamente igual, o que se podia esperar, mas sem o terror. A gente tem a impressão de que quando se tira alguma coisa do contexto, mesmo que seja assustadora, ela perde seu poder. Torna-se apenas uma casa esquisita ou um peixe mecânico.

— A vida não é como nos filmes.

— Não, não é, mas sempre achei que os paralelos eram interessantes. Quer o seu chá com creme?

— Não, obrigada.

Emma manteve-se calada, enquanto Katherine servia o chá. Depois, as palavras saíram, antes que ela pudesse contê-las.

— Às vezes tenho a sensação de que o tempo que passei com Drew é como um filme. Uma coisa que posso ver, mas desligada. E depois, em manhãs como esta, quando acordo antes do amanhecer, penso que estou de volta a Nova York, ao apartamento, e que ele dorme ao meu lado. Quase que posso ouvi-lo respirar no escuro. E o resto, os últimos meses, vira o filme. Isso me torna louca?

— Não. Faz com que se torne uma mulher que passou por uma terrível provação.

— Mas ele morreu. Sei que não existe mais. Então, por que ainda tenho medo?

— Tem?

Emma não conseguia manter as mãos quietas. Pegava e mexia em coisas no balcão. Um copo de vinho que não fora guardado na noite anterior, uma tigela com frutas, o açucareiro que combinava com o bule enorme.

— Ele costumava usar truques. Depois que contei sobre Darren, tudo o que eu lembrava, tudo o que sentia. Ele saía da cama depois que eu dormia.

Tudo voltava agora, fora de seu controle.

— Ele punha a canção para tocar, a mesma canção que tocava na noite em que Darren foi assassinado. E depois me chamava, sussurrando meu nome, muitas e muitas vezes, até que eu acordava no escuro. Eu sempre tentava acender a luz, mas ele desligava o abajur da parede, para que eu sentasse na cama e suplicasse para que parasse. Uma ocasião comecei a gritar que ele voltaria. Drew disse que não passava de um sonho. Agora, quando tenho os pesadelos, fico deitada na cama, paralisada, apavorada que ele possa abrir a porta e dizer que foi tudo um sonho.

— Teve um pesadelo esta noite?

— Tive.

— Pode me contar?

— São basicamente iguais. É a noite em que Darren foi assassinado. Acordo como sempre. O corredor está escuro, a música toca e tenho medo. Posso ouvi-lo chorando. Às vezes chego até a porta, e Drew está lá. Às vezes é outra pessoa, mas não sei quem é.

— E quer saber?

— Agora quero, quando estou acordada e me sinto segura. Mas não quero saber durante o sonho. Tenho a sensação de que morrerei se souber, se ele me tocar.

— Sente-se ameaçada por esse homem?

— Sinto-me.

— Como sabe que é um homem?

— Eu... — Emma hesitou. O dia começava a clarear. Porque a janela estava aberta, ela podia ouvir os primeiros gritos das gaivotas, como crianças chorando. — Não sei como, mas tenho certeza que é um homem.

— Sente-se ameaçada pelos homens, Emma, pelo que Drew fez com você?

— Não tenho medo do Da ou de Stevie. Nunca tive medo de Johnno ou P.M. Não poderia ter.

— E de Michael?

Emma pegou o chá pela primeira vez, tomando-o frio.

— Não tenho medo de que ele me machuque.

— Mas tem medo?

— Isso eu não seria capaz de... — Ela parou de falar, balançando a cabeça. — Não tem nada a ver com Michael. O problema é comigo.

— É natural ser cautelosa de um relacionamento físico, Emma, quando a última experiência trouxe dor e humilhação. Em termos intelectuais, você sabe que não são esses os propósitos ou os resultados usuais da intimidade, mas o intelecto e a emoção seguem por caminhos diferentes.

Emma quase sorriu.

— Está querendo dizer que os pesadelos são o resultado de repressão sexual?

— Tenho certeza que Freud diria isso. Mas também estou um tanto convencida de que o homem era um lunático. Só estou explorando as possibilidades.

— Acho que podemos excluir Michael. Ele nunca me pediu para fazer sexo.

Não fazer amor, registrou Katherine, mas fazer sexo. Arquivaria esse dado para mais tarde.

— E você quer?

Emma sorriu agora. O dia amanhecera, trazendo a segurança da claridade.

— Sempre me perguntei se os psiquiatras não passam de fofoqueiros.

— Muito bem, vamos deixar essa passar. Posso fazer uma sugestão?

— Pode.

— Pegue sua câmera, saia de casa e tire algumas fotos hoje. Drew tirou várias coisas de você. Por que não prova para si mesma que ele não tirou tudo?

EMMA NÃO SABIA POR QUE ACEITOU O CONSELHO DE KATHErine. Não podia pensar em nada que quisesse fotografar. As pessoas sempre haviam sido seu tema predileto, mas esquivara-se delas por muito tempo. Ainda assim, ela tinha de admitir que era bom ter a câmera na mão, mexer nas lentes, planejar uma foto determinada.

Passou a manhã focalizando palmeiras e prédios. As fotos não seriam premiadas, ela sabia, mas a mecânica da fotografia era relaxante. Por volta de meio-dia, já usara dois rolos de filme, e se perguntava por que esperara tanto tempo para desfrutar uma coisa que tanto amava.

Não sabia por que virou o carro na direção da casa de Michael. Era uma linda tarde de domingo... linda demais para passar sozinha.

Não tirava uma foto de Michael desde aquela primeira, há muitos e muitos anos. E Conroy seria um tema interessante. Todas essas eram desculpas fáceis. Mas ela aceitou-as quando parou o carro na frente da casa.

Embora o carro dele estivesse, Michael não respondeu por tanto tempo que ela pensou que ele havia saído. O cachorro começara a latir à primeira batida, e agora ela podia ouvi-lo uivando e arranhando o outro lado da porta. Até que ouviu Michael gritar com Conroy. Não pôde deixar de sorrir.

No momento em que ele abriu a porta, Emma compreendeu que o acordara. Passava de meio-dia, mas ele tinha os olhos quase fechados e desfocados. Usava um jeans obviamente vestido às pressas, o zíper puxado apenas até a metade. Passava a mão pelo rosto, empurrando os cabelos para trás.

— Emma?

— Desculpe, Michael. Eu deveria ter ligado antes.

Ele piscou contra a luz do sol.

— Algum problema?

— Nenhum. Já vou embora. Como estava de passagem por aqui, resolvi visitá-lo.

— Não... entre. — Ele pegou a mão de Emma, enquanto olhava para trás. — Merda!

— O momento é o pior possível, Michael. Posso...

Ela passou pela porta. A semi-escuridão levou-a a contrair os olhos.

— Essa não!

Emma não podia pensar em qualquer coisa. A sala dava a impressão de que fora atacada por um bando de duendes endiabrados.

— Foi assaltado?

— Não.

Ele estava atordoado demais para se preocupar com as aparências. Pegou-a pelo braço e começou a levá-la para a cozinha. O cachorro continuava a latir e saltar em círculos em torno dos dois.

— Deve ter tido uma festa — decidiu Emma, um pouco irritada por não ter sido convidada.

— Não foi isso. Por favor, Deus, faça com que ainda haja algum café!

Ele começou a abrir os armários.

— Aqui está. — Emma encontrou a lata de Maxwell House na pia, ao lado de um saco de batatas fritas. — Gostaria que eu...

— Não. — Michael empurrou-a para o lado. — Posso fazer a droga do café. Conroy, se você não se calar, vou amarrar sua língua em torno do pescoço.

Em defesa, ele abriu o saco de batatas fritas e pôs no chão para silenciar o cachorro.

— Que horas são?

Emma limpou a garganta. Decidiu que seria bobagem informar que havia um relógio ao lado da cafeteira.

— Cerca de meio-dia e meia.

Michael olhava de rosto franzido para a colher do café em sua mão. Era evidente que perdera a noção. Quando ele ia pôr mais, Emma levantou a câmera e bateu uma foto.

— Desculpe — murmurou ela, quando Michael lançou-lhe um olhar irritado. — É o reflexo.

Ele não disse nada. Virou-se para vasculhar de novo os armários. A sensação na boca era a de que jantara giz. Uma pequena banda de jazz ressoava alegremente em sua cabeça. Tinha certeza de que os olhos estavam inchados, no tamanho de bolas de golfe. Descobriu que não tinha mais a droga do cereal.

— Michael... — Emma tomava o maior cuidado, não porque estivesse intimidada, mas porque tinha um medo terrível de desatar a rir. — Gostaria que eu preparasse alguma coisa para você comer?

— Não consigo encontrar nada.

— Sente-se. — Ela teve de limpar a garganta de novo, enquanto o empurrava para uma cadeira. — Começaremos pelo café. Onde estão as xícaras?

— Na cozinha.

— Está bem.

Depois de uma busca, Emma encontrou um pacote de copos de plástico grandes. Serviu o café. Parecia denso como lama, mas ele bebeu assim mesmo. Enquanto a cafeína fazia efeito, Michael viu-a com a cabeça na geladeira.

Ela estava maravilhosa, absolutamente maravilhosa, com uma blusa larga e uma calça azul-clara. Tinha os cabelos soltos. Michel gostava mais assim, porque se imaginara passando as mãos ali. Mas o que ela fazia com a cara na geladeira?

— O que está fazendo?

— Preparando seu café da manhã. Tem um ovo. Como gostaria de comê-lo?

— Qualquer coisa serve, desde que não seja cru.

Ele bebeu todo o café em seu copo e cambaleou para se servir de mais.

— O salsichão está verde e há alguma coisa aqui dentro que pode estar viva. — Emma tirou da geladeira o ovo, um pedaço de queijo e pão de forma. — Nunca vi coisas se mexendo numa geladeira antes. Tem uma frigideira?

— Acho que sim. Por quê?

— Não importa.

Ela acabou encontrando a frigideira. Com alguma habilidade, preparou um sanduíche de ovo e queijo. Abriu uma garrafa de ginger ale e sentou na frente de Michael, enquanto ele comia.

— Não quero me intrometer, Michael, mas posso perguntar há quanto tempo vive assim?

— Comprei a casa há quatro anos.

— E ainda está vivo. É um homem forte, Michael.

— Tenho pensado em fazer uma faxina.

— Contrate um trator para remover a sujeira.

— É difícil me sentir insultado quando estou comendo.

Ele observou-a tirar uma foto de Conroy, que voltara a dormir, com as patas cruzadas por cima do saco de batatas fritas.

— Ele nunca vai assinar um formulário de autorização.

— Sente-se melhor?

— Quase humano.

— Eu saí... achei que era tempo de voltar a trabalhar. E pensei que você poderia gostar de me acompanhar por algumas horas.

Emma sentia uma súbita timidez. Era diferente agora que ele estava completamente desperto, observando-a por cima do café da manhã que ela preparara.

— Sei que tem andado muito ocupado nas últimas semanas.

— Enfrentando o crime sozinho. Conroy, seu vira-lata preguiçoso, vá buscar. — O cachorro abriu um olho e resmungou. — Vá logo.

Conroy deu o que parecia ser um suspiro quase humano, enquanto se levantava e deixava a cozinha.

— Você tem me evitado, Emma.

Ela quase negou.

— Tem razão. Desculpe. Você tem sido um grande amigo, e eu...

— Se começar de novo com essa história de amizade e gratidão, só vai conseguir me irritar.

Michael pegou o maço de cigarros que Conroy largou em seu colo, depois se levantou e abriu a porta para o cachorro sair.

— Não mencionarei outra vez.

— Melhor assim. — Ele virou-se. Esperara seis meses, torcendo para que ela viesse bater em sua porta. Agora que isso acontecera, ele não conseguia conter a raiva. — Por que veio até aqui?

— Já expliquei.

— Queria companhia enquanto tirava algumas fotos, e se lembrou do velho Michael.

Emma largou a garrafa de ginger ale e levantou-se, tensa.

— É evidente que eu deveria ter pensado duas vezes. Peço desculpas por incomodá-lo.

— Entra e sai — murmurou Michael. — É um péssimo hábito que você tem, Emma.

— Não vim até aqui para brigar com você.

— O que é uma pena. Há muito tempo que deveríamos ter resolvido isso.

Michael deu um passo em frente. Ela recuou. Nada poderia enfurecê-lo mais.

— Não sou Latimer! Estou cansado de ver você pensar nele cada vez que me aproximo. Se vamos brigar, será entre você e eu, sem a interferência de mais ninguém.

— Já disse que não quero brigar.

Antes de compreender o que fazia, Emma pegou a garrafa e arremessou-a. Vidro e ginger ale explodiram na pia. Ela ficou imóvel, atordoada, enquanto tudo voltava ao normal.

— Quer outra?

— Tenho de ir embora.

Ela estendeu a mão para a câmera, mas Michael segurou-a antes.

— Não desta vez. — A voz não era calma. Emma preparou-se para o que podia acontecer. — Não vai sair de novo, Emma. Não enquanto eu não disser tudo o que preciso dizer.

— Michael...

— Fique calada. Eu sempre quis você, há tanto tempo quanto posso me lembrar. Naquele dia, há tantos anos... naquele dia na praia, eu me senti tão atraído por você que mal podia ver qualquer coisa. Eu acabara de completar dezessete anos, e não pude pensar em qualquer outra por semanas depois. E voltei à praia todos os dias, esperando que você aparecesse.

— Eu não podia ir.

Emma virou-se, mas não fez mais qualquer tentativa de ir embora.

— Superei. — Michael tirou um cigarro do maço, e depois abriu e bateu as gavetas à procura de uma caixa de fósforos. — Ou melhor, pensei que havia superado. Até que você voltou. Lá estava eu, cuidando da minha vida, aparando o gramado, e você parou na minha frente. Mal consegui respirar. Não era mais um menino, não era mais uma mera atração.

Ela teve de fazer um esforço para responder. Era um tipo diferente de medo o que sentia agora. Dezenas de nervos vibravam, emaranhados.

— Você mal me conhecia.

Michael fitou-a nos olhos.

— Você sabe que era diferente, Emma. Havia alguma coisa quando sentei na praia. Na primeira vez que a beijei. A única vez. Nunca mais esqueci. Não fui capaz de esquecer. E depois você foi embora.

— Tinha de ir.

— Talvez tivesse mesmo. — Ele jogou o cigarro para fora e deixou a porta de tela bater. — O momento não era certo, foi o que disse a mim mesmo. Há anos que venho me dizendo isso.

Michael adiantou-se. Sentiu que ela tremia quando a abraçou. Mas não a largou. Não desta vez.

— Quando vai chegar o momento certo, Emma?

— Não sei o que você quer que eu diga.

— Isso é besteira. Sabe muito bem o que eu quero que você diga.

— Não posso.

— Não quer dizer — corrigiu Michael. — Por causa dele. Você partiu meu coração quando casou com ele e tive de conviver com isso. Parece que passei metade da minha vida tentando esquecê-la. Talvez até conseguisse, mas você sempre voltava.

— Eu... — Emma umedeceu os lábios ressequidos. — Também não pude evitar.

Surgiu alguma coisa nos olhos de Michael que a fez prender a respiração.

— Eu disse a mim mesmo que desta vez seria diferente. Faria com que fosse diferente. E depois... Quase enlouqueci quando descobri o que ele havia feito com você. Passei todos esses meses com medo de tocar em você. Dê tempo a ela, era o que eu não parava de me dizer. Dê tempo a ela para superar o que aconteceu. Ora, que se dane, não quero dar mais tempo nenhum!

Michael puxou-a para um abraço apertado e beijou-a na boca.

Capítulo Trinta e Nove

Não era o que ela esperava. Estava acuada. Não havia como negar que estava acuada contra Michael, contra seu corpo forte, quente e firme, a boca como fogo na sua. Pensara que se sentiria repugnada ou apavorada ao ser abraçada de novo por um homem. Mas esses não eram seus sentimentos. As emoções brotaram tão depressa que ela sentiu a cabeça girar. Calor e prazer, a lança gelada do desejo.

Não queria se entregar às sensações... nem a Michael. Como poderia, quando isso significava entregar o controle de novo a outra pessoa? Mas, antes que pudesse lutar, ele estava se afastando.

Michael não disse nada, apenas a fitou. De olhos arregalados, respiração acelerada, ela permaneceu absolutamente imóvel. Isso mesmo, estava acuada, compreendeu Emma. Só que parecia não ter a menor importância. Porque se sentia de novo de uma maneira que pensara há muito tempo que seria incapaz de sentir.

A raiva se esvaíra e apenas as necessidades persistiam.

— Não quero que você tenha medo de mim.

A opção seria dela. Emma podia perceber isso nos olhos de Michael. Se estava acuada, eram seus próprios anseios, seus próprios sonhos, que a mantinham prisioneira.

— Não tenho.

As mãos de Michael deslizaram gentis por seus ombros. Ela não protestou quando ele subiu-as para emoldurar seu rosto. Também não tentou se desvencilhar quando os lábios tornaram a se encontrar com os seus. Com extrema gentileza agora. Os músculos de Emma relaxaram, mesmo enquanto o pulso disparava. A opção era sua, ela pensou de novo, uma opção que levara tempo demais para decidir. E depois sua mente foi ocupada tão completamente por Michael que não havia espaço para mais nada.

Ele sentiu a mudança, a reação lenta e hesitante, os lábios de Emma se entreabrindo, o corpo parecendo fundir com o seu. Ele próprio tremia enquanto roçava beijos por seu rosto. Até que os braços de Emma o envolveram, e ela tomou a iniciativa de procurar o beijo.

Michael levantou-a. Parecia a única maneira de amá-la naquela primeira vez. Ele continuou a beijá-la, beijos gentis e promissores, profundos e atordoantes, enquanto a levava para o quarto.

As cortinas estavam fechadas, e por isso o sol os envolvia em ondas amarelas. Ele desejou que pudesse ter sido à luz de velas.

Emma fez um esforço para não contrair o corpo quando ele a pôs na cama. Sabia que seria rápido agora. Queria que ele continuasse a beijá-la, a abraçá-la. Mas sabia o que acontecia. Ou pensava que sabia.

Michael deitou ao seu lado. Não se estendeu por cima, não arrancou suas roupas. Tornou a beijá-la, para seduzir e para tranqüilizar. Embora seu corpo estivesse tenso, Emma parecia frágil. Sua pele, sua boca, a fragrância que Michael aspirou ao comprimir o rosto contra seus cabelos. Ela roçou os dedos, hesitante, pelo peito nu de Michael, levando-o à loucura.

Com um pequeno gemido de prazer, ele projetou a língua para se encontrar com a língua de Emma. E o gosto daquela mulher percorreu seu corpo como um rio quente. Ele ia devagar, deixando-a confusa. Seduzindo-a. Emma esperou que ele a tomasse, mas Michael continuou a dar beijos.

Correu as mãos pelo corpo de Emma, fazendo-a estremecer. Mas não havia medo na reação. Ali, finalmente, havia generosidade, ali, finalmente, havia compaixão. Um prazer tão profundo envolveu-a que Emma projetou-se contra ele, as mãos apertando-o. A ansiedade invadiu-a. Não sabia que podia sentir aquilo, não por um homem. As mãos se estenderam para os cabelos de Michael, puxaram sua cabeça, para que ele continuasse a beijá-la, com aqueles beijos ardentes.

Quando ele recuou, Emma gemeu em protesto, estendendo as mãos para puxá-lo.

— Quero olhar para você — murmurou Michael. — Esperei muito tempo para contemplá-la.

Emma só podia olhar, aturdida e ansiosa, enquanto ele passava as mãos por seus cabelos, observando a maneira como deslizavam dos dedos para o travesseiro. E sempre a contemplá-la, ele começou a desabotoar a blusa, lentamente. Podia perceber a confusão nos olhos de Emma, a expressão de desejo. O que tornava mais fácil a ternura.

E, quando Emma estendeu a mão para se cobrir, ele pegou-a, pressionou os dedos contra seus lábios. Ainda segurando a mão de Emma, ele baixou a boca para um seio. Um gemido escapou dos lábios de Michael. Ela era pequena e firme. Deslumbrante.

Emma sentia a pele em fogo ao menor contato. Michael experimentava um prazer intenso, pelo gosto, a textura, a maciez. Podia ouvir a respiração de Emma, tão rápida e silenciosa quanto a sua. E ela arqueou o corpo quando Michael tirou-lhe a blusa.

Ele beijava-a por toda parte. Emma estremecia do calor, enquanto ele espalhava beijos rápidos, a boca aberta, no rosto, nos ombros, descendo pelo tronco. Ela teve um sobressalto quando Michael usou os dentes, mas não houve dor, apenas delírio. Ele puxou a calça comprida que Emma usava, devagar, deixando-a enlouquecida, sempre acompanhando a descida com beijos.

Ela queria. Jamais quisera antes. Apenas sonhava. Tinha o corpo coberto de suor, contorcendo-se com a necessidade. Mas ele continuou a beijar e acariciar, fazendo-a apertar os lençóis com toda força, enquanto mordia de leve atrás de seu joelho.

O calor era insuportável, mas, mesmo assim, Emma queria mais. Os dedos de Michael deslizando por suas coxas, ela sentiu que o corpo tinha uma convulsão. Não conseguia respirar. Havia um estrondo em sua cabeça, um rumor percorrendo o corpo todo, deixando-a apavorada. Com uma mistura de prazer e medo, Emma projetou-se para cima. O orgasmo atingiu-a, como um punho de veludo, fazendo-a arriar na cama, ofegante.

— Oh, Deus, como você é linda...

Michael também mal conseguia respirar quando tornou a beijá-la na boca. Antes que os tremores de Emma cessassem, ele já a excitava de novo. Ela tinha vontade de gritar seu nome, mas podia apenas sussurrar, enquanto as mãos deslizavam sobre a pele suada de Michael.

— Por favor...

A respiração de Emma era trêmula agora. Uma sensação depois de outra aflorava em seu corpo, até que se tornou uma massa de prazer febril. Só que não era suficiente. Ou quase não era suficiente.

— Eu quero...

Agora foi um grito, sua mão se estendendo e derrubando alguma coisa no chão.

— Diga.

Michael estava ansioso em ouvir. A pressão aumentara até um ponto que ele nunca experimentara. Mesmo assim, ele se conteve e acrescentou:

— Olhe para mim e diga.

Emma abriu os olhos. O rosto de Michael era tudo o que podia ver... e em seus olhos viu a si mesma.

— Eu quero você.

Ela ergueu as mãos e puxou Michael para um beijo na boca. E soltou outro grito quando ele a penetrou.

ELA DORMIU DURANTE UMA HORA, EXAUSTA, ATRAVESSADA na cama de Michael. Ele sentara ao seu lado por um longo tempo, afagando seus cabelos e se perguntando como mantê-la em sua vida. Mesmo apaixonado por ela durante tanto tempo, não se preparara para saber como seria ser seu amante. Apenas imaginara. Por vezes incontáveis. Mas sempre que o fizera tinha apenas mulheres como comparação.

Não havia ninguém como Emma.

Se tivesse de suplicar, ele suplicaria. Se tivesse de lutar, ele lutaria. Mas não ia perdê-la de novo.

Quando ela acordou, Michael não estava mais ali. Emma continuou deitada, de barriga para baixo, tentando ajustar a mente ao que acontecera com o corpo. Parecia impossível que tivesse sentido todas aquelas coisas, feito todas aquelas coisas, sem um momento de arrependimento ou hesitação. Poucas horas antes, tinha certeza de que nunca mais queria ser tocada por um homem. E, no entanto, talvez hoje fosse a primeira vez em que ela era realmente tocada. Sorrindo, Emma virou-se na cama. Pensou em levantar, se vestir e sair à sua procura.

E foi então que ela viu a arma. Estava no coldre, a tira fechada, pendurada no encosto de uma cadeira. Tinha de se acostumar com uma arma, pensou Emma. Embora grande parte do horror final com Drew viesse apenas em fragmentos vagos, ela podia ver nitidamente o desfecho. Podia lembrar a sensação das mãos envolvendo a arma. Como puxara o gatilho. Para matar.

Saber que era capaz de fazer isso deixou seu estômago embrulhado. Amara, casara e matara em pouco menos de dois anos. Agora, tinha o resto da vida para especular como pudera fazer qualquer das três coisas.

Quando a porta do quarto foi aberta, ela puxou automaticamente o lençol.

— Ainda bem que você já acordou. — Michael entrou, carregando uma embalagem com frango frito e um *pack* de seis Coca-Colas. — Pensei que teria fome.

Ele vestira uma camisa de malha com as palavras "Departamento de Polícia de Los Angeles", com o jeans. Mas ainda estava descalço. Para Emma, mais parecia alguém que vagueia pela praia à procura de tesouros do que um homem capaz de disparar uma arma. Antes que ela pudesse responder, Michael inclinou-se e beijou-a de uma maneira que a deixou outra vez atordoada.

— Achei que podíamos fazer um piquenique.

— Um piquenique? — repetiu ela. — Onde?

— Aqui mesmo. — Ele largou na cama a embalagem com o frango. — Assim os vizinhos não ficarão chocados por você estar nua.

Emma riu.

— Eu poderia me vestir.

Ele sentou na cama e deu uma longa olhada nela.

— Preferia que não se vestisse. — Sorrindo, Michael girou a tampa de uma Coca-Cola. — Quer ouvir música?

Ele inclinou-se e apertou um botão no rádio. Linda Ronstadt estava cantando "Blue Bayou". Michael abriu a embalagem com o frango.

— Não está com fome?

O cheiro do frango frito era glorioso. Emma observou-o dar uma mordida. Passou a mão por seus cabelos despenteados.

— Não posso comer nua.

— Claro que pode.

Michael estendeu-lhe uma coxa. Ela mudou de posição, deu uma mordida e riu de novo.

— Com toda sinceridade, não posso.

Michael largou a coxa na embalagem. Tirou a camisa e meteu-a pela cabeça de Emma.

— Melhor assim?

Ela enfiou os braços.

— Muito melhor.

A camisa tinha o cheiro de Michael. E ficou espantada ao descobrir que o cheiro da camisa deixava-a tão faminta quanto o frango.

— Nunca fiz um piquenique na cama antes.

— O mesmo princípio de um piquenique na praia, sobre uma manta estendida. Comemos, ouvimos música e depois faço amor com você. E na cama podemos evitar a areia.

Emma pegou a garrafa que ele ofereceu e bebeu para aliviar a garganta ressequida.

— Não sei como tudo isso aconteceu.

— Não tem problema. Terei o maior prazer em oferecer uma reprise.

— Foi...

Ela parou de falar, irritada consigo mesma.

— Não vai perguntar se foi bom para mim, não é?

— Não.

Michael sorria para ela.

— Mais ou menos...

Ela deu outra mordida na galinha.

— Não tem importância.

Deliciado com ela, com ele próprio, com tudo, Michael passou a ponta do dedo pelo braço de Emma.

— Quer numa escala de um a dez?

— Cale-se, Michael.

— Ainda bem, porque você saiu da escala.

O comentário deixou-a confusa.

— Nunca foi assim para mim antes... eu nunca... não pensava que podia...

Ela fez uma pausa. Respirou fundo para conseguir dizer o resto.

— Pensava que era frígida.

Michael quase riu, mas percebeu que era sério. Latimer de novo. Michael teve de esperar vários segundos para controlar a voz.

— Pensou errado.

A resposta descuidada foi exatamente a certa. Emma sorriu, tornando a levantar os olhos.

— Se eu seguisse meu instinto naquele dia na praia, quando o beijei, há muito tempo saberia que não era.

— Por que não seguimos agora?

Ela hesitou. Depois, ficou de joelhos, enlaçou-o pelo pescoço e beijou-o. Michael jogou a coxa de galinha meio comida para trás. Emma ria quando rolaram na cama.

— PASSE A NOITE AQUI.

O sol estava se pondo quando Emma começou a se vestir.

— Não esta noite. Preciso pensar.

— Tinha medo de que você começasse a pensar. — Michael abraçou-a. — Eu amo você, Emma. Por que não pensa nisso?

A única reação de Emma foi fechar os olhos.

— Preciso que acredite em mim.

— Quero acreditar em você. Mas não confio em meu julgamento neste momento. Não faz muito tempo, pensei que Drew me amava e que eu o amava. Estava errada nas duas coisas.

— Mas que droga, Emma!

Ele conteve o resto da explosão. Largou-a e foi levantar a cortina. O crepúsculo entrou no quarto.

— Não estou fazendo uma comparação.

— Não?

— Não.

Emma sabia que ele não podia compreender o longo caminho que ela já percorrera para ser capaz de se adiantar e encostar o ombro em suas costas.

— É de mim que não tenho certeza, Michael. Meus problemas não começaram com Drew. Seria bastante difícil se tivessem começado. Preciso ter certeza primeiro de que sei o que quero.

— Não vou me contentar com um dia com você.

Ela suspirou e beijou-o no ombro.

— O Da e Bev voltarão para a Inglaterra muito em breve.

Michael virou-se ao ouvir isso. Ela pôde ver o brilho da fúria em seus olhos, ao crepúsculo.

— Se está pensando em voltar com eles, acho melhor mudar de idéia.

— Não pode me pressionar, Michael. Já passei desse ponto. — Até dizer as palavras, Emma não compreendera que era verdade. — Estou pensando em ficar na casa da praia. Eles precisam continuar com sua vida e eu preciso decidir o que fazer com o resto da minha vida.

— E quer que eu me afaste?

— Não muito longe. — Emma abraçou-o. — Não quero perdê-lo. Tenho certeza disso. Apenas não sei ainda o que fazer. Podemos deixar as coisas como estão por mais algum tempo?

— Está bem. Mas quero que entenda uma coisa. Não vou esperar para sempre.

— Nem eu.

Capítulo Quarenta

Com um esforço para manter a paciência, Michael apoiou os pés em sua mesa e olhou para o teto. A voz alta e excitada ao telefone falava sem parar. Recrutariam o homenzinho esquivo como testemunha material mais cedo ou mais tarde, ele tinha certeza. Apenas gostaria que fosse mais cedo.

— Escute aqui, companheiro — interrompeu ele, depois de um longo momento. — Eu tinha a impressão de que Springer era seu amigo. É verdade, falar não custa nada. Ele pode ter sido um bandido ordinário, mas depois que virou um presunto passamos a ter um interesse especial.

Ele fez uma pausa, escutando a conversa fiada por mais um momento. Ninguém era uma testemunha menos cooperativa do que uma testemunha nervosa com uma porção de antecedentes.

— Tudo bem. Se você não quer se envolver, descobriremos sem a sua ajuda.

Michael levantou os olhos quando o sargento largou uma pilha de pastas e correspondência em sua mesa.

— Como preferir. Pode tentar sua sorte nas ruas. Sempre temos espaço para mais um no necrotério. — Ele escutou, enquanto dava uma olhada nas pastas. — Uma boa opção. Peça para falar com o detetive Kesselring.

Michael desligou e franziu o rosto para o trabalho burocrático. Mas esperava encontrar cinco minutos de folga para ligar para Emma, mas tudo indicava que não teria. Resignado, ele se desligou do barulho na sala. Verificou a correspondência primeiro.

— Ei, Kesselring, precisamos de seus dez dólares para a festa de Natal.

Michael decidiu que se ouvisse mais uma vez a palavra "Natal" daria um tiro em alguém. De preferência em Papai Noel.

— McCarthy me deve vinte dólares. Pegue com ele.

— Ei! — Ao ouvir seu nome, McCarthy aproximou-se. — Onde está seu espírito de Natal?

— Na sua carteira — respondeu Michael.

— Ainda de mau humor porque a namorada vai passar o Natal em Londres? Anime-se, Kesselring. O mundo está cheio de louras.

— Não enche.

McCarthy levou a mão ao coração.

— Deve ser amor.

Michael ignorou-o, estudando o envelope de papel pardo. Era estranho receber uma carta de Londres no momento em que acalentava pensamentos sombrios sobre a cidade. Uma firma de advocacia, ele refletiu, ao conferir o endereço do remetente. O que uma firma de advocacia de Londres queria com ele? Quando abriu o envelope, ele encontrou uma carta de explicação e outro envelope. Ele pegou o segundo envelope, em tons de tosa e azul, virou-o e encontrou o endereço da remetente, numa letra meticulosa. Jane Palmer.

Embora não fosse supersticioso, ele ficou olhando para o envelope por vários minutos, pensando em mensagens dos mortos. Abriu-o e leu a carta. Minutos depois, estava de pé na sala do pai, observando-o ler também.

Prezado detetive Kesselring:

Sei que investigou a morte do filho de Brian McAvoy. Tenho certeza que se lembra do caso. Também me lembro. Se ainda estiver interessado, deve vir para Londres e conversar comigo. A idéia foi minha, mas eles estragaram tudo. Se estiver disposto a pagar pela informação, podemos chegar a um acordo.

Atenciosamente,
Jane Palmer

— O que acha? — perguntou Michael.

— É bem possível que ela soubesse de alguma coisa. — Lou ajustou os óculos e leu a carta de novo. — Ela estava a dez mil quilômetros de distância quando aconteceu, e não encontramos nenhum vínculo. Mas...

Lou sempre especulara.

— A data no primeiro carimbo postal é de poucos dias antes da descoberta de seu corpo. Segundo os advogados, a carta foi enviada para o escritório por causa do endereço incompleto. Foi então juntada aos outros papéis de Jane. Já tem mais de oito meses.

— Não faria alguma diferença se chegasse aqui em oito dias. Ela já estaria morta.

— Se Jane Palmer diz a verdade, se sabia mesmo quem matou o menino, alguém pode tê-la liquidado. Alguém que não sabia que ela mandou uma carta. Quero ver o relatório, conversar com o encarregado da investigação de sua morte.

Lou virou a carta em sua mão. Não havia sentido em lembrar a Michael que a carta fora enviada ao policial no comando da investigação.

— É possível. Afinal, é a primeira pista que temos em quase vinte anos. — Lou lembrou-se da foto do menino morto. Levantou os olhos para o filho. — Acho que você vai para Londres.

* * *

EMMA ENROLOU A MASSA DE BISCOITO, TENTANDO EMPE-nhar seu coração no trabalho. Sempre adorara o Natal. Naquele ano, pela primeira vez desde a infância, passaria o Natal com a família. A cozinha recendia a cravo e açúcar mascavo, cantigas de Natal saíam pelo alto-falante e Bev media os ingredientes para o pudim de ameixa. Caía uma nevasca leve.

Mas seu coração não estava ali. Infelizmente, ficara a dez mil quilômetros de distância, com Michael.

Enquanto Emma pressionava o cortador na massa, Bev passou o braço por sua cintura.

— Estou contente que esteja aqui, Emma. Significa muito para mim e para seu pai.

— Para mim também. — Ela pegou a massa em formato de floco de neve e pôs no tabuleiro. — Você me deixava fazer isso quando eu era pequena. Se Johnno estivesse aqui, viria até a cozinha e pegava alguns, antes mesmo de ficarem prontos.

— Por que acha que o mandei sair junto com Bri? — Ela observou Emma salpicar açúcar colorido sobre os biscoitos. — Sente saudade de Michael, não é?

— Não sabia que sentiria. Não tanta saudade. — Ela levou o tabuleiro para o forno. — O que é um absurdo. Afinal, são apenas duas semanas.

Depois de acertar o relógio do forno, ela voltou para preparar mais biscoitos. Era agradável ter alguma coisa para fazer com as mãos. Fazia com que se sentisse competente. No comando.

— Provavelmente foi melhor me afastar. Não quero me envolver muito a fundo e depressa demais.

— Katherine diz que você está fazendo um progresso maravilhoso.

— Acho que estou mesmo. Fiquei satisfeita por ela permanecer em Londres comigo durante os dois últimos meses. — Emma sorriu. — Nem sempre gostei, mas falar sobre as coisas ajudou bastante.

— Você ainda tem os pesadelos.

— Não com tanta freqüência. E estou voltando ao trabalho, finalmente dando andamento ao livro. — Ela fez uma pausa, com o cortador na mão. — O Natal do ano passado foi um pesadelo. Este ano está quase perfeito.

Ela olhou quando a porta da cozinha foi aberta. O cortador caiu no chão.

— Michael?

— A governanta disse que eu deveria procurar aqui.

Emma não pensou. Não precisava. Com um grito de alegria, correu para os braços de Michael. Antes que ele pudesse falar de novo, suas bocas se encontraram num beijo.

— Deixei você todo sujo de farinha de trigo.

— Tenho certeza que posso encontrar uma dúzia de outras coisas para fazer.

Bev limpou as mãos numa toalha de pratos e deixou a cozinha.

— Você disse que não poderia vir, Michael.

— Tive uma súbita mudança na minha agenda.

Ele voltou a apertá-la, querendo outro beijo. O desejo o dominou quando suas bocas se encontraram.

— Feliz Natal.

— Quanto tempo pode ficar.

— Dois ou três dias. — Ele olhou para o forno. — Que cheiro é esse?

— Meus biscoitos!

Emma foi desligar o forno e tirou os biscoitos.

— Pensei em você ao fazer os biscoitos. E desejei que não estivesse tão longe. — Ela virou-se, com o tabuleiro na mão. — Voltarei com você, se quiser.

— Sabe o que eu quero. — Ele passou a mão pela trança de Emma. — E também sei que precisa de algum tempo com sua família. Estarei à sua espera quando voltar para casa.

— Eu amo você.

As palavras foram do coração para a mente tão depressa que a deixou atordoada. Ela largou o tabuleiro em cima do fogão com algum estardalhaço.

— Diga de novo.

Havia tamanha intensidade nos olhos de Michael que ela levou a mão ao seu rosto para acalmá-lo.

— Eu amo você, Michael. Lamento ter demorado tanto tempo para dizer isso.

Sem dizer nada, ele abraçou-a. Por um momento, tudo o que sempre desejara se encontrava no círculo de seus braços.

— Eu sabia quando o vi, em Nova York, na minha exposição. Tive certeza no instante em que você surgiu na minha frente. — Com uma combinação de alívio e prazer, ela encostou o rosto em seu pescoço. — E me deixou assustada. A impressão é que passei anos assustada. Mas agora, quando você passou pela porta, tudo se ajustou nos lugares.

— Não poderá mais se livrar de mim agora.

— Nem eu quero. Que tal um biscoito?

MICHAEL INVENTOU UMA DESCULPA. NÃO GOSTAVA DE mentir para Emma, mas achou que era melhor manter em sigilo por algum tempo o motivo de sua vinda a Londres. Descobriu que os colegas britânicos eram polidos e meticulosos. Também descobriu que a burocracia britânica era tão complicada quanto a americana.

Esperou duas horas para ser informado de que teria de voltar no dia seguinte para examinar os arquivos.

Foi um tempo de espera proveitoso. Emma estava encantada com a oportunidade de lhe mostrar Londres. Levou-o da Torre de Londres a Piccadilly, da mudança da guarda em Buckingham à Abadia de Westminster. Embora persuadido com facilidade a ficar na casa dos McAvoy, ele manteve seu quarto no hotel. Depois da excursão frenética, passaram horas na cama.

Uma investigação superficial concluíra que a morte fora acidental. Não haviam sido encontradas outras impressões digitais que não as de Jane, sua ex-empregada e o traficante que encontrara o corpo. Tanto ele quanto a empregada tinham álibis incontestáveis. Os vizinhos não tinham nada de bom para falar sobre a falecida, mas também não viram nem ouviram nada na noite de sua morte.

Michael examinou as fotos tiradas pela polícia. E as pessoas me chamam de relaxado, pensou ele ao ver a sujeira em que Jane Palmer morrera e vivera. Frustrado porque o local já fora limpo há muito tempo, ele tornou a examinar as fotos, com uma lupa.

O inspetor Carlson, que fora o encarregado da investigação, esperou pacientemente.

— A casa era um autêntico chiqueiro. Para ser franco, nunca vi nada parecido. Nem cheirei nada igual. A velha estava morta há dois dias.

— Não havia outras impressões digitais na seringa?

— Não. Ela fez o trabalho sozinha. — Carlson tirou os óculos para limpar as lentes. — Pensamos em suicídio, mas os fatos não se ajustavam. Como está no relatório, parece que ela recebeu a heroína, estava tensa demais para diluí-la e fez a última viagem.

— De quem ela obteve a heroína? Do tal de Hitch?

O inspetor contraiu os lábios.

— Ele é um traficante insignificante. Não teria ligações para vender uma heroína tão pura.

— Se não foi ele, então quem foi?

— Nunca conseguimos determinar. Presumi que ela mesma efetuou a compra. Foi quase uma celebridade em seu tempo, e tinha muitos contatos.

— Viu a carta que ela mandou para o meu departamento?

— É por isso que estamos dispostos a reabrir o caso, detetive. Se de fato temos um homicídio aqui relacionado com um homicídio em seu país, terá a nossa total cooperação. — Ele ajeitou os óculos sobre o nariz adunco. — Já se passaram vinte anos, mas nenhum de nós esqueceu o que aconteceu com Darren McAvoy.

Não, ninguém esquecera, pensou Michael, sentado no escritório com painéis de carvalho de Brian McAvoy, observando-o ler a carta da ex-amante.

Um fogo crepitava alegremente na lareira no outro lado da sala. As poltronas estavam situadas na frente, aconchegantes. Prêmios, placas e fotos cobriam as prateleiras e paredes. Havia umas poucas caixas de papelão ali, um testemunho de que ele só se mudara para a casa poucas semanas antes. A mesa mais parecia a de um executivo do que de um astro do rock. Polida, com pastas de arquivo e documentos. Junto da parede por trás havia um teclado e sintetizador Yamaha, ao lado de um gravador de rolo. Havia apenas água mineral e refrigerantes no bar. Michael esperou até que Brian levantasse os olhos.

— Meu pai e eu conversamos a respeito. E chegamos à conclusão de que você deveria saber.

Abalado, Brian tateou à procura de um cigarro.

— Acha que é genuína?

— Acho.

Ele teve dificuldade para acender o isqueiro. Havia uma garrafa de uísque irlandês na gaveta do fundo da mesa... ainda fechada. Era um teste para si mesmo. Nas seis semanas e três dias desde que bebera pela última vez, nunca mais sentira vontade.

— Doce Jesus... Pensei que sabia de tudo o que ela era capaz. Não posso compreender isso. — Ele aspirou a fumaça, como um homem se afogando suga o ar. — Se foi ela... por que ela haveria de querer machucá-lo?

Brian cobriu o rosto com as mãos.

— Era a mim que ela queria atingir.

— Ainda estamos convencidos de que a morte foi acidental. — Michael pensou que essas palavras não serviam de conforto. — Logicamente, o motivo foi o seqüestro e o resgate que você pagaria.

— Eu já estava pagando a ela por Emma. — Ele esfregou o rosto e depois abaixou as mãos para a mesa. — Ela poderia matar Emma, torcer seu pescoço diante de meus olhos. Era capaz de fazer isso, num acesso de raiva. Mas planejar uma coisa assim...

Brian ergueu o rosto. Balançou a cabeça.

— Não posso acreditar que Jane tenha feito isso.

— Ela teve ajuda.

Ele levantou-se de um pulo para vaguear pela sala. Estava cheia de provas concretas de seu sucesso. Discos de ouro e de platina, Grammys, o mais importante prêmio da música americana. Sinais de que fora importante a música que criara.

Disputando o espaço, havia também dezenas de fotos. A Devastation, ontem e hoje. Brian com outros cantores, músicos, políticos que apoiara, celebridades. Havia uma foto de Emma e seu filho perdido, sentados na margem de um regato, sorrindo ao sol. Ele os criara bem.

Vinte anos se dissolveram num instante. Ele estava de volta à relva, ouvindo as risadas das crianças.

— Pensei que havia deixado tudo isso para trás. Ele esfregou os olhos, desviando-os da foto.

— Não quero que Bev saiba, por enquanto. Contarei a ela quando chegar o momento certo.

— A decisão é sua. Eu queria que soubesse que vou reabrir o caso.

— É tão dedicado quanto seu pai?

— Eu gostaria de pensar que sim.

Com um aceno de cabeça, Brian aceitou a declaração. O vínculo formado naquela noite terrível, vinte anos antes, não se rompera. Mas ele tinha de pensar em outra criança.

— O que me diz de Emma? Pretende submetê-la a outro interrogatório?

— Farei tudo o que puder para evitar que Emma seja magoada.

Brian abriu a garrafa de ginger ale. Um pobre substituto para o uísque.

— Bev acha que você está apaixonado por ela.

— E estou mesmo. — Michael balançou a cabeça em negativa à oferta de um drinque. — E vamos casar assim que Emma estiver preparada.

Brian levantou e tomou um gole do refrigerante. A sede era insuportável.

— Eu não a queria envolvida com Drew. Por todas as razões erradas. E me perguntei muitas vezes: se eu não a pressionasse, se não tivesse protestado com tanta veemência, ela teria esperado?

— Latimer queria você e o que pudesse fazer por ele. Eu só quero Emma. Sempre quis.

Com um suspiro, Brian tornou a sentar.

— Ela sempre foi a parte mais constante e bela da minha vida. Uma coisa que fiz sem pensar e saiu perfeita. — Com uma insinuação de sorriso, muito parecido com o da filha, ele fitou Michael. — Você me deixou nervoso no dia em que Emma levou-o àquela horrível casa de P.M. em Beverly Hills. Olhei para você e pensei: esse garoto vai tirar Emma de mim. Deve ser meu sangue irlandês.

— Parece que todos nós somos bêbados, poetas ou videntes. Tive a chance de ser as três coisas.

— Posso fazê-la feliz.

— Cobrarei isso. — Brian tornou a pegar a carta. — Por mais importante que seja descobrir quem matou meu filho, é ainda mais importante que você faça Emma feliz.

— Da, P.M. e Annabelle trouxeram o bebê. Oh, desculpem. — Emma parou, com a mão na maçaneta. — Não sabia que você estava aqui, Michael.

— Você havia saído para fazer compras quando voltei.

Michael levantou-se, descontraído, tirou a carta da mão de Brian e guardou-a no bolso.

— Algum problema?

— Nenhum. — Brian contornou a mesa para beijá-la. — Eu estava interrogando Michael. Parece que ele tem idéias sobre minha filha.

Ela sorriu, à beira de acreditar, antes de ver os olhos do pai.

— O que foi?

— Acabei de dizer.

Brian passou o braço pelos ombros da filha e começou a conduzi-la para a porta. Mas ela virou-se para Michael.

— Não quero ouvir nenhuma mentira.

— Tenho mesmo idéias sobre sua filha — insistiu Michael.

Ela desvencilhou-se do braço do pai e parou.

— Vai me mostrar o envelope que guardou no bolso?

— Claro. Mas prefiro mostrar mais tarde.

— Da, gostaria que nos deixasse a sós por um momento.

— Emma...

— Por favor.

Relutante, Brian saiu e fechou a porta, deixando-os a sós.

— Confio em você, Michael. Acreditarei se me disser que você e o Da só conversaram sobre o nosso relacionamento.

Ele fez menção de falar. Queria dizer que sim.

— Não, não foi apenas sobre isso que falamos. Podemos sentar?

Não seria uma conversa fácil. Emma descobriu-se a comprimir as mãos juntas no colo, como fazia desde os tempos da escola, quando ficava com medo de ouvir o que tinha de ouvir. Em vez de falar, Michael tirou o envelope do bolso e estendeu-o.

Ela sentiu um calafrio quando viu o nome no verso do envelope. Uma mensagem do mundo dos mortos, pensou Emma, desejando ser capaz de rir da expressão. Ela abriu a carta e leu-a em silêncio.

Michael notou que ela era muito parecida com o pai. Suas expressões, a maneira como a dor aflorava nos olhos, a calma com que se controlava. Antes de falar, ela dobrou a carta e devolveu-a.

— É por isso que está aqui?

— É sim.

Os olhos de Emma estavam angustiados quando se encontraram com os dele.

— Eu queria pensar que não pode ficar longe de mim.

— E não posso.

Ela tornou a abaixar a cabeça. Era muito difícil pensar quando uma angústia tão intensa a dominava.

— Acredita na carta?

— Não cabe a mim acreditar — respondeu Michael, cuidadoso. — Tenho de investigar.

— Eu acredito. — Emma teve um relance da imagem de Jane na última vez em que a vira, parada na porta de sua casa imunda, o rosto contraído pela amargura. — Ela só queria magoar o Da. Queria fazê-lo sofrer. Ainda me lembro de sua cara no dia em que ele me levou. Eu era apenas um bebê, mas lembro de tudo.

Ela respirou fundo, um pouco trêmula. As lágrimas eram inúteis agora.

— Como é possível amar e odiar uma pessoa como ela fazia? Como é possível distorcer tanto esses sentimentos para ser capaz de participar de uma conspiração que tirou a vida de um menino pequeno? Quase vinte anos passaram, mas ela ainda quer fazê-lo sofrer.

Michael agachou-se ao lado de Emma e tirou o envelope de seu colo.

— Talvez seja verdade. De qualquer forma, ela desencadeou uma coisa que pode os ajudar a descobrir quem matou seu irmão e por quê.

— Eu sei. — Emma fechou os olhos, apertando-os com força. — Está enterrado em algum lugar, bem no fundo, mas eu sei. E desta vez vou desencavar.

QUANDO A MÚSICA COMEÇOU, ELA ESTAVA PARADA NA porta escura, em sua camisola predileta, segurando Charlie. Darren chorava. Ela queria voltar para a cama, para a claridade difusa do abajur. Mas prometera cuidar de Darren, e ele estava chorando.

Ela saiu do quarto, mas seu pé não tocou no chão. Parecia flutuar numa nuvem cinza-escura. Podia ouvir os ruídos das *coisas* que gostavam do escuro. As coisas que comiam as meninas más, como a mãe sempre lhe dissera.

Não sabia para que lado seguir. Estava muito escuro e havia sons por toda parte, por baixo e acima da música, que não parava. Ela se encaminhou para o choro do irmão, tentando se tornar pequena, tão pequena que ninguém poderia vê-la. Podia sentir o suor escorrendo pelas costas.

Pôs a mão na maçaneta. Virou-a lentamente. E empurrou a porta, abrindo-a.

Mãos agarraram seus braços, torcendo-os.

— Eu disse para não fugir de mim. — Drew estendeu a mão para sua garganta e a apertou. — Eu disse que a descobriria.

— Emma! — Michael segurou seus braços agitados e puxou-a ao encontro de seu peito. — Acorde, Emma, acorde! É apenas um pesadelo!

Ela não conseguia respirar. Mesmo depois que compreendeu onde estava e quem a abraçava, tinha a sensação de que as mãos de Drew ainda apertavam sua garganta.

— A luz... — as palavras saíram com a maior dificuldade. — Por favor, acenda a luz.

— Está bem. — Michael virou-se, puxando-a no movimento, até encontrar o interruptor. — Pronto. Agora olhe para mim... olhe para mim, Emma.

Ele pôs a mão sob o queixo de Emma e levantou-o. Ela ainda tremia. À luz do abajur, tinha o rosto branco que nem mármore, coberto de suor.

— Foi um sonho — murmurou Michael. — Você está comigo.

— Estou bem agora.

Ele puxou o lençol em torno de seus ombros trêmulos.

— Vou pegar água.

Quando ela acenou com a cabeça, Michael saiu da cama e foi para o banheiro adjacente. Emma ergueu os joelhos ao encontro do peito, enquanto ouvia o barulho da água caindo no copo. Sabia onde estava. No quarto do hotel de Michael. Quisera passar uma noite a sós com ele, antes de seu retorno aos Estados Unidos. Embora soubesse que fora apenas um sonho, ela levou a mão à garganta. Ainda podia sentir a pressão dos dedos de Drew.

— Beba um pouco.

Emma bebeu. Não ardeu, como receara.

— Desculpe, Michael.

Ele não estava interessado em desculpas. Também não queria que Emma soubesse que se sentia tão abalado quanto ela. Ela dera a impressão de que estava mesmo sufocando no sono, ofegando para respirar, como se o ar não passasse pela garganta.

— Com que freqüência tem esses pesadelos?

— Com bastante freqüência.

— Era por isso que não queria passar a noite comigo antes?

Ela deu de ombros, olhando para o copo, angustiada.

— Você é muito bonita para ser uma idiota, Emma. — Ele ajeitou os travesseiros, sentou e puxou-a para seu peito. — Conte-me tudo.

Quando ela acabou, Michael continuou com o olhar perdido na distância. Emma estava calma agora. Podia sentir em sua respiração. Mas ele estava tenso.

— Provavelmente foi a carta que provocou — murmurou ela. — Eu costumava rezar para que os pesadelos parassem. Agora, não quero mais que parem. Quero saber de tudo. Quero passar pela porta e ver o que aconteceu.

Michael virou o rosto e comprimiu os lábios contra seus cabelos.

— Confia em mim?

O braço era firme ao seu redor, sem imobilizá-la. Apenas a abraçava.

— Confio.

— Farei tudo o que puder para descobrir quem é o responsável pela morte de seu irmão.

— Foi há muito tempo.

— Tenho algumas idéias. Deixe-me ver ser consigo organizá-las.

Emma recostou-se nele. Gostaria de poder ficar assim para sempre, ao lado de Michael, a cabeça em seu ombro.

— Sei que disse que voltaria com você, se quisesse. Mas tenho de conversar com Katherine. Preciso de algumas semanas.

Michael não disse nada por um momento, ajustando-se à idéia de sua ausência.

— Enquanto estiver aqui, pense se seria capaz de se ajustar ao casamento com um policial. — Ele virou o rosto de Emma para fitá-la nos olhos. — Pense bastante, está bem?

— Claro. — Ela abraçou-o. — Faça amor comigo, Michael.

O CLUBE ERA BARULHENTO, REPLETO DE CORPOS JOVENS, metidos em jeans apertados. Saias justas e curtas mal cobriam os quadris de garotas de pernas compridas. A música era alta, e a bebida, aguada. Mas o clube estava lotado, a pista de dança apinhada Luzes coloridas giravam, distorcendo os rostos. Os casais lado a lado tinham de gritar para se comunicarem. Drogas e dinheiro trocavam de mãos com a maior naturalidade, como se fossem números de telefones.

Não era o tipo de lugar a que ele estava acostumado. Muito menos o que preferia. Mas ele viera. Espremeu-se numa mesa no canto e pediu um scotch.

— Se queria conversar, poderia ter escolhido um lugar melhor.

Seu companheiro sorriu e tomou uma dose de uísque.

— Que melhor lugar para segredos do que em público? — Ele acendeu um cigarro com um isqueiro de ouro com monograma. — Os rumores são de que Jane escondeu uma coisa de você.

— Sei sobre a carta.

— Sabia... e achou que não valia a pena mencionar?

— Isso mesmo.

— Não se esqueça de que tudo o que me envolve também envolve você.

— A carta apenas implica Jane, não você, nem a mim. E como ela está morta, não tem mais qualquer importância. — Ele fez uma pausa, esperando que a garçonete servisse seu drinque. — Há outra coisa que pode ser mais urgente. Emma vem tendo sonhos perturbadores.

O homem riu. Soprou a fumaça entre os dentes.

— Os sonhos de Emma não me incomodam.

— Deveriam, já que envolvem nós dois. Ela está em terapia, com a psiquiatra que tratou de Stevie Nimmons. — Depois de provar o scotch, ele concluiu que não servia nem para regar uma planta. — Parece que ela pode começar a se lembrar.

A expressão do outro mudou. Houve uma insinuação de medo, e depois a raiva prevaleceu.

— Deveria ter deixado que eu a matasse há anos.

— Não era necessário naquela ocasião. — O homem deu de ombros e tomou um gole de seu scotch. — Pode ser necessário agora.

— Não tenciono sujar as mãos nesta altura. Você é que terá de cuidar dela.

— Cuidei de Jane. — A voz era fria e controlada. — Neste momento, acho que é preciso apenas vigiar Emma. Se for mais longe, você é que terá de dar um jeito nela.

— Está bem. Não será por que você está mandando, mas porque devo a ela.

— Sr. Blackpool, pode me dar um autógrafo?

Ele largou o isqueiro e sorriu para a ruiva sensual.

— Claro, minha querida. Será um prazer.

Capítulo Quarenta e Um

Através da janela da sala, Emma podia ver a última neve do Ano-novo derretendo na sebe.

— Michael quer casar comigo.

Katherine alteou uma sobrancelha.

— Como se sente em relação a isso?

Emma quase riu. Era uma reação padronizada, de terapeuta para paciente.

— Sinto uma porção de coisas. Surpresa não é uma delas. Sei há bastante tempo que ele estava esperando para me pedir em casamento. Quando estou com ele, começo a acreditar que pode dar certo. Um lar, uma família. É isso que sempre desejei.

— Você o ama?

— Claro. — Essa parte era bastante simples. — E o amo muito.

Não houve hesitação nesse ponto, notou Katherine.

— Mas não tem certeza do casamento.

— Dá certo para algumas pessoas. Não deu certo para mim.

— Qual é a diferença entre Michael e Drew?

— Sob que aspecto?

Katherine limitou-se a erguer as mãos, as palmas viradas para cima, os dedos abertos.

— Ambos são homens. Atraentes, determinados.

— Mais alguma coisa?

Ema vagueou pela sala. A casa estava vazia e silenciosa. Havia um acordo tácito, de que às três horas de cada tarde ela ficaria sozinha para conversar com Katherine. Não tinha a intenção de falar sobre Michael naquele dia, mas sobre os pesadelos. Só que seis pensamentos focalizavam-no.

— Não, nada. Mesmo antes de compreender que Drew era violento, eu não poderia compará-los. Ele era negligente com as pessoas, só conseguia se concentrar em uma de cada vez. Não havia um senso genuíno de lealdade. Ele podia ser muito hábil e romântico, mas nunca fez isso por simples generosidade. Sempre exigiu pagamento.

— E Michael?

— Ele se importa. Com as pessoas, seu trabalho, sua família. A lealdade é como... humm... a cor de seus olhos. Uma parte dele. Nunca imaginei que pudesse querer outro homem. Ter sexo. Quando fizemos amor pela primeira vez, senti coisas que sempre desejara sentir, mas jamais conseguira.

— Chama de fazer sexo quando se refere a Drew. E de fazer amor com Michael.

— É mesmo?

Emma fez uma pausa, oferecendo um dos seus sorrisos a Katherine. Uma lembrança aflorou... Johnno sentado em sua cama, na Martinica. *Quando é com alguém de quem você gosta, é quase sagrado.*

— Acho que não preciso de um diploma para explicar isso.

— Não, não é. — Satisfeita, Katherine recostou-se nas almofadas. — Fisicamente, sente-se confortável com Michael?

— Não. Mas é um tipo maravilhoso de desconforto.

— Excitante?

— Muito. Mas não sou capaz... de iniciar.

— E você quer?

— Não sei. Acho... acho que gostaria de mostrar a ele. Mas tenho medo de fazer alguma coisa errada.

— De que forma?

Aturdida, Emma levantou as mãos, mas logo tornou a abaixá-las.

— Não sei direito... apenas penso que posso fazer alguma coisa para irritá-lo, ou... — Sentindo-se impaciente, Emma olhou para a janela. — Não consigo me livrar de Drew e das coisas que ele me dizia, de como eu era estúpida e inútil na cama.

Ela se odiava por isso, sabendo que ainda lhe permitia controlar uma parte de sua vida.

— Já considerou que se você era inadequada na cama podia ser por causa do parceiro e das circunstâncias?

— Claro que sim. Aqui. — Emma tocou com um dedo na têmpora. — Sei que não sou fria e indiferente. Posso sentir paixão, desejo. Nas tenho medo de fazer as coisas com Michael, medo de estragar tudo.

Fazendo uma pausa, ela pegou uma pirâmide de cristal e observou as cores que passavam.

— E tem os pesadelos. Sinto quase tanto medo de Drew agora quanto sentia quando ele era vivo. E sinto que se pudesse tirá-lo de meus sonhos, apagar seu rosto e sua voz do meu subconsciente poderia dar o passo seguinte com Michael.

— É isso o que você quer?

— Claro que sim. Acha que quero continuar a ser punida?

— Pelo quê?

— Por não fazer o que ele queria com a rapidez necessária ou por fazer da maneira errada. — Agitada, Emma largou o cristal e passou os braços em torno dos seios. — Por não usar o vestido certo. Por estar apaixonada por Michael. Ele sabia que eu sentia alguma coisa por Michael.

Ela recomeçou a andar de um lado para outro, retorcendo os dedos.

— Quando nos viu juntos, na exposição, Drew percebeu no mesmo instante. E me deu uma surra. Obrigou-me a prometer que nunca mais veria Michael, e mesmo assim continuou a bater em mim. Sabia que eu não cumpriria a promessa.

— Uma promessa feita sob pressão não é promessa.

Emma sacudiu a cabeça, descartando a lógica.

— O importante é que tentei mantê-la, mas não fui capaz. Por isso, ele me puniu. — Ela arriou numa cadeira e acrescentou, meio que para si mesma: — Menti... menti para Drew e para mim mesma.

Katherine inclinou-se para a frente, mas manteve a voz baixa e suave.

— Por que acha que Drew aparece em seu sonho... o sonho da noite em que Darren morreu?

— Menti também na ocasião — murmurou Emma. — Não cumpri minha promessa. Não tomei conta de Darren. Nós o perdemos. O Da e Bev perderam um ao outro. E eu havia jurado para eles que sempre cuidaria de Darren. Que o manteria são e salvo. Mas quebrei a promessa. Ninguém jamais me puniu. Ninguém jamais me culpou.

— A não ser você mesma. Não se culpou pelo que aconteceu? Não se puniu?

— Se eu não tivesse fugido... ele me chamou.

Por um instante, aflorou em sua mente... a maneira como a voz do irmão a acompanhara pelo corredor escuro, enquanto fugia.

— Ele estava apavorado, mas não voltei para salvá-lo. Sabia que iam machucá-lo, mas mesmo assim fugi. E ele morreu. Eu deveria ter ficado. Deveria protegê-lo.

— Poderia ajudá-lo?

— Fugi porque tinha medo por mim mesma.

— Você era uma criança, Emma.

— Que diferença isso faz? Eu havia feito uma promessa, e não se quebra promessas para as pessoas que se ama, por mais difícil que seja cumpri-las. Fiz uma promessa para Drew e fiquei porque...

— Por quê?

— Porque merecia ser punida. — Ela fechou os olhos, num horror profundo. — Oh, Deus, fiquei todos aqueles meses porque queria ser punida por perder Darren.

Katherine permitiu-se apenas o mais breve momento de satisfação. Era exatamente o que ela vinha esperando.

— Acho que é parte. Você disse antes que Drew lembrava Brian. Culpou-se pela morte de Darren, e na mente de uma criança a punição segue a culpa.

— Eu não sabia que Drew era violento quando casei.

— É verdade, não sabia. Sentiu-se atraída pelo que viu na superfície. Um lindo homem, com uma bela voz. Romântico, encantador. Escolheu alguém que pensava que era gentil e afetuoso.

— Estava enganada.

— Isso mesmo, estava enganada em relação a Drew. Ele enganou você e muitas outras pessoas. Porque Drew era tão atraente, tão adorável por fora, você acabou se convencendo de que merecia o que ele fazia. Ele usou sua vulnerabilidade, explorou-a e aprofundou-a. Você não pediu para ser espancada, Emma. E não era culpada pela doença de Drew. Assim como não foi culpada pela morte de seu irmão.

Ela fez uma pausa, pegando a mão de Emma.

— Creio que se lembrará do resto quando aceitar isso completamente. E depois que se lembrar não terá mais pesadelos.

— Ainda vou lembrar — murmurou Emma. — E não fugirei desta vez.

O LOFT QUASE NÃO MUDARA. MARIANNE ACRESCENTARA alguns dos seus toques bizarros. Uma ampliação enorme de Godzilla, uma enorme palmeira de plástico ainda enfeitada para o

Natal, embora as liquidações de janeiro já tivessem começado, e um pássaro mainá empalhado, pendurado num poleiro na frente da janela. Seus quadros dominavam as paredes, paisagens, marinhas, retratos, naturezas-mortas. O estúdio cheirava a tinta, terebintina e a Obsession, de Calvin Klein.

Emma sentava num banco, numa faixa de sol, usando um blusão de training que caía de um ombro, com os brincos de safira e diamantes que seu pai lhe dera no Natal.

— Você não está relaxada — queixou-se Marianne, enquanto desenhava no bloco.

— Sempre diz isso quando me desenha.

— Mas você não está mesmo relaxada.

Marianne enfiou o lápis nos cabelos. Era uma massa de cachos agora, descendo até os ombros. Recostou-se, tamborilando com os dedos no bloco, enquanto estudava Emma.

— É o fato de estar aqui, em Nova York?

— Não sei. Pode ser.

Mas ela também estivera tensa nos dois últimos dias em Londres, incapaz de se livrar da sensação de que era observada, seguida. Espreitada.

Uma estupidez. Ela respirou fundo, três vezes, num ato deliberado. Era bem provável que a tensão derivasse de finalmente reconhecer sua culpa e vergonha, girando em torno de Darren e Drew. E, no entanto, depois que isso acontecera, sentira alívio.

— Quer parar? — Mesmo enquanto perguntava, Marianne pegou o lápis e recomeçou a desenhar. Sempre quisera captar aquela expressão suave e atormentada nos olhos de Emma. — Podemos sair agora, ir à Bloomies ou à Elizabeth Arden. Não faço uma facial completa há semanas.

— Eu ia mesmo comentar que está encovada demais. — Emma sorriu, as covinhas surgindo nos cantos da boca. — O que está fazendo? Vitaminas, macrobiótica, sexo? Está absolutamente maravilhosa!

— Acho que pode ser amor.

— O dentista?

— Quem? Oh, não. A conversa sobre canais destruiu nosso relacionamento. O nome dele é Ross. Conheci-o há cerca de seis meses.

— Há seis meses? — Emma alteou uma sobrancelha. — E não me disse nada?

— Pensei que podia dar azar. — Marianne deu de ombros. Virou a folha do bloco e começou um novo desenho. — Pode se mexer um pouco? Vire a cabeça... assim.

— É sério?

Emma olhou pela janela. O estômago estava um pouco embrulhado, e por isso ela inalou devagar. As pessoas passavam apressadas lá embaixo, perseguidas por um vento frio, que ameaça chuva ou granizo. Havia um homem parado na porta da delicatéssen, fumando. Ela seria capaz de jurar que o homem a observava.

— Como? — murmurou ela, quando ouviu a voz de Marianne.

— Eu disse que pode ser. Gostaria que fosse. O problema é que ele é um senador.

— Um senador federal dos Estados Unidos?

— O cavalheiro da Virgínia. Pode me imaginar como uma dessas esposas de classe de Washington?

— Claro que posso — respondeu Emma, sorrindo.

— Chá e protocolo. — Marianne torceu o nariz. — Não posso me imaginar a ouvir sentada um discurso sobre o orçamento da Defesa. O que está olhando?

— Hem? Nada. — Com um brusco movimento de cabeça, Emma desviou o olhar. — Apenas um homem parado no outro lado da rua.

— Um homem parado na rua, no centro de Nova York... Está tensa de novo.

— Desculpe. — Num gesto deliberado, ela desviou os olhos e tentou relaxar. Procurando dar um toque descontraído, ela acrescentou: — Paranóia. Quer dizer que tenho de conhecer o político.

— Ele está em Washington. — Em dois traços, Marianne desenhou a testa de Emma. — Se não estivesse com tanta pressa de voltar a Los Angeles, poderia ir comigo até lá no próximo fim de semana.

— Então é mesmo sério.

— Um pouco. O que é tão fascinante lá fora, Emma?

— Apenas o tal homem. Parece que ele está olhando direto para mim.

— Parece mais vaidade do que paranóia. — Marianne levantou-se e foi até a janela. — Provavelmente ele está esperando para fechar uma venda de droga.

Ela foi pegar seu café, que há muito esquecera.

— Voltando a falar sério, como vai Michael? Pretende dar uma oportunidade ao homem e seu cachorro?

— Quero ter mais algum tempo.

— Vem pedindo tempo com Michael desde que tinha treze anos. Como é ter um homem apaixonado por você durante mais de dez anos?

— Não é bem assim.

— É exatamente assim. Para ser franca, estou surpresa que ele tenha conseguido permanecer na Califórnia quando você disse que me faria uma visita aqui por dois ou três dias, antes de voar de volta para Los Angeles.

— Ele quer casar.

— É uma surpresa e tanto... como se tivesse me atropelado com um caminhão de dez toneladas. Quem poderia imaginar?

— Acho que não estou querendo pensar no que acontece em seguida.

— Isso só acontece porque você excluiu a letra C de seu vocabulário. O que pretende fazer?

— Sobre o quê?

— C e M... casamento e Michael.

— Não sei. — Emma tornou a olhar pela janela. O homem continuava lá embaixo, aguardando, paciente. — Vou esperar até vê-lo de novo. Ambos podemos nos sentir diferentes, agora que as coisas acalmaram, e nossas vidas voltam ao normal. Oh, droga!

— O que foi?

— Não sei por que não compreendi antes. O Da contratou um segurança outra vez. — Ela virou a cabeça, os olhos contraídos. — Sabia disso?

— Não. — Marianne foi até a janela para olhar de novo. — Brian não me disse nada. Ora, o cara está apenas parado ali. Por que presumir automaticamente que é por sua causa?

— Se você convive com isso durante a maior parte de sua vida, sabe quando esta sendo vigiada.

Irritada, Emma afastou-se da janela. Com uma súbita imprecação, voltou e escancarou a janela.

— Ei, você! — O grito repentino surpreendeu-a tanto quanto ao homem na rua. — Ligue para seu patrão e diga que posso cuidar sozinha de mim! Sẽ ainda estiver aí dentro de cinco minutos, chamarei a polícia!

— Sente-se melhor? — murmurou Marianne, por trás dela.

— Muito melhor.

— Não sei se ele pode ouvir você lá de baixo.

— Ouviu direitinho. — Emma acenou com a cabeça, satisfeita. — E já está indo embora.

Com um princípio de vertigem, ela afastou-se da janela.

— Vamos fazer uma facial.

MICHAEL EXAMINOU O IMPRESSO DE COMPUTADOR. LEVARA dias para correlacionar listas e dados cruzados. Nas últimas semanas, descobria-se tão absorvido pelo assassinato de Darren McAvoy quanto o pai ficara vinte anos antes. Lera todos os arquivos, examinara cada foto, repassara cada entrevista realizada durante a investigação original. Projetou da memória a visita à casa nas colinas em companhia de Emma, com suas próprias anotações de descrições e recordações.

Pela investigação meticulosa do pai sobre as lembranças de Emma, podia reconstituir, em sua mente, a noite da morte de Darren.

Música. Ele imaginou Beatles, Stones, Joplin, Doors.

Drogas. Tudo, de maconha a LSD, partilhado com o maior entusiasmo.

Conversa profissional, conversa de festa, fofoca. Risos e veementes discussões políticas. Vietnã, Nixon, a liberação das mulheres.

Pessoas entrando e saindo. Algumas convidadas, outras entrando mesmo sem convite. Ninguém questionando os rostos desconhecidos. Convites formais eram apenas para os membros do *establishment.* Paz, amor e vida comunitária eram a ordem do dia. Parecia bastante agradável, mas era frustrante para um policial no início dos anos 90.

Ele tinha a lista de convidados que o pai compilara. Era bastante inadequada, mas servia como ponto de partida. Com base num pressentimento, ele passou dias verificando o paradeiro de todas as pessoas na lista no dia da morte de Jane Palmer. Encontrou dezesseis pessoas que estavam em Londres na ocasião, inclusive os quatro integrantes da Devastation, seu agente e Bev McAvoy. Michael ignorou o impulso para riscá-los da lista e passou mais alguns dias verificando seus álibis.

O impresso de computador tinha agora doze nomes. Ele gostava de pensar que se havia mesmo uma ligação entre os dois crimes, separados por vinte anos, estava naquela lista.

— É alguma coisa para eu trabalhar. — Michael inclinava-se por cima do ombro do pai para que ambos pudessem examinar a lista. — Quero ir mais fundo, descobrir toda e qualquer ligação entre essas doze pessoas e Jane Palmer.

— Você deixou os McAvoy na lista. Não acha que eles mataram o próprio filho, não é?

— Claro que não. É apenas pela ligação.

Michael pegou uma pasta e abriu-a. Tinha uma lista de nomes, ligados por linhas tracejadas. Parecia uma árvore genealógica, encabeçada por Bev, Brian e Jane.

— Fiz um levantamento de todos, usando entrevistas e informações dos arquivos. Pegue Johnno, por exemplo. — Michael desceu o dedo pela lista. — É o amigo mais antigo de Brian, seu parceiro nas canções. Formaram o grupo juntos. Ele manteve a amizade com Bev durante a longa separação de Brian. Também era o que conhecia Jane há mais tempo.

— Motivo?

— Dinheiro ou vingança é tudo o que temos. Podemos facilmente aplicar os dois a Jane Palmer, mas é forçar demais com qualquer outro na lista. Blackpool. — Michael desceu o dedo. — Ele era mais um parasita na ocasião em que Darren foi assassinado. Sua grande oportunidade só veio meses mais tarde, quando gravou uma canção composta por Brian e Johnno. E Pete Page tornou-se seu agente.

Ele correu o dedo pelas linhas, ligando Blackpool com Brian, Johnno, Pete e Emma.

— Não há ligação com Palmer? — perguntou Lou.

— Ainda não encontrei nenhuma.

Com um aceno de cabeça, Lou recostou-se.

— Há vários nomes em sua lista que até eu reconheço.

— Uma contagem regressiva do rock. — Sentado na beira da mesa, Michael acendeu um cigarro. — Sei que a maioria desses nomes não se ajusta quando se calcula que o principal motivo para o seqüestro é dinheiro. É nesse ponto que Jane entra. Se ela plantou a idéia, pode ter usado chantagem, sexo, drogas ou qualquer outro tipo de isca para pressionar alguém a atingir Brian através de Darren. Ela tentou atingi-lo uma vez, através de Emma, e tudo o que conseguiu foi dinheiro. Ela queria mais. E por intermédio do filho não seria a menor maneira de conseguir?

Ele afastou-se da mesa, passando a andar de um lado para outro, enquanto tentava encontrar o fio da meada.

— Se ela pudesse entrar na casa, poderia fazer pessoalmente. Mas era a única pessoa que não seria bem recebida naquela noite.

Por isso, ela encontrou alguém, usou a alavanca que funcionasse melhor e conseguiu o que queria.

— Parece que a compreende muito bem.

Michael pensou em seu caso breve e destrutivo com Angie Parks.

— Creio que sim. Se aceitamos sua palavra de que teve a idéia para o seqüestro, então temos de encontrar a ligação. Ela usou alguém nesta lista.

— Havia duas pessoas no quarto do menino naquela noite.

— E uma delas devia conhecer a casa. Precisava saber qual era a disposição dos cômodos no segundo andar. Devia conhecer as crianças, a rotina. Portanto, temos de procurar alguém que tivesse uma ligação tanto com Brian quanto com Jane.

— Está esquecendo uma coisa, Michael. — Lou recostou-se para observar o filho. — Se incluísse seu nome nessa lista, quantas linhas teria para ligá-lo? Nada prejudica uma investigação mais depressa do que o envolvimento pessoal.

— E nada motiva mais. — Michael tirou um cigarro do maço. — Não tenho certeza se eu seria um policial hoje se não fosse por Emma. Lembra o dia em que ela esteve lá em casa? Foi mais ou menos na época do Natal. Queria falar com você.

— Claro que lembro.

— Ela procurava ajuda. Não havia muita coisa que alguém pudesse fazer, mas ela foi pedir sua ajuda. O que me fez pensar. A investigação policial não consistia de preencher formulários e fazer listas. Não consistia de tiroteios e algemas. Consistia de pessoas procurarem-no porque tinham certeza de que você sabia o que fazia. Fomos até a casa nas colinas e entramos. Compreendi que tem de haver pessoas que sabem o que fazem. Que se importam tanto com um menino pequeno que deixam de tentar.

Comovido, Lou baixou os olhos para os papéis em sua mesa.

— Já se passaram vinte anos e ainda não descobri o que fazer neste caso.

— Qual era a cor dos olhos de Darren McAvoy?

— Eram verdes. Como os olhos da mãe.

Michael levantou-se, com um pequeno sorriso.

— Você nunca deixou de tentar. Agora tenho de buscar Emma no aeroporto. Posso deixar essas coisas com você? Não quero que ela veja.

— Pode. — Ele tencionava repassar cada palavra no relatório do filho. — Michael...

Lou levantou os olhos quando o filho parou na porta.

— Você se tornou um bom policial.

— E você também.

Capítulo Quarenta e Dois

Emma convencera-se a recuar um pouco. Seu relacionamento com Michael avançava muito depressa. Gentilmente, daria alguns passos atrás. Seu livro estava prestes a ser publicado, Era tempo de abrir seu estúdio, talvez pensar em outra exposição.

De qualquer forma, como podia conhecer seus sentimentos? Sua vida passara por muitas convulsões. Era fácil confundir gratidão e amizade com amor. E ela era grata a Michael. Sempre seria. Ele fora seu amigo, constante embora distante, durante a maior parte de sua vida. A decisão de recuar era a melhor para os dois.

Ela segurava a caixa do equipamento com a mão firme ao atravessar o terminal.

Lá estava Michael. Ele viu-a no mesmo instante em que Emma o viu. E as decisões práticas tomadas nos últimos cinco mil quilômetros desapareceram por completo. Antes mesmo que ela pudesse dizer seu nome, Michael tirou-a do chão num abraço. Para diversão e irritação de outros passageiros, ele recebeu-a em silêncio, bloqueando a maior parte do portão.

Quando pôde respirar de novo, Emma levou a mão ao rosto dele.

— Oi.

— Oi. — Ele beijou-a de novo. — É bom vê-la de novo.

— Espero que não tenha esperado demais.

— Acho que agora é pouco mais de onze anos.

Ele virou-se e seguiu para o portão do terminal.

— Não vai me pôr no chão?

— Acho que não. Como foi o vôo?

— Tranqüilo. — Com uma risada, Emma beijou-o na face. — Michael, não pode me carregar por todo o aeroporto.

— Não há lei contra isso. Já verifiquei. Imagino que trouxe bagagem.

— Trouxe.

— Quer buscá-la agora?

Emma respondeu com um sorriso, acomodando-se para a viagem.

— Não é tão importante.

DUAS HORAS DEPOIS, ELES ESTAVAM NA CAMA, PARTILHANDO um pote de sorvete.

— Nunca tive o hábito de comer na cama até que o conheci. — Emma encheu uma colher com sorvete e ofereceu-a. — Marianne e eu costumávamos esconder barras de chocolate Hershey em nosso quarto na escola. Às vezes comíamos na cama, depois que as luzes se apagavam, mas era o máximo de decadência que nos permitíamos.

— Sempre pensei que as garotas escondiam rapazes na cama depois que as luzes se apagavam.

— Só chocolate. — Ela pôs o sorvete na boca e fechou os olhos. — Apenas sonhávamos com rapazes. Falávamos sobre sexo durante todo o tempo. E olhávamos com a maior inveja para as garotas que alegavam ter passado pela experiência.

Emma abriu os olhos e sorriu.

— É melhor do que eu imaginava que seria.

Ela ofereceu outra colher com sorvete. A alça da blusa escorregou do ombro. Michael estendeu a mão para puxar a alça.

— Se morássemos juntos, poderíamos praticar muito mais.

Ele fitou-a, esperando. Querendo uma resposta, pensou Emma. E ela não sabia que resposta poderia dar.

— Ainda não decidi se vou continuar naquela casa ou procurar outra.

Era verdade, mas ambos sabiam que era mais uma evasiva do que uma resposta.

— Preciso de espaço para um estúdio e um laboratório. Gostaria de encontrar um lugar em que pudesse ter tudo isso.

— Aqui em Los Angeles?

— Isso mesmo. — Emma pensou em Nova York. Nunca mais seria o seu lar outra vez. — Gostaria de tentar começar aqui.

— Ótimo.

Ela largou o pote de sorvete, certa de que Michael não sabia o que estava querendo dizer com "começar".

— E preciso me concentrar nos preparativos para outra exposição. Tenho diversos contatos aqui, e creio que se pudesse relacioná-los com o livro...

— Que livro?

Emma alisou os lençóis e respirou fundo.

— Meu livro. Vendi um livro há cerca de dezoito meses. Sobre a Devastation. Fotos antigas, desde o tempo em que eu era criança até a última excursão em que acompanhei o Da. Foi adiado por algum tempo porque... pelo que aconteceu. Mas precisa sair em seis meses.

Ela olhou pela janela. O vento que soprava do mar aumentara de intensidade, trazendo a ameaça de chuva.

— Tenho uma idéia para outro livro. O editor parece interessado.

— Por que não me contou?

Antes que Emma pudesse dar qualquer desculpa, ele pegou seu rosto entre as mãos e beijou-a, por um longo momento, com paixão, antes de dizer:

— Tudo o que temos é uma garrafa de água mineral para comemorar. Mas tem um problema.

Emma quase havia relaxado. Voltou a ficar tensa.

— Qual é?

— Minha mãe vai me matar se não conseguir a primeira noite de autógrafos em sua livraria.

E era só isso?, pensou ela, fitando-o, aturdida. Sem exigências, sem perguntas, sem críticas.

— Eu... o editor quer que eu faça uma excursão. Isso significa uma ausência por algumas semanas.

— Terei de ver você pela televisão?

— Eu... não sei. Estão organizando. Falei que estaria disponível para qualquer coisa de que precisassem durante o mês de lançamento.

Foi o tom de voz de Emma que o levou a franzir as sobrancelhas.

— Isto é um teste? Está esperando que eu comece a morder porque me avisou que tem uma vida própria?

— Talvez.

— Lamento desapontá-la.

Michael começou a levantar-se, mas ela segurou-o pelo braço.

— Não faça isso. Se não é justo, sinto muito. Nem sempre é fácil ser justa. — Emma passou as mãos pelos cabelos. — Sei que não devia fazer comparações, mas não posso evitar.

— Pois trabalhe isso — disse ele, incisivo, pegando um cigarro.

— Mas que droga, Michael! Ele é tudo o que tenho para comparar. Nunca vivi com outro homem. Nunca dormi com outro homem. Quer que eu imagine que essa parte de minha vida nunca aconteceu. Que nunca me deixei ser usada ou magoada. Devo esquecer e seguir em frente, para que você possa cuidar de mim. Cada homem importante para mim quis assumir o controle porque sou muito fraca, estúpida ou indefesa para fazer as escolhas certas.

— Espere um pouco.

Mas Emma já se levantara e andava pelo quarto.

— Durante toda a minha vida estive acuada em cantos, sempre para o meu próprio bem. Meu pai queria que eu esquecesse Darren, que não pensasse a respeito. Também não deveria me preocupar com o que ele fazia com sua própria vida. Depois, Drew queria cuidar de tudo. Fui bastante ingênua para entregar ao seu controle minhas finanças, meus amigos, meu trabalho. E me acostumei a ser apontada numa direção e segui-la automaticamente. Agora, devo esquecer tudo isso, simplesmente esquecer e deixar que você assuma para me proteger de novo.

— Acha que é por isso que estou aqui?

Emma virou-se para ele.

— Não é?

— Talvez seja parte. — Michael soprou a fumaça. Depois, num gesto decidido, apagou o cigarro. — É difícil amar uma pessoa sem querer protegê-la. Porém, vamos voltar um pouco, está bem? Não quero que esqueça o que aconteceu entre você e Latimer. Quero que seja capaz de conviver com isso, mas juro por Deus que não quero que esqueça.

— Não esquecerei.

— Nem eu.

Michael levantou-se e foi ao seu encontro. Lá fora, a chuva caía tangida pelo vento, investindo contra as janelas.

— Lembrarei de tudo que ele fez com você. E haverá ocasiões em que desejarei que ele ainda estivesse vivo para poder matá-lo. Mas também lembrarei que você conseguiu escapar sozinha. Assumiu uma posição firme e conseguiu sobreviver. Fraca?

Ele levantou um dedo e passou-o pelo contorno do queixo de Emma.

— Você acredita mesmo que eu acho que é fraca? Vi o que você fez naquele dia. E sempre verei. Não deixou que ele a destruísse.

— Isso mesmo, não deixei. E nunca mais permitirei que qualquer homem assuma o controle de minha vida.

— Não sou seu pai. — Michael falou em tom incisivo, enquanto a segurava pelos ombros. — E não sou Latimer. Não quero controlar sua vida. Quero apenas ser parte dela.

— E eu não sei o que quero. Continuo a voltar para você, o que é assustador, porque não consigo parar. E não quero precisar de você dessa maneira.

— Mas que droga, Emma!

Ele praguejou de novo quando o telefone tocou. Ela atendeu, e estendeu o telefone.

— É para você.

— O que foi? — Michael estendeu a mão para o cigarro, mas parou de repente. — Onde? Vinte minutos.

Ele desligou e disse para Emma, já vestindo o jeans:

— Tenho de sair.

Ela se limitou a acenar com a cabeça. Alguém morrera. Podia ver pelo rosto de Michael.

— Ainda não acabamos a conversa, Emma.

— Sei disso.

Ele pendurou a arma no ombro.

— Voltarei assim que puder.

Emma não conseguiu se aquietar depois que ele saiu. A chuva caía forte agora. Mal dava para ver o mar, mas ela podia ouvir o estrondo das ondas. Descobriu que era tranqüilizador o barulho das ondas, a claridade cinzenta. Fazia bastante frio para acender o fogo na lareira, com a pilha de lenha ao lado. Depois que estivesse aceso, ela ligaria para o aeroporto, a fim de providenciar a entrega da bagagem.

Ocorreu-lhe que era a primeira vez que ficava completamente sozinha na casa... a casa em que pensava em se instalar em caráter definitivo. Depois de fazer um chá, ela vagueou pela casa com a caneca na mão. Se a comprasse, seria essencial fazer uma reforma. Havia um cômodo ao lado da cozinha que poderia ser aumentado para virar um estúdio. A claridade era ótima. Pelo menos quando havia sol.

Havia três quartos lá em cima, todos grandes, com o teto alto. Talvez o excesso de espaço fosse pouco prático, mas ela gostava. Podia transformar aquela casa num lar. Pensativa, ela olhou para o relógio. Valia a pena ligar para o corretor. Antes que ela pudesse fazê-lo, no entanto, o telefone tocou.

— Emma?

— Oi, Da.

Ela sentou no braço do sofá.

— Eu só queria verificar se você chegou bem.

— Está tudo bem aqui. E você?

— Frenético de tanto trabalho. Estamos gravando no momento. Mas vamos fazer uma pausa, e aproveitarei para visitá-la.

— Já disse que estou bem. Não precisa vir até aqui.

— Gostaria de verificar pessoalmente. Além do mais, temos três Grammys para ganhar aí.

Emma não fez mais objeções.

— Claro. Meus parabéns.

— Pensamos no comparecimento total. Você também irá, não é?

— Eu adoraria.

— Pensei que gostaria de convidar Michael. Pete está providenciando os ingressos.

— Falarei com ele. — Emma lembrou a expressão de Michael quando ajeitara a arma no ombro. — Ele pode estar muito ocupado.

— Mas fale com ele mesmo assim. Iremos no final da semana para os ensaios. Pete recebeu um convite para você ser uma das apresentadoras. E pediu-me para transmiti-lo.

— Não sei...

— Significaria muito para mim, Emma, que você fizesse o anúncio, se Johnno e eu ganharmos a melhor canção do ano.

Ela sorriu.

— E mesmo que não ganhem posso ler seus nomes.

— É assim que se fala. Cuide-se, está bem?

— Pode deixar. E, por falar nisso, queria lhe pedir uma coisa. — Ela transferiu o fone para o outro ouvido. — Não quero o segurança, Da. Como pretendo cuidar de mim sozinha, pode demiti-lo.

— Que segurança?

— O que contratou antes de minha partida de Londres.

— Não contratei ninguém, Emma.

— Mas... — O pai podia lhe esconder algumas coisas, mas nunca mentia. — Não contratou alguém para me seguir e vigiar?

— Não. Não me ocorreu que você poderia precisar. Alguém a tem incomodado? Posso viajar mais cedo e...

— Não precisa se preocupar. — Ela comprimiu os dedos contra os olhos, suspirando. — Não há ninguém me vigiando. Marianne tinha razão. É apenas paranóia. Acho que ainda não me acostumei a ir e vir sem que ninguém me perturbe... mas tenciono me acostumar.

Para demonstrar, ela tomou uma decisão súbita:

— Pode dizer a Pete que terei a maior satisfação em ser apresentadora na festa do Grammy. E amanhã mesmo começarei a procurar um vestido para a ocasião.

— Alguém entrará em contato com você para combinar os ensaios. E não assuma nenhum compromisso para a noite. Bev e eu queremos levar você e Michael para jantar.

— Falarei com ele. Michael... — Subitamente, ela decidiu perguntar: — Da, por que se dá tão bem com Michael?

— Ele é firme como uma rocha. Ama você tanto quanto eu. E fará com que seja feliz. Isso é tudo o que eu sempre quis.

— Sei disso. Eu amo você, Da. Até breve.

Talvez fosse mesmo simples assim, pensou Emma, enquanto desligava. Tinha um homem que a amava e que podia fazê-la feliz. Nunca duvidara dos sentimentos de Michael, nem dos seus. A dúvida era se ela seria capaz de dar qualquer coisa em troca.

Ela vestiu uma capa e saiu sob a chuva. O mínimo que podia oferecer a Michael, quando ele voltasse, era uma refeição quente.

Foi agradável circular com o carrinho pelos corredores do supermercado, escolhendo isso e aquilo. Ao sair, tinha três sacolas cheias. Encharcada, recostou-se no carro. Eram apenas três horas da tarde, mas teve de acender os faróis porque estava bastante escuro. O cansaço da viagem envolveu-a, mas era uma fadiga quase agradável. Ela sorriu para a chuva.

A rua estava quase deserta. As outras pessoas haviam planejado melhor suas compras ou esperavam a chuva passar. Talvez fosse por isso que ela notou o carro que a seguia, virando onde ela virava, sempre mantendo a mesma distância, um pouco atrás. Ela ligou o rádio, fazendo um esforço para ignorar.

Paranóia, ela disse a si mesma.

Mas seus olhos voltavam a todo instante ao espelho retrovisor, e sempre podia ver os faróis em sua esteira. Aumentou a velocidade, um pouco além do que seria seguro nas ruas molhadas. Os faróis continuaram a acompanhá-la na mesma distância. Ela diminuiu a velocidade. O carro por trás fez a mesma coisa. Emma fez uma curva abrupta para a esquerda, prendendo o lábio entre os dentes. Seu carro derrapou. O outro carro também virou à esquerda.

Emma pisou no acelerador, fazendo um esforço para controlar o carro, e conseguiu sair da derrapagem. Aumentou a velocidade, seguindo para casa, torcendo para que os poucos momentos de dianteira fossem tudo de que precisaria.

Estendeu a mão para a maçaneta, antes de pisar no freio. Queria entrar o mais depressa que pudesse, alcançar a segurança do interior da casa. Quer fosse ou não sua imaginação, não queria ser apanhada ali fora, se o outro carro a alcançasse. Deixando as compras, ela saiu correndo do carro. Gritou quando sentiu uma mão em seu braço.

— Dona! — O jovem motorista deu um pulo para trás e quase escorregou numa poça. — Puxa, controle-se.

— O que você quer?

A chuva escorria de um quepe sobre um nariz grande e sardento. Ela não podia ver os olhos.

— Esta é sua casa?

Emma tinha as chaves na mão fechada. Especulou se poderia usá-las como uma arma.

— Por quê?

— Tenho três malas, do vôo 457 da American, procedente de Nova York, para Emma McAvoy.

A bagagem! Emma quase riu ao passar a mão pelo rosto.

— Desculpe. Você me deu um susto. Estava atrás de mim quando deixei o supermercado, e acho que isso me assustou.

— Estou esperando aqui há dez minutos. — Ele estendeu uma prancheta. — Quer assinar, por favor?

— Mas...

Emma desviou os olhos a tempo de ver um carro passar lentamente pela casa. A pessoa ao volante estava oculta pela chuva e pela sombra.

— Desculpe — murmurou ela. — Importa-se de esperar um instante enquanto levo as compras para dentro?

— Tenho outras entregas para fazer, dona.

Emma tirou da bolsa uma nota de vinte dólares.

— Por favor.

Sem esperar pela concordância, ela voltou a seu carro para pegar as compras.

Lá dentro, ela verificou todas as trancas. Com o fogo na lareira, as luzes acesas, o calor, ela quase se convenceu de que cometera um erro. E teve quase certeza, porque não viu o carro voltar nos vinte minutos seguintes.

Cozinhar relaxou-a. Gostava dos aromas que criava, do murmúrio baixo da música. À medida que as horas passavam, o cinzento do dia foi se aprofundando. Não houve crepúsculo, apenas a chuva caindo sem parar. Tranqüila outra vez, ela decidiu subir para arrumar a bagagem.

O barulho de um carro na rua trouxe-lhe o pânico de volta. Parou na base da escada, olhando pela janela larga e escura. Não lhe ocorrera, até aquele momento, como estava exposta, com todas as luzes acesas. Ouviu o rangido do frio, a porta do carro sendo batida.

Já se encaminhava para o telefone quando ouviu passos na frente da porta da casa. Sem hesitar, ela correu para a lareira e pegou o atiçador de latão. Avançou para o telefone. Pediria socorro. Se não conseguisse a tempo, teria de se defender sozinha.

O coração batia forte contra o peito quando ela pegou o fone.

— Emma! Estou afogando aqui fora!

— Michael?

O fone escapuliu de seus dedos e caiu no chão. Ela largou o atiçador também, enquanto corria para a porta. Os dedos não eram firmes quando puxou as trancas. Podia ouvi-lo praguejar. Estava rindo quando abriu a porta e abraçou-o.

— Desculpe, mas não sei qual é a piada.

— Não há piada nenhuma. Desculpe. É que eu pensei...

Mas quando deu um passo para trás, ela viu algo nos olhos de Michael que não percebera antes. Desespero.

— Deixe-me ajudá-lo. Está encharcado.

Emma ajudou-o a tirar o casaco.

— Tenho um chá pronto. Deveria ter me lembrado de comprar uma garrafa de conhaque, mas deve haver uísque em algum lugar.

Ela acomodou-o na frente do fogo e foi para a cozinha. Voltou um momento depois com uma caneca. Notou que Michael não se mexera. Olhava fixamente para as chamas.

— É um bom chá irlandês... e com bastante uísque irlandês.

Emma entregou-lhe a caneca.

— Obrigado.

Michael tomou um gole, fez uma careta, bebeu mais.

— Devia tirar essas roupas molhadas.

— Daqui a pouco.

Emma fez menção de falar de novo, mas mudou de idéia. Subiu em silêncio. Quando voltou, pegou-o pela mão.

— Vamos subir. Preparei um banho para você.

Michael não tinha energia para argumentar.

— Com direito a espuma?

— Tudo o que você quiser. Vá na frente. — Ela gesticulou para a porta. Foram para o banheiro. — Relaxe. Vou buscar mais chá.

Ele tirou a camisa molhada e largou-a no chão.

— Sirva apenas o uísque irlandês desta vez. Dois dedos. Sem gelo.

Emma hesitou enquanto ele abria a calça. Tinha de parar também de procurar fantasmas em garrafas. Nem todas as pessoas que pediam uma bebida queriam ficar de porre.

— Está bem.

Quando ela entrou no quarto, a água na banheira já fora fechada. Parou na porta, sentindo-se uma tola. Pôs o copo na mesinha-de-cabeceira. Embora fossem amantes, não podia entrar enquanto Michael tomava banho. Quer fosse uma questão de intimidade ou privacidade, não podia cruzar o limite. Foi sentar no banco junto da janela e esperou, vendo a chuva.

Ele saiu do banheiro com a toalha enrolada na cintura. A luz iluminava-o por trás e Emma pôde ver nitidamente a tensão e o retraimento em seu rosto.

— Comecei a preparar o jantar.

Ele acenou com a cabeça. Pegou o copo. Pensou que podia manter o uísque no estômago. A comida seria muito difícil.

— Posso esperar.

Ela queria se adiantar, pegar as mãos de Michael, alisar as rugas em sua testa. Mas ele olhava para o copo, como se ela não estivesse presente. Emma levantou-se, foi até o banheiro, para recolher as roupas molhadas.

— Não é obrigada a pegar minhas coisas. — Michael estava parado na porta. A raiva aflorou em seus olhos e na voz — Não preciso de uma mãe.

— Eu apenas...

— Latimer queria ser servido, Emma. Não é o meu estilo.

— Como quiser. — A raiva de Emma também aflorou. Ela largou a camisa no chão. — Então pegue você mesmo. Nem todo mundo gosta de viver num chiqueiro.

Michael pegou a camisa e jogou-a na banheira. Emma recuou dois passos antes de conseguir se controlar.

— Não olhe para mim desse jeito. — Michael virou-se para fitá-la, furioso com ela, consigo mesmo, com tudo. — Nunca mais me olhe desse jeito.

Ela tentou conter o veneno que ardia em sua língua, mas saiu antes que pudesse se conter:

— Não tenho medo de que você me bata. Ninguém jamais vai me bater de novo e escapar impune. Estou cansada de ser vítima. E isso inclui você. Se quer ficar de mau humor, o problema é seu. Se quer brigar, muito bem. Também posso brigar. Mas quero saber o motivo da briga. Se está se comportando assim porque eu não faço o que você quer, não sou o que você quer, e não digo o que você quer ouvir, então vá se danar. Gritar não me fará mudar de opinião.

Ele levantou a mão antes que Emma pudesse continuar com a explosão. Não para silenciá-la, mas para pedir que esperasse. A diferença sutil foi suficiente para fazê-la reprimir o resto do acesso de raiva.

— Não tem nada a ver com você — murmurou Michael. — Absolutamente nada. Peço desculpas. Eu não deveria ter voltado aqui esta noite.

Ele baixou os olhos para as roupas molhadas.

— Posso pôr as roupas na secadora, a fim de poder vesti-las e ir embora em seguida?

Emma notou que se estampava de novo em seus olhos não apenas a raiva, mas um desespero profundo e sombrio.

— O que foi, Michael?

— Já disse que não tem nada a ver com você.

— Vamos sentar.

— Não chegue perto de mim, Emma.

Ele virou-se e voltou para o quarto. Estava enganado, pensou, enquanto largava o copo. Também não podia manter o uísque no estômago.

— Já entendi. Você quer ser parte da minha vida, mas eu não devo ser parte da sua.

— Não desta parte.

— Não podem ser cortadas partes de nossa vida e escondê-las. Sei por experiência própria.

Ela se aproximou e pôs a mão em seu braço. Até esse momento não imaginara o quanto o amava. Com algum espanto, compreendeu que a necessidade não era apenas sua, no final das contas.

— Fale comigo, Michael, por favor.

— Eram crianças... bebês. Ele entrou no playground durante o recreio e abriu fogo.

Michael teve de sentar. Tateou para alcançar a cama, sentou na beira, comprimindo as mãos contra os olhos. Ainda podia ver. E se apavorava por saber que sempre veria.

Aturdida, Emma sentou ao seu lado. Passou a mão por seu ombro, tentando atenuar a tensão do músculo.

— Não compreendo.

— E eu também não. Descobrimos quem ele era. Tinha um histórico de doença mental. Entrou e saiu de instituições durante toda a sua vida. Estudou naquela escola, naquela mesma escola, a primeira e segunda séries, antes de ser internado pela primeira vez. Vamos descobrir, pelo que pode valer.

— Quem? De quem está falando?

— Apenas um perdedor. Algum perdedor doente e lamentável que conseguiu se apossar de uma automática. 45.

Emma começou a entender. A náusea subiu por sua garganta.

— Oh, meu Deus!

— Ele foi de carro até a escola. Entrou no playground. As crianças jogavam bola e pulavam corda. Ainda não começara a chover. Ele começou a atirar. Seis crianças morreram na hora. Outras vinte estão hospitalizadas. Nem todas vão sobreviver.

— Oh, Michael...

Ela enlaçou-o, encostando o rosto no seu.

— Depois o homem foi embora. Havia desaparecido quando as radiopatrulhas chegaram. No momento em que McCarthy e eu chegamos à escola...

Michael não podia descrever a cena, não para ela. Nem para si mesmo.

— Descobrimos qual era o carro e o encontramos a dois quarteirões dali. Ele estava ali, almoçando na praça. Sentava num banco, na porra da praça, debaixo da chuva, comendo um sanduíche. Nem se deu ao trabalho de correr quando nos aproximamos. Pegou a arma, enfiou o cano na boca e puxou o gatilho. Por isso nunca saberemos o motivo... nunca saberemos por quê.

— Sinto muito. — Emma não podia pensar em mais nada para dizer. — Sinto profundamente.

— Deveríamos fazer uma diferença... isso mesmo, deveríamos fazer uma diferença. Seis crianças mortas, e não há nada que você possa fazer. Não pode impedir, não pode reparar. Tudo que você pode fazer é se afastar e tentar se convencer de que não havia nada que pudesse fazer.

— Mas você não se afasta — murmurou Emma. — E é por isso que você faz a diferença, Michael.

Ela recuou, para estudar o rosto dele.

— Você não pode evitar o que aconteceu. Não direi que não deve lamentar por uma coisa que não podia impedir, porque é isso que faz com que você seja quem é.

— Você nunca se acostuma. — Ele inclinou a cabeça para Emma. — Eu me perguntava por que papai às vezes voltava para casa e se trancava. Mais tarde, depois que eu ia para a cama, podia ouvi-lo conversando com mamãe horas a fio.

— Pode conversar comigo.

Michael enlaçou-a. Ela era tão aconchegante, tão macia...

— Preciso de você, Emma. Não pretendia voltar para cá com isso. Precisava de alguma coisa que pudesse me segurar.

— Pode se segurar em mim.

Ela ergueu a boca para um beijo. A reação de Michael foi tão forte, quase desesperada, que ela não tentou mais acalmá-lo. Se ele precisava consumir o desespero na paixão, Emma o atenderia.

Ela assumiu o controle, como não sabia que era capaz, puxando-o para a cama, estendendo as mãos para excitá-lo, as bocas se encontrando. Michael sempre a amara antes com extrema gentileza e paciência. Não havia margem para isso agora, e não havia necessidade. Se a paixão de Michael era sombria, ela o acompanharia. Se o desejo era urgente, ela também seria assim.

Desta vez seria ela quem afugentaria os demônios de Michael.

Ela rolou com ele, ficou por cima, puxou a toalha para o lado. Entregou-se ao prazer de conduzi-lo, sentindo o tremor no corpo de Michael, o calor, a tensão. Sem hesitação, sem medo, sem dúvidas. Para seu próprio prazer, tanto quanto o dele, Emma acariciou-o com as pontas dos dedos, em círculos lentos, provocantes.

A luz do abajur refletia-se na pele de Michael, tentando-a saborear, com movimentos rápidos da língua, com longas carícias dos lábios.

O poder, recém-descoberto, sacudiu-a como uma trovoada.

Michael sentia que pulsava com a maior intensidade onde quer que ela tocasse. Embora ele não mantivesse as mãos ociosas, Emma afastou-as. Espere, ela parecia dizer. Deixe-me mostrar. Deixe-me amá-lo. As mãos entrelaçadas, ela deslizou pelo corpo de Michael, a boca queimando em sua carne de tanto prazer.

Ele podia ouvir o tamborilar da chuva no vidro, sentir o calor do lençol em suas costas. Na claridade difusa, via os cabelos longos e claros de Emma caindo pelos ombros. Os olhos eram escuros e insondáveis.

Erguendo-se, ele puxou-a, até que as coxas se encontraram. Impulsionado pela necessidade intensa, apertou-a pelas nádegas, querendo vê-la, desesperado para senti-la.

Os dentes de Emma arranharam seu ombro quando ele rasgou a blusa dela. Havia ali uma violência que ela podia compreender e apreciar. Selvagem, sem brutalidade. E a turbulência em Michael era uma tempestade dentro dela. Igual. Mútua. Ela descobriu que o amor e o desejo podem se misturar de uma maneira gloriosa.

Enquanto ele rasgava suas roupas, os gemidos que escapavam de Emma nada tinham a ver com rendição. Como podia saber que durante toda a sua vida esperara para ser desejada dessa maneira? Desesperada, exclusiva, temerária. Não que ela soubesse que sempre esperara sentir aquela temeridade delirante.

Michael não era gentil agora, e ela se deleitava com o furor. Ele não tinha qualquer controle, e Emma levou-o às profundezas. Quando os dedos dele apertaram os quadris dela, ela compreendeu que Michael não a julgava tão fraca e frágil, precisando se defender. Quando seu nome saiu dos lábios de Michael, a necessidade estava ali, por ela. E apenas por ela.

Emma balançava por cima dele, arqueando as costas, em triunfo e exultação, enquanto o recebia dentro dela. O primeiro orgasmo sacudiu-a toda, mas não a enfraqueceu. E as mãos de Michael tatearam às cegas por seu corpo, à procura das suas. E com os dedos entrelaçados ela determinou o ritmo, rápido e frenético.

Mesmo depois que o sentiu explodir dentro dela, Emma continuou a montá-lo, impelindo-o, exigindo mais. Ela baixou a boca ao encontro da boca insaciável de Michael, até que os lábios se tornaram sôfregos, a respiração superficial. A língua de Emma deslizou por sua garganta, onde a pulsação era cada vez mais intensa. Ele murmurou alguma coisa, atordoado e incoerente. Mas ela só podia gemer, enquanto sentia que Michael endurecia de novo dentro dela.

Meio enlouquecido, ele se ergueu, apertando os braços de Emma, cobrindo sua boca com beijos ardentes. E depois ela estava por baixo de Michael, e o corpo dele era como uma fornalha, investindo e arremetendo contra a fornalha que era Emma.

Os braços e pernas longos e ágeis de Emma envolveram-no. Ela tinha os olhos abertos, fitando-o. Michael pôde perceber que ela começava a ficar com os olhos vidrados. E viu quando seus lábios começaram a tremer. O prazer ondulou por seu corpo, enquanto sentia o corpo de Emma alcançar o auge em um novo orgasmo. E depois ele viu seus lábios se contraírem, devagar, numa beleza indescritível.

E foi a última coisa que Michael viu antes que a paixão o arrebatasse para o esquecimento.

Capítulo Quarenta e Três

Emma sentia-se irritada porque continuava a olhar para trás. Quase uma semana passara desde que ela voltara a se instalar na casa na praia... desde que Michael e Conroy foram morar com ela, extra-oficialmente. Um ensaio, Emma pensava às vezes, para o futuro em que começava a acreditar. Viver com Michael, partilhar sua cama e seu tempo com ele não faziam com que se sentisse acuada. Em vez disso, faziam com que se sentisse finalmente normal... e feliz.

Por mais contente que estivesse, no entanto, Emma não podia se livrar da sensação de que era vigiada. Conseguia ignorar na maior parte do tempo, ou pelo menos tentava, dizendo a si mesma que era apenas outro repórter à procura de um novo ângulo. Outro fotógrafo com uma teleobjetiva em busca de uma foto exclusiva.

Mas não podiam afetá-la, nem o que estava construindo com Michael.

Mas ela mantinha as portas trancadas e Conroy por perto quando ficava sozinha.

Por mais que assegurasse a si mesma que não havia ninguém ali, a não ser seus próprios fantasmas, ela continuava vigilante, esperando. Mesmo quando saiu andando pela Rodeo Drive, em plena luz do dia, ainda sentiu a tensão na nuca.

Ficou mais embaraçada do que apreensiva, desejando ter contratado uma limusine em vez de guiar pessoalmente.

Pensara que gostaria de procurar a roupa certa, experimentando os modelos mais extravagantes e mais clássicos, mimada e adulada pelas vendedoras. Mas foi um alívio quando tudo acabou, levou a caixa para o carro e voltou para casa.

Era lamentável, ela disse a si mesma, aquele complexo de perseguição. Emma refletiu que Katherine franziria as sobrancelhas de psiquiatra e emitiria ruídos interessados se lhe contasse. A pobre Emma pirara de novo. Acha que está sendo seguida. Especula se alguém entra na casa quando ela sai. E o que dizer daqueles barulhos estranhos ao telefone? Deve estar grampeado.

Oh, Deus! Ela esfregou um dedo contra a têmpora e tentou rir. Dali a pouco começaria a olhar debaixo da cama quando fosse dormir. E depois entraria em terapia pelo resto da vida.

Mas ela optara por viver em Los Angeles, não é mesmo? Mais um pouco e teria um personal trainer e um terapeuta de plantão. Estaria polarizada com sua polaridade ou entraria em sintonia com um monge budista de trezentos anos.

E depois ela riu.

Parou no estacionamento do auditório e pegou a câmera. Os monges budistas teriam de esperar, pelo menos até que ela cuidasse das questões mais urgentes. Os artistas e apresentadores do show da premiação já deviam estar lá dentro. Seria como nos velhos tempos, pensou Emma. Assistir aos ensaios, tirar fotos.

Era uma sensação satisfatória saber que seu passado e futuro haviam encontrado um meio de se fundirem.

Quando ela saltou do carro, Blackpool barrou sua passagem.

— Ora, ora... mais uma vez, Emmy querida.

Ela ficou irritada ao descobrir que Blackpool ainda a deixava arrepiada. Sem dizer nada, Emma começou a contorná-lo. Ele simplesmente mudou de posição, acuando-a contra o carro, como outrora a acuara no laboratório. Sorrindo, ele passou um dedo pelo pescoço de Emma.

— Isso é maneira de tratar um velho amigo?

— Saia da minha frente.

— Teremos de dar um jeito no seu comportamento. — Ele pegou a trança de Emma e deu um puxão, com bastante força para fazê-la soltar um grito. — Meninas que crescem com dinheiro sempre acabam mimadas. Pensei que seu marido tivesse lhe ensinado... antes de você matá-lo.

Não era medo, ela compreendeu, ao começar a tremer. Era fúria. Uma fúria intensa e ardente.

— Largue-me, seu filho-da-puta!

— Pensei que poderíamos ter uma conversa, só nós dois. Vamos dar uma volta.

Ele começou a puxá-la pelos cabelos. Emma bateu com a câmera em sua barriga. Quando ele se dobrou, Emma recuou, esbarrando em alguém. Sem pensar, ela virou-se e quase bateu no rosto de Stevie.

— Calma... — Ele ergueu a mão, antes que o punho de Emma pudesse acertar em seu nariz. — Não me bata. Sou apenas um pobre viciado em recuperação que veio tocar sua guitarra.

Stevie pôs a mão no ombro de Emma, apertando-o gentilmente.

— Algum problema aqui?

Quase com indiferença, Emma olhou para Blackpool. Ele recuperara o fôlego e estava empertigado, os punhos cerrados. Ela experimentou um súbito fluxo de prazer. Demonstrara que era capaz de se defender... e muito bem.

— Não, não há nenhum problema.

Virando-se, ela se encaminhou para o auditório, ao lado de Stevie.

— O que aconteceu?

Ainda havia um sorriso no rosto de Emma. De pura satisfação.

— Ele não passa de um arrogante intimidador.

— E você é uma autêntica Amazona. Eu atravessava apressado o estacionamento para bancar o cavaleiro andante, mas você roubou minha chance.

Emma riu. Beijou-o no rosto.

— Você o teria arrebentado.

— Não sei não. Ele é muito maior do que eu. Foi muito melhor que você mesma o tivesse acertado. Eu detestaria aparecer na televisão com um olho roxo.

— Ficaria parecendo muito mais intrépido e devasso. — Ela passou o braço pela cintura de Stevie. — Não vamos contar nada ao Da.

— Bri é muito mais hábil com os punhos. E eu bem que gostaria de ver Blackpool com um olho roxo.

— Eu também gostaria, Stevie. Mas vamos esperar que termine a cerimônia de premiação.

— Nunca fui capaz de resistir a um rostinho bonito.

— Não era mesmo. Por falar nisso, já convenceu Katherine a casar com você?

— Ela está enfraquecendo.

Eles ouviram o ensaio de um dos números do show antes mesmo de entrarem no teatro. Um rock agressivo ecoava pelas paredes.

— Ela ficou em Londres. Disse que tinha muitos pacientes e não dispunha de tempo para viajar. Mas também queria verificar se eu seria capaz de agüentar tudo sozinho.

Stevie parou perto da entrada dos fundos do teatro, só para escutar.

— E você pode?

— É engraçado. Durante todos aqueles anos, tomei drogas porque queria me sentir bem. Havia algumas coisas que eu queria esquecer. — Ele pensou em Sylvie e suspirou. — Mas acima de tudo porque queria me sentir bem. Nunca fizeram com que eu me sentisse bem, mas mesmo assim continuei a tomá-las. Nos últimos dois anos, comecei a compreender como pode ser a vida quando a enfrentamos de cara limpa.

Ele riu, mexendo os ombros, num gesto irrequieto.

— Parece até um anúncio de serviço público.

— Nada disso. Você fala como um homem que se sente feliz.

Stevie sorriu. Era verdade. Sentia-se feliz. Mais do que isso, começara a acreditar que podia ser feliz.

— Ainda sou o melhor — disse ele, enquanto se encaminhavam para o palco. — Só que agora posso aproveitar.

Emma viu o pai sendo entrevistado nos bastidores. Brian também parecia feliz, pensou ela. Johnno estava no laço, zombando de P.M., que mostrava fotos do filho a qualquer técnico que não conseguia escapar.

O grupo no palco parara de ensaiar. Eram jovens, notou Emma. Seis rostos lisos, sob massas de cabelos, candidatos ao prêmio de Melhor Grupo Novo. Ela percebeu o nervosismo dos seis e sentiu algum orgulho pela maneira como olhavam para seu pai de vez em quando.

Imaginou que eles se perguntavam se teriam sucesso por tanto tempo quanto a Devastation. Deixariam uma marca tão profunda? Outra geração se sentiria comovida com sua música?

— Tem razão, Stevie, você é mesmo o melhor. Todos vocês.

Emma não tornou a pensar em Blackpool. Não olhou para trás. Durante horas, concentrou-se em tirar fotos, conversar sobre música, rir de histórias antigas. Nem sequer se deu ao trabalho de fazer um ensaio, entrar no palco, ir até o palco, parar no pódio e recitar nomes para um auditório vazio. Sentou num canto, tomando uma Coca-Cola morna, enquanto alguns músicos se reuniam no centro do palco para tocar músicas antigas de Chuck Berry.

Só P.M. se retirou mais cedo, ansioso em voltar para a esposa e o filho.

— Ele está ficando velho — comentou Johnno, descendo para tocar *blues* numa harmônica, ao lado de Emma. Ele olhou para o vocalista de dezessete anos que já se tornara um astro reconhecido.

— Todos estamos velhos. Não demora muito para você cometer o supremo insulto de nos transformar em avôs.

— Não se preocupe que empurraremos sua cadeira de balanço até o microfone — disse Emma, inclinando a garrafa.

— Você é insuportável, Emma.

— Aprendi com os melhores. — Rindo, ela passou o braço pelos ombros de Johnno. — Pense da seguinte maneira: não houve ninguém no palco hoje que tivesse sobrevivido a duas décadas no inferno do rock. Vocês são praticamente um monumento.

— O que é ainda mais insuportável. — Ele levou a harmônica à boca e acrescentou, entre acordes: — Toda essa conversa de prêmios para o conjunto da obra... É a Galeria da Fama do Rock.

— É muita desfaçatez, não é mesmo? — Emma soltou outra risada e abraçou-o. — Johnno, você não está realmente preocupado com a idade.

Ele fez uma careta e passou a tocar mais *blues*. Por trás dele, alguém pegou o ritmo no baixo.

— Espere até descobrir como é estar beirando os cinqüenta anos.

— Jagger é mais velho.

Johnno deu de ombros. A bateria também começou a acompanhar, em batidas suaves.

— Você é mais bonito.

Ele pensou um pouco.

— É verdade.

— E nunca fui apaixonada por ele.

Johnno sorriu.

— Não conseguiu superar essa paixão por mim, não é mesmo?

— Nunca.

Um momento depois, Emma estragou a expressão solene com uma risada. Começou a cantar, improvisando a letra:

— Fico tonta quando ouço os *blues* do rock. Os velhos *blues*, muito velhos. Quando os meus cabelos ficam grisalhos e você me pede para tocar, eu digo não enche. Mamãe, meus ossos estão doendo hoje. Por causa dos *blues* do rock. Por causa do velho dos *blues* do rock.

Ela sorriu.

— Passei na audição.

Enquanto ele continuava a tocar, Emma saiu da beira do palco e levantou a câmera.

— Uma última foto antes de eu ir embora. — Ela bateu a foto, mudou de ângulo, bateu outra. — Vou chamá-la de *Ícone do Rock*.

Emma riu quando ele disse um palavrão, depois guardou a câmera na caixa.

— Quer que eu lhe diga o que é o rock, Johnno, de alguém que não toca, mas observa?

Ele gesticulou com a harmônica, depois voltou a tocar, enquanto a observava.

— É irrequieto e rude. — Ela se aproximou para pôr a mão no joelho de Johnno. — É ousado e desafiador. É um punho erguido para a idade. É uma voz que muitas vezes grita as perguntas porque as respostas estão sempre mudando.

Ela levantou os olhos para ver o pai parado por trás dela, escutando. Seu sorriso envolveu-o.

— Os muito jovens tocam porque estão à procura de um meio de expressar sua raiva ou alegria, sua confusão e seus sonhos. De vez em quando, apenas de vez em quando, aparece alguém que compreende de verdade, alguém que possui o talento para transformar em música todas essas necessidades e emoções.

Emma sorriu.

— Quando eu tinha três anos, observei você... — Ele levantou os olhos para Brian — ... todos vocês... entrarem no palco. Não sabia nada sobre coisas como harmonia, ritmos, batidas. Tudo o que via era a magia. E ainda vejo, Johnno, cada vez que vejo vocês quatro no palco.

Ele mexeu no brinco de cobre na orelha de Emma.

— Eu sabia que havia uma razão para que a mantivéssemos. Dê-nos um beijo.

Os lábios de Emma se contraíram quando roçaram nos dele.

— Até amanhã. Vocês vão abafar.

Era o crepúsculo quando ela se encaminhou para o carro. Em algum momento, durante a tarde, tornara a chover. As ruas faiscavam, o ar era frio e enevoado. Emma não queria voltar para uma casa vazia. Michael trabalharia até tarde outra vez.

Antes de dar a partida, ela ligou o rádio, em alto volume, como gostava nos passeios a esmo. Trataria de se distrair por umas duas horas, olharia para as casas à luz dos lampiões da rua, tentando decidir se queria continuar na praia ou se mudar para as colinas ou os cânions.

Relaxada, ela foi guiando numa velocidade moderada, deixando que a música a envolvesse. Não olhou pelo espelho retrovisor e não notou o carro que a seguia.

MICHAEL ESTAVA DE PÉ NA FRENTE DO QUADRO, NA SALA de reuniões, estudando suas listas. Conseguira determinar outra ligação. Era um trabalho lento, frustrante, mas cada ligação aproximava-o mais um pouco do final de sua busca.

Jane Palmer tivera muitos homens. Descobrir todos podia ser o trabalho de uma vida inteira, pensou Michael. Mas fora bastante satisfatório quando ele descobrira um amante que constava de sua lista.

Ela usara o dinheiro de Brian para sair de seu apartamento pequeno e sórdido, mudando-se para acomodações mais confortáveis em Chelsea. Residira ali de 1968 a 1971, até que comprara a casa na King's Road. Durante a maior parte da década de 1970, tivera um companheiro de apartamento, um cantor de pub lutando para fazer sucesso, chamado Blackpool.

Não era interessante, pensou Michael, enquanto esfregava os olhos, ressequidos da tensão, que, enquanto os McAvoy moravam nas colinas de Hollywood, Jane Palmer partilhasse a casa com

Blackpool? O mesmo Blackpool que estivera na festa dos McAvoy naquela noite no início de dezembro?

E não era bastante estranho que Jane não mencionasse a ligação com Blackpool em seu livro? Ela dera todos os nomes que podiam ter alguma repercussão, mas Blackpool, um astro já consolidado em meados dos anos 70, não merecera sequer uma nota de rodapé. Porque nenhum dos dois queria que a ligação fosse lembrada, concluiu Michael. McCarthy enfiou a cabeça pela porta.

— Por Deus, Kesselring, ainda está brincando com essa coisa? Quero jantar.

— Robert Blackpool foi amante-residente de Jane Palmer de junho de 1970 a fevereiro de 1971.

— Pois então vamos invocar a ira de Deus.

Michael estendeu a pasta para McCarthy.

— Preciso de tudo o que houver para saber sobre Blackpool.

— E eu preciso comer uma boa carne vermelha.

— Pagarei um novilho para você — disse Michael, enquanto voltava para a sala dos detetives.

— Sabe, parceiro, essa história arruinou seu senso de humor... e meu apetite. Blackpool é um grande astro. Faz até comerciais de cerveja. Você não vai ligá-lo a um caso que aconteceu há vinte anos.

— Talvez não, mas estou reduzido a oito nomes. — Ele sentou à sua mesa e pegou um cigarro. — Alguém roubou minha Pepsi.

— Chamarei a polícia. — McCarthy inclinou-se. — Não adianta se enganar, Mike. Você está exagerando, levando esse caso longe demais.

— Está me vigiando, Mac?

— Não se esqueça de que sou seu parceiro. Claro que vigio você. E me preocupo comigo. Se sairmos nas ruas enquanto você estiver sob essa tensão, não poderei contar com seu apoio.

Através de um véu de fumaça, Michael estudou o parceiro. Sua voz, quando falou, era perigosamente suave:

— Sei como fazer meu trabalho.

Era uma área delicada. McCarthy estava a par das zombarias de que Michael fora alvo nos primeiros anos na polícia.

— Também sou seu amigo, e é por isso que tenho de falar. Se você não relaxar por algumas horas, não vai servir de nada para ninguém. Nem mesmo para sua namorada.

Lentamente, Michael abriu os punhos.

— Estou chegando perto. Tenho certeza. E não é uma coisa que aconteceu há vinte anos. Parece que foi ontem. E eu estava ali, investigando cada passo.

— Como seu velho.

— Isso mesmo. — Michael apoiou os cotovelos na mesa para passar as mãos pelo rosto. — Acho que estou ficando doido.

— Está apenas com sobrecarga de trabalho. Tire algumas horas de folga. Relaxe.

Michael olhou para os papéis na mesa.

— Eu lhe pagarei um bife. Você me ajuda a descobrir tudo sobre Blackpool.

— Negócio fechado. — Ele esperou enquanto Michael vestia o paletó. — Por que não me dá mais alguns nomes? Marilyn está numa nova dieta, e só vamos comer peixe esta semana.

— Obrigado.

EMMA PAROU O CARRO E OLHOU PARA A CASA, ATRAVÉS DA neblina em movimento. Não tomara a decisão consciente de vir até ali. Anos antes, sentara no carro com Michael e estudara a casa. Fazia sol na ocasião, ela lembrou.

Agora, havia janelas iluminadas. Embora não pudesse ver qualquer movimento, ela especulou quem poderiam ser os atuais moradores. Uma criança dormia no quarto que outrora fora seu? Ou no quarto em que ficava o berço de Darren? Ela esperava que sim. Queria pensar que havia mais do que tragédia naquela casa. Durante a maior parte do tempo, havia riso ali. Emma esperava que isso estivesse acontecendo de novo.

Refletiu que Johnno a fizera pensar no passado, ao falar em envelhecer. Na maior parte do tempo, ainda os via como na infância, não como homens que haviam vivido por quase um século com a fama e a ambição, o sucesso e o fracasso.

Todos haviam mudado. Talvez ela mais do que os outros. Não mais se sentia como uma sombra dos homens que tanto haviam dominado sua vida. Se era mais forte, isso acontecia por causa do esforço para se ver finalmente como um todo, não como parte das pessoas que mais amara.

Na semi-escuridão, ela continuou a olhar para a casa aninhada no alto da colina. E torceu, com todo o seu coração, para sonhar naquela noite com o que acontecera ali. Quando sonhasse, abriria aquela porta. E veria quem estava lá dentro.

Ela soltou o freio de mão e começou a descer pela ladeira estreita. Seis meses antes, Emma sabia, não teria coragem para ir até ali sozinha, para se abrir a·todos aqueles sentimentos. Era bom, muito bom, não ter medo.

Os faróis surgiram no espelho retrovisor tão próximos e repentinos que a ofuscaram. Numa reação instintiva, ela ergueu a mão para bloquear o clarão.

Bêbado e estúpido, pensou Emma, procurando um lugar para se desviar, a fim de deixar o outro carro passar.

Quando ele bateu no seu, por trás, suas mãos apertaram o volante com toda força. Ainda assim, os poucos segundos de choque custaram alto, e seu carro se aproximou perigosamente do *guardrail*. Emma deu uma guinada no volante e ouviu os pneus rangerem no chão molhado. O coração batia forte, ameaçando subir-me pela garganta, enquanto ela derrapava na curva seguinte.

— Idiota!

Com a mão trêmula, removeu a gota de sangue do lábio, onde o mordera. No instante seguinte, os faróis tornaram a ofuscá-la. O impacto da nova colisão espremeu o peito contra o cinto de segurança.

Não havia tempo para pensar, nenhuma margem para o pânico. O pára-lama traseiro bateu no *guardrail* quando ela derrapou. O outro carro ficou para trás, enquanto ela conseguia sair da derrapagem. Avistou a árvore, um carvalho enorme e frondoso, e recorreu a toda sua força para virar o volante. Ofegante, concentrou-se em manobrar numa curva em S, pisando no freio para diminuir a velocidade.

Ele veio de novo. Emma teve um vislumbre do carro, gravou-o na mente, antes que os faróis se refletissem outra vez no espelho retrovisor. Embora preparada para o impacto, ela não pôde evitar um grito.

O homem não estava de porre. E não era estúpido. Em uma parte de sua mente o terror aflorou. Alguém tentava matá-la. Não era sua imaginação. Não era um resquício do medo. Estava acontecendo. Ela podia ver os faróis, ouvir o rangido de metal contra metal, sentir os pneus derraparem, enquanto tentavam encontrar uma tração.

O carro se aproximou de novo, pela esquerda, empurrando-a para o precipício. Emma estava gritando, podia ouvir a própria voz, enquanto acelerava e contornava a curva seguinte.

Não podia correr mais do que o outro carro. Ela piscou, para clarear os olhos, e tentou pensar de uma maneira objetiva. O homem tinha um carro maior e mais rápido. E o caçador sempre leva uma vantagem sobre a caça. A rua era estreita e não deixava muito espaço para manobrar. Não havia outra coisa a fazer que não continuar a descer.

Ele se aproximou de novo. Emma podia ver os contornos escuros do carro, mais e mais perto, como uma aranha que avança para sua vítima presa na teia. Ela balançou a cabeça, compreendendo que a qualquer momento o homem bateria de novo em seu carro, empurrando-o para o precipício.

Em desespero, ela deu uma guinada brusca para a esquerda, surpreendendo-o ao tomar a ofensiva. Proporcionou-lhe um instante, não mais do que isso. Mas, mesmo enquanto ele se aproximava mais uma vez, Emma avistou o brilho dos faróis na direção contrária.

Com uma oração, ela decidiu aproveitar a última chance. Acelerou. O carro em sentido oposto desviou-se, freando, com um rangido estridente, a buzina tocando. Ela viu o carro por trás se desviar para a direita, numa velocidade perigosa.

Por um instante ela se descobriu sozinha, contornando a próxima curva. E depois ouviu a batida. Misturou-se com seus próprios gritos, enquanto continuava a descer pela ladeira sinuosa para as luzes de Los Angeles.

McCarthy tinha razão. Não apenas Michael se sentia melhor depois de um jantar e de uma pausa de uma hora, mas também pensava com clareza. Como um policial de segunda geração, podia usar não apenas os seus próprios contatos, mas também os contatos do pai. Assim, ele ligou para o companheiro de pôquer de Lou que trabalhava no Serviço de Imigração, falou com um contato próprio no Departamento de Trânsito, usou o nome do pai com o FBI e o seu com o inspetor Carlson, em Londres.

Ninguém ficou muito satisfeito em receber uma ligação depois do expediente, mas o jantar descontraído tornou mais fácil para Michael usar todo o seu charme.

— Sei que é irregular, inspetor, e lamento muito incomodá-lo... oh, Deus, esqueci por completo a diferença de fusos horários! Lamento profundamente. Mas preciso de mais informações, os antecedentes de uma pessoa. Robert Blackpool. Isso mesmo, esse Blackpool. Quero saber quem ele era antes de 1970, Inspetor. Depois disso, é bem provável que eu consiga ligar os pontos.

Michael fez uma anotação mental de ligar para Pete Page, enquanto acrescentava:

— Tudo o que puder descobrir. Não sei se já tenho alguma coisa, mas você será o primeiro...

Ele parou de falar quando viu Emma entrar correndo, os olhos vidrados, um filete de sangue na têmpora.

— Por favor, ajude-me — balbuciou ela, arriando na cadeira na frente da mesa. — Alguém está tentando me matar.

Michael interrompeu a ligação com o inspetor Carlson sem dizer nada.

— O que aconteceu?

Ele já estava ao lado de Emma, pegando seu rosto entre as mãos.

— Numa ladeira... nas colinas... um carro... tentou me jogar no precipício.

— Você se machucou?

Frenético, Michael começou a procurar por ossos quebrados. Emma ouvia vozes. As pessoas se agrupavam ao seu redor. Um telefone tocava e tocava. Ela viu as luzes começaram a girar. O mesmo aconteceu com a sala. E ela escorregou da cadeira.

Havia um pano úmido em sua testa. Ela gemeu, estendendo a mão para o pano, enquanto abria os olhos.

— Você está bem — murmurou Michael. — Apenas desmaiou por um momento. Beba isto. É só água.

Ela tomou um gole, a cabeça apoiada no braço que a amparava. Podia sentir o cheiro de Michael... o sabonete, o suor. Estava segura de novo. Sã e salva.

— Quero sentar.

— Está bem. Mas vá devagar.

Emma olhou ao redor, esperando para recuperar todo o controle. Estava numa sala... a sala do pai de Michael, ela pensou. Vira-a quando estivera ali no início da semana, querendo saber onde Michael trabalhava. Era uma sala muito simples. Carpete bege, paredes de vidro. As persianas estavam fechadas. A mesa era arrumada. Havia uma foto da esposa em cima. Ao levantar os olhos, Emma avistou outro homem, magro e careca.

— Sinto muito. Você é o parceiro de Michael.

— McCarthy.

— Conheci-o há poucos dias.

Ele acenou com a cabeça. Ela podia ter sofrido uma concussão, mas estava lúcida.

— Emma... — Michael tocou em seu rosto para fazer com que ela o fitasse. — Conte o que aconteceu.

— Pensei que estava imaginando.

— O quê?

— Que alguém me seguia. Pode me dar mais água?

— Claro. — Porque as mãos de Emma tremiam, ele as envolveu com as suas, enquanto ela pegava o copo. — Quem a seguia?

— Não sei. Antes de deixar Londres, eu... talvez fosse minha imaginação.

— Conte tudo.

— Pensei que alguém me seguia.

Emma olhou para McCarthy, esperando ver a dúvida ou uma expressão divertida. Mas ele apenas sentava na beira da mesa do capitão, prestando toda atenção.

— Quase tive certeza. Depois de tantos anos com seguranças, você passa a saber. Não dá para explicar.

— Não precisa explicar — declarou Michael. — Continue.

Emma fitou-o. Teve vontade de chorar, porque ele falava sério. Nunca teria de explicar para ele.

— E quando estava em Nova York, vi alguém observando o loft. Fiquei convencida de que o Da contratara alguém para me proteger. Mas, quando perguntei, ele disse que não. Por isso, concluí que me enganara. E, na primeira noite de minha volta a Los Angeles, alguém me seguiu até em casa quando deixei o supermercado.

— Nunca me disse isso.

— Eu ia contar, mas... — a voz definhou. — Você estava transtornado quando chegou em casa. E, depois, mais ou menos esqueci. Não gostava de pensar que estava enlouquecendo. Tinha a impressão de que alguém entrava na casa quando eu saía. E passei a ouvir ruídos estranhos ao telefone. Como se estivesse grampeado.

Ela fechou os olhos, antes de murmurar:

— Um típico comportamento paranóico.

— Não diga bobagem, Emma.

Ela quase sorriu. Michael nunca a deixava sentir pena de si mesma por muito tempo.

— Não posso provar que tinha qualquer relação com o que aconteceu esta noite, mas é essa a minha impressão.

— Pode falar a respeito agora?

Ele lhe dera tempo suficiente. As mãos de Emma haviam se tornado mais firmes, os olhos não estavam mais vidrados.

— Posso.

Ela respirou fundo, e depois relatou tudo o que podia lembrar sobre o incidente.

— Continuei a descer — concluiu ela. — Não sei se alguém saiu ferido. Aquele outro carro... nem sequer pensei a respeito até chegar aqui.

— Fez o que devia. — Michael olhou para o parceiro. — Verifique como está o carro dela. Emma, pôde ver o motorista direito?

— Não.

— E o carro?

— Notei algumas coisas. — Calma de novo, ela acenou com a cabeça. — Fiz um esforço para olhar e registrar o máximo de detalhes. Era um carro escuro... azul-marinho ou preto, não tenho certeza. Não conheço muito as marcas e modelos, mas era um carro grande. Não um carro pequeno como o meu. Podia ser... um Cadillac, acho, ou um Lincoln. Tinha placa de Los Angeles. MBE... acho que eram as letras. Mas não pude ver os números por causa da neblina.

— Saiu-se muito bem. — Ele beijou-a. — Pedirei a alguém para levá-la ao hospital.

— Não preciso de hospital.

Michael estendeu um dedo para sua têmpora.

— Tem um calombo enorme na cabeça.

— Nem mesmo senti. — Embora pudesse senti-lo agora, com mais intensidade do que gostaria, ela insistiu: — Mas não irei para o hospital, Michael. Já passei tempo suficiente em um hospital pela vida inteira.

— Está bem. Mandarei alguém levá-la em casa e ficar lá de vigia.

— Você não pode ir?

— Tenho de investigar o que aconteceu.

Ele levantou os olhos quando McCarthy voltou.

— Deve ser uma tremenda motorista, Srta. McAvoy.

— Emma... e estava apavorada demais para guiar mal.

— Mike, preciso de você por um momento.

— Fique sentada aqui, Emma. Não vou demorar.

Michael levantou-se. Sabia o que significava a expressão no rosto do parceiro. Ele saiu da sala e fechou a porta.

— O que aconteceu?

— Não sei como ela conseguiu escapar inteira. Parece o carro que tirou o terceiro lugar no Derby da Demolição.

Ele pôs a mão no braço de Michael. Achava que o parceiro ainda não estava preparado para verificar pessoalmente.

— Pedi a um colega para verificar nos hospitais antes de sair para ver o carro. Acabam de receber um ferido. Acidente de carro nas colinas. O cara dirigia um Cadillac novo. Blackpool.

Enquanto observava os olhos de Michael se contraírem, McCarthy acrescentou:

— Ele está em coma.

Capítulo Quarenta e Quatro

— Tem certeza que quer fazer isso?

Johnno estudou Emma cuidadosamente quando ela desceu a escada.

— Acha que não estou em condições?

Ela fez um giro lento de modelo. O vestido azul-escuro deixava os ombros à mostra, o decote por trás descendo até quase a cintura, antes de deslizar pelo corpo, faiscando com dezenas de contas de cristal.

Os cabelos estavam levantados, em ondas pequenas e intrincadas, presos com duas travessas reluzentes. Na lapela do casaco prateado estava pregado o broche da fênix, presente de Johnno.

— É melhor eu não comentar sua aparência. — Mesmo assim, ele se adiantou para passar um dedo pela equimose na têmpora, que ela camuflara com maquilagem. — Você passou por momentos difíceis há poucos dias.

— Mas já acabou.

Emma foi até a mesa para lhe servir um copo de vinho. Depois de um momento de hesitação, serviu também para si mesma.

— Blackpool não pode me fazer mal em um leito de hospital. — Ela entregou o copo a Johnno. — Sei que Michael acredita que ele estava envolvido com o assassinato de Darren, e não excluo a possibilidade... mas até ele sair do coma... se é que vai sair... não teremos certeza. Tentei situá-lo no quarto de Darren naquela noite, mas não consigo me lembrar.

— Havia mais alguém ali — lembrou Johnno.

— Não é por isso que tenho o acompanhante mais quente da cidade na cerimônia de entrega dos prêmios?

Ele sorriu por cima do copo.

— Duvido que eu compense a ausência de Michael.

Emma largou seu copo depois de tomar apenas um gole e pegou a bolsa.

— Você não precisa compensar ninguém, e Michael estará presente, se puder. Pronto?

— Como sempre estarei.

Johnno ofereceu o braço, num gesto formal, e levou-a para a limusine à espera.

— Não me venha com essa pose de tímido e retraído. Não se esqueça que eu sei que ninguém ama os refletores mais do que você.

Era verdade. Johnno recostou-se no banco macio, aspirando satisfeito o cheiro de couro e flores. Mas ele estava preocupado.

— Pensei que conhecia o filho-da-puta — murmurou ele, meio para si mesmo. Não gostava dele, mas achava que o conhecia. Um tremendo canalha... e ajudei-o com seu primeiro sucesso.

— É absurdo se censurar por isso agora.

— Se ele teve alguma coisa a ver com Darren... — Com um balanço de cabeça, Johnno pegou um cigarro. — Isso deve manter alta a circulação dos tablóides sensacionalistas por vários anos.

— Vamos sobreviver. — Emma estendeu a mão sobre a dele. — Seja como for, tudo vai acabar vazando. Jane teve uma participação, assim como Blackpool. Teremos de aprender a conviver com isso.

— Mas é duro para Bri. Como se tivesse de passar por tudo pela segunda vez.

— Ele está mais forte agora. — Emma apalpou o broche na lapela do casaco. — Creio que todos nós estamos.

Johnno levou a mão dela aos seus lábios.

— Quer saber de uma coisa? Se você largasse Michael, eu poderia considerar a mudança... de estilo.

Ela riu. Atendeu o telefone no instante em que começou a tocar.

— Oi, Michael.

Johnno recostou-se, observando o sorriso se espalhar.

— Isso mesmo. Acabei de receber um pedido de casamento de um homem incrivelmente atraente. Não, Johnno. — Ela pôs a mão sobre o fone. — Michael quer que você saiba que tem amigos no Departamento de Trânsito e pode transformar sua vida num inferno.

— Passarei a andar de ônibus.

— Claro, devemos chegar no teatro às quatro horas. A cerimônia já começou.

— Lamento não poder comparecer. — Michael olhou pelo corredor do hospital na direção da UTI. — Se a situação aqui mudar, irei me encontrar com você.

— Não se preocupe com isso.

— É fácil para você dizer. Estou perdendo a chance de andar de limusine e confraternizar com os ricos e famosos. Se casasse comigo, eu poderia fazer isso uma vez por semana.

— Está bem.

Ele avistou um médico se aproximando pelo corredor.

— Está bem o quê?

— Casarei com você.

Michael passou a mão pelos cabelos e transferiu o fone para o outro ouvido.

— Como?

Emma deu um sorriso tolo para Johnno e apertou sua mão.

— Temos algum problema de ligação?

— Não, mas... Oh, merda! Espere um instante. — Ele pôs a mão sobre o fone para escutar o médico. — Tenho de desligar agora, Emma. Ele está saindo do coma. Não se esqueça de onde paramos, está bem?

— Não esquecerei.

Ela desligou no momento em que Johnno tirava a rolha da garrafa de champanhe.

— Serei convidado desta vez?

— Hem? Claro que sim. — Um pouco atordoada, Emma olhou para o copo que Johnno lhe entregara. — Foi tão fácil...

— Deve ser sempre fácil quando é certo. — Sentindo-se também um pouco emocionado, Johnno bateu os copos. — Ele é o homem mais afortunado que conheço.

— Podemos fazer com que dê certo. — Ela tomou um gole, deixando a champanhe explodir em sua língua. — E faremos com que dê certo.

Sonhadora, ela recostou-se, sem pensar em Blackpool.

MAS MICHAEL PENSAVA NELE. PAROU AO PÉ DA CAMA, avaliando o homem que tentara matar Emma. Ele não saíra muito bem do acidente. Tinha o rosto todo arrebentado. Se conseguisse sobreviver, teria de fazer várias cirurgias de reconstrução. E as possibilidades de sobrevivência não pareciam nada boas com todas as lesões internas que sofrera no acidente.

Michael não se importava nem um pouco se ele ia viver ou morrer. Queria apenas cinco minutos.

Tinha o relatório dos antecedentes de Blackpool. Ainda não era completo, mas já dizia o suficiente. O homem aflorando à consciência na UTI nascera como Terrance Peters. Quando jovem, fora detido várias vezes, por pequenos furtos, vandalismo, posse de drogas. Passara para assalto com uso de força, especialmente contra mulheres, tráfico de drogas e apropriação indébita, antes de mudar de nome e tentar se tornar cantor em casas noturnas. Deixara que

Londres o absorvesse. Embora suspeito de inúmeros assaltos, sempre conseguira escapar impune.

Sua sorte mudara quando se ligara a Jane Palmer.

Para pior, como se confirmara mais tarde, pensou Michael. Demorou vinte anos, seu filho-da-puta, mas você recebeu o que merecia.

— Ele não está em condições de falar — declarou o médico —, seu estado ainda não estabilizou.

— Serei breve.

— Não posso deixá-lo a sós com ele.

— Melhor assim. Sempre podemos aproveitar uma testemunha.

Michael foi para o lado da cama.

— Blackpool. — Ele observou as pálpebras se mexerem, ficarem quietas, se mexerem de novo. — Blackpool, quero falar com você sobre Darren McAvoy.

Blackpool abriu os olhos. A visão era desfocada, a cabeça latejava.

— Você é da polícia?

— Isso mesmo.

— Vá se foder. Estou sentindo dor.

— Mandarei um cartão desejando melhoras. A batida não foi brincadeira. Seu estado é grave.

— Quero um médico.

— Sou o Dr. West, Sr. Blackpool. Está...

— Mande esse filho-da-puta sair daqui.

Michael ignorou-o. Inclinou-se para mais perto.

— É um bom momento para limpar sua consciência.

— Não tenho nenhuma. — Ele tentou rir, e acabou engasgando.

— Então talvez queira dar ao outro cara o que ele merece. Sabemos sobre você, como fez tudo errado no seqüestro do menino.

— Ela se lembrou.

Como Michael não respondesse, ele fechou os olhos. Mesmo através da dor, podia sentir o ódio e a fúria.

— Era de esperar que a sacana se lembrasse de mim e não dele. Deveria ser um trabalho fácil, ele garantiu. Levar o menino e depois receber o resgate. Ele nem queria o dinheiro. Depois, quando deu a maior cagada, ele simplesmente caiu fora. Mandou que eu cuidasse de tudo. Como aquele cara na cozinha pedindo pizzas. Eu só precisava liquidar o cara, ficar de bico fechado, e teria tudo o que queria.

— Quem era? — perguntou Michael. — Quem estava com você?

— Ele acabou me dando dez mil libras. Nem chegava perto do milhão que pediríamos pelo menino, mas era um bom dinheiro. Só para ficar de boca fechada e deixá-lo cuidar do resto. O menino havia morrido, e a garota não se lembrava. Traumatizada, ele disse. A pequena Emma estava traumatizada demais para se lembrar. Ninguém jamais saberia, ele providenciaria para que eu entrasse nas paradas. Com a ajuda de McAvoy.

Ele riu de novo, a respiração cada vez mais difícil.

— Terá de se retirar agora, detetive.

Michael ignorou o médico.

— O nome. Dê-me o nome. Quem armou tudo.

Blackpool tornou a abrir os olhos. Estavam vermelhos e turvos, mas ainda assim a maldade era inconfundível.

— Vá para o inferno.

— Você vai morrer por isso — disse Michael, rangendo os dentes. — Ou aqui, nesta cama, ou enchendo os pulmões com o gás letal depois do julgamento. De qualquer forma, você vai morrer. Pode ir sozinho ou levá-lo com você.

— Você vai pegá-lo?

— Pessoalmente.

Com um sorriso, Blackpool fechou os olhos de novo.

— Era Page... Pete Page. Diga a ele que nos encontraremos no inferno.

EMMA OBSERVOU A INSTALAÇÃO DAS PORTAS DE VAIVÉM NO fundo do palco. Dentro de poucas horas, ela pensou, passaria pela porta da direita e iria até o microfone. Ela confessou para Bev:

— Estou nervosa. Sei que é um absurdo, já que tudo o que tenho de fazer é entrar no palco, ler os cartões e entregar os prêmios.

— Espero que seu pai e Johnno ganhem. Vamos para o camarim. Eles estão ocupados demais para usá-lo.

— Não quer ficar lá na frente? — Emma olhou para o relógio. — Faltam dez minutos para começar.

— Podemos esperar mais um pouco. Ei, lá está Annabelle.

Emma arrependeu-se de não ter trazido a câmera. Era uma cena memorável, Lady Annabelle num vestido de seda rosa *shocking*, cheio de lantejoulas, trocando a fralda do filho.

— Não se preocupem. Ele está quase decente. — Ela pegou no colo o pequeno Samuel Ferguson. — Só viemos até aqui para uma mamada e para trocar a fralda. Não podia deixá-lo com a babá. Achei que não seria justo que ele perdesse a grande noite do pai.

Emma observou os olhos sonolentos do bebê.

— Acho que ele não vai conseguir ficar acordado.

— Basta uma pequena cochilada. — Ela tornou a apertar o menino no ombro para depois deitá-lo no sofá. — Vocês se importam de ficar tomando conta dele por alguns minutos? Preciso falar com P.M.

— Claro que não nos importamos — murmurou Bev, inclinando-se para acariciar a cabeça do bebê.

— Não vou demorar mais do que dez minutos. — Annabelle hesitou na porta. — Tem certeza de que não é problema? Se ele acordar...

— Vamos distraí-lo — prometeu Bev.

Depois de um último olhar, Annabelle saiu e fechou a porta.

— Quem poderia imaginar que a desmiolada Lady Annabelle seria uma mãe devotada? — indagou Emma.

— Os bebês mudam as pessoas. — Bev sentou no braço da poltrona, observando Samuel dormir. — Eu estava querendo conversar com você a sós.

Numa reação automática, Emma levou a mão à equimose na têmpora.

— Não há nada com que se preocupar.

Notando o gesto, Bev balançou a cabeça.

— Eu também queria falar sobre isso. Mas é outra coisa. Não sei como você vai se sentir. — Uma respiração profunda e ela concluiu, às pressas: — Brian e eu vamos ter outro bebê.

Emma ficou aturdida. Os lábios se entreabriram em surpresa.

— Um bebê?

— Sei de tudo. Também foi uma surpresa para nós, embora estivéssemos tentando. — Bev passou a mão pelos cabelos. — Depois de tanto tempo... acho que é uma loucura. Afinal, já tenho quarenta e dois anos.

— Um bebê... — repetiu Emma.

— Não é para substituir Darren. Nada poderia. E também não é porque não a amamos tanto quanto se pode amar uma filha, mas...

— Um bebê!

Com uma risada, Emma levantou Bev e abraçou-a.

— Não pode imaginar como estou contente. Feliz por vocês. Por mim. Por todos nós. Quando?

— Quase no final do verão. — Ela deu um passo para trás, a fim de estudar o rosto de Emma. E o que viu ali trouxe lágrimas a seus olhos. — Receamos que você pudesse ficar transtornada.

— Transtornada? — Emma passou o dorso da mão por seu rosto. — Por que eu ficaria transtornada?

— Traz recordações. Brian e eu tivemos de lidar com as nossas. Não pensava que poderia querer outro filho, mas... Emma, quero demais essa criança, por mim, por Bri. Mas... sei o quanto você amava Darren.

— Todos o amávamos. — Como fizera há mais de vinte anos, ela pôs a mão na barriga de Emma. — E já amo esta criança aqui. Ele vai ser lindo, forte... e terá uma vida segura.

As luzes se apagaram no instante em que ela acabou de falar. O medo aflorou, fazendo-a procurar a mão de Bev.

— Está tudo bem — murmurou Bev. — Vão consertar num minuto. E eu estou bem aqui.

— Não se preocupe comigo. — Ela superaria aquilo também, disse Emma a si mesma. Aquele terrível e inadmissível medo do escuro. — Talvez sejam apenas as luzes nos bastidores. Vou saber o que está acontecendo.

— Irei com você.

— Não.

Emma deu um passo na direção da porta. Mal podia ver os contornos. Apenas uma sombra no escuro. Um sussurro provocou um sobressalto. O bebê estava se mexendo, ela disse a si mesma, enquanto sentia a boca ressequida. Não havia monstros, e ela não tinha medo do escuro.

Ela encontrou a maçaneta. Podia se ver abrindo a porta. Abrindo e olhando. Em vez de alívio, no entanto, foi dominada por um medo profundo e irracional. O bebê estava chorando. Atordoada, Emma tentou determinar se era o sofá ou o bebê em sua mente.

Numa reação instintiva, ela retirou a mão. Não podia ver. Não queria ver. Dentro de sua cabeça, o eco do coração batia como um ritmo musical. Uma canção antiga... a canção que ela não podia esquecer.

Não era um sonho, Emma lembrou a si mesma. Estava plenamente desperta. E esperara a maior parte de sua vida para descobrir o que havia no outro lado da porta.

Com os dedos rígidos, ela abriu a porta, na realidade e em sua mente. E soube então.

— Oh, meu Deus!

— Emma... — Com o bebê no ombro, Bev aproximou-se. — O que aconteceu?

— Era Pete.

— Como? Pete está lá fora?

— Ele estava no quarto de Darren.

Os dedos de Bev apertaram o braço de Emma.

— O que está dizendo?

— Ele estava no quarto de Darren naquela noite. Quando abri a porta, Pete virou-se e olhou para mim. Outro homem segurava Darren, fazendo-o chorar. Eu não o conhecia. Pete sorriu para mim, mas estava furioso. Fugi. O bebê estava chorando.

— É Samuel — murmurou Bev. — Não é Darren, Emma. Sente aqui.

— Era Pete. — Com um gemido, ela comprimiu as mãos contra o rosto. — Eu o vi.

— Esperava que você não lembrasse.

Quando abaixou as mãos, Emma viu-o parado na porta. Segurava uma lanterna. E tinha uma arma na outra mão.

Bev olhou para a sombra do homem na porta, apertando o bebê no colo.

— Não entendo mais nada. O que está acontecendo?

— Emma está muito nervosa — murmurou Pete. — É melhor você vir comigo, Emma.

Não de novo, disse Emma a si mesma. Não aconteceria outra vez. Antes mesmo de pensar, ela jogou-se contra Pete. A lanterna caiu de sua mão, o facho de luz projetando-se em arcos pelas paredes e teto.

— Fuja! — gritou Emma para Bev, enquanto tentava se levantar. — Leve o bebê e corra. Chame alguém. Ele vai matá-lo.

Ela continuou a gritar, chutando, enquanto Pete tentava agarrá-la.

— Não deixe que ele mate outro bebê. Chame o Da.

Com o bebê chorando, Bev correu para a confusão no palco.

— É tarde demais — disse Emma, quando Pete a levantou. — Eles vão pegá-lo. Estarão aqui a qualquer segundo.

Os refletores já começavam a iluminar o palco. Ouviam-se gritos e pessoas correndo. Desesperado, Pete empurrou-a para a frente. Emma parou de se debater quando sentiu o cano da arma por baixo do queixo.

— Eles sabem que é você.

— Ela não me viu — murmurou Pete. — Estava escuro. Ela não pode ter certeza.

Ele tinha de acreditar nisso. Tinha de acreditar... ou tudo estaria acabado.

— Ela sabe. — Emma estremeceu quando ele arrastou-a por um lance de escadas. — Todos sabem agora. E estão vindo. Acabou.

Não, não podia ser. Ele trabalhara muito, planejara com todo cuidado.

— Eu digo quando estiver acabado. Sei o que fazer. Posso dar um jeito.

Estavam agora por cima e por trás do palco. Lá embaixo, Emma podia ver as luzes e a confusão. Ele agarrou-a pelos cabelos, enrolando uma mecha em seu pulso.

— Se gritar, atiro em você.

Ele precisava pensar. Atordoado, continuou a arrastá-la. Emma cambaleou. Quando Pete a puxou, ela arrancou o broche do casaco e largou-o no chão. Ele aproveitou a oportunidade e empurrou-a para um elevador de carga. Era o tempo de que precisava para pensar.

Tudo deveria ser muito fácil. No escuro, enquanto todos estavam confusos, ele poderia alcançá-la sem a menor dificuldade. Ainda tinha no bolso as pílulas que planejava obrigá-la a engolir. Tudo seria fácil e tranqüilo.

Mas nada saíra fácil.

Como na primeira vez.

— Por quê? — Dominada pela vertigem, Emma arriou no chão. — Por que fez aquilo com Darren?

O suor escorria por todo o corpo de Pete, encharcando a camisa engomada de linho.

— Ele não deveria sair machucado. Ninguém deveria. Era apenas um golpe de publicidade.

Emma sacudiu a cabeça para clareá-la.

— Como?

— Sua mãe me deu a idéia.

Pete fitou-a. Duvidava que ela pudesse lhe dar qualquer problema. Estava branca como um lençol. Sempre tivera problemas com aviões e elevadores. Com altura. Ele olhou para os botões no painel. Por que não pensara nisso antes?

O número inicial devia estar começando. O show tinha de continuar, ele pensou. A ilusão era a ordem do dia. Enquanto milhões de pessoas no país assistiam à indústria fonográfica se ufanar, uns poucos guardas confusos estariam procurando Emma nos bastidores. Aqui em cima, ele tinha tempo de pensar. E de planejar.

Ela sentiu o elevador estremecer e parar.

— Do que está falando?

— Jane... ela estava sempre pressionando por mais dinheiro, ameaçando procurar a imprensa com uma história ou outra. Deixou-me preocupado a princípio, até que compreendi que a publicidade a seu respeito resultaria em vendas recordes.

Pete puxou-a. Ela estava flácida de náusea, pegajosa com o suor frio. Tanto melhor. Com o braço em torno de seu pescoço, ele arrastou-a por mais um lance de escada.

Ela tinha de fazê-lo falar. Por isso, fez um esforço para controlar a náusea e o medo. Bev escapara ilesa com o bebê. Alguém viria à sua procura.

Pete não se preocupava que ela gritasse agora. Poderia berrar o quanto quisesse que ninguém a ouviria. Ele abriu uma porta e empurrou-a para o telhado. O vento soprou no rosto de Emma, desmanchando-lhe os cabelos. E desanuviando a cabeça.

— Estávamos falando sobre Darren.

Ela fitava-o nos olhos enquanto recuava. O sol ainda brilhava. Uma parte da mente de Emma especulou como podia ser dia claro quando passara tanto tempo no escuro.

— Preciso saber por quê... — Emma recuou até o muro baixo, Teve um princípio de vertigem quando olhou para baixo. Rangendo os dentes, tornou a fitar Pete. — Explique por que estava no quarto de Darren.

Pete podia ser indulgente com ela. E com ele próprio. Quase perdera o controle por um momento, mas podia sentir que se acalmava agora. Encontraria uma saída.

— Tudo correu bem durante algum tempo. Depois, as coisas começaram a se deteriorar. Havia problemas internos no grupo. Era preciso alguma coisa para sacudi-los. Jane foi me procurar, com Blackpool. Queria que eu o transformasse num astro... um astro maior do que Brian. E ela queria uma participação. Estava de porre.

Ele fez uma pausa, acenando com a mão.

— Ela me ofereceu uma solução. Planejamos seqüestrar Darren. A imprensa daria a maior cobertura. Muita simpatia. Muitas vendas. A banda voltaria a ser unida. Blackpool e Jane poderiam ficar com o dinheiro e todos seriam felizes.

Emma não estava mais preocupada com a altura, nem com a arma. Com o vento desmanchando os cabelos e o sol mergulhando no horizonte por trás dela, ela fitou-o nos olhos.

— Está me dizendo que meu irmão foi assassinado para vender discos?

— Foi um acidente. Blackpool era desajeitado. Você apareceu de repente. E isso desencadeou um lamentável conjunto de circunstâncias.

— Um lamentável conjunto...

Emma gritou nesse momento, um grito alto e prolongado, enquanto o atacava.

Capítulo Quarenta e Cinco

Os bastidores estavam no caos quando Michael entrou correndo. Na audiência, soaram aplausos, quando outro vencedor foi anunciado.

— Onde ela está?

— Ele a levou. — Bev segurava o braço de Brian. Ainda estava sem fôlego da corrida com o bebê. — Ele estava armado. Emma o atacou, para que eu pudesse fugir com o bebê e pedir ajuda. Pete... era Pete.

— Não se passaram mais do que uns poucos minutos — informou Brian. — O pessoal da segurança já está atrás dele.

— Mande cercar o prédio — gritou Michael para McCarthy. — Peça mais apoio. Precisamos dar uma busca andar por andar. Para que lado eles foram?

Michael sacou a arma e seguiu pelo corredor. Mostrou o distintivo a um guarda de uniforme.

— Este andar está limpo. Ele não foi para o palco, com ou sem ela. Acho que subiram.

— Quero dois homens.

Michael começou a subir a escada. Podia ouvir a música por trás. À medida que subia, o som parecia abafado e ressonante. Suas palmas estavam suadas. Ao chegar na primeira volta, ele apertou a arma, respirou fundo e virou-a. Não havia ninguém ali. Foi nesse instante que ouviu um barulho por trás, na escada. Virou-se e praguejou quando viu os quatro homens.

— Podem descer.

— Ela também é nossa — declarou Brian.

— Não tenho tempo para discutir.

Michael abaixou-se para pegar o broche da fênix, com um pedaço de tecido prateado no fecho.

— Isto é de Emma?

— Ela estava usando esta noite — informou Johnno. — Foi um presente meu.

Michael olhou para o elevador, depois guardou o broche no bolso.

— Ela está usando a cabeça — murmurou ele antes de se virar para os guardas e acrescentar: — Isolem esta área. E continuem a busca andar por andar.

Ele apertou o botão do elevador e observou os números acenderem por cima da porta.

— Avisem a McCarthy que tudo indica que ele a levou para o telhado.

Enquanto ouvia o barulho do elevador, Michael começou a rezar.

— Vamos com você — anunciou Brian.

— Isso é assunto da polícia.

— É pessoal — corrigiu Brian. — Sempre foi pessoal. Se Pete machucá-la, eu mesmo vou matá-lo.

Michael lançou um olhar sombrio para os quatro homens.

— Terão de entrar na fila.

* * *

PETE EMPURROU EMMA QUANDO ELA O ATACOU, DERRUbando-a no chão, enquanto ainda tentava recuperar o fôlego.

— Isso não vai adiantar nada. Não quero machucá-la mais do que preciso, Emma.

— Ele era um bebê. — Emma levantou-se. — Você deu-lhe uma taça de prata com o nome gravado quando ele nasceu. E alugou um pônei em sua primeira festa de aniversário.

— Eu gostava dele.

— Você o assassinou. — Não encostei a mão em Darren. Blackpool é que foi muito rude, entrou em pânico. Jamais tive a intenção de machucar aquele menino.

Emma afastou do rosto os cabelos agitados pelo vento.

— Você queria usá-lo... usar Darren e o medo e o desespero de meu pai para um golpe de publicidade. Posso imaginar tudo... "Filho de Brian McAvoy roubado do berço. Astro do rock paga o resgate de um rei pela devolução do filho amado são e salvo." Era o que você pensava, não é mesmo? Muitas fotos nos jornais, muitas reportagens na televisão. Repórteres acampados na frente da casa, à espera de uma declaração dos pais apavorados. E mais publicidade ainda quando o bebê fosse devolvido aos braços afetuosos do pai e da mãe. Só que isso nunca aconteceu, não é mesmo?

— O que aconteceu foi trágico...

— Não me fale em tragédia.

Angustiada demais para ter medo, Emma virou-se. Sabia que a arma estava apontada para ela. Mas isso parecia não ter a menor importância. Conseguira se lembrar, depois de tantos anos, e isso deixava-a vazia. Mas pior, muito pior, era saber que ocorrera por nada.

— Você esteve no funeral com todo mundo, de olhos baixos, rosto solene. E durante todo o tempo sabia que conseguira o que queria. Um menino teve de morrer, infelizmente, mas você obteve toda a cobertura de imprensa que queria, não é mesmo? — Emma virou-se. — E vendeu os malditos discos.

— Devotei a eles quase a metade da minha vida. — Pete respirou fundo para se acalmar. — Estimulei e moldei, fiz acordos, escutei seus problemas. E tratei de resolvê-los. Quem você pensa que deu um jeito de que eles recebessem tudo o que conquistaram? Quem providenciou para que as gravadoras não os enganassem na hora de negociar os *royalties*? Quem brigou para que eles pudessem chegar ao topo?

Emma deu um passo à frente. Havia suficiente necessidade de sobrevivência para parar quando Pete movimentou a arma.

— Acha mesmo que eles precisavam de você? — indagou ela, sarcástica. — Acredita de fato que você teve alguma importância?

— Eu os fiz.

— Não. Eles fizeram você.

Sem dizer nada, ele enfiou a mão no bolso.

— Seja como for, até mesmo o que acontecer esta noite vai aumentar a lenda. Brian e Johnno são os favoritos para a Canção do Ano. Com um pouco de sorte, o grupo pode ganhar mais dois prêmios, de Melhor Desempenho de Rock e Melhor Álbum. Achei que seria um bom toque se você entregasse o prêmio. A filha de Brian, a trágica viúva de Drew Latimer. Tragédias vendem.

Pete deu de ombros.

— E teremos mais uma esta noite. — Ele estendeu as pílulas. — Tome isto. Tornará tudo mais fácil.

Ela olhou para as pílulas e depois para o rosto de Pete.

— Não quero tornar nada mais fácil.

— Como quiser. — Ele tornou a guardar as pílulas no bolso. — É uma longa queda, Emma.

Ele agarrou-a, puxando-a para junto do seu corpo, na beira do telhado.

— Quando bater lá embaixo, eu já estarei descendo. — Ele definira tudo, calmo e preciso. — Fui verificar se você estava bem quando as luzes se apagaram. Mas ficou histérica. Segui-a até aqui em cima, preocupado. Mas você estava desvairada, e cheguei tarde demais para salvá-la. Mesmo depois de tantos anos, você ainda se culpava pela morte de seu irmão. Finalmente, não pôde mais viver com o sentimento de culpa.

Pete forçou-a a se virar para o espaço vazio. Uma das travessas de seu cabelo se desprendeu e caiu para a rua.

— Ninguém mais sabe além de você. E ninguém jamais saberá.

Emma tornou a atacá-lo, lutando para se afastar da beira. Seu ímpeto deixou-o desequilibrado e ela conseguiu se desvencilhar por um momento. Depois, Pete passou o braço por sua cintura e começou a levantá-la.

Os pés de Emma deixaram o chão, ela oscilou e jogou todo o seu peso contra Pete. Gritando, ela viu que o céu e o chão estavam girando.

Michael passou pela porta, correndo. Soltou um grito, mas Pete e Emma, empenhados numa luta de vida e morte, não ouviram. Ele viu Pete levantar sua arma e atirou primeiro.

Emma bateu com toda força na parede, na altura da cintura, e ficou sem fôlego. Mãos agarravam-na, puxando-a, até que metade de seu corpo inclinava-se pela beira do telhado. Atordoada, ela viu o rosto de Pete por baixo do seu, os olhos arregalados e apavorados. Os dedos no pulso de Emma escorregaram, até que ele a soltou. E depois ele caiu e caiu. O impulso fez Emma se inclinar em sua direção.

Mãos puxaram-na, afastando-a do parapeito. Seus pés tornaram a perder contato com o chão, mas agora havia braços a envolvê-la, apertando-a, mantendo-a segura e aconchegada. Através do zumbido nos ouvidos, ela ouviu seu nome ser repetido muitas vezes.

— Michael... — Ela não precisava olhar. Abaixou a cabeça para o ombro dele. — Não me largue.

— Não largarei.

— Eu lembrei.

Emma começou a chorar nesse momento. Através das lágrimas, avistou o pai, ao seu lado.

— Da, eu lembrei.

E ela estendeu a mão para Brian.

* * *

EMMA CONTEMPLAVA AS CHAMAS DO FOGO QUE STEVIE acendera na lareira. Ele estava de pé ao seu lado, as mãos nos bolsos, sem dizer nada. Todos haviam voltado para casa com ela, seu pai, P.M. e a família, Johnno. Bev fazia intermináveis bules de chá.

Embora ninguém falasse, ela sentia que o choque passava e a perplexidade aumentava. Havia perguntas que nunca poderiam ser respondidas, equívocos que nunca poderiam ser retificados. Arrependimentos que nunca desapareceriam por completo.

Mas haviam sobrevivido, pensou Emma. As chances eram contra eles, em termos individuais e como um grupo, mas haviam sobrevivido. E até mesmo triunfado.

Ela se levantou e saiu para o terraço, onde Brian estava sozinho, olhando para o mar. Ele sofreria, pensou Emma. Era de sua natureza absorver os problemas no coração e lamentar, quer fossem seus ou do mundo. E depois, de alguma forma, ele converteria tudo em alguma coisa para ser tocada na guitarra ou teclado, com flauta e violino. Ela se aproximou e encostou a cabeça em seu ombro.

— Ele era um de nós — murmurou Brian, depois de um momento. — Estava conosco desde o início.

— Eu sei.

— Quando o vi agarrando você, tive vontade de matá-lo pessoalmente. E agora... — Ele contemplou o reflexo da lua no mar. — Mal posso acreditar em tudo o que aconteceu. Por quê?

Brian virou-se, abraçando a filha.

— Pelo amor de Deus, por que ele fez isso?

Emma aconchegou-se nos braços do pai, ouvindo o murmúrio do mar. Como poderia dizer? Se ele soubesse as razões, nunca mais seria capaz de fazer música.

— Não sei. Podemos perguntar pelo resto da vida, mas isso não mudaria nada. — Ela recuou um pouco. — Da, temos de pôr isso de lado. Não esquecer, mas pôr de lado.

— Um novo começo?

— Oh, Deus, não! — Emma sorriu. — Eu não gostaria de começar tudo de novo. Por nada neste mundo. Finalmente sei onde estou e para onde quero ir. Não tenho de especular. E posso parar de me culpar, porque não fugi desta vez.

— Você nunca foi culpada, Emma.

— Nenhum de nós foi. Vamos entrar.

Ela levou-o para a luz e o calor. No silêncio, foi até a televisão e ligou-a.

— Quero ouvir dizerem seu nome.

Enquanto ela olhava para a televisão, P.M. tocou em seu braço.

— Emma...

Incapaz de encontrar as palavras, ele passou a mão pelo rosto de Emma.

— Aqui vamos nós, companheiros.

Johnno pôs a mão no ombro de Brian, enquanto os indicados para a Canção do Ano eram anunciados. Emma prendeu a respiração. Soltou-a um momento depois, numa risada, quando ouviu os nomes de Brian McAvoy e Johnno Donovan como os ganhadores.

— Meus parabéns. — Ela enlaçou os dois. — Eu gostaria de estar presente para entregar o prêmio.

— No próximo ano — declarou Johnno, beijando-a.

— É uma promessa. E muito importante. — Ela apertou a mão do pai. — Significa alguma coisa. Não deixem que tudo o que aconteceu estrague a vida de vocês... nem a minha.

— Claro que não.

Brian relaxou. Quando sorriu, Emma viu que os olhos faiscavam. Ele passou o braço pelos ombros de Johnno.

— Nada mau para uma dupla de roqueiros envelhecidos.

— Cuidado com os adjetivos, Bri. — Johnno piscou para Emma. — Jagger é mais velho.

Ele alteou uma sobrancelha ao ouvir a batida na porta.

— Ah, o chamado do nosso tira apaixonado!

— Cale a boca, Johnno — protestou Emma, jovialmente.

Ela foi abrir a porta, com Conroy em seus calcanhares.

— Desculpe a demora. — Ele segurou o cachorro pela coleira, para impedi-lo de pular. — Tudo bem?

— Tudo. — Emma se abaixou, as contas do vestido faiscando, para coçar atrás da orelha de Conroy. — Estávamos dando os parabéns. O Da e o Johnno ganharam a Canção do Ano.

— E já estamos de partida.

Bev pegou seu casaco. Nunca vira um homem com tanta ansiedade para ficar a sós com uma mulher quanto Michael naquele momento. Olhando para trás, com a sugestão de que os outros deveriam acompanhá-la, ela acrescentou:

— Há um bule de chá na cozinha.

Antes que Emma pudesse protestar, Bev abraçou-a e murmurou:

— O tempo é precioso demais para ser desperdiçado.

Ela também abraçou Michael.

— Obrigada por tudo. — Bev deu um passo atrás. — Seja bem-vindo ao caos.

Todos saíram, enquanto Conroy, desinteressado, farejava ao redor, antes de ir dormir num canto.

— Eles formam um grupo e tanto — comentou Michael, depois de fechar a porta.

— Tem razão. Não vai se importar de jantar com todo mundo amanhã, não é?

— Claro que não.

Michael não estava nem um pouco preocupado com a noite seguinte. Só aquela noite o interessava. A maneira como Emma parecia, como cheirava, como sorria para ele.

— Venha até aqui.

Ele estendeu os braços. Quando Emma se aninhou, ele descobriu que não podia mais soltá-la. Nas horas transcorridas, pensara que havia se acalmado. Mas agora, abraçando-a, sentiu todo o impacto de novo.

Quase a perdera.

Emma sentiu a raiva se acumulando em Michael.

— Não faça isso — murmurou ela. — Acabou. Não há mais nada.

— Não diga nada. — Ele beijou-a na boca, como se quisesse se convencer de que Emma estava segura e inteira... e lhe pertencia. — Se ele tivesse...

— Não aconteceu. — Ela ergueu as mãos para o rosto de Michael. — Você salvou minha vida.

— Hum, hum... — Michael recuou, enfiando as mãos nos bolsos. — Se você tem de agradecer, pode acabar logo com isso?

Emma inclinou a cabeça.

— Não tivemos muita chance de conversar.

— Lamento não ter podido voltar com você.

— Eu compreendo. E talvez tenha sido melhor assim, porque nos deu tempo para assentar.

— Ainda não fui capaz de fazer isso.

Michael ainda podia vê-la cambaleando na beira do telhado. Querendo bloquear a imagem, ele pôs-se a andar de um lado para outro.

— Como foi seu dia?

— Ótimo. E o seu?

Ele deu de ombros, andando depressa, pegando uma coisa e outra, largando em seguida.

— Emma, sei que deve estar cansada...

— Não estou não.

— E o momento é o pior possível.

— Não é não.

Ela sorriu. Michael virou-se. Era uma linda mulher, com o vestido tremeluzindo, a luz do fogo refletida em seus cabelos, iluminando sua pele.

— Eu amo você. Sempre a amei. Não tivemos muito tempo para deixar as coisas simplesmente acontecerem. Eu gostaria de lhe dizer que estou pronto para lhe dar esse tempo. — Ele pegou uma borboleta de cristal e largou-a em seguida. — Mas não estou.

— Michael, se eu quisesse tempo, daria um jeito de encontrá-lo. — Ela deu um passo em sua direção. — Mas o que eu quero é você.

Depois de respirar fundo, ele tirou uma caixa do bolso.

— Comprei isto há meses. Queria dar no Natal, mas pensei na ocasião que você não aceitaria. Pensei em ser tradicional, um jantar à luz de velas, com música, todo o aparato. — Com uma meia risada, ele virou a caixa. — Acho que é um pouco tarde para começar a ser tradicional.

— Vai me dar?

Com um aceno de cabeça, ele estendeu a caixa.

— Eu gostaria de dizer uma coisa antes de abrir. — Com o maior cuidado, Emma estudou o rosto dele, cada centímetro, cada ângulo. — Se isso tivesse acontecido há cinco ou seis anos, eu não apreciaria o gesto... nem a você... tanto quanto posso fazer esta noite.

As mãos de Emma não estavam firmes. Soltou um suspiro frustrado por demorar a abrir a caixa.

— Oh, Michael, é lindo! — Ela levantou os olhos do anel. — Absolutamente adorável!

— É melhor que seja mesmo. Agora aceite logo para acabar com isso.

Ela reprimiu uma risada.

— É o pedido de casamento mais romântico com que uma mulher poderia sonhar.

— Já pedi muitas vezes.

Ele pegou o rosto de Emma entre as mãos.

— Que tal assim? — O beijo foi suave, gentil e promissor. — Ninguém jamais vai amá-la mais do que eu. Só quero uma vida inteira para provar.

— Assim está bom. — Emma piscou para desanuviar os olhos cheios de lágrimas. — Muito bom.

Ela tirou o anel da caixa. Passou o dedo pelo trio de círculos de diamantes ligados.

— Por que três círculos?

— Um é a sua vida, outro é a minha. — Ele pegou o anel e enfiou-o no dedo de Emma. — E o terceiro é a vida que faremos juntos. Estamos ligados há muito tempo.

Ela balançou a cabeça e estendeu os braços.

— Quero começar esse terceiro círculo, Michael. Imediatamente.